Espagne

Chaque été, l'Espagne
voit se mêler à ses fêtes
et affluer sous son soleil,
sur ses plages, dans ses îles,
autour des monuments
de sa longue période
musulmane
ou de ceux qui témoignent
de son passé de conquérant
du monde,
une vague de touristes
et de visiteurs,
à la fois séduits et troublés
par sa personnalité
hors du commun. Car autour
de l'immense plateau castillan,
symbole d'une unité nationale
toujours contestée,
gravitent en réalité
plusieurs Espagnes,
isolées les unes des autres
non seulement
par des langues diverses
(basque, catalan, galicien),
mais encore
par de hautes cordillères :
hormis la Suisse,
nul pays d'Europe
n'est plus montagneux!
Entre l'Espagne méditerranéenne
(Catalogne, Levant,
Andalousie littorale)
et l'Espagne atlantique,
qui s'étend de la Navarre
au cap Finisterre,
les paysages, les coutumes,
voire les niveaux de vie,
diffèrent profondément.
Et puis, désormais sortie
du sous-développement,
tentant d'effacer de sa mémoire
les heures noires
de la guerre civile,
engagée dans le lent
processus de l'intégration aux
institutions européennes,
l'Espagne, aujourd'hui pleinement
démocratique, n'est pas encore
au bout de sa profonde mutation
— difficile à dominer — qui tend
à substituer un pays moderne à
un pays du XIXᵉ siècle.

Usoz-Ulao

...elune, capitale de la Navarre,
...putée pour ses *Sanfermines*
...de la Saint-Firmin).
...ode le plus original
... l'*encierro*,
...s taureaux de combat
...âchés
dans les rues de la ville.

Entouré de plantations de noisetiers,
le monastère cistercien de Santa María de Poblet,
où furent enterrés les membres de la famille royale d'Aragon
au XIVe et au XVe s.

S. Marmounier

Sioen-Cedri

J. Pierre

Sur le plateau sec et nu de la Manche,
les célèbres moulins que Don Quichotte chargeait la lance au poing
ont été construits sur le modèle nordique lors de la colonisation de la région —
sous le règne de Charles Quint — par des Flamands et des Rhénans.

Sur l'île de Lanzarote, aux Canaries,
malgré la sécheresse, les paysans ont réussi, à force de patience et de labeur,
à rendre féconde une terre qui fut ravagée au XVIIIe s.
par les éruptions volcaniques.

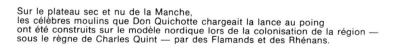

L'Alhambra de Grenade,
témoin unique de l'art palatial
du XIVe s.,
dresse ses enceintes
et ses tours dorées
sous le ciel bleu de l'Andalousie
et la blancheur immaculée
de la sierra Nevada.

Souvenir de l'imposante cité ▷
que fut Cordoue
sous l'islām médiéval,
la Grande Mosquée compte aussi
parmi les plus belles
et les plus vastes du monde
(23 000 m²).

L. Pélissier

Au son de marches militaires
lentes et graves,
la procession
des pénitents en cagoule,
lors de la semaine sainte
de Séville,
est un spectacle
d'une étrange beauté.

ENTRAÎNER v. t. Traîner avec soi, tirer après soi : *locomotive qui entraîne un lourd convoi.* ‖ Mettre en mouvement : *moteur qui entraîne une pompe.* ‖ Conduire avec soi, amener de force : *il l'entraîna vers la sortie.* ‖ Préparer à un sport, à un exercice. ‖ Attirer par une pression morale : *entraîner qqn dans une discussion.* ‖ Exercer un effet stimulant (en parlant de la musique). ‖ Occasionner, produire : *la guerre entraîne bien des maux.* ◆ **s'entraîner** v. pr. Se préparer par des exercices à une compétition, à un exercice, à un combat, etc.

ENTRAÎNEUR, EUSE n. Personne qui s'occupe de l'entraînement des chevaux de course, des sportifs, etc. ● *Entraîneur d'hommes,* chef.

ENTRAÎNEUSE n. f. Jeune femme employée dans une boîte de nuit pour engager les clients à danser et à consommer.

ENTRAIT n. m. (anc. fr. *entraire,* attirer). Pièce horizontale d'une ferme dans laquelle sont assemblés les pieds des arbalétriers pour s'opposer à leur écartement et dont les extrémités reposent sur des murs ou sur des poteaux. ● *Entrait retroussé,* entrait placé plus haut que le pied des arbalétriers pour dégager l'espace du comble.

ENTRANT, E n. et adj. Personne qui entre (se dit surtout au pl.) : *les entrants et les sortants.*

ENTR'APERCEVOIR v. t. (conj. **29**). Apercevoir à peine.

ENTRAVE n. f. Lien que l'on fixe aux pieds d'un cheval ou d'un autre animal, pour gêner sa marche. ‖ Obstacle, empêchement : *apporter des entraves à l'exercice d'un droit.*

ENTRAVER v. t. (lat. *trabs, trabis* poutre). Mettre des entraves à un animal. ‖ Gêner, embarrasser dans ses mouvements, dans ses actes : *entraver la marche d'une armée.* ‖ Mettre des obstacles, des empêchements : *entraver une négociation.*

ENTRAYGUES-SUR-TRUYÈRE (12140), ch.-l. de cant. du nord de l'Aveyron, au confluent du Lot et de la Truyère; 1 586 hab. *(Entrigots).* Bourg pittoresque par son site et ses constructions anciennes.

ENTRE prép. (lat. *inter*). Indique un intervalle, une relation, une réciprocité : *entre Paris et Versailles; entre onze heures et midi; entre parents, entre amis.* ‖ Jointe comme préfixe au verbe pronominal, elle indique une action réciproque : *s'entre-déchirer.* ‖ Jointe à certains verbes, elle indique une action faite à moitié : *entrevoir, entrouvrir.*

ENTREBÂILLEMENT n. m. Ouverture laissée par un objet légèrement ouvert.

ENTREBÂILLER v. t. Entrouvrir légèrement.

ENTREBÂILLEUR n. m. Pièce métallique qui limite le mouvement d'une porte lorsque la serrure est ouverte.

ENTRE-BANDE n. f. (pl. *entre-bandes*). Chacune des bandes travaillées avec une chaîne de couleur différente aux extrémités d'une pièce d'étoffe.

ENTRECASTEAUX (Antoine Raymond Joseph BRUNI, *chevalier* D'), navigateur français (château d'Entrecasteaux, Provence, 1737 - en mer, près de Java, 1793). Contre-amiral (1789), il partit en 1791 à la recherche de La Pérouse* : au passage, il reconnut plusieurs terres océaniennes.

ENTRECHAT [ɑ̃trəʃa] n. m. (it. [*capriola*] *intrecciata,* [saut] entrelacé). Saut léger et rapide, gambade. ‖ *Chorégr.* Pas appartenant à la petite batterie, et consistant en un saut vertical au cours duquel le danseur fait passer ses pointes baissées l'une devant l'autre, une ou plusieurs fois, avant de retomber au sol. (Les entrechats proprement dits sont numérotés de 3 à 8, et 10; l'entrechat 1 est le soubresaut, l'entrechat 2 le changement de pied.)

entrechat

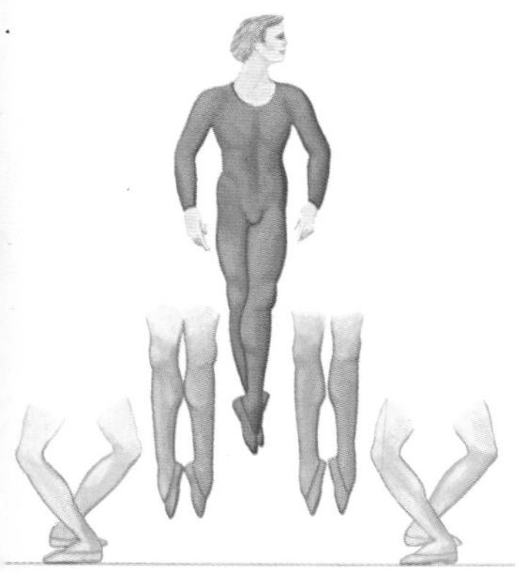

ENTRECHOQUEMENT n. m. Choc de choses qui se heurtent.

ENTRECHOQUER v. t. Choquer l'un contre l'autre : *entrechoquer des verres.* ◆ **s'entrechoquer** v pr. Se heurter : *les mots s'entrechoquaient dans sa tête.*

ENTRECOLONNEMENT n. m. *Archit.* Espacement entre deux colonnes.

ENTRECÔTE n. f. Morceau de viande de bœuf prélevé dans la région des côtes.

ENTRECOUPÉ, E adj. Interrompu, saccadé.

ENTRECOUPER v. t. Interrompre par intervalles : *entrecouper ses paroles de sanglots.*

ENTRECROISEMENT n. m. Disposition des choses qui s'entrecroisent.

ENTRECROISER v. t. Croiser en divers sens, ou à plusieurs reprises.

ENTRECUISSE n. m. Espace entre les cuisses.

ENTRE-DÉCHIRER (S') v. pr. Se déchirer mutuellement. ‖ Médire l'un de l'autre.

ENTRE-DEUX n. m. inv. Partie située au milieu de deux choses; état intermédiaire entre deux extrêmes. ‖ Meuble placé entre deux fenêtres. ‖ Bande de broderie, de dentelle à bords droits, cousue des deux côtés, ornant un ouvrage de lingerie. ‖ Au basket-ball, jet du ballon par l'arbitre entre deux joueurs, pour la reprise du jeu.

ENTRE-DEUX (97414), ch.-l. de cant. de la Réunion; 3 705 h.

ENTRE-DEUX-GUERRES n. f. ou m. inv. Période située entre 1918 et 1940.

ENTRE-DEUX-MERS, région viticole du Bordelais, comprise entre la Garonne et la Dordogne.

ENTRE-DÉVORER (S') v. pr. Se dévorer mutuellement.

ENTRÉE n. f. Action d'entrer. ‖ Faculté, possibilité d'entrer; accès : *entrée gratuite.* ‖ Endroit par où l'on entre, voie d'accès. ‖ Pièce d'un appartement assurant la communication entre l'extérieur et les autres pièces. (Syn. VESTIBULE.) ‖ Début : *entrée en fonctions.* ‖ Moment où un artiste entre en scène. ‖ *Litt.* Commencement : *à l'entrée de l'hiver.* ‖ Plat servi avant la viande et après le potage ou les hors-d'œuvre. ‖ *Écon.* Accès à une profession, à un secteur de la production. ‖ *Inform.* Opération par laquelle des données sont introduites dans un ordinateur. ‖ *Ling.* Dans un dictionnaire, mot imprimé en gras, faisant l'objet d'un article. ‖ *Mus.* Scène d'un ballet de cour ou d'un opéra-ballet. ● *Avoir ses entrées chez qqn, dans un lieu,* y être reçu.

ENTREFAITES [ɑ̃trəfɛt] n. f. pl. (part. pass. de l'anc. fr. *entrefaire*). *Sur ces entrefaites,* à ce moment-là.

ENTREFENÊTRE n. m. Partie du mur comprise entre deux fenêtres. ‖ Panneau de tapisserie haut et étroit.

ENTREFER n. m. Partie d'un circuit magnétique où le flux d'induction ne circule pas dans le fer.

ENTREFILET n. m. Petit article dans un journal.

ENTREGENT [ɑ̃trəʒɑ̃] n. m. (de *gent*). Habileté, adresse à se conduire, à se faire valoir.

ENTR'ÉGORGER (S') v. pr. (conj. **1**). S'égorger, se tuer les uns les autres.

ENTREJAMBE n. m. Partie de la culotte ou du pantalon située entre les jambes. ‖ Espace compris entre les pieds d'un meuble. ‖ Traverse reliant les pieds d'un siège.

ENTRELACEMENT n. m. État de plusieurs choses entrelacées.

ENTRELACER v. t. (conj. **1**). Enlacer l'un dans l'autre : *entrelacer des branches.* ◆ **s'entrelacer** v. pr. S'enchevêtrer.

ENTRELACS [ɑ̃trəla] n. m. Ornement composé de lignes entrelacées. (Surtout au pl.)

ENTRELARDÉ, E adj. Mêlé de gras et de maigre : *morceau de bœuf entrelardé.*

ENTRELARDER v. t. Piquer une viande avec du lard. ‖ *Fam.* Mêler, farcir : *entrelarder un discours de citations.*

ENTREMÊLEMENT n. m. Action d'entremêler; état de ce qui est entremêlé.

ENTREMÊLER v. t. Mêler plusieurs choses avec d'autres. ‖ Entrecouper : *paroles entremêlées de silences.* ◆ **s'entremêler** v. pr. Se mélanger.

ENTREMETS [ɑ̃trəmɛ] n. m. Plat sucré que l'on sert après le fromage et avant les fruits.

ENTREMETTEUR, EUSE n. *Péjor.* Personne qui s'entremet, qui sert d'intermédiaire dans une intrigue galante. (S'emploie surtout au fém.)

ENTREMETTRE (S') v. pr. (conj. **49**). Intervenir activement dans une affaire pour mettre en relation plusieurs personnes; s'interposer : *s'entremettre pour obtenir la grâce de qqn.*

ENTREMISE n. f. Action de s'entremettre; bons offices : *offrir son entremise.* ● *Par l'entremise de,* par l'intermédiaire de.

ENTREMONT, vallée de la Suisse (Valais), au pied du Grand-Saint-Bernard.

ENTREMONT *(plateau d'),* site archéologique de Provence (Bouches-du-Rhône), au N. d'Aix-en-Provence. Capitale des Salyens, l'oppidum d'Entremont fut ruiné par les Romains, qui fondèrent à peu de distance Aix (*Aquae Sextiae,* 123 av. J.-C.). Les fouilles, commencées après la Seconde Guerre mondiale, ont confirmé une occupation dès la première moitié du IIIe s. av. J.-C. Le sanctuaire de la partie haute (comme celui de Roquepertuse*) a livré plusieurs sculptures. Elles attestent un contact avec l'hellénisme, mais restent profondément celtiques par leur stylisation graphique et leur caractère fantastique (dernière phase de La Tène*).

ENTRE-NŒUD n. m. (pl. *entre-nœuds*). *Bot.* Espace compris entre deux nœuds d'une tige.

ENTREPONT n. m. Espace compris entre deux ponts d'un bateau.

ENTREPOSAGE n. m. Action d'entreposer, de mettre en entrepôt.

ENTREPOSER v. t. Déposer provisoirement des marchandises dans un entrepôt; mettre en dépôt.

ENTREPOSEUR n. m. Celui qui tient un entrepôt. ‖ Agent préposé à la garde ou à la vente de produits dont l'État a le monopole.

ENTREPOSITAIRE n. et adj. Qui dépose ou reçoit des marchandises dans un entrepôt.

ENTREPÔT n. m. Lieu, magasin où l'on met pour un temps limité des marchandises en dépôt. ● *Entrepôt frigorifique,* bâtiment comportant des chambres froides à parois isolantes dans lesquelles les denrées sont conservées par le froid.

ENTREPRENANT, E adj. Hardi à entreprendre, plein d'allant : *un homme actif et entreprenant.* ‖ Hardi auprès des femmes.

ENTREPRENDRE v. t. (conj. **50**). Commencer à exécuter qqch : *entreprendre un travail.* ‖ *Fam.* Tenter de convaincre, de persuader, de séduire : *entreprendre qqn sur un sujet.*

ENTREPRENEUR, EUSE n. Chef d'une entreprise, et en particulier d'une entreprise spécialisée dans la construction ou les travaux publics. ‖ *Dr.* Celui, celle qui effectue un ouvrage, une fourniture pour un client.

ENTREPRISE n. f. Mise à exécution d'un projet : *échouer dans son entreprise.* ‖ Unité économique de production : *il existe des entreprises privées, publiques, d'économie mixte.*

ENTRER v. i. (lat. *intrare*) [auxil. *être*]. Passer du dehors au-dedans, pénétrer : *entrer dans une maison.* ‖ Passer dans une nouvelle situation, un nouvel état : *entrer en convalescence.* ‖ Commencer à participer à : *entrer dans une affaire.* ‖ Commencer à être : *entrer en ébullition.* ‖ S'engager dans une profession, commencer à faire partie d'un groupe : *entrer dans l'enseignement, dans un parti politique.* ‖ Être employé dans la composition ou la confection d'une chose, être un élément de : *les ingrédients qui entrent dans cette crème; ce travail entre dans vos attributions.* ● *Entrer dans le détail,* examiner avec minutie. ‖ *Entrer en matière,* commencer. ‖ *Entrer en religion,* se faire religieux. ◆ v. t. (auxil. *avoir*). *Fam.* Introduire : *entrer des marchandises dans un pays.*

ENTRE-RAIL n. m. (pl. *entre-rails*). Espace compris entre les rails d'une voie ferrée.

ENTRESOL n. m. (esp. *entresuelo;* de *suelo,* sol). Étage entresolé situé entre le rez-de-chaussée et le premier étage. ● *Étage en entresol,* demi-étage non entresolé placé entre le rez-de-chaussée et le premier étage.

ENTRESOLÉ, E adj. Dans un édifice, se dit d'un demi-étage formé par le recoupement d'un étage plus grand.

ENTRETAILLE n. f. Taille légère pratiquée par le graveur entre des tailles plus fortes.

ENTRETAILLER (S') v. pr. Se blesser en se heurtant les jambes l'une contre l'autre, en parlant d'un cheval.

ENTRE-TEMPS adv. (anc. fr. *entretant*). Dans cet intervalle de temps : *entre-temps, il arriva.*

ENTRETENIR v. t. (conj. **16**). Tenir en bon état : *entretenir une maison.* ‖ Pourvoir à la subsistance : *entretenir une famille.* ‖ Faire durer, maintenir dans le même état : *entretenir la paix.* ● *Entretenir qqn de,* causer avec lui sur. ‖ *Se faire entretenir par qqn,* vivre à ses frais. ◆ **s'entretenir** v. pr. Converser avec qqn : *s'entretenir d'une question.* ‖ Se nourrir de : *elle s'entretient d'espoirs chimériques.*

ENTRETIEN n. m. Action de tenir une chose en bon état, de fournir ce qui est nécessaire à : *l'entretien d'un moteur; les frais d'entretien.* ‖ Service d'une entreprise chargé de maintenir les performances des équipements et des matériels. ‖ Conversation suivie : *solliciter un entretien.*

ENTRE-TISSER v. t. Tisser ensemble.

ENTRETOISE n. f. (anc. fr. *enteser,* ajuster). Étrésillon horizontal placé entre deux pièces parallèles et perpendiculairement à celles-ci.

ENTRETOISEMENT n. m. Action d'entretoiser; ensemble d'entretoises.

ENTRETOISER v. t. Placer des entretoises entre deux pièces.

ENTRE-TUER (S') v. pr. Se tuer l'un l'autre ou les uns les autres.

ENTREVAUX (04320), ch.-l. de cant. des Alpes-de-Haute-Provence, sur le Var supérieur, à 7 km à l'O. de Puget-Théniers; 698 hab. Fortifications. Église reconstruite au XVIe s.

ENTREVOIE n. f. Espace compris entre deux voies de chemin de fer.

ENTREVOIR v. t. (conj. **36**). Ne faire qu'apercevoir : *je l'ai entrevu à la fin de la réunion.* ‖ Connaître, prévoir confusément : *entrevoir la vérité, un malheur.*

ENTREVOUS n. m. Hourdis ou ouvrage de maçonnerie remplissant l'espace entre deux solives; cet espace lui-même.

ENTREVUE n. f. Rencontre concertée entre deux ou plusieurs personnes en vue de traiter une affaire.

ENTRISME n. m. Introduction systématique dans un parti, dans un syndicat, de nouveaux militants venant d'une autre organisation, en vue d'en modifier la ligne politique.

ENTROPIE n. f. (gr. *entropê,* retour). *Phys.* Grandeur qui, en thermodynamique, permet d'évaluer la dégradation de l'énergie d'un système. (L'entropie d'un système caractérise son degré de désordre.) ‖ Dans la théorie de la communication, nombre qui mesure l'incertitude de la nature d'un message donné à partir de celui qui le précède. (L'entropie est nulle quand il n'existe pas d'incertitude.)

ENTROPION [ɑ̃trɔpjɔ̃] n. m. Renversement des paupières vers le globe de l'œil.

ENTROQUE n. m. (gr. *en,* dans, et *trokhos,* disque). *Calcaire à entroques* (Géol.), calcaire triasique formé d'éléments de tiges d'encrines.

ENTROUVERT, E adj. Ouvert à demi : *une porte entrouverte.*

ENTROUVRIR v. t. (conj. **10**). Ouvrir en écartant : *entrouvrir les rideaux d'une fenêtre.* ‖ Ouvrir un peu : *entrouvrir une fenêtre.*

ENTUBER v. t. *Pop.* Duper, escroquer.

ENTURE n. f. Assemblage par entailles de deux pièces de bois mises bout à bout.

ENTZHEIM (67960), comm. du Bas-Rhin, dans la banlieue sud de Strasbourg; 2 030 hab. Aéroport.

ÉNUCLÉATION n. f. (lat. *nucleus,* noyau). Extirpation d'un organe après incision : *l'énucléation de l'œil.* ‖ Extraction de l'amande ou du noyau d'un fruit.

ÉNUCLÉER v. t. Extirper par énucléation.

entrelacs associés à un animal fabuleux. Girouette en bronze doré, Suède. VIe s.

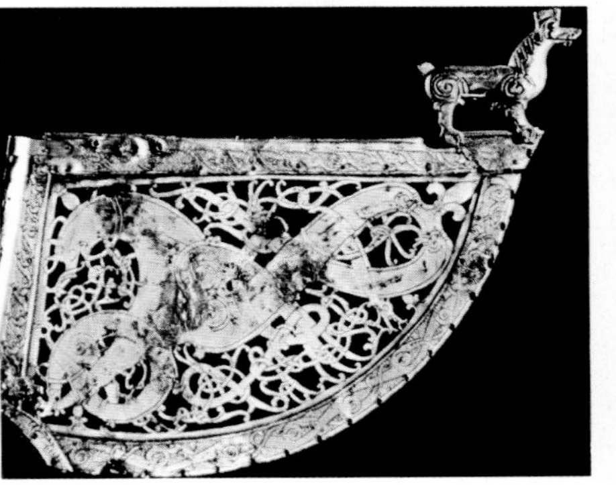

Musée des Antiquités nationales, Stockholm.

ENUGU, v. du Nigeria oriental; 167 000 hab.

ÉNUMÉRATIF, IVE adj. Qui contient une énumération : *dresser un état énumératif.*

ÉNUMÉRATION n. f. Action d'énumérer.

ÉNUMÉRER v. t. (lat. *enumerare*) [conj. **5**]. Énoncer successivement les parties d'un tout, passer en revue : *énumérer ses griefs.*

ÉNUQUER (S') v. pr. En Suisse, se briser la nuque.

ÉNURÉSIE n. f. Émission involontaire d'urine, généralement nocturne, persistant ou apparaissant à un âge où la propreté est habituellement acquise.

ÉNURÉTIQUE adj. et n. Atteint d'énurésie.

ENVAHIR [ɑ̃vair] v. t. (lat. *invadere*). Se répandre par la force ou de manière abusive sur ou dans un lieu, l'occuper entièrement : *les armées de Louis XIV envahirent les Pays-Bas; la foule envahissait les rues.* ‖ Gagner l'esprit de qqn : *le doute l'envahit.*

ENVAHISSANT, E adj. Qui envahit; importun, indiscret.

ENVAHISSEMENT n. m. Action d'envahir. ‖ Occupation progressive, empiétement : *les envahissements du pouvoir.*

ENVAHISSEUR n. m. Celui qui envahit militairement.

ENVALIRA *(col ou port d')*, col des Pyrénées orientales, en Andorre; 2 407 m.

ENVASEMENT n. m. Action d'envaser; état de ce qui est envasé.

ENVASER v. t. Remplir de vase. || Enfoncer dans la vase.

ENVELOPPANT, E adj. Qui enveloppe : *ligne enveloppante.* || Qui charme, captive : *paroles enveloppantes.*

ENVELOPPANTE n. f. *Math.* Courbe qui en enveloppe une autre.

ENVELOPPE n. f. Ce qui sert à envelopper. || Morceau de papier plié de manière à former une pochette, et destiné à contenir une lettre, une carte, etc. || Syn. de PNEUMATIQUE. || *Math.* Courbe fixe à laquelle une courbe plane, mobile dans son plan, reste constamment tangente. || Membrane enveloppant un organe. ● *Enveloppe budgétaire,* limites d'un budget à l'intérieur desquelles certains aménagements peuvent être apportés.

ENVELOPPÉ n. m. *Chorégr.* Rotation du corps exécutée de dehors en dedans, en prenant une jambe pour pivot.

ENVELOPPÉE n. f. *Math.* Courbe plane considérée par rapport à son enveloppe.

ENVELOPPEMENT n. m. Action d'envelopper, fait d'être enveloppé.

ENVELOPPER v. t. (anc. fr. *voloper,* envelopper). Couvrir, entourer complètement d'un tissu, d'un papier, d'une matière quelconque : *envelopper des fruits dans du papier.* || Entourer, encercler : *envelopper l'ennemi.* || *Litt.* Entourer comme de qqch qui couvre : *envelopper qqn d'un regard.* || Cacher, déguiser : *envelopper sa pensée sous d'habiles périphrases.*

ENVENIMATION n. f. Introduction de venin dans une plaie à la suite d'une morsure de serpent, d'une piqûre de scorpion, etc.

ENVENIMEMENT n. m. Action d'envenimer, de s'envenimer.

ENVENIMER v. t. (de *en* et *venin*). Provoquer l'infection, infecter : *envenimer une plaie en la grattant.* || Aggraver, exaspérer : *envenimer une discussion.* ◆ **s'envenimer** v. pr. S'infecter. || Se détériorer : *leurs relations se sont envenimées.*

ENVERGUER v. t. *Mar.* Fixer à une vergue : *enverguer une voile.*

ENVERGURE n. f. Dimension d'une aile, mesurée perpendiculairement au sens de déplacement de l'avion. || Étendue des ailes déployées d'un oiseau. || Ampleur de l'intelligence, de la volonté : *esprit d'une grande envergure.* || Importance d'une action, ampleur d'un projet : *son entreprise a pris de l'envergure.* || *Mar.* Longueur du côté par lequel une voile est fixée à sa vergue.

ENVERMEU (76630), ch.-l. de cant. de la Seine-Maritime, à 14,5 km à l'E. de Dieppe; 1 629 hab. Église du XVIe s.

ENVER PAŞA, général turc (Istanbul 1881-près de Boukhara 1922). Ministre de la Guerre en 1914, il commande l'armée turque du Caucase, puis la défense des Dardanelles (1915). Envoyé au Turkestan pour rétablir la paix entre les bolcheviks et les musulmans, il prend parti pour ces derniers et est tué dans un combat contre les Soviétiques.

ENVERS prép. (de *en* et *vers*). À l'égard de : *loyal envers ses amis.* ● *Envers et contre tous,* en dépit de tout le monde.

ENVERS n. m. L'opposé de l'endroit : *l'envers d'une étoffe.* || Le contraire : *l'envers de la vérité.* || En montagne, versant d'une vallée exposé à l'ombre. (Syn. : OMBRÉE, UBAC.) ● *À l'envers,* du mauvais côté : *mettre ses bas à l'envers;* en dépit du bon sens, en désordre : *toutes ses affaires sont à l'envers.*

ENVI (À L') [alɑ̃vi] loc. adv. (anc. fr. *envier,* provoquer au jeu). *Litt.* Avec émulation, à qui mieux mieux.

ENVIABLE adj. Digne d'envie.

ENVIE n. f. (lat. *invidia*). Sentiment de convoitise à la vue du bonheur, des avantages d'autrui : *faire envie à qqn.* || Désir soudain et vif d'avoir, de faire qqch : *avoir envie d'un bijou; avoir envie de rire.* || Besoin qu'on a le désir de satisfaire : *avoir envie de manger.* || Tache sur la peau présente à la naissance. || Petite pellicule de peau qui se détache près des ongles.

ENVIER v. t. Souhaiter d'avoir ce que l'autre a : *envier la place de qqn; je vous envie d'avoir fini.*

ENVIEUSEMENT adv. Avec envie.

ENVIEUX, EUSE adj. et n. Tourmenté par l'envie.

ENVIRON adv. (anc. fr. *viron,* tour). À peu près : *environ cent personnes.*

ENVIRONNANT, E adj. Qui environne; proche, voisin.

ENVIRONNEMENT n. m. Ce qui entoure. || Ensemble des éléments naturels et artificiels qui constituent le cadre de vie d'un individu. || *Art contemp.* Œuvre faite d'éléments quelconques répartis dans un espace que l'on peut parcourir. (On dit aussi INSTALLATION.) || *Zool.* Ensemble des éléments du milieu qu'un animal peut percevoir.

■ Les progrès de la physiologie et de l'éthologie* animales nous permettent parfois de mieux savoir dans quel univers sensoriel de vibrations, de rayonnements et de messages chimiques vivent les diverses espèces animales. Cet univers est leur environnement. Elles y réagissent par des comportements adaptés : attaque, fuite, immobilisation, conduite de cour, nutrition des jeunes, etc. Contrairement au milieu, réalité objective incluant la température, la teneur en oxygène, l'éclairement, les ressources alimentaires, l'environnement est une réalité subjective, composée seulement des réalités connaissables par l'animal. Les plantes ont donc un milieu, mais pas, ou presque pas, d'environnement. L'étude de *l'environnement humain* retient l'attention des urbanistes et des sociologues. (V. ÉCOLOGIE.)

ENVIRONNEMENTAL, E, AUX adj. Relatif à l'environnement.

ENVIRONNEMENTALISTE n. Spécialiste des problèmes de l'environnement.

ENVIRONNER v. t. Entourer, être disposé autour : *la ville est environnée de montagnes; les dangers qui l'environnent.*

ENVIRONS n. m. pl. Lieux qui sont alentour : *les environs de Paris.* ● *Aux environs de,* aux abords de, aux approches de, vers : *aux environs de midi; aux environs de mille francs.*

ENVISAGEABLE adj. Qui peut être envisagé.

ENVISAGER v. t. (conj. **1**). Examiner, considérer, tenir compte : *envisageons cette question.* || Projeter : *envisager de partir.*

ENVOI n. m. Action d'envoyer. || Chose envoyée. || *Littér.* Vers placés à la fin d'une ballade pour en faire hommage à qqn. ● *Coup d'envoi,* dans plusieurs sports, mise en jeu du ballon marquant le début d'une partie. || *Envoi en possession* (Dr.), autorisation, par jugement, d'entrer en possession des biens d'un absent ou d'un défunt.

ENVOL n. m. Action de s'envoler; décollage : *l'envol d'un avion.*

ENVOLÉE n. f. Mouvement oratoire. || Montée brutale d'une valeur : *l'envolée du dollar.*

ENVOLER (S') v. pr. Prendre son vol, s'enfuir. || Décoller : *l'avion s'envola.* || *Litt.* Passer rapidement : *le temps s'envole.*

ENVOÛTANT, E adj. Qui subjugue : *spectacle envoûtant.*

ENVOÛTEMENT n. m. Action de subjuguer; état de charme mystérieux; fascination. || Opération magique par laquelle on pratique sur une effigie en cire, symbolisant la personne à qui l'on veut nuire, des blessures dont elle est censée souffrir elle-même.

ENVOÛTER v. t. (anc. fr. *vout,* visage; lat. *vultus*). Séduire comme par magie; subjuguer, exercer un attrait irrésistible. || Pratiquer un envoûtement.

ENVOÛTEUR, EUSE n. Personne qui pratique l'envoûtement.

ENVOYÉ, E n. Personne envoyée quelque part pour y remplir une mission. ● *Envoyé spécial,* journaliste chargé de recueillir sur place des informations.

ENVOYER v. t. (lat. *inviare,* faire route) [conj. **6**]. Faire partir pour une destination : *envoyer un enfant à l'école.* || Faire parvenir, faire porter, expédier : *envoyer une lettre.* || Jeter, lancer : *envoyer une balle, des pierres.* ● *Envoyer les couleurs,* hisser le pavillon national pour lui rendre les honneurs. || *Envoyer promener, paître, coucher* (Fam.), repousser, renvoyer avec rudesse. || *Ne pas envoyer dire,* dire en face, sans ménagement. ◆ **s'envoyer** v. pr. *Pop.* Prendre, absorber : *s'envoyer un verre de vin.*

ENVOYEUR, EUSE n. Personne qui envoie.

ENZENSBERGER (Hans Magnus), écrivain allemand (Kaufbeuren 1929). Son œuvre poétique (*Mausolée,* 1975), critique (*Culture ou Mise en condition?,* 1963) et romanesque (*l'Interrogatoire de La Havane,* 1970; *le Bref Été de l'anarchie,* 1974) compose une analyse satirique de la société contemporaine et de ses modes d'expression.

ENZO ou **ENZIO** (v. 1220 - Bologne 1272), fils naturel de l'empereur Frédéric II, qui lui donna le titre de roi de Sardaigne (1239). Enzo combattit contre les guelfes, s'empara de Ferrare et remporta la victoire navale de Montecristo ou de la Meloria (1241). Mais, vaincu à Fossalta (1249), il fut livré aux Bolonais. Il fut l'un des représentants de l'école littéraire sicilienne.

ENZOOTIE [ɑ̃zɔɔti *ou* -si] n. f. Épizootie limitée aux animaux d'une seule localité, frappant une ou plusieurs espèces.

ENZYMATIQUE adj. Relatif aux enzymes; qui se fait par les enzymes.

ENZYME n. f. (Académie) ou m. (gr. *en,* dans, et *zumê,* levain). *Chim.* Substance organique soluble, provoquant ou accélérant une réaction biochimique. (Syn. vieilli DIASTASE.)

■ Les enzymes sont synthétisées par les organismes vivants à partir de modèles, variables d'une espèce à l'autre, mais constants et transmis héréditairement à l'intérieur d'une même espèce. Certaines maladies héréditaires peuvent s'expliquer par l'altération de l'un de ces modèles. Les enzymes multiplient les étapes des réactions biochimiques de l'organisme, de telle manière que chaque étape ne produit qu'une petite quantité d'énergie compatible avec l'équilibre vital. Chaque enzyme ne peut agir que sur une substance déterminée. C'est pourquoi il existe un grand nombre de systèmes enzymatiques dans l'organisme. Outre les enzymes intervenant dans la digestion* (amylase, pepsine, trypsine, etc.), citons les *oxydases,* dont la principale est la cytochrome-oxydase, qui intervient dans la respiration cellulaire. Les *phosphatases* libèrent de l'acide phosphorique à partir de ses esters. Le dosage de certaines phosphatases sériques est d'un grand intérêt : le taux des *phosphatases alcalines* est élevé lors des réactions ostéoblastiques ou des syndromes de rétention biliaire; celui des *phosphatases acides,* lors des cancers de la prostate. Une augmentation du taux sérique des *transaminases* glutamo-acétiques et glutamo-pyruviques traduit une lésion des tissus riches en transaminases (foie, muscles [cardiaque, en particulier]). De nombreuses enzymes sont utilisées en thérapeutique. Ce sont des ferments issus du métabolisme de divers organismes végétaux ou animaux. Ainsi, la zymase et la maltase, enzyme constituée principalement par une amylase et qui transforme l'amidon en dextrine et maltose. La pepsine est utilisée comme adjuvant de la digestion; la streptokinase possède une action fibrinolytique et est employée pour dissoudre les caillots.

ENZYMOLOGIE n. f. Étude des enzymes.

ENZYMOPATHIE n. f. Maladie due à un défaut de production d'une enzyme.

ÉOCÈNE [eɔsɛn] n. m. et adj. (gr. *eôs,* aurore, et *kainos,* récent). *Géol.* Première période de l'ère tertiaire, marquée par la diversification des mammifères et le début de la formation des Alpes.

ÉOLE, dans la légende grecque, maître des vents, qu'il tenait enfermés dans une outre ou une caverne et libérait selon la volonté de Zeus.

ÉOLIE ou **ÉOLIDE,** région du sud-ouest de l'Asie Mineure, éclipsée politiquement et économiquement par l'Ionie*. Patrie de la poésie lyrique, avec Alcée* et Sappho*, elle doit son nom à ses premiers habitants, les *Éoliens,* peuplade balkanique qui, de Grèce, émigra en Asie Mineure au XIe s. av. J.-C.

ÉOLIEN, ENNE adj. (de *Éole*). Relatif au vent. ● *Énergie éolienne,* énergie produite par le vent. || *Érosion éolienne,* érosion du vent, dans les déserts, qui se caractérise par un travail de destruction (déflation et corrasion) et par un travail d'accumulation (dunes). || *Harpe éolienne,* instrument à cordes vibrant au vent.

ÉOLIEN, ENNE adj. et n. De l'Éolie : *dialecte éolien.*

ÉOLIENNE n. f. Moteur actionné par le vent.

ÉOLIENNES ou **LIPARI** *(îles),* archipel italien de la mer Tyrrhénienne, au N. de la Sicile, formé de sept îles volcaniques (*Lipari* [la plus grande], Salina, Vulcano, Stromboli, Alicudi, Filicudi et Panarea [ou Panaria]).

ÉOLIPILE ou **ÉOLIPYLE** n. m. Appareil imaginé par Héron d'Alexandrie pour mettre en évidence la force motrice de la vapeur d'eau.

ÉOLITHE n. m. Fragment de pierre façonné par l'action des agents naturels et qui peut ressembler à des pierres travaillées par l'homme.

ÉOSINE [eɔzin] n. f. Matière colorante rouge, dérivée de la fluorescéine.

ÉOSINOPHILE adj. et n. m. Se dit des leucocytes polynucléaires dont le cytoplasme contient des granulations sensibles aux colorants acides comme l'éosine. (Dans le sang humain normal, les éosinophiles forment 2 à 3 p. 100 des leucocytes.)

ÉOSINOPHILIE n. f. *Méd.* Présence excessive d'éosinophiles dans le sang.

EÖTVÖS (Loránd, *baron*), physicien hongrois (Budapest 1848 - *id.* 1919). Il utilisa, le premier, le pendule de torsion pour les mesures gravimétriques (1888).

ÉPACTE [epakt] n. f. (gr. *epaktai* [*hêmerai*], [jours] intercalaires). Âge de la lune au 1er janvier, diminué d'une unité, en convenant d'appeler 0 son âge à la nouvelle lune.

ÉPAGNEUL, E n. (de [*chien*] *espagnol*). Chien d'arrêt à long poil et à oreilles pendantes, originaire d'Espagne.

ÉPAIR n. m. Aspect du papier apprécié par transparence.

ÉPAIS, AISSE [epɛ, ɛs] adj. (lat. *spissus*). Qui a de l'épaisseur : *une planche épaisse de trois centimètres.* || Massif et trapu : *un petit homme épais.* || Dense, serré, compact, consistant : *brouillard épais; bois épais; encre épaisse.* || Grossier, qui manque de finesse, de pénétration : *plaisanterie épaisse.* ◆ adv. *Il n'y en a pas épais!* (Fam.), il n'y en a pas beaucoup.

ÉPAISSEUR n. f. Troisième dimension d'un solide, les deux autres étant la longueur et la largeur. || La plus petite des dimensions principales d'un corps. || État de ce qui est dense, serré : *l'épaisseur d'un feuillage; l'épaisseur des ténèbres.* || Lourdeur d'esprit, lenteur d'intelligence.

ÉPAISSIR [epɛsir] v. t. Rendre plus épais : *épaissir une sauce.* ◆ v. i. et **s'épaissir** v. pr. Devenir épais, plus large, plus consistant.

ÉPAISSISSANT, E adj. Se dit d'une matière qui épaissit, qui augmente la viscosité.

ÉPAISSISSEMENT n. m. Action d'épaissir, de s'épaissir; résultat de cette action.

ÉPAISSISSEUR n. m. Appareil servant à concentrer un corps en solution.

ÉPAMINONDAS, général et homme d'État thébain (Thèbes v. 418 - Mantinée 362). Il concourt avec Pélopidas* à libérer Thèbes* du joug spartiate et révèle son génie militaire par sa réforme de l'armée béotienne, grâce à laquelle il remporte la victoire de Leuctres (371) sur les hoplites lacédémoniens. Il est tué à Mantinée en 362; l'hégémonie thébaine ne lui survivra pas.

ÉPAMPRAGE ou **ÉPAMPREMENT** n. m. Action d'épamprer.

ÉPAMPRER v. t. (de *pampre*). Enlever sur un cep de vigne les jeunes pousses inutiles.

ÉPANCHEMENT n. m. Écoulement. || *Méd.* Accumulation de liquide organique : *épanchement de sang.* || Action de s'épancher, effusion de sentiments, de pensées intimes : *doux épanchements.*

ÉPANCHER v. t. (lat. *expandere*). Dire avec sincérité ce qu'on ressent : *épancher son ressentiment.* ◆ **s'épancher** v. pr. Parler avec une entière confiance, décharger son cœur.

ÉPANDAGE n. m. Action d'épandre. ● *Champs d'épandage,* terrains destinés à épurer les eaux d'égout par filtration à travers les couches du sol.

ÉPANDEUR n. m. Machine utilisée pour l'épandage des engrais.

ÉPANDEUSE n. f. Engin de travaux publics qui répartit régulièrement des matériaux.

ÉPANDRE v. t. (lat. *expandere*) [conj. **46**]. Étendre en dispersant : *épandre des engrais.*

ÉPANNELER v. t. (conj. **3**). *Constr.* Dégrossir une pierre qui doit être moulurée ou sculptée en lui donnant sa forme approchée.

ÉPANOUIR v. t. (mot francique). Faire ouvrir en parlant des fleurs : *la chaleur épanouit les roses.* || Rendre heureux qqn. ◆ **s'épanouir** v. pr. S'ouvrir largement. || Se détendre pleinement : *cet enfant s'épanouit chez ses grands-parents.* || Faire paraître une joie sereine. || Se développer dans toutes ses potentialités.

ÉPANOUISSANT, E adj. Où qqn s'épanouit.

ÉPANOUISSEMENT n. m. Action de s'épanouir. || Manifestation de joie : *l'épanouissement d'un visage.*

ÉPAR n. m. (mot germ.). Barre servant à fermer une porte.

ÉPARCHIE [eparʃi] n. f. (gr. *eparchia*). Dans l'Empire romain d'Orient, circonscription administrative. || Dans les Églises orientales, subdivision territoriale correspondant au diocèse de l'Église latine.

ÉPARGES (Les) [55160 Fresnes en Woëvre], comm. du départ. de la Meuse, à 23 km au S.-E. de Verdun; 54 hab. *L'éperon des Éparges,* sur les côtes de Meuse (350 à 380 m), fut le théâtre de violents combats en 1914-15 (guerre de mines).

éolienne

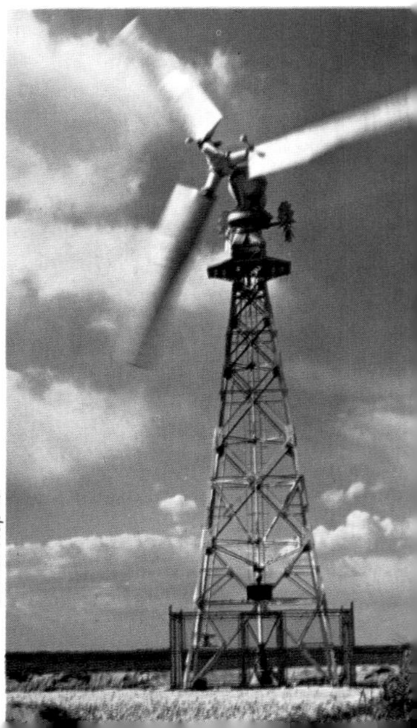

Brihat-Rapho

ÉPARGNANT, E adj. et n. Qui épargne.

ÉPARGNE n. f. Économie dans la dépense. ‖ Fraction du revenu individuel ou du revenu national qui n'est pas affectée à la consommation. ● *Aliments d'épargne,* se dit des aliments (café, thé, kola, coca) qui permettent de manger moins en utilisant les réserves de l'organisme. ‖ *Bassin d'épargne,* bassin attenant à une écluse et destiné à réduire la consommation d'eau à chaque éclusée. ‖ *Caisse d'épargne,* établissement financier qui reçoit (dans la limite d'un plafond) des dépôts en numéraire, dont il capitalise annuellement les intérêts. ‖ *Épargne logement,* octroi de prêt, en vue de l'accession à la propriété, fait aux personnes physiques ayant effectué des dépôts à un compte spécial. ‖ *Poire d'épargne,* variété de poire qui mûrit à la fin du mois de juillet. ‖ *Taille d'épargne,* taille de la surface d'un matériau conduite de façon à former un dessin avec les parties non attaquées (ex. : gravure en relief, surtout xylographie).

■ La science économique a pu, selon les époques et selon les écoles de pensée, faire le procès ou l'apologie de l'épargne. L'épargne a pu être condamnée comme apparaissant stérile, et donc ne présentant aucun intérêt économique, soit qu'il s'agisse de thésaurisation, soit que, même non thésaurisée, elle implique une faiblesse de la consommation (et soit, de ce fait, nuisible au bon fonctionnement du circuit économique [Keynes]). Par contre, elle fut et demeure prônée par tous ceux qui y perçoivent l'indispensable apport de la communauté nationale à l'équipement productif du pays, qu'il s'agisse d'investissements* réalisés par des entreprises privées (auquel cas l'épargne leur est apportée par les dépôts du circuit bancaire ou par l'intermédiaire du marché financier) ou d'équipements réalisés par l'État et les collectivités publiques (l'épargne est alors apportée par l'emprunt*), ou encore de l'épargne réalisée par les entreprises réservant une fraction de leur flux financier à leur propre équipement (autofinancement*).

Au nombre des institutions collectant l'épargne des particuliers, les caisses d'épargne occupent une place prépondérante. On distingue : l'*épargne nette* (épargne sur livrets), composée de l'épargne collectée à laquelle il faut ajouter les intérêts capitalisés; l'*épargne logement;* les *bons d'épargne.*

ÉPARGNER v. t. (germ. *sparanjan*). Amasser par économie, mettre en réserve, éviter de dépenser : *épargner sou après sou.* ‖ Éviter, dispenser de : *épargnez-nous les explications inutiles.* ‖ Employer avec ménagement : *épargner ses forces.* ‖ Traiter avec ménagement, laisser la vie : *épargner les enfants et les vieillards.* ‖ Ne pas endommager, ne pas détruire : *la sécheresse a épargné cette région.*

ÉPARPILLEMENT n. m. Action d'éparpiller; état de ce qui est éparpillé.

ÉPARPILLER v. t. (lat. pop. *sparpiliare,* de *spargere,* répandre, et *papilio,* papillon). Disperser, répandre de tous côtés : *éparpiller des papiers.* ‖ Employer sans méthode et à des buts divers : *éparpiller son attention.* ◆ **s'éparpiller** v. pr. Se disperser.

ÉPARQUE n. m. Gouverneur d'une éparchie, puis titre donné au préfet de Constantinople.

ÉPARS, E [epar, ars] adj. (lat. *sparsus*). Dispersé, en désordre : *des renseignements épars.*

ÉPARVIN ou **ÉPERVIN** n. m. (mot francique). Tumeur dure au jarret d'un cheval.

ÉPATAMMENT adv. *Fam.* De façon épatante; admirablement : *ça marche épatamment.*

ÉPATANT, E adj. *Fam.* Admirable, formidable, splendide : *un temps, un film épatant.*

ÉPATE n. f. *Faire de l'épate* (Pop.), chercher à épater son entourage.

ÉPATÉ, E adj. *Nez épaté,* court, gros et large.

ÉPATEMENT n. m. État d'un nez épaté. ‖ *Fam.* Stupéfaction, surprise.

ÉPATER v. t. *Fam.* Remplir d'une surprise admirative, se faire remarquer.

ÉPAUFRER v. t. Écraser, écorner par négligence ou accident les arêtes d'un bloc de pierre.

ÉPAUFRURE n. f. Entaille, brisure sur l'arête d'une pierre de taille ou d'une brique.

ÉPAULARD n. m. Cétacé de l'Atlantique Nord, voisin du marsouin, mesurant de 5 à 9 m de long selon l'espèce. (Très vorace, l'épaulard s'attaque même aux baleines, dont il déchire les lèvres.) [Syn. ORQUE.]

ÉPAULE n. f. (lat. *spathula,* spatule). Articulation de l'humérus avec la ceinture scapulaire. ‖ Partie supérieure du membre supérieur ou antérieur des animaux. ● *Avoir la tête sur les épaules* (Fam.), être sensé. ‖ *Donner un coup d'épaule* (Fam.), venir en aide. ‖ *Par-dessus l'épaule* (Fam.), avec négligence, avec dédain.

■ Les surfaces articulaires de l'épaule sont maintenues en place par une capsule épaissie en ligaments gléno-huméraux et renforcée par les ligaments coraco-huméral et coraco-glénoïdien et par les tendons des muscles périarticulaires rotateurs de l'humérus. Le muscle

Varin-Jacana

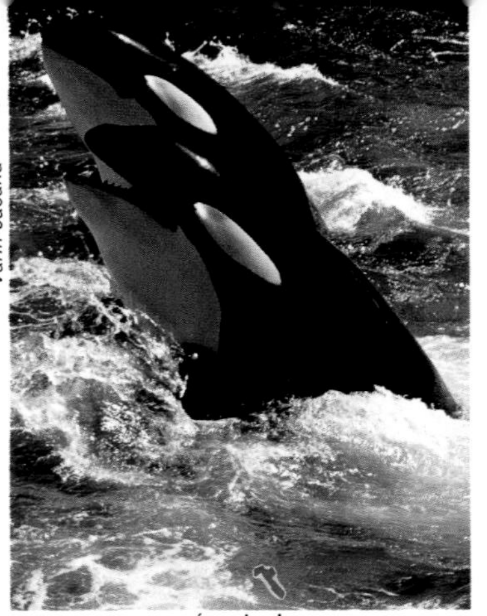

épaulards

deltoïde, qui recouvre le moignon de l'épaule et les muscles péri-articulaires de l'épaule, permet l'abduction du bras.

Les *luxations* de l'épaule sont fréquentes. La plus courante est la luxation antéro-interne sous-coracoïdienne, dont la réduction doit être faite aussi rapidement que possible, sous anesthésie générale si nécessaire. Les luxations compliquées peuvent être dues à une désinsertion du bourrelet glénoïdien ou à une malformation de la tête humérale.

La *périarthrite* de l'épaule, responsable de douleurs et, parfois d'ankylose, régressive en une période allant de quelques semaines à plusieurs mois, peut être secondaire à un traumatisme de l'épaule; elle s'observe au cours d'affections coronariennes; elle peut survenir sans cause évidente. Le traitement associe le repos, les antalgiques, des infiltrations de corticoïdes, la kinésithérapie.

ÉPAULÉ n. m. Pour un haltérophile, mouvement qui consiste à amener la barre, en un seul temps, à hauteur d'épaules.

ÉPAULÉ-JETÉ n. m. (pl. *épaulés-jetés*). Mouvement d'haltérophilie qui consiste, après avoir effectué l'épaulé, à soulever, d'une seule détente, la barre à bout de bras.

ÉPAULEMENT n. m. Terrassement protégeant une bouche à feu et ses servants contre les coups adverses. ‖ Massif ou mur de soutènement. ‖ Partie saillante, sur une face, d'un tenon pour donner de la solidité à l'assemblage. ‖ Brusque changement de section d'une pièce mécanique, destiné à servir d'appui ou de butée. ‖ *Géogr.* Dans une vallée glaciaire, replat qui, à une certaine hauteur des versants, succède aux parois abruptes de la partie inférieure.

ÉPAULER v. t. Appuyer contre l'épaule : *épauler son fusil pour tirer.* ‖ Aider, appuyer : *il a besoin de se sentir épaulé.* ‖ *Constr.* Renforcer un support, à l'opposé de la poussée s'exerçant sur lui, à l'aide d'un massif qui augmente sa base de sustentation. ‖ Établir l'épaulement d'un tenon. ‖ Maintenir une pièce mécanique à l'aide de l'épaulement d'une autre pièce. ◆ v. i. *Chorégr.* Effacer une épaule en arrière en avançant l'autre vers le public.

ÉPAULETTE n. f. Patte que certains militaires portent sur chaque épaule, et qui sert souvent à désigner leur grade; symbole du grade d'officier. ‖ Bande de tissu étroit retenant un vêtement féminin aux épaules. ‖ Superposition d'ouate qui rembourre les épaules d'un vêtement.

ÉPAULIÈRE n. f. Partie de l'armure couvrant l'épaule.

ÉPAVE n. f. (lat. *expavidus,* épouvanté). Objet abandonné en mer ou rejeté sur le rivage. ‖ Chose égarée dont on ne connaît pas le propriétaire. ‖ Voiture accidentée irréparable ou vieille voiture hors d'usage. ‖ Personne tombée dans la misère, complètement désemparée.

ÉPEAUTRE n. m. (lat. *spelta*). Espèce de blé rustique dont le grain adhère fortement à la balle.

ÉPÉE n. f. (lat. *spatha,* mot gr.). Arme faite d'une lame d'acier pointue fixée à une poignée munie d'une garde. ‖ L'une des trois armes de l'escrime, formée d'une lame triangulaire

poignée d'**épée**

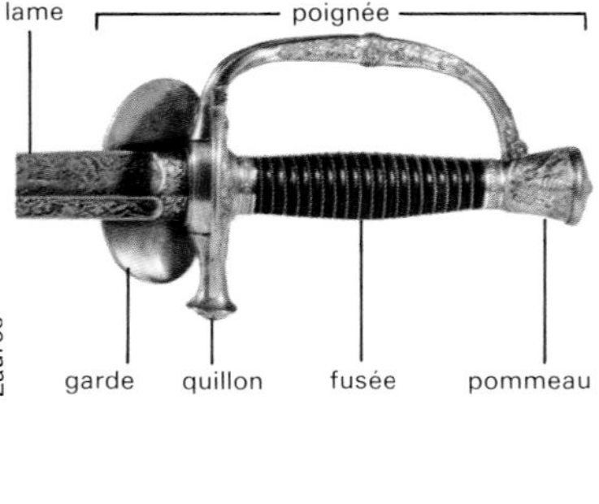

Lauros

longue de 90 cm (son impact est valable quelle que soit la partie touchée du corps de l'adversaire). ● *Coup d'épée dans l'eau,* effort sans résultat. ‖ *Épée de Damoclès,* danger qui peut s'abattre sur qqn d'un moment à l'autre. ‖ *Mettre l'épée dans les reins,* harceler, presser.

ÉPÉE (Charles, *abbé* DE L'), ecclésiastique français (Versailles 1712 - Paris 1789). Il voua toute sa vie à l'éducation des sourds-muets.

ÉPEICHE [epɛʃ] n. f. (all. *Specht*). Oiseau grimpeur du genre *pic,* à plumage blanc et noir sur le dos, rouge sous le ventre, commun dans les bois. (Long. 25 cm.)

ÉPEICHETTE n. f. Espèce de pic à plumage noir et blanc, ne dépassant pas 15 cm de long.

ÉPEIRE [epɛr] n. f. (lat. *epeira*). Araignée à abdomen diversement coloré, qui construit de grandes toiles verticales et régulières dans les jardins, les bois.

J. Six

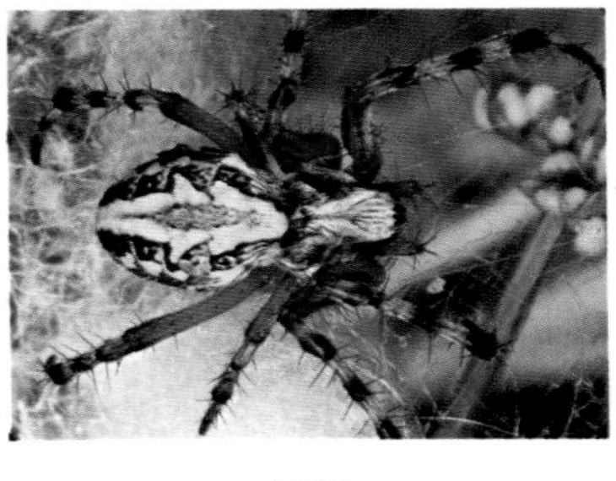

épeire

Atlas-Photo

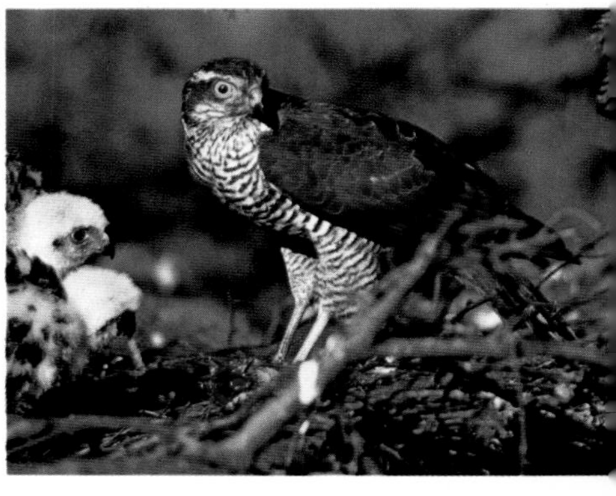

éperviers

éphémère

J. Six

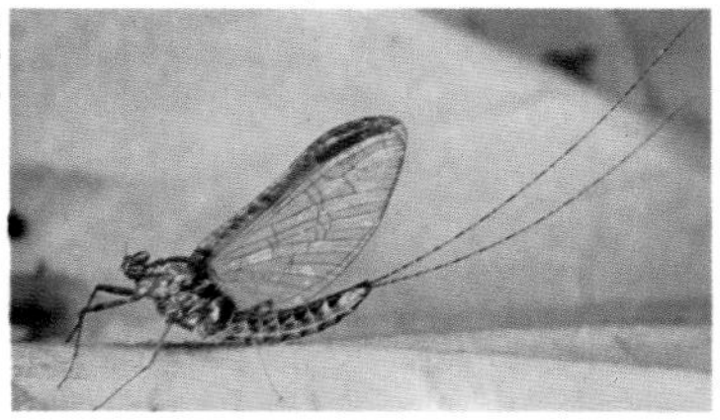

ÉPEIROGENÈSE n. f. → ÉPIROGENÈSE.

ÉPEIROGÉNIQUE adj. → ÉPIROGÉNIQUE.

ÉPÉISTE n. Escrimeur à l'épée.

ÉPELER [eple] v. t. (mot francique) [conj. **3**]. Nommer successivement les lettres composant un mot.

ÉPELLATION n. f. Action d'épeler.

ÉPENDYME [epɑ̃dim] n. m. (gr. *epi,* sur, et *enduma,* vêtement). Membrane mince qui tapisse les ventricules cérébraux et le canal central de la moelle épinière.

ÉPENTHÈSE [epɑ̃tɛz] n. f. (gr. *epenthesis*). Apparition d'une voyelle ou d'une consonne non étymologiques au milieu d'un mot : *il y a épenthèse de « b » dans* CHAMBRE, *qui vient du latin « camera ».*

ÉPENTHÉTIQUE adj. Ajouté par épenthèse.

ÉPÉPINER v. t. Enlever les pépins.

ÉPERDU, E adj. (anc. fr. *esperdre,* perdre complètement). Troublé par une violente émotion : *éperdu de joie.* ‖ Vif, violent : *amour éperdu.*

ÉPERDUMENT adv. D'une manière éperdue.

ÉPERLAN n. m. (néerl. *spierlinc*). Poisson marin voisin du saumon, à chair délicate, qui pond au printemps dans les embouchures des fleuves. (Long. 25 cm.)

ÉPERNAY (51200), ch.-l. d'arr. de la Marne, à 24 km au S. de Reims; 28 876 hab. *(Sparnaciens).* Musée. Vins de Champagne. Matériel ferroviaire et viticole. Industries du bois.

ÉPERNON (28230), comm. d'Eure-et-Loir, à 13 km au S.-O. de Rambouillet; 4 850 hab. Église des XVe-XVIe s. Ancien cellier du XIIIe s. Vieilles maisons. Industries chimiques.

ÉPERON n. m. (mot germ.). Arceau de métal, terminé par un ergot ou une molette, que le cavalier fixe à la partie postérieure de ses bottes pour piquer son cheval et activer son allure. ‖ Ergot des coqs, des chiens, etc. ‖ *Bot.* Sorte de cornet formé par un pétale ou un sépale, et contenant souvent du nectar. ‖ *Géogr.* Promontoire entre deux vallées. ‖ *Mar. anc.* Partie saillante, en avant de la proue d'un navire. ‖ *Fortif.* Ouvrage formant un angle saillant. ‖ *Trav. publ.* Syn. de AVANT-BEC.

ÉPERONNER v. t. Piquer avec l'éperon : *éperonner un cheval.* ‖ Munir d'éperons : *éperonner un coq de combat.* ‖ *Litt.* Exciter, stimuler : *être éperonné par la faim.* ● *Éperonner un navire,* l'aborder par l'étrave.

Éperons *(journée des)* → GUINEGATTE.

ÉPERVIER n. m. (mot francique). Oiseau rapace diurne, commun dans les bois, où il chasse les petits oiseaux. (Long. 30 à 40 cm.) ‖ Espèce de filet de pêche de forme conique, garni de plomb, qu'on lance à la main.

ÉPERVIÈRE n. f. Plante herbacée à fleurs jaunes, de la famille des composées.

ÉPERVIN n. m. → ÉPARVIN.

ÉPHÈBE n. m. (gr. *ephêbos;* de *hêbê,* jeunesse). *Antiq. gr.* Adolescent de 18 à 20 ans. ‖ Jeune homme d'une grande beauté (ironiq.).

ÉPHÉBIE n. f. À Athènes, système de formation civique et militaire du soldat-citoyen. (Il touchait les jeunes gens de 18 à 20 ans et durait deux années.)

ÉPHÉDRA n. m. (mot lat.). Arbrisseau à fleurs jaunes et à baies rouges comestibles.

ÉPHÉDRINE n. f. Alcaloïde de l'éphédra, utilisé en oto-rhino-laryngologie pour ses effets vasoconstricteurs.

ÉPHÉLIDE n. f. (gr. *ephêlis*). Petite tache jaunâtre se trouvant à la surface de la peau, habituellement appelée *tache de rousseur.*

ÉPHÉMÈRE adj. (gr. *ephêmeros*). Qui ne vit qu'un jour : *insecte éphémère.* ‖ De très courte durée, fugitif : *bonheur éphémère.*

ÉPHÉMÈRE n. m. Insecte qui, à l'état adulte, ne vit qu'un ou deux jours. (La larve, aquatique, peut vivre plusieurs années. Les éphémères se reconnaissent à leurs trois longs filaments prolongeant l'abdomen.) [Type de l'ordre des *éphéméroptères.*]

ÉPHÉMÉRIDE n. f. (lat. *ephemeris,* du gr. *hêmera,* jour). Livre ou notice qui contient les événements accomplis dans un même jour, à différentes époques. ‖ Calendrier dont on retire chaque jour une feuille. ◆ pl. *Astron.* Tables donnant pour chaque jour de l'année les valeurs de certaines grandeurs astronomiques variables, en particulier celles des coordonnées des planètes, de la Lune et du Soleil.

ÉPHÈSE, ville grecque d'Ionie, fondée v. 1000 av. J.-C. Dès le VIIIe s. av. J.-C., elle devient un des grands centres commerciaux et financiers de la côte de l'Asie Mineure. Son importance religieuse sera considérable du fait de son temple d'Artémis et de l'ancienneté de sa communauté chrétienne : saint Paul y séjournera à deux reprises (54-57 et 65). Éphèse fut, en 431, le siège du troisième concile œcuménique, qui condamna le nestorianisme.

Le temple d'Artémis *(Artemision)* fut élevé à la place de constructions plus modestes, avec l'aide de Crésus, entre 570 et 560 av. J.-C.; il marque une étape importante de l'architecture grecque vers la conception monumentale. Il fut détruit au IIIe s. av. J.-C.; seul son plan a pu être restitué, mais d'intéressants reliefs ont été recueillis. Importants vestiges hellénistiques, romains et byzantins, parmi lesquels l'ensemble des Sept Dormants.

ÉPHIALTÈS, homme d'État athénien (Athènes v. 495 - *id.* 457 av. J.-C.). Il fit voter diverses réformes dont la principale fut la loi privant l'Aréopage* de ses pouvoirs politiques; ceux-ci furent répartis dans les divers organismes démocratiques.

ÉPHOD [efɔd] n. m. (mot hébr.). Pièce du vêtement sacerdotal chez les Hébreux.

ÉPHORAT n. m., ou **ÉPHORIE** n. f. Charge, dignité d'éphore.

ÉPHORE n. m. (gr. *ephoros*). *Antiq. gr.* Magistrat de Sparte élu annuellement. (Les éphores étaient cinq et exerçaient un pouvoir de contrôle dans le domaine de la politique, de la justice, des finances et de l'administration. Ils ont été supprimés au IIIe s. av. J.-C.).

ÉPHRAÏM, tribu israélite établie en Palestine centrale et qui joua un rôle important dans le schisme des douze tribus, à la mort de Salomon*, en 931 av. J.-C.

ÉPHREM *(saint)*, docteur de l'Église (Nisibis v. 306 - Édesse 373), le grand théologien de l'Église syriaque. Exégète, prédicateur, poète, il a jeté les bases de l'*école théologique d'Édesse**, ou « école des Perses », dans la ligne de l'*école d'Antioche**.

EPHRUSSI (Boris), généticien français d'origine russe (Moscou 1901 - Gif-sur-Yvette 1979), dont les études ont ouvert la voie aux travaux actuels sur l'A. D. N.

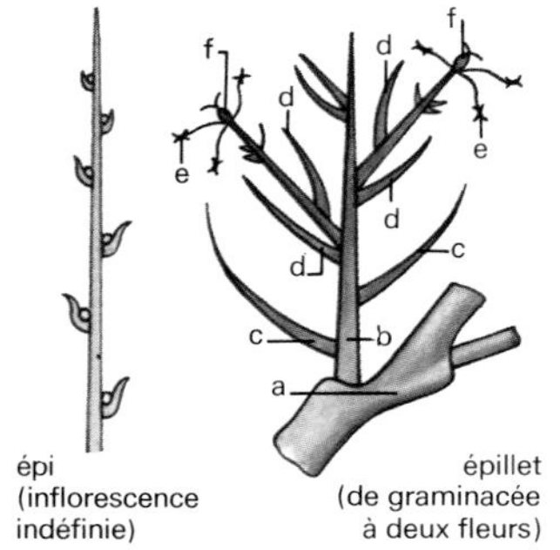
a
b
c
d
e
f
épi
(inflorescence
indéfinie)
épillet
(de graminacée
à deux fleurs)

épi : *a*, bractée ; *b*, axe de l'épillet ; *c*, glume ; *d*, glumelle ; *e*, étamine ; *f*, gynécée

ÉPI n. m. (lat. *spica*, pointe). Inflorescence dans laquelle les fleurs, sans pédoncules, sont insérées le long d'un axe principal. ‖ Mèche de cheveux, de poils qui poussent en sens contraire de celui des autres. ‖ Cloison mobile dressée perpendiculairement au mur, dans une salle d'exposition, afin d'augmenter la surface utilisable. ‖ *Trav. publ.* Ouvrage léger établi perpendiculairement à la berge d'un cours d'eau, au littoral, pour entraver l'érosion. • *Appareil en épi*, appareil dont les éléments sont posés obliquement et dont les joints sont, d'une assise sur l'autre, alternativement dans un sens et dans l'autre. ‖ *En épi*, se dit d'objets, de véhicules disposés parallèlement les uns aux autres, mais en oblique. ‖ *Épi de faîtage*, ornement vertical en métal ou en céramique décorant un point de la crête d'un toit.

ÉPI *(l')* → ÉTOILE.

ÉPIAGE n. m., ou **ÉPIAISON** n. f. Développement de l'épi dans les céréales; époque de cette apparition.

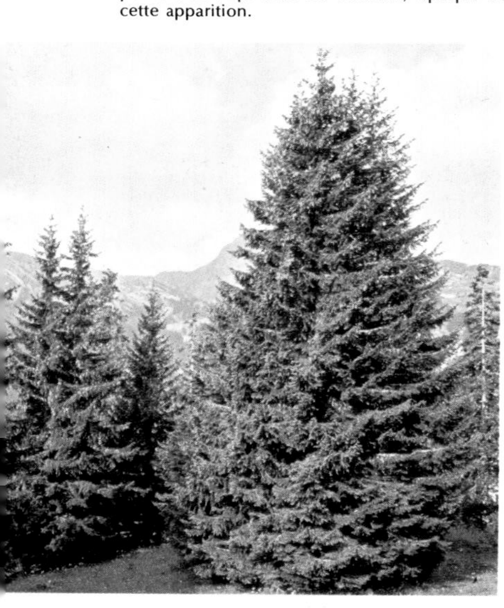
Roger Perrin

épicéas

ÉPIAIRE n. m. Genre de labiacées dont une espèce, le *crosne du Japon*, est cultivée comme alimentaire (nom scientifique *stachys*).

ÉPICANTHUS n. m. Repli cutané siégeant à l'angle interne de l'œil.

ÉPICARPE n. m. (gr. *epi*, sur, et *karpos*, fruit). *Bot.* Pellicule qui recouvre le fruit, appelée couramment la « peau » du fruit.

ÉPICE n. f. (lat. *species*, substance). Substance aromatique d'origine végétale (clou de girofle, noix muscade, gingembre, etc.) pour l'assaisonnement des mets.

ÉPICÉ, E adj. Au goût relevé par des épices : *un plat très épicé.* ‖ Qui contient des traits égrillards, grivois : *un récit épicé.*

ÉPICÉA [episea] n. m. (lat. *picea*, pin). Arbre voisin du sapin, mais beaucoup plus commun, au tronc roux, aux aiguilles vertes, aux cônes pendants. (On l'exploite pour sa résine et son bois, et on l'utilise fréquemment comme « arbre de Noël ». Il peut atteindre 50 m de haut.)

ÉPICÈNE [episɛn] adj. (gr. *epikoinos*, commun). *Ling.* Se dit des noms communs aux deux sexes, tels que *enfant, aigle, caille*, etc.

ÉPICENTRE n. m. (gr. *epi*, sur, et *centre*). Point de la surface terrestre où un séisme a été le plus intense.

ÉPICER v. t. (conj. **1**). Assaisonner avec des épices. ‖ Relever de traits égrillards.

ÉPICERIE n. f. Ensemble de denrées de consommation courante (épices, sucre, café, etc.). ‖ Commerce, magasin de l'épicier.

ÉPICIER, ÈRE n. Commerçant vendant en gros ou en détail des comestibles, des épices, du sucre, du café, des boissons, etc.

ÉPICLÈSE n. f. (gr. *epiklêsis*, invocation). *Liturg.* Invocation au Saint-Esprit.

ÉPICONDYLE n. m. Apophyse de l'extrémité inférieure de l'humérus.

ÉPICONDYLITE n. f. Inflammation des tendons des muscles qui s'insèrent sur l'épicondyle. (Syn. TENNIS-ELBOW.)

ÉPICONTINENTAL, E, AUX adj. Se dit des mers ou océans qui recouvrent le plateau continental.

ÉPICRÂNIEN, ENNE adj. *Anat.* Qui entoure le crâne : *aponévrose épicrânienne.*

ÉPICTÈTE, philosophe stoïcien (Hiérapolis, Phrygie, v. 50 - Nicopolis, Épire, v. 125). Esclave, il est affranchi et banni de Rome par Domitien. Il se retire alors à Nicopolis, où il se consacre à la philosophie. Bien qu'il se réclame de Chrysippe, il simplifie le stoïcisme en en faisant principalement une morale qui, pour s'appuyer sur la logique, n'en délaisse pas moins la physique. Dans ses *Entretiens* et son *Manuel*, rédigés par l'un de ses disciples, il fonde sa morale sur la distinction entre ce qui dépend de nous et ce qui n'en dépend pas. Or l'homme n'est libre que de bien utiliser ses idées, il doit donc donner son assentiment à tout ce qui est et se détacher de ce qui le dépasse. Insistant sur les valeurs d'effort, d'ascèse et de détachement, cette morale nie le problème du mal.

ÉPICURE, philosophe grec (Samos 341 av. J.-C. - Athènes 270 av. J.-C.). Il suit les cours de Nausiphanès de Téos à Athènes, puis y fonde, en 306, une école philosophique, le « jardin ». La majeure partie de l'œuvre d'Épicure est perdue, et sa pensée, hormis les lettres (sur la physique, l'astronomie et la morale) et un *Recueil de sentences*, nous est surtout connue par Lucrèce et Diogène Laërce.

Le problème principal de la canonique, ou théorie de la connaissance, élaborée par Épicure, est celui des critères de la connaissance. Est vrai, d'après lui, tout ce que nos sens confirment ou n'infirment pas. Reprenant et transformant l'atomisme développé par Démocrite*, Épicure situe la cause du mouvement des atomes en eux-mêmes et récuse ainsi toute idée de finalité dans la nature. Mais si, en physique, il n'existe pas de déterminisme strict, alors l'homme est libre.

Le critère principal de la connaissance, la sensation, est aussi un critère moral : le plaisir lié aux sensations constitue la fin et le principe du bonheur. Afin d'éviter toutes sortes de troubles qui transformeraient le plaisir en douleur, Épicure sélectionne les plaisirs. Ne sont retenus que ceux qui viennent de la satisfaction des désirs naturels et nécessaires : essentiellement les plaisirs du corps. L'idéal de liberté et d'ataraxie* qu'il prône le conduit à critiquer la société génératrice de désirs, qui, comme le luxe et les honneurs, ne sont ni naturels ni nécessaires, et à conclure : « Pour vivre heureux, vivons cachés. »

ÉPICURIEN, ENNE adj. et n. D'Épicure et de ses disciples. ‖ Qui recherche son seul plaisir.

ÉPICURISME n. m. Doctrine d'Épicure et des épicuriens.

ÉPICYCLOÏDAL, E, AUX adj. Relatif à l'épicycloïde. • *Train épicycloïdal*, train d'engrenages dont certains axes peuvent eux-mêmes tourner autour de l'axe qui les commande.

ÉPICYCLOÏDE n. f. *Math.* Courbe décrite par un point d'une courbe mobile qui roule sans glisser sur une courbe fixe. ‖ Courbe décrite par un point d'un cercle mobile roulant sans glisser sur un cercle fixe et qui peut être soit intérieur, soit extérieur au cercle mobile.

ÉPIDAURE, cité d'Argolide, célèbre par son temple d'Asclépios et les guérisons qui s'y opéraient. Des tessons de l'helladique ancien confirment la date reculée du sanctuaire, qui atteint la notoriété avec le dieu Asclépios au VIe s. av. J.-C., mais qui se développe surtout au IVe s. en provoquant l'essor de la ville, dont le magnifique théâtre reste un des principaux témoins. Vestiges divers (tholos...) et nombreux ex-voto.

ÉPIDÉMIE n. f. (gr. *epi*, sur, et *dêmos*, peuple). Atteinte simultanée d'un grand nombre d'individus d'un pays ou d'une région par une maladie particulière, comme la grippe, le choléra, la fièvre typhoïde, etc. (L'*épidémie* diffère de l'*endémie* en ce que la première est un état aigu accidentel et la seconde un état constant ou périodique.)

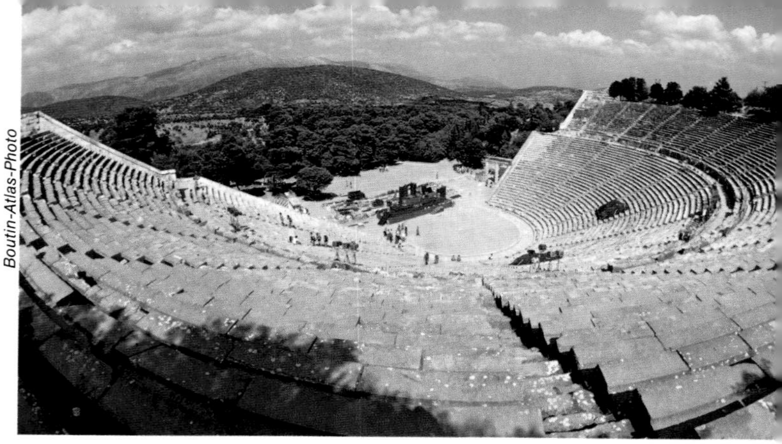
Boutin-Atlas-Photo

Théâtre d'**Épidaure,** édifié par l'architecte Polyclète le Jeune au IVe s. av. J.-C.

ÉPIDÉMIOLOGIE n. f. Étude des facteurs déterminant la fréquence et la distribution des maladies dans les populations humaines.

ÉPIDÉMIOLOGIQUE adj. Relatif à l'épidémiologie.

ÉPIDÉMIQUE adj. Qui tient de l'épidémie : *maladie épidémique.* ‖ Qui se répand à la façon d'une épidémie, contagieux, communicatif : *enthousiasme épidémique.*

ÉPIDERME n. m. (gr. *epi*, sur, et *derma*, peau). Membrane épithéliale formant la zone externe de la peau, dont la couche superficielle est cornée et desquamée. (Poils, plumes, cornes, ongles, griffes, sabots sont des productions de l'épiderme.) ‖ *Bot.* Pellicule qui recouvre les feuilles ainsi que les tiges et les racines jeunes. • *Avoir l'épiderme sensible*, être susceptible.

ÉPIDERMIQUE adj. Relatif à l'épiderme. • *Réaction épidermique*, attitude d'une personne qui réagit vivement et immédiatement à une critique, à une contrariété.

ÉPIDERMOMYCOSE n. f. Mycose superficielle de la peau.

ÉPIDIASCOPE n. m. Appareil éducatif de projection par réflexion et transparence.

ÉPIDIDYME n. m. (gr. *epi*, sur, et *didumos*, testicule). *Anat.* Corps allongé flanquant le testicule et contenant un canal très contourné qu'empruntent les spermatozoïdes.

ÉPIDIDYMITE n. f. Atteinte infectieuse, aiguë ou chronique, de l'épididyme.

ÉPIDOTE n. f. Silicate hydraté naturel d'aluminium, de calcium et de fer, que l'on rencontre dans les roches faiblement métamorphiques.

ÉPIDURAL, E, AUX adj. Situé autour de la dure-mère, entre celle-ci et le canal rachidien osseux.

ÉPIER v. i. Se former en épi.

ÉPIER v. t. (mot francique). Observer secrètement et attentivement : *épier les allées et venues de qqn.*

ÉPIERRAGE ou **ÉPIERREMENT** n. m. Action d'épierrer un terrain.

ÉPIERRER v. t. Ôter les pierres d'un jardin, d'un champ, etc.

ÉPIERREUSE n. f., ou **ÉPIERREUR** n. m. Machine utilisée pour débarrasser un produit agricole des petites pierres qu'il peut contenir.

ÉPIEU n. m. (mot francique). Gros et long bâton garni de fer, et employé pour chasser.

ÉPIEUR, EUSE n. Celui, celle qui épie.

ÉPIGASTRE n. m. (gr. *epi*, sur, et *gastêr*, ventre). Partie supérieure de l'abdomen, comprise entre l'ombilic et le sternum.

ÉPIGASTRIQUE adj. De l'épigastre.

ÉPIGÉ, E [epiʒe] adj. (gr. *epi*, sur, et *gê*, terre). *Bot.* Se dit d'un mode de germination dans lequel la croissance de la tigelle porte les cotylédons au-dessus du sol, comme chez le haricot.

ÉPIGENÈSE n. f. (gr. *epi*, sur, et *genesis*, formation). *Biol.* Théorie qui admet que l'embryon se constitue graduellement dans l'œuf par formation successive de parties nouvelles.

ÉPIGÉNIE n. f. *Géomorphol.* Syn. vieilli de SURIMPOSITION. ‖ *Minér.* Dans une roche, remplacement d'un minéral par un autre.

ÉPIGLOTTE n. f. (gr. *epi*, sur, et *glôtta*, langue). Languette cartilagineuse qui ferme la glotte pendant la déglutition.

ÉPIGONE n. m. (gr. *epigonos*, descendant). *Litt.* Successeur, disciple sans originalité personnelle.

ÉPIGONES, nom donné dans le cycle thébain aux fils des Sept* Chefs, qui, dix ans après, vengèrent l'échec de leurs pères.

ÉPIGRAMMATIQUE adj. Qui tient de l'épigramme.

ÉPIGRAMME n. f. (gr. *epigramma*, inscription). Petite pièce de vers qui se termine par un trait, généralement satirique. ‖ Mot jeté dans la conversation ou dans un écrit, et qui exprime une critique vive, une raillerie mordante. • *Épigramme d'agneau*, côtelette ou poitrine d'agneau parée.

ÉPIGRAPHE n. f. (gr. *epigraphê*, inscription). Inscription sur un édifice pour indiquer sa date, la dédicace, l'intention des constructeurs, etc. ‖ Citation d'un auteur, en tête d'un livre, d'un chapitre, pour en résumer l'objet ou l'esprit.

ÉPIGRAPHIE n. f. Science auxiliaire de l'histoire qui a pour objet l'étude des inscriptions sur matières durables (pierre, métal, bois).

ÉPIGRAPHIQUE adj. Qui concerne l'épigraphie.

ÉPIGRAPHISTE n. Spécialiste d'épigraphie.

ÉPIGYNE [epiʒin] adj. et n. f. (gr. *gunê*, femelle). *Bot.* Se dit d'une pièce florale insérée au-dessus de l'ovaire, et d'une fleur où le périanthe et l'androcée sont insérés au-dessus de l'ovaire, alors qualifié d'*infère*.

ÉPILATION n. f. Action d'épiler.

ÉPILATOIRE adj. Qui sert à épiler. (Syn. DÉPILATOIRE.)

ÉPILEPSIE n. f. (gr. *epilêpsia*, attaque). État caractérisé par la survenue de crises convulsives paroxystiques, correspondant à l'excitation simultanée d'un groupe ou de la totalité des cellules cérébrales.

■ L'épilepsie n'est qu'un symptôme qui peut témoigner d'affections extrêmement diverses. Le processus épileptique consiste en une décharge électrique anormale d'un groupe de neurones et qui a pour caractéristiques d'être rythmique, excessive, extensive et autoentretenue.

Les crises d'expression généralisées (grand mal et petit mal) ne peuvent, cliniquement, être rapportées à un foyer localisé, et, à l'électroencéphalogramme, elles se traduisent par une perturbation synchrone, bilatérale et symétrique des rythmes recueillis. Lors de la crise de *grand mal*, manifestation la plus spectaculaire et la plus anciennement connue de l'épilepsie, le sujet perd brutalement conscience et tombe. Pendant quelques secondes, tous ses muscles sont contracturés (phase tonique). Puis débute la phase clonique, faite de convulsions (relâchement intermittent de la contracture), suivie d'un coma postcritique qui peut durer une demi-heure et qui se dissipe progressivement. Les absences constituent la principale manifestation du *petit mal*. Elles se voient essentiellement chez les enfants. Au cours d'une absence, l'enfant pâlit, cesse son activité, mais ne tombe pas. L'absence a une durée très brève, de l'ordre de quelques secondes, et se termine brusquement, l'enfant reprenant son activité là où il l'avait laissée. Les crises de grand comme de petit mal ne laissent aucun souvenir, mais peuvent se répéter au cours d'une même journée.

Les crises focales ou partielles ont une expression clinique qui permet d'incriminer certaines zones du cerveau. Les plus caractéristiques sont les crises motrices (mouvement invincible d'une partie du corps, alors que le sujet reste conscient); elles témoignent d'une souffrance de la frontale ascendante. Les crises sensitives (sensations anormales : picotements, fourmillements, localisées dans une partie du corps) traduisent, elles, une lésion de la pariétale ascendante. Les crises focales peuvent se généraliser secondairement : il y a alors perte de conscience. Les lésions qui en sont responsables sont le plus souvent des tumeurs cérébrales primitives (méningiome, gliome) ou secondaires (métastases) ou des malformations vasculaires.

L'épilepsie généralisée d'emblée apparaît souvent comme la séquelle d'une affection : encéphalopathie infantile, traumatisme crânien, éthylisme. Parfois on ne peut lui retrouver aucune cause : on parle alors d'épilepsie essentielle, qui débute habituellement dans l'enfance par des crises de petit mal.

En plus de l'action spécifique sur la cause, quand il y en a une, le traitement symptomatique de l'épilepsie est fondé essentiellement sur la prise de barbituriques, qui doit être régulière, prolongée même en l'absence de nouvelles crises.

ÉPILEPTIFORME adj. Qui ressemble à une attaque d'épilepsie.
ÉPILEPTIQUE adj. et n. Qui relève de l'épilepsie, qui y est sujet.
ÉPILEPTOÏDE adj. et n. Se dit d'un sujet ayant tendance aux réactions impulsives et violentes.
ÉPILER v. t. (lat. *pilus*, poil). Arracher les poils avec une pince ou les supprimer à l'aide d'un dépilatoire.
ÉPILLET n. m. (de *épi*). Chacun des épis secondaires dont la réunion forme un épi.
ÉPILOBE n. m. (gr. *epi*, sur, et *lobos*, lobe). Genre de plantes à fleurs pourpres, communes en France dans les endroits humides. (Famille des onagrariacées.)
ÉPILOGUE n. m. (gr. *epilogos*, péroraison). Conclusion d'un ouvrage littéraire. || Ce qui termine une aventure, une histoire.
ÉPILOGUER v. i. [**sur**]. Faire des commentaires sur toutes choses, critiquer.
ÉPIMAQUE n. m. Sorte de paradisier de la Nouvelle-Guinée.
ÉPINAC (71360), ch.-l. de cant. de Saône-et-Loire, à 19 km au N.-E. d'Autun; 2637 hab.
ÉPINAL (88000), ch.-l. du départ. des Vosges, à 372 km à l'E. de Paris, sur la Moselle; 40954 hab. *(Spinaliens)*. Basilique romane et gothique. Musée départemental des Vosges (archéologie, beaux-arts, faïences d'Épinal et importante section d'imagerie*, dont la ville fut un centre au XIXe s. surtout, avec la fabrique Pellerin*). Industries mécaniques et textiles.
ÉPINARD n. m. (ar. *isbinâkh*). Plante potagère dont on consomme les feuilles. (Famille des chénopodiacées.) ◆ pl. Feuilles d'épinard comestibles. • *Mettre du beurre dans les épinards* (Fam.), améliorer ses revenus, la situation.

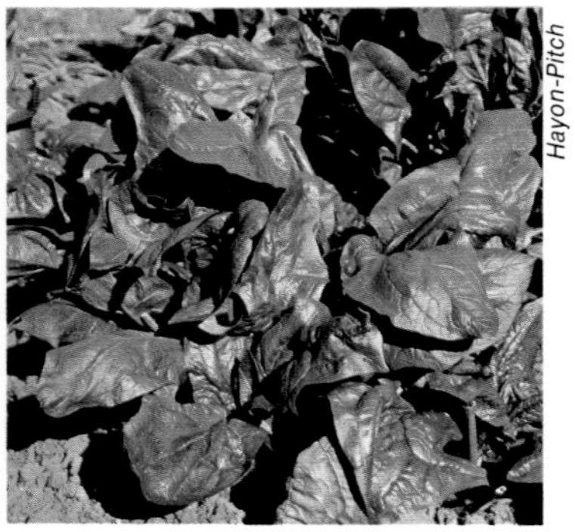
Hayon-Pitch
épinard

ÉPINAY (Louise DE LA LIVE D'), femme de lettres française (Valenciennes 1726 - Paris 1783). Un moment protectrice de J.-J. Rousseau, elle a laissé des Mémoires, des essais de morale et des ouvrages d'éducation.
ÉPINAY-SOUS-SÉNART (91800 Brunoy), ch.-l. de cant. de l'Essonne, au N.-E. de la *forêt de Sénart;* 14735 hab.
ÉPINAY-SUR-ORGE (91360), comm. de l'Essonne, à 17 km au S. de Paris; 8752 hab.
ÉPINAY-SUR-SEINE (93800), ch.-l. de cant. de la Seine-Saint-Denis, à 8 km au N. de Paris; 50314 hab.
ÉPINCER v. t. (conj. **1**). *Bot.* Supprimer entre deux sèves les bourgeons qui ont poussé sur un arbre.
ÉPINCER v. t. (conj. **1**), ou **ÉPINCETER** v. t. (conj. **4**). *Trav. publ.* Façonner des pavés ou des bordures de trottoirs. || *Text.* Enlever les nœuds et les corps qui restent à la surface des étoffes de laine.
ÉPINE n. f. (lat. *spina*). Excroissance dure et pointue qui naît sur certains végétaux. || Arbrisseau épineux. • *Épine dorsale*, colonne vertébrale. || *Épine irritative*, phénomène qui entretient un processus pathologique. || *Tirer, enlever une épine du pied*, débarrasser d'un souci.
ÉPINETTE n. f. Petit clavecin. || Cage utilisée autrefois pour engraisser les volailles. || Au Canada, épicéa.
ÉPINEURIEN, ENNE adj. et n. m. Animal dont le système nerveux est dorsal (vertébré et procordé). [Contr. HYPONEURIEN.]
ÉPINEUX, EUSE adj. (lat. *spinosus*). Couvert d'épines. || Plein de difficultés, embarrassant, délicat. • *Apophyse épineuse*, apophyse postérieure des vertèbres, faisant saillie sous la peau.
ÉPINE-VINETTE n. f. (pl. *épines-vinettes*). Arbrisseau épineux à fleurs jaunes et baies rouges, et qui héberge, pendant une partie de son cycle de développement, un champignon déterminant sur les céréales la maladie appelée *rouille*. (Famille des berbéridacées.)
ÉPINGLAGE n. m. Action d'épingler.
ÉPINGLE n. f. (lat. *spinula*). Petite tige métallique, garnie d'une tête à l'une des extrémités et terminée par une pointe à l'autre. || Bijou en forme d'épingle avec tête ornée. • *Chercher une épingle dans une meule (une botte) de foin*, chercher une chose introuvable. || *Coup d'épingle*, petite méchanceté. || *Épingle à cheveux*, petite tige recourbée à deux branches, avec laquelle les femmes fixent leurs cheveux. || *Épingle de sûreté, épingle de nourrice* ou *épingle anglaise*, petite tige recourbée formant ressort, dont la pointe est protégée et maintenue par un crochet plat. || *Monter en épingle* (Fam.), mettre en évidence, donner une importance excessive à. || *Tiré à quatre épingles*, habillé soigneusement. || *Tirer son épingle du jeu*, se tirer adroitement d'une affaire délicate. || *Virage en épingle à cheveux*, virage très serré d'une route qui repart brusquement dans le sens opposé.
ÉPINGLÉ, E adj. et n. m. Se dit de certaines étoffes à cannelures : *velours épinglé*.
ÉPINGLER v. t. Attacher, fixer avec des épingles : *épingler un papillon*. || *Fam.* Arrêter, faire prisonnier.
ÉPINGLETTE n. f. Aiguille qui servait autref. à déboucher la lumière des armes à feu. || Ancien insigne des meilleurs tireurs.
ÉPINGLIER, ÈRE n. Personne qui fabrique des épingles.
Épinicies, nom générique des *Odes triomphales* de Pindare (Ve s. av. J.-C.), poésies dédiées aux athlètes vainqueurs et réparties en *Olympiques, Pythiques, Néméennes* et *Isthmiques*.
ÉPINIER n. m. *Véner.* Fourré d'épines.
ÉPINIÈRE adj. f. *Moelle épinière*, v. MOELLE.
ÉPINOCHE n. f. (de *épine*). Petit poisson marin ou d'eau douce, portant des épines sur le dos. (L'épinoche d'eau douce atteint 8 cm de long, et le mâle construit sur le fond un nid où il surveille les œufs.)
ÉPINOCHETTE n. f. Petite épinoche (long. 6 cm) des ruisseaux.
ÉPIPALÉOLITHIQUE adj. et n. m. Se dit d'une période préhistorique faisant suite au paléolithique à partir de l'holocène, caractérisée par un développement de l'outillage microlithique sans abandon de l'économie de prédation et s'opposant ainsi au mésolithique.
ÉPIPÉLAGIQUE adj. Se dit de la zone océanique recouvrant le plateau continental (jusqu'à 250 m de profondeur).
ÉPIPHANE *(saint)*, écrivain grec chrétien (près d'Éleuthéropolis v. 315 - en mer 403), évêque de Salamine de Chypre. Il fut le défenseur maladroit de l'orthodoxie, en particulier dans sa campagne contre l'origénisme (v. ORIGÈNE). Son œuvre, prolixe et superficielle, contient d'utiles renseignements.
ÉPIPHANIE n. f. (gr. *epiphaneia*, apparition). Fête chrétienne célébrant la manifestation du Christ aux païens, figurée dans l'Évangile par l'épisode des Rois mages. (Elle est appelée pour cette raison *jour* ou *fête des Rois*.)
ÉPIPHÉNOMÈNE n. m. *Philos.* Phénomène qui vient s'ajouter à un autre sans le modifier. || Phénomène accessoire qui s'ajoute à l'essentiel dont il dépend.
ÉPIPHÉNOMÉNISME n. m. Théorie philosophique selon laquelle la conscience se surajoute aux phénomènes physiologiques, sans les influencer.
ÉPIPHÉNOMÉNISTE adj. et n. Qui relève de l'épiphénoménisme.
ÉPIPHYSE n. f. (gr. *epi*, sur, et *phusis*, croissance). Extrémité d'un os long, contenant de la moelle rouge. || Glande attenante au plafond du diencéphale. (Syn. ancien : GLANDE PINÉALE.)
ÉPIPHYSITE n. f. Inflammation de l'extrémité (épiphyse) des os chez l'enfant et l'adolescent. (L'épiphyse supérieure du fémur et les vertèbres sont les plus souvent touchées.)
ÉPIPHYTE adj. et n. m. (gr. *epi*, sur, et *phuton*, plante). Se dit d'un végétal fixé sur un autre, mais non parasite, comme certaines orchidacées équatoriales des arbres.
ÉPIPHYTIE [epifiti] n. f. Maladie contagieuse ravageant localement ou régionalement une espèce végétale.
ÉPIPLOON [epiplɔɔ̃] n. m. (mot gr., *flottant*). *Anat.* Nom donné à deux replis du péritoine : *le grand épiploon*, qui relie l'estomac au côlon transverse, et le *petit épiploon*, qui relie le foie à l'estomac. (Ils peuvent se charger d'une grande quantité de graisse dans les cas d'obésité.)
ÉPIQUE adj. (gr. *epikos*). Propre à l'épopée, digne de l'épopée. || Extraordinaire, mémorable : *discussion épique*. • *Théâtre épique*, forme dramatique définie par B. Brecht, par opposition au théâtre occidental traditionnel, et qui invite le spectateur non plus à s'identifier à un héros ou à s'abandonner à une action, mais à porter un regard critique sur un spectacle qui se veut un modèle pratique du monde réel qu'il appelle à transformer.
ÉPIRE, région montagneuse à l'extrémité nord-ouest de la Grèce. Isolée de la Grèce par le massif du Pinde, l'Épire resta longtemps à l'écart du monde grec; à la fin du Ve s. av. J.-C., les tribus épirotes se groupèrent en un seul royaume qui prit de l'importance avec Pyrrhos II*, après le règne duquel l'Épire, constituée en fédération démocratique, ne tarda pas à tomber sous le joug romain (168 av. J.-C.).

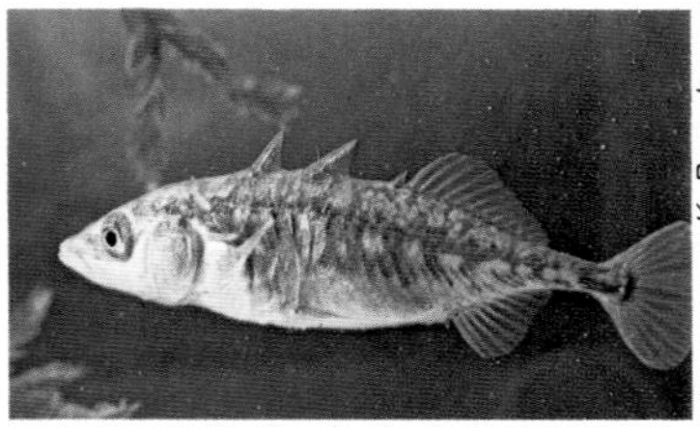
K. Ross-Jacana
épinoche

ÉPIRE *(despotat d')*, principauté fondée en 1205 par Michel Ier Ange, cousin de l'empereur byzantin Alexis III Ange, et formée, à l'origine, de l'Épire, de l'Étolie, de l'Acarnanie et d'une partie de la Thessalie. Amputé dès 1271 de la Thessalie, qui forma le despotat de Blaquie, puis d'une partie du littoral adriatique, qui tomba aux mains des princes de Tarente, le despotat d'Épire passa aux Orsini, comtes de Céphalonie (1318), avant d'être reconquis par l'empereur byzantin Andronic III Paléologue (1328-1341).
ÉPIROGENÈSE ou **ÉPEIROGENÈSE** n. f. (gr. *êpeiros*, continent). *Géol.* Soulèvement ou affaissement d'ensemble d'un grand compartiment de l'écorce terrestre.
ÉPIROGÉNIQUE ou **ÉPEIROGÉNIQUE** adj. Relatif à l'épirogenèse.
ÉPIROTE adj. et n. De l'Épire.
ÉPISCLÉRITE n. f. Inflammation superficielle de la sclérotique, se manifestant par une rougeur légèrement saillante du blanc de l'œil.
ÉPISCOPAL, E, AUX adj. Qui appartient à l'évêque : *palais épiscopal*.
ÉPISCOPALIEN, ENNE adj. et n. Partisan de l'épiscopalisme. ◆ adj. Se dit des Églises réformées qui ont gardé la hiérarchie épiscopale.
ÉPISCOPALISME n. m. Théorie selon laquelle l'assemblée des évêques est supérieure au pape.
ÉPISCOPAT n. m. (lat. *episcopus*, évêque). Dignité d'évêque; durée de cette fonction. || Ensemble des évêques.
ÉPISCOPE n. m. (gr. *epi*, sur, et *skopein*, regarder). Appareil servant à la projection sur écran, par réflexion, d'objets opaques. || Instrument d'optique permettant d'observer le terrain de l'intérieur d'un véhicule blindé de combat.
ÉPISIOTOMIE n. f. Section de la vulve et des muscles du périnée, que l'on pratique lors de certains accouchements pour faciliter le passage de la tête de l'enfant.
ÉPISODE n. m. (gr. *epeisodion*, accessoire). Circonstance appartenant à une série d'événements formant un ensemble : *les épisodes de la Révolution française*. || Division d'une action dramatique : *feuilleton en plusieurs épisodes*. || Action incidente, liée à l'action principale, dans un poème, un roman, etc.
ÉPISODIQUE adj. Qui constitue un simple épisode; secondaire, intermittent : *rôle épisodique; séjour épisodique*.
ÉPISODIQUEMENT adv. De façon épisodique.
ÉPISOME n. m. Particule cellulaire du cytoplasme, porteuse d'information génétique.
ÉPISSER v. t. (néerl. *splissen*). Assembler deux cordages ou deux câbles en entrelaçant les torons qui les composent.
ÉPISSOIR n. m., ou **ÉPISSOIRE** n. f. Poinçon pour écarter les torons des cordages à épisser.
ÉPISSURE n. f. Réunion de deux cordages ou de deux câbles électriques par entrelacement des torons qui les composent.
ÉPISTASIE n. f. *Biol.* Dominance d'un gène sur tout autre gène non allèle.
ÉPISTAXIS [epistaksis] n. f. (gr. *epi*, sur, et *staxis*, écoulement). *Méd.* Saignement de nez.
ÉPISTÉMÉ n. f. (mot gr., *science*). *Philos.* Configuration du savoir, à une époque historique donnée, qui rend possibles les diverses formes de science.
ÉPISTÉMOLOGIE n. f. (gr. *epistemê*, science, et *logos*, étude). Étude critique du développement, des méthodes et des résultats des sciences. • *Épistémologie génétique*, théorie de la connaissance scientifique, développée par J. Piaget, fondée sur l'analyse du développement même de cette connaissance chez l'enfant, et sur celle de la constitution du système de notions utilisées par une science particulière au cours de son histoire.
■ Née au XIXe s., l'épistémologie s'oriente vers deux problématiques distinctes : la problématique de l'unité de la connaissance à travers la pluralité des disciplines (positivisme de Comte et de Meyerson, qui cherchent à élaborer une philosophie des sciences) et la problématique de la théorie de la connaissance, qui s'expose en termes d'objet et de sujet (Husserl, spiritualisme, Piaget ultérieurement). Toutes deux partagent le présupposé idéaliste d'un sujet de la science.

En ruinant les prétentions de fonder la science sur un sujet et en faisant apparaître l'historicité propre à chaque discipline scientifique, la crise de la théorie des ensembles* et la naissance de la mécanique* quantique contraignent l'épistémologie à se transformer. Dans un premier temps, elle s'attache à élucider les propositions scientifiques et les conditions de leur validité (positivisme logique, Russell, cercle de Vienne, Carnap, Popper). Dans un second temps, elle fait une place plus large à l'histoire des sciences.

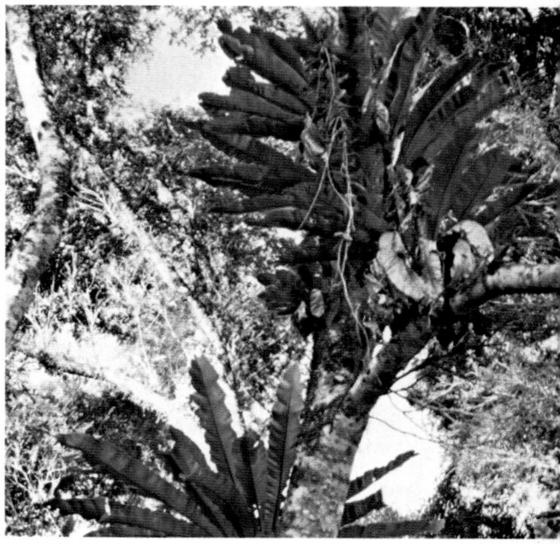
J.-M. Bassot-Jacana
épiphyte

L'épistémologie contemporaine est à la fois régionale et historique. Chaque science produit à chaque moment de son histoire ses propres normes de vérité, et, de ce fait, l'épistémologie doit analyser les procédures opératoires particulières à chaque pratique scientifique, la « vie interne de la science » (J. Cavaillès) pour « produire le discours rigoureux qui, se déployant au plus près de l'activité scientifique, enchaîne et éclaire les motivations qui lui sont propres » (J.-T. Desanti). Inauguré par G. Bachelard et A. Koyré, renouvelé par G. Canguilhem*, M. Foucault et L. Althusser, le point de vue historique aboutit à montrer les discontinuités qui s'instaurent entre connaissance commune et con-

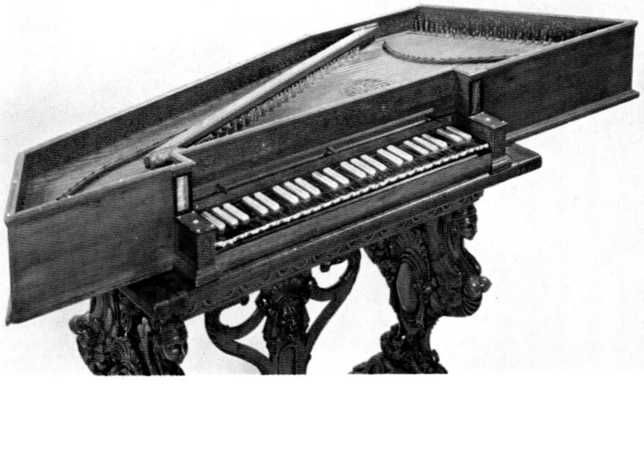
épinette du XVIe s.
Lauros-Giraudon

naissance scientifique, d'une part, et entre les différentes étapes de la pensée scientifique, d'autre part.

L'épistémologie historique se propose, aujourd'hui, de penser les idéologies théoriques (M. Pécheux), la « production » spécifique des concepts et des théories de chaque science (M. Fichant), voire une « critique de l'épistémologie » (D. Lecourt) qui débouche sur la remise en question du caractère historique de cette épistémologie (J.-T. Desanti).

ÉPISTÉMOLOGIQUE adj. Qui concerne l'épistémologie.

ÉPISTÉMOLOGISTE ou **ÉPISTÉMOLOGUE** n. Spécialiste d'épistémologie.

ÉPISTOLAIRE adj. (lat. *epistola*, lettre). Qui concerne les lettres, la correspondance : *être en relation épistolaire avec qqn.*

ÉPISTOLIER, ÈRE n. Personne qui écrit beaucoup de lettres à caractère littéraire (vx).

ÉPITAPHE n. f. (gr. *epi*, sur, et *taphos*, tombe). Inscription sur un tombeau.

ÉPITAXIE n. f. Phénomène d'orientation mutuelle de cristaux de substances différentes, dû à des analogies étroites dans l'arrangement des atomes des faces communes.

ÉPITHALAME n. m. (gr. *epi*, sur, et *thalamos*, chambre à coucher). *Littér.* Poème lyrique composé à l'occasion d'un mariage.

ÉPITHÉLIAL, E, AUX adj. Qui appartient à l'épithélium.

ÉPITHÉLIALISATION n. f. Reconstitution de l'épithélium au-dessus du tissu conjonctif, au cours de la cicatrisation.

ÉPITHÉLIOMA n. m. Tumeur maligne constituée à partir du tissu épithélial.

ÉPITHÉLIONEURIEN, ENNE adj. et n. m. Animal qui, comme les échinodermes, a un système nerveux superficiel.

ÉPITHÉLIUM [epiteljɔm] n. m. (gr. *epi*, sur, et *thêlê*, mamelon). *Histol.* Tissu formé d'une ou de plusieurs couches de cellules jointives et recouvrant le corps, les cavités internes, les organes, comme par exemple l'épiderme.
■ Parmi les tissus animaux de « type épithélial », les épithéliums proprement dits se définissent par leur disposition en une ou en plusieurs assises étendues de cellules à polarité très marquée séparant l'organisme du monde extérieur (épiderme de la peau) ou d'une cavité organique (épithéliums intestinal, bronchique, glandulaire). En conséquence, les cellules de l'épithélium sont alimentées *par une seule face*, celle qui est tournée vers l'organisme. Lorsque l'épithélium est unistratifié (formé d'une seule couche), la face externe peut porter des cils vibratiles (bronches), un appareil filtrant (intestin) ou rejeter une sécrétion (glandes). Lorsqu'il est pluristratifié (peau), elle engendre de nouvelles cellules, de plus en plus mal nourries à mesure que des cellules plus jeunes les refoulent vers le dehors en les éloignant du sang, de sorte qu'elles finissent par mourir et par tomber (pellicules).

Chez l'homme, les épithéliums de recouvrement externe (tels l'épiderme de la peau et les muqueuses des orifices naturels) sont formés de plusieurs couches de cellules aplaties et disposées comme des pavés (épithéliums pavimenteux). Les épithéliums du tube digestif et des glandes sécrétoires sont formés de cellules cubiques ou cylindriques (épithéliums glandulaires cylindriques ou cubiques). Les tumeurs cancéreuses des tissus épithéliaux, ou *épithéliomas*, se classent en deux groupes : les épithéliomas indifférenciés, formés par des cellules qui ne rappellent aucun tissu reconnaissable, et les épithéliomas différenciés. L'épithélioma spinocellulaire, analogue à la couche de cellules de Malpighi de la peau, entre dans cette dernière catégorie. Le pronostic des épithéliomas est très variable et fonction du siège et du type de la tumeur. Le traitement est chirurgical ou radiothérapique.

ÉPITHÈTE n. f. (gr. *epitheton*, qui est ajouté). Mot ou expression employés pour qualifier qqn ou qqch : *épithète injurieuse.* ◆ n. f. et adj. Fonction d'un adjectif qualificatif se rapportant directement au nom sans l'intermédiaire d'un verbe (par oppos. à ATTRIBUT).

ÉPITOGE n. f. (gr. *epi*, sur, et lat. *toga*, toge). Bande d'étoffe distinctive que les professeurs, les magistrats, les avocats en robe portent sur l'épaule.

ÉPITOMÉ n. m. (mot gr., *abrégé*). Abrégé d'un livre, particulièrement d'un livre d'histoire.

ÉPÎTRE n. f. (lat. *epistola*). Lettre écrite par un auteur ancien. ‖ *Littér.* Lettre en vers. ‖ *Litt.* Lettre : *écrire à un ami une épître chaleureuse.* ‖ Passage de l'Écriture sainte et surtout des lettres des Apôtres qui est lu à la messe avant l'évangile. ● *Épître dédicatoire*, lettre par laquelle on dédie un livre à qqn.

Épîtres, d'Horace (30-8 av. J.-C.). Sur un ton familier, un traité de la morale et du goût. La dernière, l'*Épître aux Pisons*, constitue un art poétique.

Épîtres, de Boileau, publiées (au nombre de douze) de 1669 à 1695. Tantôt elles prennent le ton de l'épopée (IVe épître, *Au roi*, sur le passage du Rhin), tantôt traitent de morale ou de critique littéraire.

Épîtres du Nouveau Testament, nom donné aux vingt et une lettres attribuées par la tradition aux Apôtres et insérées comme telles dans le Nouveau Testament*. Elles se répartissent en quatorze épîtres de saint Paul* et sept épîtres dites « catholiques », imputées aux apôtres Jacques*, Pierre* (deux), Jean* (trois) et Jude*. L'authenticité de certaines est mise en question.

ÉPIZOOTIE [epizɔɔti *ou* -si] n. f. (gr. *zôotês*, nature animale). Maladie contagieuse qui atteint un grand nombre d'animaux.

ÉPIZOOTIQUE adj. Relatif à l'épizootie.

ÉPLORÉ, E adj. (lat. *plorare*, pleurer). Qui est tout en pleurs, désolé, accablé de chagrin : *une veuve éplorée.*

ÉPLUCHAGE n. m. Action d'éplucher.

ÉPLUCHER v. t. Ôter la peau, les parties non comestibles ou moins bonnes d'un légume, d'un fruit : *éplucher des oignons, des oranges, des haricots.* ‖ Enlever les bourres des étoffes : *éplucher un drap.* ‖ Rechercher minutieusement ce qu'il y a de répréhensible dans : *éplucher la conduite de qqn.* ‖ Lire attentivement un texte afin d'y découvrir un détail qu'on cherche.

ÉPLUCHETTE n. f. Au Canada, fête organisée à l'occasion de la récolte du maïs.

ÉPLUCHEUR, EUSE n. Personne qui épluche.

ÉPLUCHEUR adj. et n. m. Couteau spécial à lame courte et pointue pour gratter, éplucher les légumes.

ÉPLUCHEUSE n. f. Appareil ménager pour éplucher les légumes, projetés par un mouvement rotatif sur une râpe ou un abrasif.

ÉPLUCHURE n. f. Déchet qu'on enlève en épluchant : *balayer les épluchures.*

ÉPODE n. f. (gr. *epi*, sur, et *ôdê*, chant). *Littér. anc.* Couplet lyrique formé de deux vers inégaux. ‖ Dans les chœurs de tragédies, partie lyrique qui se chantait après la strophe et l'antistrophe. ‖ Nom donné à de petits poèmes satiriques d'Horace.

ÉPOINTAGE ou **ÉPOINTEMENT** n. m. Action d'épointer.

ÉPOINTER v. t. Casser ou user la pointe d'un instrument, d'un outil.

ÉPOISSES n. m. Fromage de lait de vache, fabriqué en Bourgogne.

ÉPÔNE (78680), comm. des Yvelines à 9 km à l'E. de Mantes-la-Jolie; 5 247 hab.

ÉPONGE n. f. (lat. *spongia*). Nom usuel des *spongiaires.* ‖ Substance cornée, légère et poreuse, constituant le squelette de certains spongiaires des mers chaudes, et employée à différents usages domestiques à cause de sa propriété à retenir les liquides. ‖ Chose d'aspect analogue à l'éponge : *éponge de caoutchouc; éponge métallique.* ● *Éponge végétale*, V. LUFFA. ‖ *Jeter l'éponge* (Sport.), abandonner la partie. ‖ *Passer l'éponge sur*, pardonner, oublier volontairement. ‖ *Tissu éponge*, article textile qui présente des bouclettes à sa surface.

ÉPONGE n. f. (lat. *sponda*, bord). Extrémité de chacune des branches du fer à cheval. ‖ Tumeur molle que produit l'éponge du fer sur le coude, lorsque le cheval se couche *en vache.*

ÉPONGEAGE n. m. Action d'éponger.

ÉPONGER v. t. (conj. **1**). Étancher un liquide avec une éponge ou qqch de spongieux. ‖ Résorber un excédent quelconque, combler un retard. ◆ **s'éponger** v. pr. S'essuyer, se sécher : *s'éponger le front.*

ÉPONTE n. f. (lat. *sponda*, bord). Chacune des parois d'un filon de minerai.

ÉPONTILLE n. f. *Mar.* Support qui soutient les barrots d'un pont. ‖ Étai de bois maintenant sur sa quille un navire en construction.

ÉPONYME adj. (gr. *epônumos*). *Antiq.* Qui donne son nom : *Athéna, déesse éponyme d'Athènes.* ● *Magistrat éponyme*, à Athènes, celui des neuf archontes qui donnait son nom à l'année.

ÉPOPÉE n. f. (gr. *epopoiia*). Récit poétique d'aventures héroïques, accompagnées de merveilleux. ‖ Suite d'actions sublimes ou héroïques.
■ Qu'on la prenne dans le sens étroit de la poésie grecque (où elle n'est qu'un poème écrit en vers de six pieds) ou dans le sens large de la littérature française (où elle finit par désigner tout récit d'aventures un peu extraordinaires), l'épopée remonte aux origines de toute littérature. On ne croit plus aujourd'hui, comme au XIXe s. et à la suite de F. A. Wolf (*Prolegomena ad Homerum*, 1795), à l'existence d'épopées populaires spontanées : toute épopée suppose une élaboration littéraire, fût-elle orale, due à un travail personnel et conscient, même s'il s'exerce sur des mythes* connus de tous. Cependant, l'épopée comporte bien un aspect collectif, dans la mesure où elle transmet un corps de récits traditionnels relatifs à l'ordre du monde et de la communauté, ordre dont l'existence et la stabilité sont le fruit des exploits de puissances divines ou de héros exceptionnels : cette présence d'éléments surnaturels, du *merveilleux**, n'est pas, comme on l'a cru aux XVIIe s.-XVIIIe s., un ornement artificiel; ce grossissement des faits et des acteurs originels est une nécessité structurelle d'un récit qui ne se veut nullement une reconstitution historique, mais un modèle de comportements publics et privés. Le merveilleux fonctionne, en outre, dans les deux sens : il fait de divinités primitives des héros littéraires (ainsi Batraz et Soslan-Sozyryko dans l'épopée Narte du Caucase du Nord, qui prolongent respectivement un dieu guerrier et un dieu solaire des Scythes); il donne à Charlemagne, dans les chansons de geste* françaises, ou à Dietrich von Bern, dans les épopées germaniques, des dimensions légendaires. Nombre de héros et de situations de cette conscience collective qu'est l'épopée semblent, d'ailleurs, correspondre à certaines images ou structures repérées par la psychanalyse dans l'inconscient personnel. Dans sa *Théorie du roman* (1920), Lukács propose de voir dans l'épopée le genre littéraire qui exprime l'accord primitif de l'homme et du monde. Univers sans dissonance ni nostalgie, l'épopée n'est que la transposition directe et lyrique d'une culture et d'une nature « écologiquement » accordées. D'où l'aspect de *somme* qu'elle revêt dès le récit de la quête du héros assyrien Gilgamesh* et même si le poème ne s'affirme pas comme spécifiquement didactique* : Homère est lu pour son savoir tout autant qu'Hésiode. D'où également, lorsque ces conditions de cohérence entre les valeurs humaines et le monde réel ne sont plus remplies, l'affadissement inévitable de l'épopée en tableaux érudits et rhétoriques (les poètes alexandrins*). Si elle est présente dans toutes les cultures, l'épopée n'en est donc qu'un moment : celui où l'« âge d'or » (c'est-à-dire d'un équilibre) vient de se terminer, où la conscience de cette fin affleure et où l'on croit, contre toute espérance, retenir, répéter le passé dans une poésie à la fois mnémonique et incantatoire (*Sagas** scandinaves, *Châh-nâmè* de Firdûsî*, *Divine* Comédie* de Dante). On comprend aussi pourquoi l'épopée appartient encore aux époques de « renaissance » et de conquête (le *Roland furieux* de l'Arioste, *la Jérusalem délivrée* du Tasse, *les Lusiades* de Camões, *le Paradis perdu* de Milton, *la Messiade* de Klopstock). C'est ainsi que le romantisme, par son goût des traditions populaires et la primauté qu'il accorde à l'imagination, a pu recréer un climat favorable à l'épopée, dont Hugo a donné avec sa *Légende des siècles* le chef-d'œuvre moderne. L'inspiration épique subsiste aujourd'hui dans la littérature sous une forme critique et parodique, dont l'expression la plus achevée reste l'*Ulysse** de James Joyce.

ÉPOQUE n. f. (gr. *epokhê*, point d'arrêt). Moment de l'histoire qui est marqué par quelque événement important, par un certain état de choses. ‖ Moment déterminé de l'année, de la vie d'une personne ou d'une société : *l'époque des vendanges.* ‖ Subdivision d'une période géologique. ● *D'époque*, se dit d'un objet datant réellement de l'époque à laquelle correspond son style. ‖ *Faire époque*, laisser un souvenir durable. ‖ *Haute époque* (Bx-arts), se dit, dans le langage des antiquaires, du Moyen Âge et du XVIe s. ‖ *La Belle Époque*, celle des premières années du XXe s.

ÉPOUILLAGE n. m. Action d'épouiller.

ÉPOUILLER v. t. Débarrasser de ses poux.

ÉPOUMONER (S') v. pr. Se fatiguer à force de parler, de crier.

ÉPOUSAILLES n. f. pl. (lat. *sponsalia*, fiançailles). Célébration du mariage (vx ou ironiq.). ● *Épousailles de la mer*, à Venise, cérémonie annuelle par laquelle le doge prenait possession de l'Adriatique en jetant dans les flots un anneau bénit par le patriarche.

ÉPOUSE n. f. → ÉPOUX.

ÉPOUSÉE n. f. Celle qu'un homme vient d'épouser ou qu'il va épouser (vx).

ÉPOUSER v. t. (lat. *sponsare*). Prendre en mariage. ‖ S'attacher vivement à, rallier : *épouser les intérêts de qqn.* ‖ S'adapter exactement à : *la route épouse le cours sinueux de la rivière.*

ÉPOUSSETAGE n. m. Action d'épousseter des habits, des meubles, etc.

ÉPOUSSETER v. t. (conj. **4**). Ôter la poussière.

ÉPOUSTOUFLANT, E adj. *Fam.* Étonnant, extraordinaire : *une nouvelle époustouflante.*

ÉPOUSTOUFLER v. t. *Fam.* Surprendre par qqch d'insolite.

ÉPOUVANTABLE adj. Qui cause de l'épouvante, de la répulsion : *des cris épouvantables; une odeur épouvantable.* ‖ Étrange, excessif : *laideur épouvantable.*

ÉPOUVANTABLEMENT adv. De façon épouvantable.

ÉPOUVANTAIL n. m. Mannequin mis dans les champs, les jardins, pour effrayer les oiseaux. ‖ Ce qui cause de vaines terreurs : *se servir d'un parti comme d'un épouvantail.* ‖ Personne très laide ou mal habillée.

ÉPOUVANTE n. f. Terreur soudaine accompagnée d'un grand trouble; effroi, horreur.

ÉPOUVANTER v. t. (lat. pop. *expaventare*). Remplir d'épouvante; effrayer, terrifier.

ÉPOUX, ÉPOUSE n. (lat. *sponsus, sponsa*). Personne unie à une autre par le mariage. ◆ n. m. pl. Le mari et la femme.

ÉPOXYDE n. m. *Chim.* Fonction constituée par la liaison de deux atomes voisins d'une chaîne carbonée à un même atome d'oxygène extérieur à la chaîne. ◆ adj. *Résine époxyde*, matière plastique obtenue par polycondensation.

EPPEVILLE (80400 Ham), comm. de la Somme, sur la Somme, à 1 km à l'O. de Ham; 2 225 hab. Sucrerie. Tréfilerie.

ÉPREINTES n. f. pl. Fausse envie douloureuse et soudaine d'aller à la selle. ‖ Fiente de la loutre.

ÉPRENDRE (S') v. pr. [**de**] (conj. **50**). *Litt.* Concevoir de l'attachement pour qqn, qqch.

ÉPREUVE n. f. Expérience, essai qu'on fait d'une chose : *faire l'épreuve d'un moteur, d'une voiture.* ‖ Chagrin, douleur, malheur qui frappe qqn : *passer par de rudes épreuves.* ‖ Composition ou interrogation, à un examen : *épreuves écrites.* ‖ Compétition sportive. ‖ Feuille sur laquelle on a imprimé un texte ou copié des clichés et qui sert à la correction, au bon à composer, à graver, à tirer. ‖ *Phot.* Exemplaire tiré d'après un cliché photographique. ‖ *Bx-arts.* Tout exemplaire d'une estampe ou d'un moulage. ● *À l'épreuve de*, en état de supporter. ‖ *À toute épreuve*, capable de résister à tout : *courage à toute épreuve.* ‖ *Épreuve aléatoire* (Stat.), déclenchement d'un processus dont l'issue appartient à un ensemble connu à l'avance, chaque issue étant incertaine et ayant une probabilité estimée à l'avance. ‖ *Épreuve d'artiste*, estampe tirée pour l'artiste à titre d'essai. ‖ *Épreuve de force*, affrontement. ‖ *Épreuve de tournage* (Cin.), expression préconisée par l'Administration pour remplacer RUSH. ‖ *Mettre à l'épreuve*, éprouver.

ÉPRIS, E adj. Pris de passion pour qqn ou pour qqch.

ÉPROUVANT, E adj. Pénible à supporter : *un climat éprouvant.*

ÉPROUVER v. t. Essayer, vérifier les qualités ou la valeur, mettre à l'épreuve : *éprouver un pont, l'honnêteté de qqn.* ‖ Connaître par expérience, ressentir, subir, supporter : *éprouver de la joie; éprouver des difficultés.* ‖ Faire souffrir : *ce malheur l'a cruellement éprouvé.* ‖ Supporter, subir des dommages : *le navire a éprouvé des avaries.*

ÉPROUVETTE n. f. Tube de verre fermé à l'un des bouts, et dans lequel on fait diverses expériences : *une éprouvette graduée.* ‖ Pièce de forme particulière, soumise à un essai physique ou mécanique, pour déterminer les caractéristiques d'un matériau.

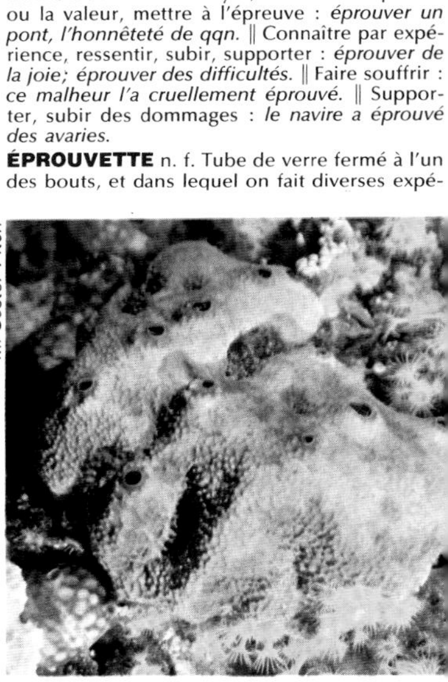

M. Sester-Pitch

éponge cornée

EPSILON [ɛpsilɔn] n. m. Cinquième lettre (ε) de l'alphabet grec, correspondant à l'e bref.

EPSOM, v. de Grande-Bretagne, au S. de Londres; 71 000 hab. Station thermale. Depuis 1779 y a lieu une célèbre course de chevaux (le *Derby*).

EPSOMITE n. f. Sulfate naturel hydraté de magnésium.

EPSTEIN (*sir* Jacob), sculpteur britannique d'origine russo-polonaise (New York 1880 - Londres 1959). À Paris en 1902 (puis en 1911), fixé à Londres en 1905, il s'inspire des arts primitifs et de l'avant-garde contemporaine (*Rock Drill*, 1913), choque le public par son expressionnisme brutal, puis s'impose notamment avec ses bustes, plus réalistes.

EPSTEIN (Jean), cinéaste français (Varsovie 1897 - Paris 1953). Auteur de plusieurs films, dont *l'Auberge rouge* (1923), *Cœur fidèle* (1923), *l'Affiche* (1924), *la Chute de la maison Usher* (1928),

Finis Terrae (1929), *l'Or des mers* (1932), il fut également un théoricien et un esthéticien subtil et passionné du septième art (*Bonjour cinéma,* 1921; *l'Intelligence d'une machine,* 1946; *le Cinéma du diable,* 1947; *Esprit de cinéma,* 1955).

EPTE, riv. de Normandie, affl. de la Seine (r. dr.); 100 km.

ÉPUCER v. t. (conj. **1**). Débarrasser de ses puces.

ÉPUISABLE adj. Qui peut être épuisé.

ÉPUISANT, E adj. Qui fatigue beaucoup.

ÉPUISÉ, E adj. Qui ne produit plus rien. ‖ À bout de forces. ● *Livre épuisé,* livre dont tous les exemplaires ont été vendus.

ÉPUISEMENT n. m. Action d'épuiser : *l'épuisement du stock.* ‖ Déperdition des forces physiques ou morales : *mourir d'épuisement.*

ÉPUISER v. t. (de *puits*). Vider entièrement de son contenu, de ses réserves : *épuiser une citerne, une mine.* ‖ Consommer, utiliser complètement : *épuiser ses munitions.* ‖ Appauvrir, rendre stérile : *épuiser une terre.* ‖ Traiter à fond : *épuiser un sujet.* ‖ Affaiblir, abattre : *cette marche m'a épuisé.* ‖ User jusqu'au bout, causer de la lassitude morale : *épuiser la patience de qqn.* ◆ **s'épuiser** v. pr. Se tarir, s'affaiblir, se fatiguer : *la source s'est épuisée; je m'épuise à vous répéter toujours la même chose.*

ÉPUISETTE n. f. Petit filet de pêche monté sur un cerceau et fixé à l'extrémité d'un long manche de bois. ‖ Pelle creuse pour rejeter l'eau qui s'est introduite dans un bateau.

ÉPULIS [epylis] n. m., **ÉPULIDE** ou **ÉPULIE** n. f. (gr. *epi,* sur, et *oulon,* gencive). Tumeur inflammatoire de la gencive.

ÉPULPEUR n. m. Appareil de sucrerie pour séparer des jus de betteraves les pulpes et les matières solides tenues en suspension.

ÉPURATEUR n. m. Appareil servant à détecter et à éliminer des impuretés ou des parties défectueuses.

ÉPURATION n. f. Action d'épurer, de purifier : *épuration de la langue, d'une huile; l'épuration après la Seconde Guerre mondiale.* ● *Épuration extrarénale* (Méd.), élimination artificielle des déchets de l'organisme lorsque les fonctions rénales sont perturbées. (L'épuration extrarénale emploie le rein artificiel [hémodialyse], la dialyse péritonéale, l'exsanguino-transfusion.)

ÉPURATOIRE adj. *Industr.* Qui sert à épurer.

ÉPURE n. f. Dessin, à une échelle donnée, qui représente sur un ou plusieurs plans les projections d'un objet à trois dimensions. ‖ Dessin achevé (par oppos. à CROQUIS).

ÉPURER v. t. Rendre pur, plus pur : *épurer de l'huile; épurer la langue.* ‖ Rejeter certains membres d'un corps ou d'un groupe comme indignes d'en faire partie.

ÉPURGE n. f. Nom usuel d'une espèce d'euphorbe qui purge violemment.

ÉPYORNIS n. m. → ÆPYORNIS.

ÉQUARRIR [ekarir] v. t. (lat. pop. *exquadrare*). Dépecer des animaux pour en tirer la peau, la graisse, les os, etc. ‖ *Constr.* Dresser une pierre, une pièce de bois de façon à leur donner des faces planes et d'équerre. ‖ *Mécan.* Augmenter les dimensions d'un trou.

ÉQUARRISSAGE n. m. Action de dépecer les bêtes de somme. ‖ Action d'équarrir. (On dit aussi ÉQUARRISSEMENT.) ‖ Grosseur d'une pièce de bois équarrie.

ÉQUARRISSEUR n. m. Personne qui équarrit le bois, la pierre, les animaux.

ÉQUARRISSOIR n. m. Poinçon utilisé en menuiserie pour élargir les trous.

ÉQUATEUR [ekwatœr] n. m. (lat. *aequare,* rendre égal). Grand cercle de la sphère terrestre dont le plan est perpendiculaire à la ligne des pôles. ‖ *Math.* Parallèle de rayon maximal d'une surface de révolution. ● *Équateur céleste,* grand cercle de la sphère céleste, perpendiculaire à l'axe du monde et servant de repère pour les coordonnées équatoriales. ‖ *Équateur magnétique,* lieu des points de la surface terrestre où l'inclinaison est nulle.

ÉQUATEUR, en esp. **Ecuador,** république de l'Amérique du Sud, sur le Pacifique; 270 670 km²; 8 950 000 hab. *(Équatoriens).* Capit. *Quito.*

GÉOGRAPHIE. Les Andes, qui occupent la partie centrale du pays, sont divisées en deux chaînes surmontées de grands volcans encadrant un haut plateau au climat tempéré par l'altitude. Elles séparent les plaines de l'Est, qui se rattachent au bassin de l'Amazone et sont couvertes par la forêt équatoriale, de la plaine côtière, au climat chaud et surtout humide au N.

La population, composée principalement d'Indiens et de métis, s'accroît rapidement. Elle se concentre dans les Andes, surtout autour de Quito, et sur la côte pacifique, autour de Guayaquil.

L'agriculture reste le secteur essentiel de l'économie. La culture vivrière domine dans les Andes. Pratiquée dans de petites propriétés, elle fournit maïs, orge et blé, tandis que les bovins parcourent les hauts versants. Sur la côte, des cultures commerciales (cacao, banane, canne à sucre) occupent de grandes exploitations souvent contrôlées par les Américains.

L'industrialisation a longtemps été limitée à la transformation des produits agricoles. Elle peut être stimulée par l'exploitation récente de gisements de pétrole (12 Mt).

HISTOIRE. En 1809, le vice-roi de la Nouvelle-Grenade écrase une conspiration aristocratique qui a renversé le président-intendant de l'*audiencia* de Quito (créée en 1563). Celle-ci est, cependant, libérée des forces royalistes par le général Sucre en 1822. En 1830, Quito fait sécession de la Grande-Colombie, fondée par Bolívar, pour former l'Équateur. Cependant, jusqu'en 1845, le pays est dominé politiquement par des généraux d'origine vénézuélienne, et en particulier par le général Juan José Flores (1801-1864) : ces militaires se taillent des fiefs dans la sierra, tout en arbitrant l'opposition entre les planteurs et les commerçants de Guayaquil et les notables de la montagne, riches de leur domination sur les Indiens endettés. Après une guerre civile provoquée par une expédition mal organisée par l'Espagne, les libéraux s'installent au pouvoir (1845-1859). Leur succède Gabriel García Moreno (1821-1875), qui, de 1859 à 1875, exerce une dictature progressiste et théocratique, et qui modernise le pays. Après son assassinat, les conservateurs traditionnels — en fait l'oligarchie de la sierra — gardent le pouvoir (1875-1895) jusqu'à ce que le caudillo libéral Eloy Alfaro (1842-1912) applique à l'Équateur un libéralisme autoritaire et anticlérical, les structures sociales du pays restant inchangées et l'empire de l'étranger s'accentuant sur l'économie. La permanence et la gravité des problèmes favorisent après 1932 la pérennité du chef charismatique José María Velasco Ibarra, qui, à partir de 1934, sera cinq fois au pouvoir, mais qui ne pourra mener à son terme qu'un seul de ses mandats (1952-1956). Le vélasquisme incarne une espérance de changement face aux partis liés aux intérêts de classe, face aussi à des syndicats révolutionnaires sans audience populaire. Encore au pouvoir en 1970, renversé une nouvelle fois en 1972, Velasco Ibarra est remplacé par le général Guillermo Rodríguez Lara, qui instaure un régime « nationaliste, militaire et révolutionnaire ». Rodríguez Lara est à son tour déposé en 1976 par une junte militaire. Président en 1979, Jaime Roldos meurt accidentellement en 1981. Il est remplacé par Osvaldo Hurtado. Le conservateur León Febres Cordero lui succède en 1984. En 1988, le social-démocrate Rodrigo Borja est élu président de la République.

ÉQUATION [ekwasjɔ̃] n. f. (lat. *aequatio,* égalité). *Math.* Égalité qui n'est vérifiée que pour des valeurs convenables de certaines quantités qui y figurent, ou *inconnues.* ‖ Quantité dont il faut modifier la position d'un corps céleste pour le ramener à ce qu'elle serait si ce corps était animé d'un mouvement uniforme. ● *Équation d'une courbe,* en géométrie plane, relation qui lie les coordonnées d'un point de cette courbe; en géométrie dans l'espace, ensemble des deux équations définissant une courbe. ‖ *Équation différentielle,* équation dans laquelle figurent une fonction inconnue d'une variable et ses dérivées de différents ordres. ‖ *Équation aux dérivées partielles,* équation où figurent une fonction inconnue de plusieurs variables et ses dérivées partielles. ‖ *Équation aux dimensions,* formule indiquant comment, dans un système cohérent d'unités, une unité dérivée dépend des unités fondamentales. ‖ *Équation à plusieurs inconnues,* équation où figurent plusieurs quantités inconnues *x, y, z...,* une solution étant un système de valeur de ces inconnues. ‖ *Équation intégrale,* équation liant une fonction inconnue à une intégrale définie portant sur cette fonction. ‖ *Équation personnelle,* correction à apporter à une observation sur un phénomène fugitif dont il convient d'apprécier exactement l'instant où il s'est produit. ‖ *Équation du temps,* différence entre le temps solaire moyen et le temps solaire vrai.

■ L'équation $x^2 - 1 = 0$, que l'on veut résoudre dans l'ensemble $\mathbb{Z}$ des entiers relatifs, a comme solutions $x = 1$ et $x = -1$, car $(-1)^2 = 1^2 = 1$. Une équation peut être considérée comme une question que l'on pose. Quand on écrit $x^2 - 1 = 0$, cela veut dire : existe-t-il une ou plusieurs valeurs de x pour lesquelles $x^2 - 1 = 0$ est satisfaite? Il est essentiel de préciser l'ensemble dans lequel on cherche les solutions; on l'appelle le *référentiel.* Ainsi, les solutions $x = 1$ et $x = -1$ appartiennent à l'ensemble $\mathbb{Z}$. Si, *a priori,* l'on se fixe comme référentiel l'ensemble $\mathbb{N}$ des entiers naturels, l'équation $x^2 - 1 = 0$ n'a qu'une solution, $x = 1$, car $x = -1$ n'appartient pas à $\mathbb{N}$.

L'équation $x^2 - 1 = 0$ est une équation du second degré à une inconnue. Le *degré* d'une équation est le degré du monôme de plus haut degré figurant dans l'équation. Les équations

$$ax + b = 0,\ ax^2 + bx + c = 0 \text{ et } x^3 + px + q = 0$$

— les coefficients étant des nombres réels — sont des équations de degrés respectifs un, deux et trois. La résolution des équations de degré inférieur ou égal à quatre peut se faire à l'aide de radicaux arithmétiques.

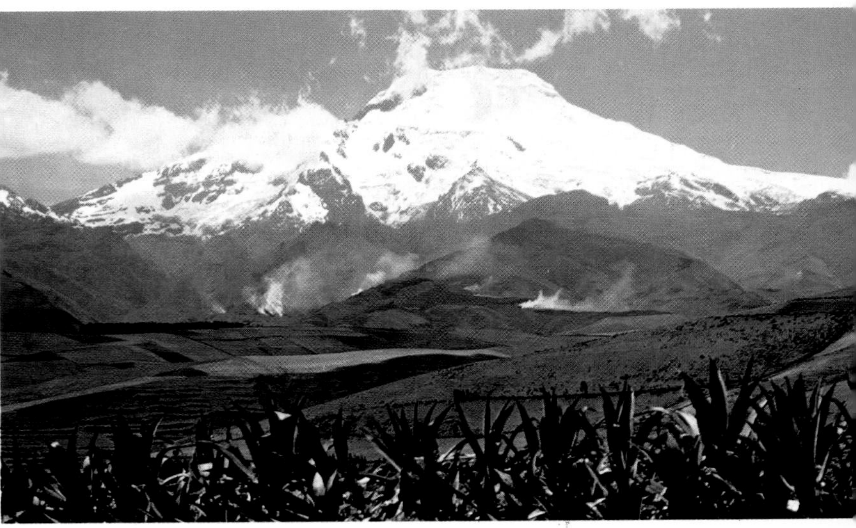

R. d'Herbais-Atlas-Photo

Équateur, le volcan Cayambé, dans la cordillère orientale des Andes, à plus de 5 700 m d'altitude.

ÉQUATEUR

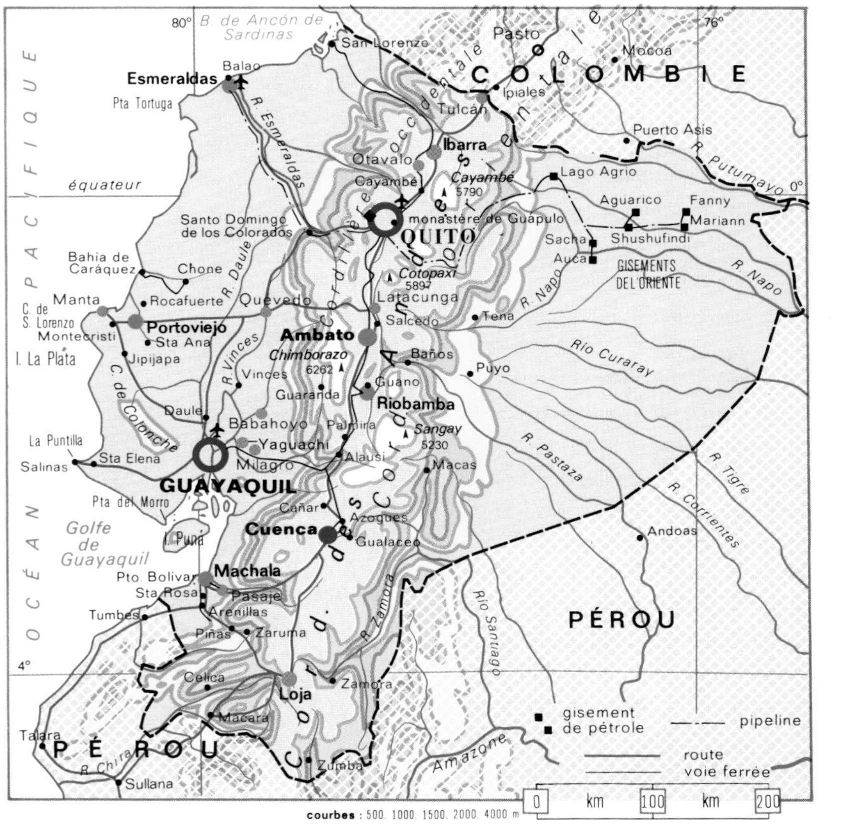

ÉQUATORIAL, E, AUX adj. Relatif à l'équateur. ● *Climat équatorial,* climat des régions proches de l'équateur, caractérisé par une température constamment élevée et par une pluviosité abondante et régulière, avec deux maximums correspondant aux équinoxes. ‖ *Coordonnées équatoriales d'un astre,* son ascension droite et sa déclinaison. ‖ *Monture équatoriale,* dispositif permettant de faire tourner un instrument astronomique autour de deux axes perpendiculaires, dont l'un est parallèle à l'axe du monde. ‖ *Plaque équatoriale* (Cytol.), plan médian d'une cellule, où les chromosomes fissurés se groupent pendant la mitose, avant de se séparer en deux stocks égaux.

ÉQUATORIAL n. m. Lunette astronomique à monture équatoriale (vx).

ÉQUATORIEN, ENNE adj. et n. De l'Équateur.

ÉQUERRAGE n. m. Valeur de l'angle formé par deux plans adjacents d'une pièce de bois ou de métal.

ÉQUERRE [ekɛr] n. f. (lat. *exquadrare,* rendre carré). Instrument de dessin pour tracer des angles droits. ‖ Outil analogue de charpentier et de menuisier. ‖ Pièce métallique droite, en T ou en L, pour consolider des assemblages. ● *À l'équerre, d'équerre,* à angle droit, d'aplomb. ‖ *Équerre d'arpenteur,* instrument servant au levé des plans et au tracé des alignements sur le terrain. ‖ *Fausse équerre,* équerre à branches mobiles.

ÉQUESTRE adj. (lat. *equestris;* de *equus,* cheval). Relatif à l'équitation : *exercices équestres.* ● *Ordre équestre* (Hist.), ordre des chevaliers romains, qui disparut au Bas-Empire. ‖ *Statue équestre,* statue qui représente un personnage à cheval.

■ Les sports équestres comportent trois disciplines fondamentales : le concours hippique, le concours complet et le dressage. Le *concours hippique* (ou jumping) consiste, sur un parcours clos, dans le franchissement d'obstacles de nombre et de hauteur variés, le classement s'effectuant généralement en tenant compte à la fois des obstacles renversés (amenant une pénalisation) et du temps réalisé. Le *concours complet* associe le même cavalier et le même cheval dans trois épreuves : dressage, parcours de fond (plusieurs kilomètres souvent sur un terrain accidenté) et épreuve d'obstacles (qui est un concours hippique normal). Un système de notation

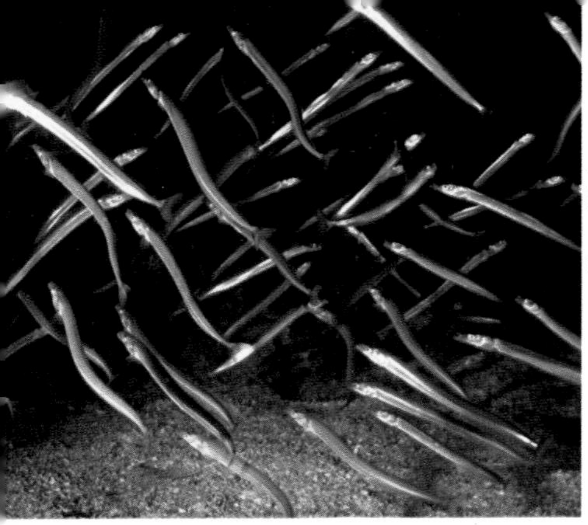

Meusy-Pitch

équilles

permet d'additionner les points acquis dans chacune des trois épreuves, faisant du concours complet l'épreuve la plus probante pour le cavalier et le cheval. Le *dressage*, pratiqué sur un terrain rectangulaire, est constitué de plusieurs « figures imposées », les reprises. Il est inscrit aux jeux Olympiques depuis 1900, le concours hippique l'étant depuis 1912 et le concours complet depuis 1920. Ces trois disciplines font l'objet de compétitions individuelles et par équipes (généralement de quatre cavaliers).

ÉQUEURDREVILLE-HAINNEVILLE (50120), ch.-l. de cant. de la Manche, dans la banlieue nord-ouest de Cherbourg; 13 546 hab.

ÉQUEUTAGE n. m. Action d'équeuter.

ÉQUEUTER v. t. Dépouiller un fruit de sa queue.

ÉQUIANGLE [ekɥiɑ̃gl] adj. (lat. *aequus*, égal, et *angle*). Dont les angles sont égaux : *un triangle équiangle est aussi équilatéral.*

ÉQUIDÉ [ekɥide *ou* ekide] n. m. (lat. *equus*, cheval). Mammifère ongulé à un seul doigt par patte, comme le *cheval*, le *zèbre* et *l'âne*. (Les *équidés* forment une famille.)

ÉQUIDISTANCE n. f. Qualité de ce qui est équidistant.

ÉQUIDISTANT, E [ekɥidistɑ̃, ɑ̃t] adj. Situé à une égale distance : *tous les points de la circonférence sont équidistants du centre.*

ÉQUILATÉRAL, E, AUX [ekɥilateral, o] adj. Dont tous les côtés sont égaux : *triangle équilatéral.*

ÉQUILATÈRE adj. Se dit d'une hyperbole dont les deux asymptotes sont perpendiculaires.

ÉQUILIBRAGE n. m. Action d'équilibrer.

ÉQUILIBRATION n. f. Fonction qui assure le maintien du corps en équilibre et dont le centre principal est le cervelet (qui réagit aux messages de l'oreille interne).

ÉQUILIBRE n. m. (lat. *aequus*, égal, et *libra*, balance). État de repos d'un corps sollicité par plusieurs forces qui s'annulent. ‖ Position stable du corps humain. ‖ Pondération, calme, bon fonctionnement de l'activité mentale : *l'équilibre de l'esprit.* ‖ Juste combinaison de forces, d'éléments : *équilibre des pouvoirs.* ‖ *Chim.* État d'un système de corps dont la composition ne varie pas, soit par absence de réaction, soit par existence de deux réactions inverses de même vitesse. ● *Équilibre budgétaire*, concordance des recettes avec les dépenses prévues au même budget. ‖ *Équilibre économique*, situation d'un pays ou d'un groupe de pays caractérisée par l'égalité entre les volumes d'offre et de demande sur les marchés des marchandises, des capitaux, du travail, ainsi que par une tendance au retour à la stabilité, et (pour certains auteurs) par l'interdépendance des différents marchés. ‖ *Équilibre indifférent*, équilibre dans lequel un corps, légèrement écarté de sa position d'équilibre, reste en équilibre dans sa nouvelle position. ‖ *Équilibre instable*, équilibre dans lequel un corps, écarté de sa position, s'en écarte davantage. ‖ *Équilibre naturel*, état d'un milieu où la composition de la faune et de la flore reste à peu près constante. ‖ *Équilibre radioactif*, état d'un corps radioactif dans lequel le nombre d'atomes désintégrés est égal au nombre d'atomes formés dans le même temps. ‖ *Équilibre stable*, équilibre dans lequel un corps, légèrement déplacé de sa position d'équilibre, tend à y revenir. ‖ *Perdre l'équilibre*, pencher d'un côté ou de l'autre, de manière à tomber.

ÉQUILIBRÉ, E adj. Dont les facultés, les qualités, les composants sont en harmonie, sain, sensé.

ÉQUILIBRER v. t. Mettre en équilibre : *équilibrer un budget.* ◆ **s'équilibrer** v. pr. Être équivalent, en équilibre.

ÉQUILIBREUR n. m. Organe qui maintient l'équilibre : *les avions sont munis d'équilibreurs automatiques.* (On dit aussi STABILISATEUR.)

ÉQUILIBRISTE n. Personne dont le métier est de faire des tours d'adresse ou d'équilibre acrobatique.

ÉQUILLE [ekij] n. f. Poisson long et mince, à dos vert ou bleu sombre, s'enfouissant avec agilité dans les sables de la Manche et de l'Atlantique. (Long. 20 à 30 cm; sous-classe des téléostéens.) [Syn. LANÇON.]

ÉQUIMOLÉCULAIRE [ekɥimɔlekylɛr] adj. *Chim.* Se dit d'un mélange contenant différents corps en égales proportions moléculaires.

ÉQUIMULTIPLE [ekɥimyltipl] adj. et n. m. *Math.* Se dit de deux nombres par rapport à deux autres lorsqu'ils résultent de la multiplication de ces derniers par un même nombre.

ÉQUIN, E [ekɛ̃, in] adj. (lat. *equinus*; de *equus*, cheval). Qui a rapport au cheval. ● *Sérum équin*, sérum curatif fourni par le cheval. ‖ *Pied équin*, attitude vicieuse irréductible du pied, fixé en extension.

ÉQUINISME n. m. *Méd.* Déformation qui constitue le pied équin.

ÉQUINOXE [ekinɔks] n. m. (lat. *aequus*, égal, et *nox*, nuit). Époque de l'année où le Soleil, dans son mouvement propre apparent sur l'écliptique, coupe l'équateur céleste, et qui correspond à l'égalité de la durée des jours et des nuits. (Il y a deux équinoxes par an : le 20 ou le 21 mars et le 22 ou le 23 septembre.) ‖ Point de l'équateur céleste où se produit ce passage. ● *Ligne des équinoxes*, droite d'intersection des deux plans de l'écliptique et de l'équateur céleste. ‖ *Précession des équinoxes*, avance du moment de l'équinoxe, liée au lent déplacement de l'axe des pôles autour d'une position moyenne, par suite de l'attraction de la Lune et du Soleil sur le renflement équatorial de la Terre.

ÉQUINOXIAL, E, AUX adj. Relatif à l'équinoxe.

ÉQUIPAGE n. m. Ensemble des hommes assurant le service d'un navire, d'un avion, d'un char, etc. ‖ Voitures, chevaux et personnel qui en a la charge. ◆ pl. Autref., ensemble des voitures et du matériel affectés à une armée en campagne. ● *Corps des équipages de la flotte*, ensemble du personnel non officier de la marine nationale.

ÉQUIPARTITION [ekɥipartisjɔ̃] n. f. Répartition égale dans les diverses parties d'un tout.

ÉQUIPE n. f. Groupe de personnes travaillant à une même tâche ou unissant leurs efforts dans le même dessein. ‖ Groupe de joueurs associés, en nombre déterminé. ● *Esprit d'équipe*, esprit de solidarité qui anime les membres d'un même groupe. ‖ *Faire équipe*, s'associer avec.

ÉQUIPÉE n. f. Aventure dans laquelle on se lance à la légère; escapade. ‖ Sortie, promenade.

ÉQUIPEMENT n. m. Action d'équiper, de doter du matériel ou des installations nécessaires. ‖ Ensemble du matériel industriel d'une entreprise, de l'infrastructure d'une nation, d'une région. ‖ Ensemble des objets nécessaires à un militaire, à une troupe, pour faire campagne. ‖ Ensemble de l'armement et du matériel nécessaires à la mise en œuvre d'un engin de combat (avion, navire, char...).

ÉQUIPEMENTIER n. m. Fabricant d'équipements (autos, avions).

ÉQUIPER v. t. (mot germ.). Pourvoir du nécessaire en vue d'une activité déterminée, d'une utilisation : *téléviseur équipé pour recevoir les trois chaînes.* ◆ **s'équiper** v. pr. Se munir du nécessaire : *s'équiper pour le ski.*

ÉQUIPIER, ÈRE n. Personne qui fait partie d'une équipe sportive.

ÉQUIPOLLÉ ou **ÉQUIPOLÉ** [ekipɔle] adj. m. *Hérald.* Se dit des carrés égaux que donne la réunion du tiercé en pal et du tiercé en fasce.

ÉQUIPOLLENCE [ekipɔlɑ̃s] n. f. (lat. *aequipollentia*, équivalence). Relation existant entre deux ou plusieurs vecteurs égaux, parallèles et de même sens.

ÉQUIPOLLENT, E adj. Se dit de vecteurs liés par une relation d'équipollence. ● *Systèmes déductifs équipollents* (Log.), se dit de systèmes dans lesquels tout théorème de l'un est théorème ou axiome des autres.

ÉQUIPOTENT [ekɥipɔtɑ̃] adj. m. *Math.* Se dit de deux ensembles de même puissance.

ÉQUIPOTENTIEL, ELLE [ekɥipɔtɑ̃sjɛl] adj. De même potentiel.

ÉQUIPROBABLE [ekɥiprɔbabl] adj. Se dit d'événements qui ont autant de chances de se produire les uns que les autres.

ÉQUISÉTALE [ekɥisetal] n. f. Plante sans fleurs, avec prothalles unisexués, telle que la *prêle*. (Les *équisétales* forment aujourd'hui un seul ordre.)

ÉQUITABLE adj. Qui agit selon l'équité : *juge équitable.* ‖ Conforme aux règles de l'équité : *décision équitable.*

ÉQUITABLEMENT adv. De façon équitable.

ÉQUITANT, E [ekitɑ̃, ɑ̃t] adj. *Bot.* Se dit de deux organes végétaux identiques se faisant face et emboîtés l'un dans l'autre.

ÉQUITATION n. f. (lat. *equitare*, aller à cheval). Action et art de monter à cheval.

ÉQUITÉ [ekite] n. f. (lat. *aequitas*, égalité). Disposition à respecter les droits de chacun, impartialité : *décider en toute équité.* ● *Juger en équité* (Dr.), trancher un différend en s'appuyant plus sur la conviction intime et le droit naturel que sur la lettre de la loi.

ÉQUIVALENCE n. f. Qualité de ce qui est équivalent : *équivalence de diplômes; équivalence de la chaleur et du travail mécanique.* ● *Équivalence logique*, relation exprimant que deux propositions P et Q sont conséquences l'une de l'autre. (On écrit P ⇔ Q, ce qui se lit « P est vrai si et seulement si Q est vrai ».) ‖ *Relation d'équivalence*, relation liant deux éléments *a* et *b* d'un ensemble, vérifiée si *a* et *b* sont confondus *(relation réflexive)*, vraie pour *b* et *a* si elle l'est pour *a* et *b (relation symétrique)*, vraie pour *a* et *c* si elle l'est d'une part pour *a* et *b*, d'autre part pour *b* et *c (relation transitive)*.

ÉQUIVALENT, E adj. (lat. *aequivalens*). Qui a la même valeur, égal : *quantités équivalentes; expression équivalente.* ‖ *Math.* Lié à un autre élément par une relation d'équivalence. ● *Figures équivalentes*, figures ayant même surface, indépendamment des formes, qui peuvent être différentes. ‖ *Projection équivalente*, projection cartographique qui respecte les surfaces et les proportions, mais déforme le dessin des continents. ‖ *Théories déductives équivalentes*, théories déductives qui ont les mêmes théorèmes.

ÉQUIVALENT n. m. Ce qui équivaut, chose équivalente : *rendre l'équivalent de ce qu'on a reçu.* ‖ *Méd.* Manifestation pathologique d'origine épileptique ayant la même incidence sur le diagnostic que la crise clonique typique. ● *Équivalent mécanique de la chaleur*, rapport constant, égal à 4,1855 joules par calorie, qui existe entre un travail et la quantité de chaleur correspondante.

ÉQUIVALOIR [ekivalwar] v. t. ind. [**à**] (conj. **34**). Être de même valeur, de même importance, de même effet : *le prix de cette voiture équivaut à un an de mon salaire.*

ÉQUIVOQUE [ekivɔk] adj. (lat. *aequus*, égal, et *vox, vocis*, voix). Qui a un double sens, ambigu : *mot équivoque.* ‖ Suspect, qui suscite la méfiance : *une attitude équivoque.*

ÉQUIVOQUE n. f. Situation, expression qui n'est pas nette, qui laisse dans l'incertitude : *dissiper l'équivoque.*

Er, symbole chimique de l'*erbium*.

ÉRABLE n. m. (lat. *acerabulus*). Arbre des forêts tempérées, à fruits secs munis d'une paire d'ailes et dispersés par le vent. (Il peut atteindre 40 m de haut, et son bois est apprécié en ébénisterie; une espèce est le *sycomore*, et une autre, du Canada, fournit une sève sucrée.)

ÉRABLIÈRE n. f. Plantation d'érables.

ÉRADICATION n. f. (préf. *é*, et lat. *radix, -icis*, racine). Action d'extirper, d'arracher. ‖ *Méd.* Action de faire disparaître les maladies endémiques.

ÉRADIQUER v. t. Faire disparaître une maladie, un mal.

ÉRAFLEMENT n. m. Action d'érafler.

ÉRAFLER v. t. Écorcher, entamer superficiellement, égratigner : *érafler la peau, la peinture d'une voiture.*

ÉRAFLURE n. f. Écorchure légère; entaille superficielle.

ÉRAILLÉ, E adj. *Avoir l'œil éraillé*, avoir des filets rouges dans l'œil. ‖ *Voix éraillée*, rauque.

ÉRAILLEMENT n. m. Action d'érailler, d'être éraillé.

ÉRAILLER v. t. (lat. *rotare*, rouler). Écarter, relâcher les fils d'un tissu : *érailler du linge.* ‖ Déchirer superficiellement, érafler : *érailler du cuir.* ‖ Rendre rauque : *érailler la voix.*

ÉRAILLURE n. f. Partie éraillée d'une étoffe, d'un vêtement. ‖ Écorchure superficielle.

ÉRARD (Sébastien), le plus célèbre membre d'une famille de facteurs de pianos et de harpes (Strasbourg 1752 - Passy 1831). Il fut le promoteur de l'industrie du piano en France. Il s'installa à Paris en 1768 et obtint la protection de la duchesse de Villeroy, après avoir construit un clavecin mécanique. La Révolution l'amena à passer en Angleterre, où il fonda une succursale, qu'il confia à son neveu Pierre Érard à son retour en France (1815). Il créa l'*échappement* pour le piano et le double-mouvement pour la harpe. La marque Érard (prônée par Liszt au XIXe s.) a porté au plus haut point le prestige de la facture française.

ÉRASISTRATE, médecin et anatomiste grec (Julis, île de Céos, Asie Mineure, v. 280), précurseur de la dissection.

ÉRASME, en lat. **Desiderius Erasmus Roterodamus,** humaniste hollandais d'expression latine (Rotterdam v. 1469 - Bâle 1536). Enfant naturel dépouillé de son avoir par ses tuteurs, religieux au monastère des Augustins de Steyn, il mène une vie mouvementée : étudiant à Paris et en Angleterre, docteur ès arts à Bologne, collaborateur à Venise d'Alde Manuce, qui publiera ses *Adages* (1508), il obtient à Rome la dispense de ses vœux et professe la théologie à Cambridge, avant de devenir conseiller de Charles Quint et de se fixer à Bâle, ville où le catholicisme et la Réforme se tolèrent mutuellement, image imparfaite de la nouvelle communauté humaine qu'il appelle de ses vœux. Si son œuvre littéraire unit esprit socratique et vigueur satirique (*Colloques**, 1518) dans une même préoccupation didactique (*Éloge* de la folie*, 1511), son œuvre théologique est plus d'un moraliste soucieux de piété concrète que d'un mystique (*Manuel du soldat chrétien*, 1504; *Institution du prince chrétien*, 1515). Son édition critique du *Nouveau Testament* (1516) et les préfaces qui l'accompagnent constituent la théorie et l'illustration de la nouvelle théologie humaniste.

ÉRATO, muse de la Poésie lyrique, surtout amoureuse.

ÉRATOSTHÈNE, mathématicien, astronome et géographe grec (Cyrène v. 275 - Alexandrie v. 195). Membre de l'école d'Alexandrie, dont il dirigea longtemps la bibliothèque, il s'intéressa à des domaines aussi variés que la grammaire,

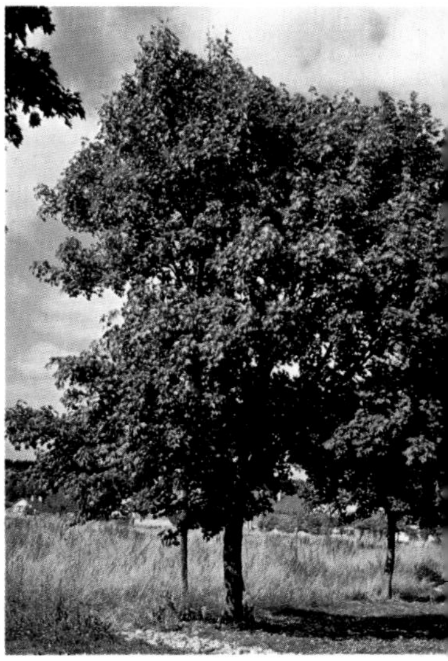

J. Six

érable

la philosophie, la littérature, les mathématiques et l'astronomie. Le premier, il détermina avec assez de précision la longueur d'un méridien terrestre (39 690 km pour 40 010 km). Il est aussi l'auteur des premières cartes géographiques. En arithmétique, il est connu pour son célèbre *crible*, qui permet de déterminer empiriquement les nombres premiers successifs. Enfin, en astronomie, son nom reste attaché à une bonne évaluation de l'obliquité de l'écliptique (23° 51').

ERBIUM [ɛrbjɔm] n. m. (de *Ytterby*, localité suédoise). Métal (Er) du groupe des lanthanides, n° 68, de masse atomique 167,26.

ERCILLA Y ZÚÑIGA (Alonso DE), écrivain espagnol (Madrid 1533 - *id.* 1594). Il prit part à une expédition au Chili, qui inspira son épopée *l'Araucana**.

ERCKMANN-CHATRIAN, nom sous lequel ont publié deux écrivains français : ÉMILE **Erckmann** (Phalsbourg 1822 - Lunéville 1899) et ALEXANDRE **Chatrian** (près d'Abreschviller, Moselle, 1826 - Villemomble 1890). Ils ont écrit ensemble un grand nombre de contes, de romans et d'œuvres dramatiques (*l'Ami Fritz*,

Érasme, par Holbein le Jeune. 1523. (Musée du Louvre, Paris.)

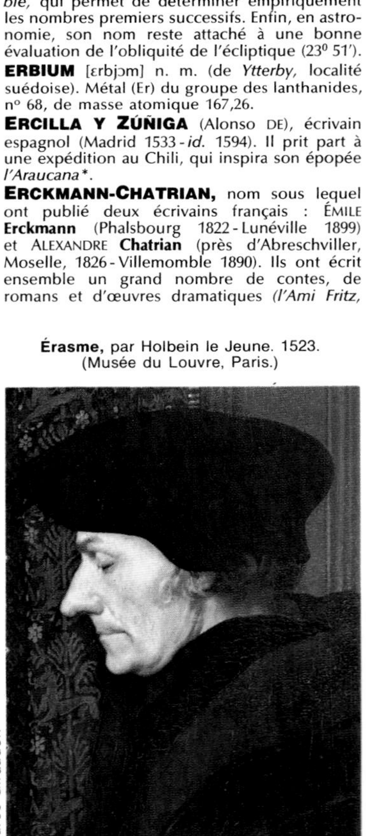

Lauros-Giraudon

Histoire d'un conscrit de 1813, les Rantzau), qui forment une sorte d'épopée populaire de l'ancienne Alsace.

ERDRE, affl. de la Loire (r. dr.), qu'il rejoint à Nantes; 105 km.

ÈRE [ɛr] n. f. (bas lat. *aera,* nombre). Époque fixe d'où l'on commence à compter les années. ‖ Époque où s'établit un nouvel ordre de choses : *une ère de prospérité.* ● *Ère géologique,* chacune des cinq grandes divisions de l'histoire de la Terre.

EREBUS, volcan de l'Antarctique, dans l'île de Ross; 3 794 m.

Érechthéion → ACROPOLE.

ÉRECTEUR, TRICE adj. *Physiol.* Qui produit l'érection.

ÉRECTILE adj. Capable de se redresser en devenant raide, dur et gonflé.

ÉRECTILITÉ n. f. Qualité de ce qui est érectile.

ÉRECTION n. f. (lat. *erectio*). *Litt.* Action d'élever, de construire : *l'érection d'une statue.* ‖ *Litt.* Institution, établissement : *l'érection d'un tribunal.* ‖ *Physiol.* État de gonflement de certains tissus organiques, de certains organes, en particulier le pénis, en état de turgescence.

EREĞLI, port de Turquie, sur la mer Noire; 61 100 hab. Sidérurgie.

ÉREINTAGE ou **ÉREINTEMENT** n. m. Action d'éreinter. ‖ *Fam.* Critique violente.

ÉREINTANT, E adj. *Fam.* Qui éreinte; qui brise de fatigue : *travail éreintant.*

ÉREINTER v. t. Briser de fatigue : *cette discussion, cette marche m'a éreinté.* ‖ Critiquer avec violence : *éreinter un auteur.*

ÉREINTEUR, EUSE adj. et n. Qui critique méchamment.

ÉRÉMITIQUE adj. (lat. *eremeticus*). Relatif aux ermites : *vie érémitique.*

ÉREPSINE n. f. Enzyme du suc intestinal, qui transforme les peptones en acides aminés.

ÉRÉSIPÈLE n. m. → ÉRYSIPÈLE.

ÉRÉTHISME n. m. (gr. *erethismos,* irritation). *Méd.* État anormal d'irritabilité de certains tissus ou du système nerveux.

ÉREUTOPHOBIE ou **ÉRYTHROPHOBIE** n. f. (gr. *ereuthein,* rougir, et *phobos,* crainte). Crainte obsédante de rougir en public.

EREVAN ou **ERIVAN,** v. de l'U. R. S. S., capit. de la république d'Arménie, au S. du Caucase; 1 095 000 hab. Musées. Constructions mécaniques et électriques.

ERFURT, v. du sud-ouest de l'Allemagne démocratique, sur la Gera; 213 000 hab. Cathédrale et diverses églises gothiques. Constructions mécaniques et électriques.

Erfurt *(entrevue d'),* négociations — relevées de fêtes grandioses — que Napoléon Ier, sur le point de partir pour l'Espagne, où ses armées étaient mises en échec, mena du 27 septembre au 14 octobre 1808 avec son allié le tsar Alexandre Ier, dont il voulait faire le surveillant de l'Autriche durant son absence. Ce fut un échec, puisque le tsar n'empêcha pas la formation, en 1809, de la 5e coalition.

ERG [ɛrg] n. m. (gr. *ergon,* travail). Unité de mesure de travail, d'énergie et de quantité de chaleur (symb. : *erg*) et valant 10^{-7} joule. (Cette unité n'est plus légale en France.)

ERG [ɛrg] n. m. (mot ar.). Dans les déserts de sable, vaste étendue couverte de dunes.

ERGASTOPLASME n. m. Organite intracellulaire formant une sorte de réseau de parois, où se fixent les ribosomes. (Syn. RÉTICULUM ENDOPLASMIQUE.)

ERGASTULE n. m. (lat. *ergastulum*). Dans l'ancienne Rome, bâtiment, souvent souterrain, où étaient enfermés les esclaves punis et les condamnés astreints à de durs travaux.

ERGATIF n. m. (gr. *ergon,* action). *Ling.* Cas grammatical indiquant, dans certaines langues flexionnelles, le sujet d'une action qui s'exerce sur un objet.

ERGOGRAPHE n. m. Appareil pour l'étude du travail musculaire.

ERGOL n. m. Nom générique de toute substance chimique susceptible d'entrer dans la composition d'un mélange fusant.

ERGONOMIE n. f. Ensemble des études et des recherches sur l'organisation méthodique du travail et l'aménagement de l'équipement en fonction des possibilités de l'homme.

ERGONOMIQUE adj. Relatif à l'ergonomie.

ERGONOMISTE n. Spécialiste d'ergonomie.

ERGOSTÉROL n. m. Stérol répandu dans les tissus animaux et végétaux, et qui peut se transformer en vitamine D sous l'influence des rayons ultraviolets.

ERGOT [ɛrgo] n. m. Pointe de corne derrière la patte du coq, du paon, du chien. ‖ *Bot.* Petit corps oblong, vénéneux, maladie cryptogamique des céréales, en particulier du seigle. (Le champignon produit un organe de fructification en forme d'ergot de coq sur l'épi parasité.) ‖ *Techn.* Saillie d'une pièce de bois, de fer. ● *Monter, se dresser sur ses ergots,* prendre une attitude hautaine et menaçante.

ERGOTAGE n. m., ou **ERGOTERIE** n. f. Manie d'ergoter, de chicaner.

ERGOTAMINE n. f. Base azotée toxique extraite de l'ergot du seigle et utilisée en médecine comme sympatholytique.

ERGOTÉ, E adj. Attaqué de l'ergot : *seigle ergoté.*

ERGOTER v. i. Chicaner sur des riens; contester mal à propos.

ERGOTEUR, EUSE adj. et n. Qui ergote, aime à ergoter.

ERGOTHÉRAPEUTE n. Auxiliaire médical spécialiste d'ergothérapie.

ERGOTHÉRAPIE n. f. Thérapeutique par l'activité physique, manuelle, spécialement utilisée dans les affections mentales comme moyen de réadaptation sociale.

ERGOTINE [ɛrgɔtin] n. f. Alcaloïde de l'ergot du seigle. (Son ingestion dans le pain ergoté entraîne l'ergotisme.)

ERGOTISME n. m. Intoxication produite par l'usage alimentaire du seigle ergoté, et qui se manifeste par des troubles nerveux et psychiques et par des troubles vasculaires pouvant entraîner une gangrène des membres.

ERHARD (Ludwig), économiste et homme d'État de l'Allemagne fédérale (Fürth 1897-Bonn 1977). Professeur d'économie politique, député démocrate-chrétien au Bundestag en 1949, ministre de l'Économie (1949-1963), il assure le redressement économique de l'Allemagne fédérale après la guerre. Il succède à Adenauer comme chancelier en 1963, puis comme président du parti démocrate-chrétien en 1966. Ses échecs en politique extérieure, joints à la récession économique et aux difficultés sociales, ayant terni sa popularité, il est remplacé par Kiesinger à la chancellerie (1966) et à la présidence du parti démocrate-chrétien (1967).

ÉRICACÉE [erikase] n. f. Plante dicotylédone gamopétale. (Les *éricacées* forment une famille comprenant les *bruyères,* la *myrtille,* les *rhododendrons* et les *azalées.*)

ERICSSON, famille d'ingénieurs suédois. NILS (Långbanshyttan 1802 - Stockholm 1870) construisit les écluses du canal de Trollhätte ainsi que les canaux du Saimaa au golfe de Fionie et de Dalsland. — Son frère JOHAN (Långbanshyttan 1803 - New York 1889) imagina un propulseur hélicoïdal pour navire (1836) et l'éprouvette hydrostatique (1851) pour la mesure du volume des fluides sous pression. Il construisit le cuirassé à tourelles *Monitor* (1862), qui s'illustra à la bataille de Hampton Roads.

ÉRIDAN, constellation* très étendue de l'hémisphère austral, se présentant sous la forme d'une longue ligne sinueuse d'étoiles.

ERIDOU, anc. ville de Mésopotamie, qui a fourni une stratigraphie très complète de la poterie de la période d'Obeïd*, depuis sa phase la plus ancienne (VIe millénaire). Les vestiges de plusieurs temples successifs de ce centre essentiellement religieux ont été dégagés.

ÉRIE, port des États-Unis (Pennsylvanie), sur la rive sud du *lac Érié;* 129 000 hab.

ÉRIÉ *(lac),* l'un des cinq Grands Lacs américains, entre le lac Huron et le lac Ontario; 25 800 km². Il est relié à l'Hudson par le *canal de l'Érié* (590 km).

ÉRIGÈNE (Jean) → SCOT ÉRIGÈNE.

ÉRIGER [eriʒe] v. t. (lat. *erigere,* dresser) [conj. **1**]. *Litt.* Élever, construire : *ériger un monument.* ‖ *Litt.* Créer, instituer : *ériger un tribunal.* ‖ *Litt.* Donner le caractère de, élever au rang de : *ériger une église en cathédrale.* ◆ **s'ériger** v. pr. *Litt.* S'attribuer un droit, se poser en : *s'ériger en juge.*

ÉRIGÉRON n. m. Plante herbacée, parfois cultivée, d'Europe et d'Amérique. (Famille des composées.)

ÉRIGNE ou **ÉRINE** n. f. (lat. *aranea,* araignée). *Chir.* Instrument qui sert, dans les opérations, à maintenir certaines parties écartées.

ERIK le Rouge, explorateur norvégien (Jaeren v. 940 - † v. 1010). Parti d'Islande, il découvre vers 982 la côte ouest du Groenland. De retour en 988, il repart avec plusieurs navires de colons pour cette « terre verte », où il s'installe à Brattalid.

ERIK DE POMÉRANIE (1382 - Rügenwalde 1459), roi de Norvège (1389-1442), de Danemark et de Suède (1396-1439). Fils d'un duc de Poméranie et petit-neveu de Marguerite de Danemark, qui le fit élire roi, il réalisa l'union des trois États scandinaves (diète de Kalmar, 1397). Mais son autoritarisme provoqua la révolte des Suédois (1434) ainsi que sa destitution par les nobles danois et suédois (1439), puis par la Norvège (1442).

ERIK XIV, roi de Suède → VASA.

ERIKSON (Erik), psychanalyste américain (Francfort-sur-le-Main 1902). Il s'est surtout intéressé aux problèmes de l'adolescence.

ÉRINYES, déesses grecques de la Vengeance et du Châtiment, les *Furies* de la mythologie romaine. On les appelait par antiphrase les *Euménides* (les Bienveillantes), pour conjurer leurs maléfices.

ÉRISTALE n. m. Grosse mouche à abdomen jaune et noir, ressemblant à une guêpe.

P. Lorne

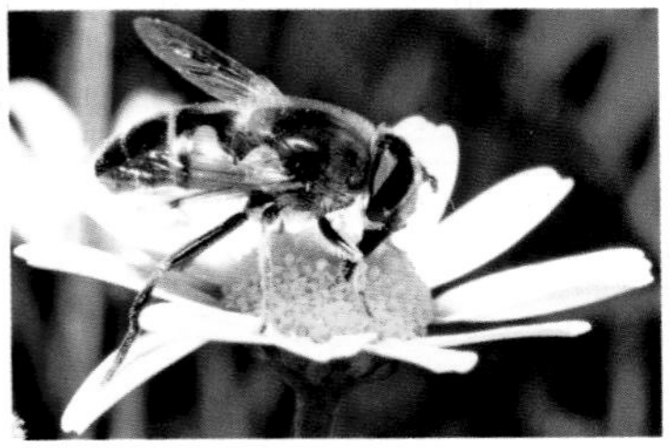

éristale

ÉRISTIQUE n. f. (gr. *erizein,* disputer). Art de la controverse. ◆ adj. Relatif à la controverse.

ERLANGEN, v. de l'Allemagne fédérale (Bavière), sur la Regnitz; 100 900 hab. Hôtel de ville et château du XVIIIe s. Université. Constructions électriques.

ERLANGER (Joseph), savant américain (San Francisco 1874 - Saint Louis 1965), prix Nobel de médecine en 1944 avec Herbert Spencer Gasser pour ses études sur les différenciations fonctionnelles des fibres nerveuses.

ERLANGER (Théodore D'), juriste et musicologue russe (Moscou 1890 - Paris 1971), fondateur, à Paris, de l'École supérieure d'études chorégraphiques (1955).

ERMENONVILLE (60440 Nanteuil le Haudouin), comm. de l'Oise, à 13 km au S.-E. de Senlis; 778 hab. Église des XIIIe et XVIe s. Château et parc paysager du XVIIIe s. « Mer de sable » et forêt.

ERMITAGE n. m. Lieu solitaire habité par un ermite. ‖ Maison de campagne retirée.

Ermitage *(l'),* à Leningrad, ensemble de palais construits pour abriter les collections de Catherine II, amplifié au XIXe s. et auj. vaste musée (archéologie [trésors scythes], arts décoratifs, riche galerie de peinture occidentale).

Ermitage *(l'),* chalet de la vallée de Montmorency, propriété de Mme d'Épinay, où J.-J. Rousseau résida en 1756-57.

ERMITE n. m. (gr. *erêmitês,* qui vit seul). Moine qui vit dans la solitude pour prier et faire pénitence. ‖ Personne qui vit retirée : *vivre en ermite.*

ERMOLAÏEV (Alekseï), danseur et chorégraphe soviétique (Saint-Pétersbourg 1910-Moscou 1975). Sans doute le meilleur danseur de sa génération, il contribua pour une large part à l'évolution du style de l'école russe. Toutes les classes masculines du Bolchoï ont bénéficié de son enseignement.

ERMONT (95120), ch.-l. de cant. du Val-d'Oise, à 14 km au N.-O. de Paris; 24 394 hab.

ERNAKULAM, partie de l'agglomération de Cochin (Inde, Kerala).

ERNE, fl. d'Irlande, tributaire de l'Atlantique; 115 km. Il traverse les deux *lacs d'Erne.*

ERNÉE (53500), ch.-l. de cant. de la Mayenne, à 20 km au S.-E. de Fougères, sur l'*Ernée;* 6 132 hab.

ERNEST-AUGUSTE de Brunswick-Lunebourg → HANOVRE *(royaume de).*

ERNEST-AUGUSTE Ier (Londres 1771-Hanovre 1851), roi de Hanovre de 1837 à 1851. Cinquième fils de George III* d'Angleterre, il porte d'abord le titre de duc de Cumberland et se distingue contre les armées françaises de la Révolution et de l'Empire. Roi de Hanovre en 1837, il n'accorde que tardivement (1848) à ses sujets des réformes libérales, auxquelles il renonce en 1850.

ERNST (Max), peintre français d'origine allemande (Brühl 1891 - Paris 1976). Son œuvre s'affirme à la fois comme « rappel à l'enfantillage et désir de créer un univers pictural à la mesure de la situation tragique de l'homme d'aujourd'hui ». Il refuse la création ex nihilo et puise dans les formes banales et existantes les éléments d'une mythologie personnelle, qui fait de lui, après l'expérience dada (Cologne, 1919), un des premiers peintres surréalistes (il rejoint le groupe à Paris en 1922) : peintures dans l'esprit « métaphysique » de De Chirico (*l'Éléphant Célèbes,* 1921, Tate Gallery, Londres), *collages** et romans-collages (*la Femme 100 têtes,* 1929; *Une semaine de bonté,* 1934), *frottages* (sortes « d'équivalents de l'écriture automatique » : *Histoire naturelle,* 1926), sculptures comme *Jeu de constructions anthropomorphes* (1935). Après l'inquiétude étouffante et tragique de la période de la guerre (*décalcomanies* et peintures telles que *l'Europe après la pluie,* exécutée en 1940-1942 aux États-Unis, où il trouve refuge), son œuvre, plus construite, plus aérée, retrouve l'humour et prend une dimension cosmique avec les thèmes permanents de la forêt, de la lune et de l'oiseau, tandis que les objets, assemblés et intégrés au tableau, réapparaissent.

ERODE, v. de l'Inde (Tamil Nadu), sur la Kāviri; 275 000 hab.

ÉRODER v. t. (lat. *erodere*). User par frottement, ronger : *l'eau érode les roches.*

ÉROGÈNE adj. (gr. *erôs,* amour, et *gennân,* engendrer). Se dit d'une partie du corps susceptible de provoquer une excitation sexuelle.

ÉRÔME (26600 Tain l'Hermitage), comm. de la Drôme, sur le Rhône, à 6,5 km au N. de Tain-l'Hermitage; 626 hab. Porcelaine.

ÉROS [erɔs] n. m. (gr. *Erôs,* divinité de l'Amour, chez les Grecs). *Psychanal.* Ensemble des pulsions de vie dans la théorie freudienne.

ÉROS, dieu grec de l'Amour. Platon distingue l'*Éros* supérieur, qui conduit à l'amour divin, et l'*Éros* inférieur, qui est l'amour humain. La philosophie chrétienne a repris cette idée avec l'*Éros,* l'amour sous son aspect de désir passionnel, et l'*Agapè,* l'amour sous son aspect spirituel et divin.

ERÓS, petite planète* découverte par Witt à Berlin en 1898. Son orbite a été utilisée pour calculer les masses de la Terre et de Vénus ainsi que la parallaxe du Soleil.

ÉROSIF, IVE adj. Qui produit l'érosion.

Held-Ziolo

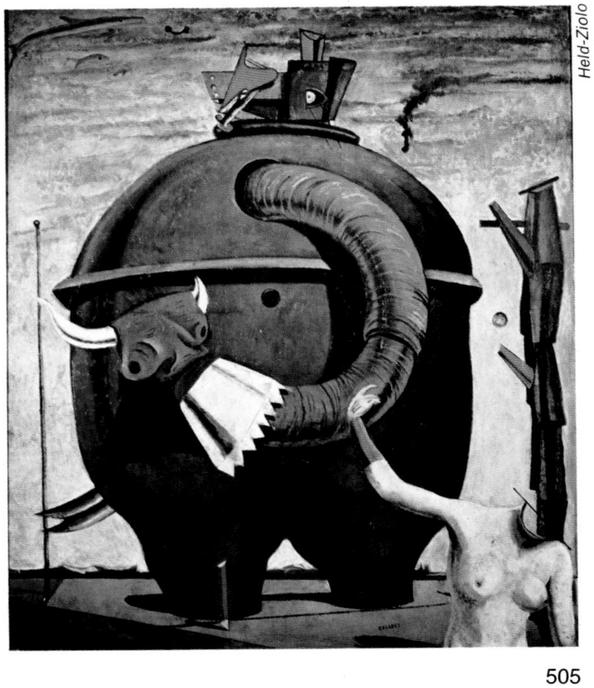

Max **Ernst** : *l'Éléphant Célèbes,* 1921. (Tate Gallery, Londres.)

ÉROSION n. f. (lat. *erosio*). Ensemble des phénomènes constitués par la dégradation du relief, le transport et l'accumulation des matériaux arrachés. (On parle d'*érosion éolienne, glaciaire, fluviale,* en fonction des agents qui en sont responsables, d'*érosion littorale,* d'après le milieu dans lequel elle s'exerce.) ‖ Dégradation progressive, usure lente : *l'érosion du pouvoir.* • *Érosion différentielle,* ablation inégale résultant des différences de résistance des diverses roches en face des agents de l'érosion. ‖ *Érosion monétaire,* détérioration lente et continue du pouvoir d'achat présentée par une monnaie. ‖ *Érosion régressive,* reprise du creusement par un cours d'eau, se propageant de l'aval vers l'amont, à la suite d'un abaissement du niveau de base. ‖ *Érosion du sol,* dégradation due essentiellement à l'action de l'homme. ‖ *Surface d'érosion,* surface entaillant des terrains variés et résultant d'un long travail de l'érosion. ‖ *Système d'érosion,* combinaison relativement constante, dans une zone climatique du globe, de divers processus d'érosion.

■ Le relief terrestre tend à se modifier sous l'action des agents météoriques, l'ensemble des processus étant désigné sous le nom d'« érosion ». Les roches sont ameublies par l'*érosion mécanique,* ou fragmentation sous l'effet des variations de température (alternance du gel et du dégel notamment); l'*érosion chimique,* par attaque préférentielle de certains de leurs minéraux, détruit également leur cohésion. Les débris ainsi formés sont pris en charge par différents agents de transport : la pesanteur, qui les fait rouler au bas des versants (éboulis, solifluxion), le ruissellement, les cours d'eau, les glaciers, la mer, le vent. Lorsqu'ils ne peuvent être évacués, il y a accumulation.

Chaque *système d'érosion* est caractérisé par le rôle relatif que jouent les différents facteurs. En particulier, selon les climats, les systèmes sont très différents, à tel point que l'on parle de systèmes morphoclimatiques. Dans les régions tempérées et tropicales, la couverture végétale continue joue un rôle protecteur, et l'érosion chimique domine. Dans les régions désertiques ou montagneuses, le sol est souvent à nu, et l'érosion mécanique devient prépondérante. Dans les deux cas, les paysages qui en résultent sont très différents, et il est souvent possible de retrouver dans le modelé d'une région les traces de climats passés. Théoriquement, le relief de l'écorce terrestre a tendance à s'aplanir par attaque des parties élevées et comblement des parties basses, évolution systématisée par W. M. Davis* dans sa théorie du *cycle* d'érosion.*

Quoique souvent sensible même à l'échelle humaine (recul des falaises, progression des deltas, etc.), l'érosion est un phénomène lent, mais qui peut être accéléré par l'intervention de l'homme (v. ANTHROPIQUE [*érosion*]).

ÉROTIQUE adj. (gr. *erôtikos;* de *erôs,* amour). Relatif à l'amour sexuel, à la sexualité : *littérature érotique.*

ÉROTIQUEMENT adv. De façon érotique.

ÉROTISATION n. f. Fait d'introduire de l'érotisme dans des domaines où il n'était pas ou de l'intensifier là où il était déjà.

ÉROTISER v. t. Donner un caractère érotique.

ÉROTISME n. m. Caractère de ce qui est érotique. ‖ Recherche variée de l'excitation sexuelle.

Érotisme *(l'),* essai de Georges Bataille (1957). C'est une analyse des multiples manifestations de l'érotisme, à travers ses interdits (liés à la mort, à la reproduction, au travail, à l'idéologie chrétienne) et ses diverses transgressions (meurtre, sacrifice, guerre), ainsi qu'une recherche de leur inscription dans une même démarche (expérience d'un état limite) et une « unité de l'esprit humain » (un mysticisme de la « consumation », de la dépense des énergies et de la vie, sur les plans physique et spirituel).

ÉROTOLOGIE n. f. Étude scientifique de l'amour physique et des ouvrages érotiques.

ÉROTOLOGIQUE adj. Relatif à l'érotologie.

ÉROTOMANE n. et adj. Personne atteinte d'érotomanie.

ÉROTOMANIE n. f. Obsession sexuelle. ‖ *Psychiatr.* Affection mentale caractérisée par l'illusion délirante d'être aimé.

ERPE-MERE, comm. de Belgique (Flandre-Orientale), au S.-E. de Gand; 18000 hab.

ERPÉTOLOGIE ou **HERPÉTOLOGIE** n. f. (gr. *herpeton,* reptile, et *logos,* science). Partie de l'histoire naturelle qui traite des reptiles.

ERPÉTOLOGIQUE ou **HERPÉTOLOGIQUE** adj. Relatif à l'erpétologie.

ERPÉTOLOGISTE ou **HERPÉTOLOGISTE** n. Naturaliste qui étudie les reptiles.

ERQUELINNES, comm. de Belgique (Hainaut) sur la Sambre, à la frontière française; 9900 hab.

ERQUY (22430), comm. des Côtes-du-Nord, sur la rive est de la baie de Saint-Brieuc, à 23 km au N. de Lamballe; 3426 hab. Station balnéaire. Port de pêche.

ERRANCE n. f. Action d'errer çà et là, de marcher longtemps sans s'arrêter quelque part.

ERRANT, E adj. Nomade, qui n'a pas de demeure fixe : *tribus errantes.* • *Chevalier errant,* chevalier qui allait de pays en pays pour chercher des aventures et redresser les torts.

ERRATA n. m. pl. → ERRATUM.

ERRATIQUE [ɛratik] adj. (lat. *errare,* errer). *Méd.* Intermittent, irrégulier : *fièvre erratique.* • *Bloc erratique* (Géol.), bloc arrondi ou anguleux qui subsiste après le recul d'un glacier.

ERRATUM [ɛratɔm] n. m. (mot. lat.) [pl. *errata*]. Faute survenue dans l'impression d'un ouvrage : *liste des errata.*

ERRE n. f. (anc. fr. *errer,* marcher). *Mar.* Vitesse restante d'un navire, moteur arrêté ou voiles amenées.

ERREMENTS n. m. pl. Manière d'agir habituelle (vx) : *les errements de l'Administration.* ‖ Manière d'agir considérée comme blâmable : *retomber dans ses anciens errements.*

ERRER v. i. (lat. *errare*). Aller çà et là, à l'aventure, sans but : *errer dans la campagne.*

ERREUR n. f. (lat. *error*). Action de se tromper, faute commise en se trompant, méprise : *rectifier une erreur; erreur de calcul.* ‖ État de qqn qui se trompe : *vous êtes dans l'erreur.* ‖ Action inconsidérée, regrettable, maladresse : *cette intervention fut une erreur.* ‖ *Dr.* Vice du consentement pouvant entraîner la nullité d'un contrat. • *Erreur absolue,* différence entre la valeur exacte d'une grandeur et la valeur donnée par la mesure. ‖ *Erreur judiciaire,* erreur d'une juridiction portant sur la culpabilité d'une personne. ‖ *Erreur relative,* rapport de l'erreur absolue à la valeur de la grandeur mesurée. ‖ *Faire erreur,* se tromper.

ERRONÉ, E adj. (lat. *erroneus*). Qui contient des erreurs, faux, inexact.

ERS [ɛr] n. m. (mot prov.). Genre de légumineuses voisines des vesces, et dont le type est la *lentille.*

ERSATZ [ɛrzats] n. m. (mot all.). Produit de remplacement de moindre qualité.

ERSE n. f. *Mar.* Anneau de cordage.

ERSE adj. Relatif aux habitants de la haute Écosse : *langue, littérature erse.*

ERSE n. m. Dialecte gaélique parlé en Écosse.

ERSHAD (Hussain Mohammed), général et homme d'État du Bangladesh (Rangpur 1930). Administrateur de la loi martiale (1982-1986), il est président de la République depuis 1983.

ERSTEIN (67150), ch.-l. de cant. du Bas-Rhin, sur l'Ill, à 22,5 km au S. de Strasbourg; 8172 hab. Sucrerie. Constructions mécaniques.

ÉRUCIFORME adj. (lat. *eruca,* chenille). *Zool.* Se dit d'une larve d'insecte ayant l'aspect d'une chenille.

ÉRUCTATION n. f. Émission bruyante, par la bouche, de gaz accumulés dans l'estomac.

ÉRUCTER v. i. (lat. *eructare*). Rejeter par la bouche et avec bruit les gaz contenus dans l'estomac. ◆ v. t. *Litt.* Lancer, proférer : *éructer des injures.*

ÉRUDIT, E adj. et n. (lat. *eruditus*). Qui manifeste des connaissances approfondies dans une matière : *historien érudit.*

ÉRUDITION n. f. Savoir approfondi dans un ordre de connaissances.

ÉRUGINEUX, EUSE adj. (lat. *aerugo, -inis,* rouille). Qui a l'aspect de la rouille.

ÉRUPTIF, IVE adj. (lat. *eruptus,* sorti brusquement). *Méd.* Qui a lieu par éruption : *fièvre éruptive.* • *Roche éruptive,* roche d'origine interne, cristallisant à partir d'un magma. (On distingue les roches plutoniques ou intrusives, dont le type est le granite, et les roches volcaniques ou extrusives, dont le type est le basalte.) [Syn. ROCHES MAGMATIQUES.]

ÉRUPTION n. f. (lat. *eruptio*). *Méd.* Sortie de boutons, de taches, de rougeurs qui se forment sur la peau. • *Éruption des dents,* leur sortie hors de l'alvéole et leur traversée de la muqueuse de la gencive. ‖ *Éruption solaire,* phénomène de l'activité solaire se manifestant par l'accroissement brutal et temporaire des émissions de radiations électromagnétiques et de corpuscules d'une région de la chromosphère, et provoquant d'importantes perturbations du champ magnétique terrestre. ‖ *Éruption volcanique,* émission plus ou moins violente, par un volcan, de laves, de projections (bombes, cendres, lapilli) et de gaz.

ERVY-LE-CHÂTEL (10130), ch.-l. de cant. de l'Aube, à 24 km au N. de Tonnerre; 1262 hab. Église des XVe et XVIe s. Vieilles maisons. Constructions mécaniques.

ÉRYSIPÉLATEUX, EUSE ou **ÉRÉSIPÉLATEUX, EUSE** adj. et n. Qui dénote ou accompagne l'érysipèle; atteint d'érysipèle.

ÉRYSIPÈLE ou **ÉRÉSIPÈLE** n. m. (gr. *erusipelas*). Maladie infectieuse, due à un streptocoque, caractérisée par une inflammation de la peau atteignant surtout le derme *(dermite)* et siégeant fréquemment sur la face.

ÉRYTHÉMATEUX, EUSE adj. Qui a les caractères de l'érythème.

ÉRYTHÈME n. m. (gr. *eruthêma,* rougeur). Congestion cutanée qui donne lieu à une rougeur de la peau. (L'*érythème* est la partie externe des éruptions, l'*énanthème* en étant la partie interne.)

ÉRYTHRASMA n. m. *Méd.* Dermatose des aines, caractérisée par une plaque rouge-brun symétrique et due à une mycose.

ÉRYTHRÉE, région de l'Afrique orientale, sur la mer Rouge. Dépendant du royaume d'Aksoum* au début de l'ère chrétienne, l'Érythrée devient une des provinces de l'empire d'Éthiopie. Les Italiens s'y installent à partir de 1882 et en font une colonie (1890), qui leur sert de base pour envahir l'Éthiopie en 1935. Occupé, en 1940, par les troupes anglaises qui refoulent les Italiens au cours de la campagne d'Éthiopie (1940-41), le territoire reste sous l'administration britannique jusqu'en 1952. À cette date entre en vigueur le statut fixé par l'O. N. U., qui rattache l'Érythrée à l'Éthiopie sous la forme d'un État fédéré largement autonome, disposant d'une assemblée et d'un gouvernement local. Cependant, un vote favorable du parlement érythréen permet à l'Éthiopie, en 1962, d'annexer le territoire, qui devient province éthiopienne. Cette annexion suscite parmi la majorité musulmane, hostile à l'emprise des dirigeants amharas sur le pays, une violente opposition, qui se concrétise autour d'un mouvement nationaliste et séparatiste, le Front de libération de l'Érythrée (F. L. E.), fondé en 1956. Soutenu par plusieurs gouvernements arabes progressistes, le F. L. E. mène depuis 1962 une guérilla qui s'est amplifiée à la faveur du changement de régime intervenu en Éthiopie en 1974 et qui s'est compliquée du fait de l'intervention du Front populaire de libération de l'Érythrée (F. P. L. E.), fondé en 1970. Le régime du colonel Mengistu s'est engagé dans une véritable guerre contre les séparatistes, avec l'aide soviétique.

ÉRYTHRINE n. f. Arbre exotique à fleurs rouges, à bois très résistant et dont les graines servent à faire des colliers. (Famille des papilionacées.)

ÉRYTHROBLASTE n. m. Cellule mère des érythrocytes, qui comporte encore un noyau. (À l'état normal, les érythroblastes ne se trouvent que dans les organes hématopoïétiques.)

ÉRYTHROBLASTOSE n. f. Présence pathologique d'érythroblastes dans le sang circulant.

ÉRYTHROCYTAIRE adj. Relatif aux érythrocytes.

ÉRYTHROCYTE n. m. Syn. de HÉMATIE.

ÉRYTHROMYCINE n. f. Antibiotique actif contre les bactéries à Gram positif et contre les *brucella.*

ÉRYTHROPHOBIE n. f. → ÉREUTOPHOBIE.

ERZBERG, montagne d'Autriche, en Styrie; 1534 m. Minerai de fer.

ERZBERGER (Matthias), homme politique allemand (Buttenhausen, Wurtemberg, 1875 - près de Griesbach, Bade, 1921). L'un des chefs du centre catholique, il obtient du Reichstag le vote de la résolution de paix (1917), puis est nommé président de la commission d'armistice à Rethondes (1918). Erzberger fait accepter le traité de Versailles par le ministère Bauer, où il entre comme ministre des Finances (1919), avant d'être assassiné par les nationalistes.

ERZGEBIRGE, en franç. **monts Métallifères,** en tchèque **Krušné Hory,** massif montagneux aux confins de la Tchécoslovaquie (extrémité nord-ouest de la Bohême) et de l'Allemagne démocratique; 1244 m. Il doit son nom à la présence de nombreux minerais (plomb, zinc, cuivre, argent, uranium) dont certains furent exploités dès le Moyen Âge, donnant naissance à une tradition industrielle toujours vivante (métallurgie de transformation, textile).

ERZURUM ou **ERZEROUM,** v. de la Turquie orientale; 190200 hab. Grande medersa de Çifte-minare, très bel exemple du style seldjoukide, et monuments divers. Industries alimentaires. — La situation de la ville sur la principale voie de passage entre la Turquie et l'Iran en a fait, depuis l'Antiquité (*Garin* ou *Karin* des Arméniens, *Theodosiopolis* des Byzantins), un important centre commercial et militaire, conquis par les Seldjoukides* en 1201. La ville fut annexée par les Ottomans* en 1514.

ÈS [ɛs] prép. (contraction de *en les*). En matière de (ne s'emploie plus que dans quelques expressions et devant un nom au pl.) : *docteur ès sciences.*

ESAKI (Leo), physicien américain d'origine japonaise (Ōsaka 1925). En 1957, il a obtenu l'effet « tunnel » dans les semi-conducteurs. (Prix Nobel de physique, 1973.)

ÉSAÜ, personnage biblique, fils aîné d'Isaac*, supplanté par son frère Jacob* à qui il vendit son droit d'aînesse pour un plat de lentilles. Il est le symbole de la civilisation nomade qui doit céder la place à la civilisation pastorale.

ESBIGNER (S') v. pr. *Pop.* et *vx.* S'enfuir.

ESBJERG, port du Danemark, sur la côte occidentale du Jylland; 77000 hab. Pêche.

ESBO → ESPOO.

ESBROUFE n. f. *Faire de l'esbroufe* (Fam.), chercher à s'imposer en prenant un air important. ‖ *Vol à l'esbroufe,* vol qui se pratique en bousculant la personne qu'on veut dévaliser.

ESBROUFER v. t. (prov. *esbroufa,* s'ébrouer). *Fam.* Étonner par de grands airs.

ESBROUFEUR, EUSE n. *Fam.* Personne qui fait de l'esbroufe.

ESCABEAU n. m. (lat. *scabellum*). Siège de bois sans bras ni dossier. ‖ Petit escalier portatif servant d'échelle.

ESCADRE n. f. (it. *squadra,* équerre). Réunion importante de navires de guerre ou d'avions de combat. • *Chef d'escadre,* avant 1789, grade correspondant à celui de contre-amiral.

ESCADRILLE n. f. Petit groupe de navires ou d'aéronefs militaires.

ESCADRON n. m. (it. *squadrone*). Unité de la cavalerie, de l'armée blindée ou de la gendarmerie, analogue à la compagnie. ‖ Unité de l'armée de l'air : *un escadron de chasse.* • *Chef d'escadron,* dans la cavalerie, capitaine commandant un escadron; dans l'artillerie, la gendarmerie et le train, officier supérieur du grade de commandant. ‖ *Chef d'escadrons,* dans la cavalerie et l'arme blindée, commandant.

ESCALADE n. f. (it. *scalata*). Action de gravir en s'élevant : *l'escalade d'un rocher.* ‖ Progression en violence ou en intensité dans un conflit ou une activité quelconque : *escalade de la violence, escalade des prix.* ‖ *Dr.* Action de passer par-dessus une clôture, de s'introduire dans une maison par une fenêtre ou par le toit. ‖ *Mil.* Dans le vocabulaire de la stratégie moderne, terme désignant l'accélération inéluctable de l'importance des moyens militaires mis en œuvre, à partir du moment où l'emploi d'un armement nucléaire est envisageable. • *Escalade artificielle,* en alpinisme, escalade au cours de laquelle le grimpeur s'aide de prises et d'appuis formés en enfonçant des pitons dans les fissures du rocher. ‖ *Escalade libre,* celle au cours de laquelle le grimpeur progresse par ses propres moyens en utilisant les prises et appuis naturels qu'offre le rocher.

ESCALADER v. t. Franchir en passant par-dessus : *escalader une grille.* ‖ Gravir avec effort : *escalader une montagne, un pic.*

ESCALATOR n. m. (nom déposé). Escalier mécanique.

ESCALE n. f. (it. *scala*). Lieu de relâche et de ravitaillement pour les navires et les avions. ‖ Action de s'arrêter pour se ravitailler ou pour débarquer ou embarquer des passagers : *faire escale.*

ESCALIER n. m. (lat. *scalaria*). Ouvrage formé de marches et permettant de passer d'un niveau à un autre. • *Avoir l'esprit de l'escalier* (Fam.), penser trop tard à ce qu'on aurait dû dire, par manque de vivacité. ‖ *Escalier roulant, mécanique,* escalier à marches articulées, qui transporte les gens vers le haut ou vers le bas. ‖ *Fonction en escalier* (Math.), fonction définie sur une suite d'intervalles, constante dans chacun des intervalles et discontinue à chaque extrémité d'intervalle.

ESCALOPE n. f. Tranche mince de viande, principalement de veau.

ESCAMOTABLE adj. Qui peut être escamoté. • *Meuble escamotable,* lit ou table que l'on peut rabattre contre un mur ou dans un placard.

ESCAMOTAGE n. m. Art ou action d'escamoter. ‖ Vol détourné ou subtil.

ESCAMOTER [ɛskamɔte] v. t. (occitan *escamotar*). Faire disparaître un objet par une manœuvre habile. ‖ Dérober subtilement : *escamoter un portefeuille.* ‖ Faire disparaître automatiquement un organe saillant d'un appareil : *escamoter le train d'atterrissage d'un avion.* ‖ Supprimer, prononcer vite ou bas : *escamoter des mots.* ‖ Éluder, éviter ce qui est difficile : *escamoter une question.*

ESCAMOTEUR, EUSE n. Personne qui escamote, qui dérobe subtilement.

ESCAMPETTE n. f. (anc. fr. *escamper,* s'enfuir). *Prendre la poudre d'escampette* (Fam.), partir sans demander son reste.

ESCANDE (Léopold), physicien français (Toulouse 1902 - *id.* 1980). Il s'est surtout intéressé à la mécanique des fluides, au calcul des barrages et à la technique des modèles réduits.

ESCANDORGUE, plateau basaltique du Massif central, au S. du causse du Larzac.

ESCAPADE n. f. (it. *scappata*). Action de s'échapper d'un lieu, d'échapper à des obligations habituelles par un départ ou une rupture. (Syn. FUGUE.)

ESCARBILLE n. f. (mot wallon). Résidu de combustible incomplètement brûlé, qui s'échappe d'un foyer.

ESCARBOT [ɛskarbo] n. m. (lat. *scarabeus*). Nom usuel de divers coléoptères.

ESCARBOUCLE n. f. (lat. *carbunculus,* petit charbon). Nom ancien d'une pierre fine rouge foncé, le grenat. ‖ *Hérald.* Pièce embrassant le champ de l'écu et formée de huit rais fleurdelisés.

ESCARCELLE n. f. (it. *scarsella,* petite avare). Bourse portée à la ceinture, en usage au Moyen Âge. ‖ *Ironiq.* Réserve d'argent.

ESCARÈNE (L') [06440], ch.-l. de cant. des Alpes-Maritimes, à 21 km au N.-E. de Nice; 1 424 hab. Église du XVIIe s.

ESCARGOT n. m. (prov. *escaragol*). Mollusque gastropode pulmoné, dont les grandes espèces sont comestibles, et qui dévore les feuilles des plantes cultivées. (Syn. LIMAÇON, COLIMAÇON.)

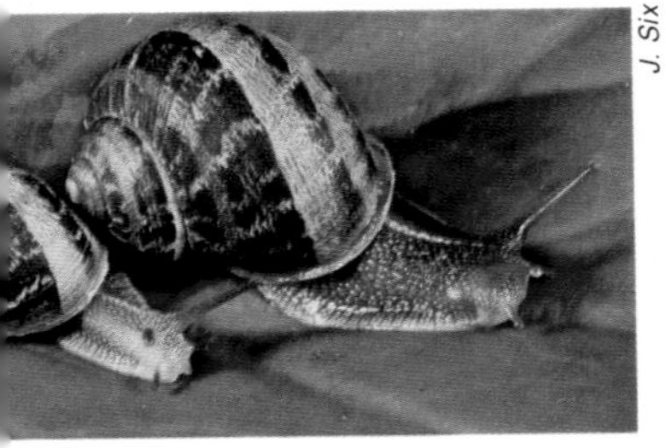

J. Six

escargots

ESCARGOTIÈRE n. f. Lieu où l'on élève les escargots. ‖ Plat présentant de petits creux, utilisé pour servir les escargots.

ESCARMOUCHE n. f. (it. *scaramuccia*). Léger engagement entre les éléments avancés de deux armées. ‖ Propos hostiles adressés à un adversaire avant une lutte plus importante.

ESCARPE n. f. (it. *scarpa*). Talus intérieur du fossé d'un ouvrage fortifié.

ESCARPE n. m. Bandit, voleur (vx).

ESCARPÉ, E [ɛskarpe] adj. Qui a une pente raide, d'accès difficile, abrupt : *chemin escarpé.*

ESCARPEMENT n. m. Pente raide d'une hauteur, d'un versant, d'un rempart. ● *Escarpement de faille* (Géogr.), talus raide, au tracé souvent rectiligne, créé par une faille.

ESCARPIÈRE (l') → ÉCARPIÈRE (l').

ESCARPIN n. m. (it. *scarpino*). Soulier élégant, découvert, à semelle mince, avec ou sans talon.

ESCARPOLETTE n. f. (it. *scarpoletta,* petite écharpe). Siège ou planchette que l'on suspend par des cordes, pour se balancer.

ESCARRE ou **ESQUARRE** n. f. (de *équerre*). *Hérald.* Pièce honorable constituée par une équerre qui isole du champ un des coins de l'écu.

ESCARRE n. f. (gr. *eskhara,* foyer). *Méd.* Croûte noirâtre qui se forme sur la peau, les plaies, etc., par la nécrose des tissus (derme, aponévrose, muscles).

ESCARRIFIER v. t. Former une escarre sur : *escarrifier une plaie en la brûlant.*

ESCAUDAIN (59124), comm. du Nord, à 4 km à l'O. de Denain; 9 835 hab.

ESCAUT, en néerl. **Schelde,** fl. de l'Europe du Nord-Ouest; 430 km. Né en France (départ. de l'Aisne), l'Escaut coule vers le N., passe à Cambrai, Denain, Valenciennes, pénètre en Belgique, où il arrose successivement Tournai, Gand (où il reçoit la Lys) et Anvers, à la tête de son delta. La majeure partie de ce delta *(Escaut occidental)* appartient aux Pays-Bas. On donne le nom d'*Escaut oriental* à un bras de mer (bientôt barré) situé plus au N., dans l'archipel de la Zélande. Fleuve au régime régulier, canalisé et relié notamment à la Meuse et au Rhin, l'Escaut est une importante artère de navigation fluviale, notamment dans son cours inférieur, en aval d'Anvers.

ESCAUTPONT (59278), comm. du Nord, à 8 km au N.-E. de Valenciennes, sur l'*Escaut;* 4 770 hab.

ESCHATOLOGIE [ɛskatɔlɔʒi] n. f. (gr. *eschatos,* dernier, et *logos,* discours). Ensemble de doctrines et de croyances portant sur le sort ultime de l'homme *(eschatologie individuelle)* et de l'univers *(eschatologie universelle).*

ESCHATOLOGIQUE adj. Qui concerne l'eschatologie.

ESCHE n. f. → AICHE.

ESCHENBACH (Wolfram VON) → WOLFRAM.

ESCHINE, orateur athénien (v. 390-314 av. J.-C.). Il se fit d'abord partisan d'un congrès panhellénique contre Philippe, mais, ayant échoué, il devint partisan de la paix et l'adversaire de Démosthène, qui l'emporta dans le procès *Sur la couronne* et qui le contraignit à l'exil. Ses discours *(Sur l'ambassade, Contre Ctésiphon, Contre Timarque)* sont des exemples d'élégance attique.

ESCH-SUR-ALZETTE ou **ESCH-ALZETTE,** ch.-l. de cant. du sud du Luxembourg, sur l'*Alzette;* 25 100 hab. Métallurgie.

ESCHYLE, poète tragique grec (Éleusis v. 525-Géla, Sicile, 456 av. J.-C.). Frère de Cynégire, héros de Marathon, il combat lui-même à Marathon et à Salamine. Il commence très tôt à écrire pour le théâtre (*les Suppliantes,* parmi les sept pièces qui nous sont restées, dateraient de 490), mais ne remporte son premier succès qu'en 484. Le triomphe des *Perses* (472) consacre sa gloire et attire l'attention de Hiéron, tyran de Syracuse. Eschyle vit désormais tantôt à Athènes, tantôt en Sicile, faisant jouer près de quatre-vingt-dix drames, qui exploitent le domaine des vieux mythes (*Prométhée enchaîné,* entre 467 et 458), la théogonie, le cycle troyen, l'histoire des Argonautes, les légendes thébaines et argiennes (*les Sept contre Thèbes,* 467; l'*Orestie* [*Agamemnon, les Choéphores, les Euménides*], 458). La légende attribue sa mort à la chute d'une tortue qu'un aigle aurait laissé tomber sur son crâne. Véritable fondateur de la tragédie* grecque, il lui a donné sa forme (introduction d'un second acteur, alternance du dialogue et des parties lyriques, détermination des costumes) et son esprit : la démesure *(hybris)* conduit l'homme à l'erreur, mais la vengeance divine *(némésis)* rétablit la justice, garant de l'équilibre naturel et social. Le lyrisme d'Eschyle excite chez le spectateur un sentiment d'angoisse, mais lui présente la solution harmonieuse des conflits, qui réside dans la modération, fondement de la morale athénienne.

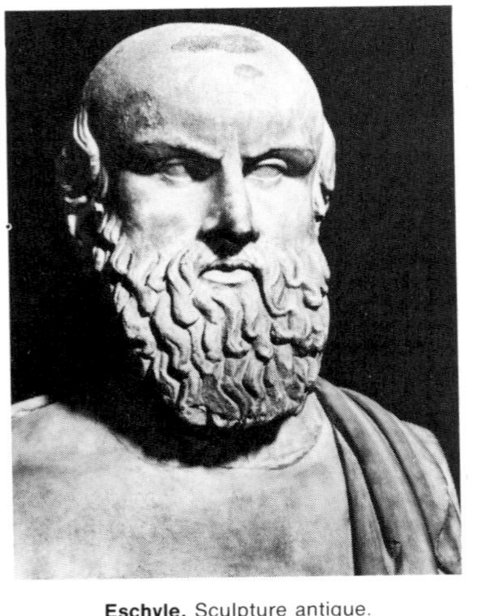

Alinari-Giraudon

Eschyle. Sculpture antique. (Musée du Capitole, Rome.)

ESCIENT [ɛsjɑ̃] n. m. (lat. *sciens, scientis,* sachant). *À bon escient,* avec discernement.

ESCLAFFER (S') v. pr. (prov. *esclafa,* éclater). Rire bruyamment.

ESCLANDRE n. m. (lat. *scandalum*). Bruit, scandale provoqué par un événement fâcheux; querelle, tapage. ● *Faire de l'esclandre,* faire du scandale.

ESCLANGON (Ernest), astronome français (Mison, Basses-Alpes, 1876 - Eyrenville 1954). On lui doit la mise au point, en 1932, de l'horloge parlante.

ESCLAVAGE n. m. État, condition d'esclave. ‖ État de ceux qui sont soumis à une autorité tyrannique ou à qqch qui ne leur laisse pas de liberté; servitude, asservissement.

■ La plupart des peuples de l'Antiquité ont connu l'esclavage. Quatre mille ans avant notre ère, les Sumériens l'ont pratiqué; dans l'Égypte pharaonique les esclaves, peu nombreux, sont la propriété du pharaon. Mais c'est surtout en Grèce et à Rome qu'à partir du IVe s. av. J.-C. l'institution connaît une véritable ampleur. Dans l'Europe du Moyen Âge, l'action de l'Église et, plus encore, peut-être, les transformations techniques (attelage) et économiques (économie domaniale) favorisent le déclin de l'esclavage, que remplace peu à peu le servage*. Il subsiste cependant dans l'islām et, dans une moindre mesure, sur les rives nord de la Méditerranée, où l'on voit des chrétiens faire le commerce d'autres chrétiens (slaves surtout, d'où le terme « esclaves »). Mais c'est au XVIe s., avec la découverte de l'Amérique, que débute l'une des plus grandes migrations forcées qui aient jamais existé. De 1 à 3 millions de Noirs africains sont transportés en Amérique et vendus aux planteurs du Brésil, des Antilles et du sud des États-Unis. Si une réaction antiesclavagiste et abolitionniste se dessine dès la fin du XVIIIe s., la suppression de l'esclavage ne se réalise que très lentement, sous l'impulsion des abolitionnistes anglais (Wilberforce). Tardivement (1850), le mouvement gagne les États-Unis, qui, au terme de la guerre de Sécession (1865), libèrent leurs esclaves. Mais il faut attendre le XXe s. pour voir la société mondiale condamner l'esclavage (Convention de Genève, 25 sept. 1926; Déclaration universelle des droits de l'homme, 10 déc. 1945), qui n'a cependant pas disparu dans certains États arabes de la mer Rouge et du golfe Persique.

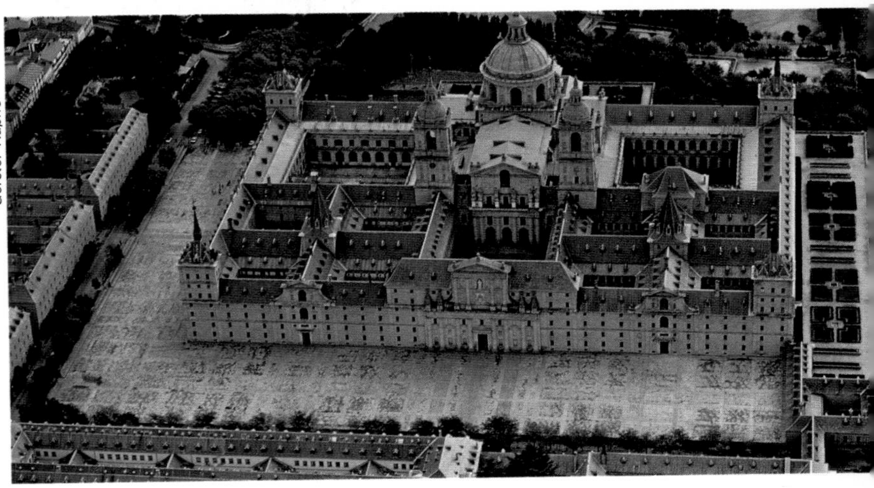

Gerster-Rapho

el **Escorial**

ESCLAVAGISME n. m. Système social fondé sur l'esclavage.

ESCLAVAGISTE n. et adj. Partisan de l'esclavage, en partic. des Noirs.

ESCLAVE [ɛsklav] adj. et n. (lat. *slavus,* slave). Qui est sous la puissance absolue d'un maître qui l'a rendu captif ou qui l'a acheté. ‖ Qui se soumet servilement à un autre. ‖ Qui subit la domination d'un sentiment, d'un principe : *esclave de la mode.* ● *Être esclave de sa parole* (Litt.), la tenir scrupuleusement.

ESCLAVE *(Grand Lac de l'),* lac du Canada (Territoires du Nord-Ouest), alimenté par la *rivière de l'Esclave* (section du Mackenzie, qui est aussi l'émissaire du lac); 27 800 km^2.

ESCLAVES *(côte des),* nom donné autrefois à la partie de la côte d'Afrique baignée par le golfe de Guinée.

ESCLAVON, ONNE adj. et n. De l'Esclavonie (anc. nom de la Slavonie).

ESCOBAR Y MENDOZA (Antonio), jésuite espagnol (Valladolid 1589 - *id.* 1669). Le nom de ce casuiste est devenu synonyme de fourberie depuis que Pascal l'a attaqué dans ses *Provinciales.*

ESCOFFIER (Auguste), cuisinier et gastronome français (Villeneuve-Loubet 1847 - Monte-Carlo 1935). Il dirigea les cuisines du Savoy Hotel (1890) et du Carlton Hotel, à Londres (1898). On lui doit la création de la pêche Melba. Sa maison natale est devenue un musée d'art culinaire.

ESCOGRIFFE n. m. *Fam.* Homme grand et mal bâti.

ESCOMPTABLE adj. Qui peut être escompté.

ESCOMPTE n. m. (it. *sconto*). Prime payée à un débiteur qui acquitte sa dette avant l'échéance : *faire un escompte de 2 %.* ‖ Opération consistant à avancer au porteur d'un effet de commerce le montant de celui-ci, avant l'échéance, moyennant une rémunération dont le montant varie en fonction de l'agio demandé par la Banque de France pour le réescompte des effets bancables *(taux d'escompte),* et des conditions régnant sur le marché monétaire.

ESCOMPTER v. t. (it. *scontare,* décompter). Payer un effet de commerce avant l'échéance, moyennant escompte. ‖ Compter sur, espérer : *escompter le succès d'une affaire.*

ESCOMPTEUR adj. et n. m. Qui escompte des effets de commerce.

ESCOPETTE n. f. (it. *schioppetto*). Terme général désignant diverses armes à feu portatives (XVe-XVIIIe s.) et notamment, à partir du XVIIe s., les armes à bouche évasée.

Escorial *(el)* ou **Escurial** *(l'),* palais et monastère d'Espagne, au pied de la sierra de Guadarrama, au N.-O. de Madrid. Accomplissement d'un vœu de Philippe II après la victoire de Saint-Quentin, conçu comme nécropole royale et centre d'études au service de la Contre-Réforme, il fut élevé de 1563 à 1584 par Juan Bautista de Toledo, l'Italien Giambattista Castello et Juan de Herrera* dans un style classique sévère, inhabituel en Espagne. On y voit de nombreuses œuvres d'art : bronzes des Leoni père et fils (Leone et Pompeo), peintures de primitifs flamands, de Titien, du Greco, de Ribera, Velázquez, Claudio Coello, fresques de Luca Giordano, tapisseries de Goya, etc.

ESCORTE n. f. (it. *scorta*). Formation militaire terrestre, aérienne ou navale chargée d'escorter : *escadron, avion, bâtiment d'escorte.* ‖ Suite de personnes qui accompagnent. ● *Faire escorte,* accompagner.

ESCORTER v. t. Accompagner pour protéger, surveiller ou faire honneur : *escorter un convoi.*

ESCORTEUR n. m. Bâtiment de guerre spécialement équipé pour la protection des communications et la lutte anti-sous-marine.

ESCOUADE n. f. (autre forme de *escadre*). Autref., petit groupe de soldats commandé par un caporal ou un brigadier. ‖ Petit groupe, troupe quelconque : *une escouade d'ouvriers.*

ESCOUCHY (Mathieu D'), chroniqueur français (Le Quesnoy v. 1420-1482), continuateur de E. de Monstrelet. On lui doit d'importantes chroniques couvrant les années 1444-1461.

ESCOURGEON ou **ÉCOURGEON** n. m. Orge hâtive, qu'on sème en automne.

ESCRIME n. f. (it. *scrima,* mot germ.). Sport opposant deux adversaires au fleuret, à l'épée, au sabre.

■ L'escrime, sport universellement pratiqué, figure aux jeux Olympiques depuis leur première édition (1896). Elle est régie par une Fédération internationale, créée en 1913, et comporte trois armes. Le *fleuret* est sans doute la plus célèbre. C'est l'arme la plus légère (moins de 500 g), longue au maximum de 110 cm, comportant à son extrémité, comme l'épée, un bouton qui permet un contrôle électrique des touches portées par les deux adversaires. L'*épée* pèse au maximum 770 g et a une longueur égale à celle du fleuret. Le *sabre* est léger (moins de 500 g également), long de 105 cm, avec son extrémité légèrement recourbée (le contrôle électrique n'est pas appliqué ici). La surface de touche reconnue varie selon les armes : le corps entier pour l'épée; le buste, les bras et la tête pour le sabre; la partie du corps délimitée par la cuirasse métallique protégeant l'escrimeur pour le fleuret. Les matches se disputent selon une durée fixée (de 6 à 12 min de combat effectif, arrêts déduits) ou sur un nombre délimité de touches (le vainqueur étant celui qui atteint le premier ce nombre). Le fleuret est ouvert aux hommes et aux femmes (elles sont exclues des deux autres armes). Les compétitions se disputent individuellement et par équipes (de quatre escrimeurs).

ESCRIMER (S') v. pr. [à]. Faire tous ses efforts en vue d'un résultat difficile à atteindre; s'appliquer, s'évertuer : *s'escrimer à faire des vers.*

ESCRIMEUR, EUSE n. Personne qui pratique l'escrime.

ESCRIVÁ DE BALAGUER (José María), prélat espagnol (Barbastro 1902 - Rome 1975), fondateur, en 1928, de l'Opus Dei.

ESCROC [ɛskro] n. m. Personne qui use de manœuvres frauduleuses.

ESCROQUER v. t. (it. *scroccare,* décrocher). S'emparer de qqch par tromperie : *escroquer de l'argent.* ● *Escroquer qqn,* le voler en abusant de sa bonne foi.

ESCROQUERIE n. f. Action d'obtenir le bien d'autrui par des manœuvres frauduleuses.

ESCUDERO (Vicente), danseur et pédagogue espagnol d'origine gitane (Valladolid 1892). Un des plus grands danseurs flamencos, partenaire de la Argentina (*l'Amour sorcier,* 1925), il a énoncé les règles de la danse masculine dans son *Décalogue.*

ESCUDO [ɛskudo] n. m. Unité monétaire principale du Portugal.

ESCULAPE, dieu romain de la Médecine, identifié à l'Asclépios* grec.

ESCULINE n. f. Glucoside extrait de l'écorce de marron d'Inde, qui a l'action de la vitamine P.

ESCUROLLES (03110), ch.-l. de cant. de l'Allier, à 8,5 km au N.-E. de Gannat; 731 hab.

ESDRAS, prêtre juif (Ve s. av. J.-C.), restaurateur de la religion juive et du Temple après l'Exil de Babylone. Il a joué un rôle capital dans la fixation de la loi mosaïque et est, avec Néhémie*, le fondateur du judaïsme. (V. HÉBREUX.) Le livre biblique dit *livre d'Esdras* (fin du IVe s.) décrit la période postexilique.

ÉSÉRINE n. f. Alcaloïde de la fève de Calabar, très toxique.

ESGOURDE n. f. *Arg.* Oreille.

ESHKOL (Levi), homme politique israélien (Oratov, Ukraine, 1895 - Jérusalem 1969). Il émigre en Palestine dès 1913. Secrétaire du Mapai

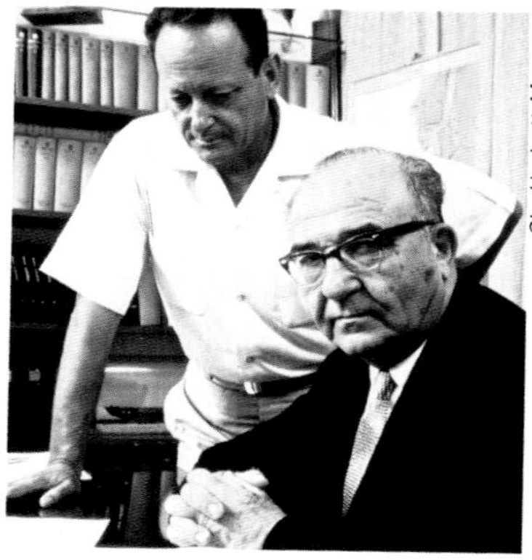
Ch. Harbutt-Magnum

Levi **Eshkol**

(parti socialiste) de 1944 à 1948, député à la Knesset à partir de 1949, il devient ministre de l'Agriculture (1951-52), puis des Finances (1952-1963), et succède à Ben Gourion comme Premier ministre (1963-1969).

ESHNOUNNA, v. de l'ancienne Mésopotamie (actuel Tell Asmar en Iraq) fouillée par H. Frankfort (1930-1936). D'importants vestiges architecturaux de l'époque dynastique archaïque (v. 2800-2500) ont été dégagés ainsi qu'un groupe de statues d'orants provenant du temple du dieu Abou.

ESKILSTUNA, v. de Suède, près du lac Mälaren; 93 000 hab. Métallurgie.

ESKIMOS → ESQUIMAUX.

ESKIŞEHIR, v. de Turquie, à l'O. d'Ankara; 309 400 hab.

ESKOLA (Pentti Eelis), géologue finlandais (Lellainen 1883 - Helsinki 1964). Il s'est principalement consacré à la pétrologie des roches métamorphiques : on lui doit notamment la notion de faciès métamorphique. Il a également travaillé sur l'origine de la croûte terrestre et sur la circulation des fluides à l'intérieur des roches.

ESKUARA [ɛskwara], **EUSCARA** [øskara] ou **EUSKERA** [øskera] n. m. Nom que donnent les Basques à leur langue.

ESKUARIEN, ENNE, EUSCARIEN, ENNE ou **EUSKERIEN, ENNE** adj. et n. Du Pays basque.

ESMEIN (Jean-Paul-Hippolyte-Emmanuel, dit **Adhémar**), juriste français (Touvérac 1848 - Paris 1913). On lui doit d'importants travaux consacrés au droit public et à l'histoire du droit.

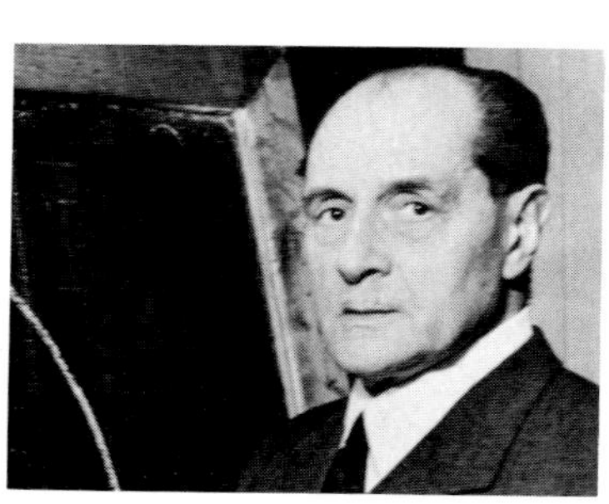
Courrière

Robert **Esnault-Pelterie**

ESNAULT-PELTERIE (Robert), ingénieur français (Paris 1881 - Nice 1957). Parmi ses nombreuses inventions figurent le premier moteur d'avion en étoile à nombre impair de cylindres ainsi que le dispositif de commande des gouvernes appelé *manche à balai.* Il établit la théorie de la navigation interplanétaire au moyen de la fusée à réaction, prévoyant même l'utilisation de l'énergie nucléaire comme moyen de propulsion.

ESNÈH, v. d'Égypte, dans la vallée du Nil, au N.-O. d'Edfou; 30 000 hab. Depuis très longtemps lieu de culte du dieu-bélier Khnoum, l'ancienne Senet ou Latopolis des Grecs ne conserve aujourd'hui que l'hypostyle d'un grand temple élevé à l'époque romaine. Gravés sur les colonnes, des textes liturgiques rendent l'édifice du plus haut intérêt, malgré sa construction tardive.

ESNEUX, comm. de Belgique (Liège), au S. de Liège; 11 900 hab.

ÉSOPE, fabuliste grec (VIIe-VIe s. av. J.-C.). Personnage à demi légendaire, esclave bègue et bossu, d'après Plutarque, il fut mis à mort par les Delphiens. Sa figure n'a été fixée qu'au XIVe s. par le moine Planude *(Vie d'Ésope),* et le recueil des *Fables ésopiques* est dû pour l'essentiel à Démétrios de Phalère (IVe s. av. J.-C.).

ÉSOTÉRIQUE adj. (gr. *esôterikos,* réservé aux seuls adeptes). Qualification donnée, dans les écoles des anciens philosophes, à leur doctrine secrète. ‖ Incompréhensible aux personnes non initiées; abscons : *un écrivain ésotérique.*

ÉSOTÉRISME n. m. Doctrine ésotérique. ‖ Caractère ésotérique.

ESPACE n. m. (lat. *spatium*). Étendue indéfinie qui contient et entoure tous les objets : *l'espace est supposé à trois dimensions.* ‖ Étendue limitée, intervalle d'un point à un autre : *un grand, un petit espace.* ‖ Étendue de l'Univers hors de l'atmosphère terrestre : *la conquête de l'espace.* ‖ Intervalle de temps : *dans l'espace d'un an.* ‖ *Math.* Ensemble muni de certaines structures algébriques, géométriques ou topologiques : *espace vectoriel, projectif, normé.* • *Espace auditif,* étendue dont la connaissance est possible par l'ouïe. ‖ *Espace publicitaire,* surface réservée à la publicité dans les différents médias. ‖ *Espace vert,* surface réservée aux parcs et jardins dans une agglomération. ‖ *Espace visuel,* espace perceptif appréhendé par la vision. ‖ *Espace vital* (traduction de l'all. *Lebensraum*), territoire qu'une nation juge nécessaire d'acquérir; espace dont on a besoin pour ne pas se sentir gêné par les autres.

ESPACE n. f. *Arts graph.* Petite pièce de métal, plus basse que les caractères typographiques, pour séparer les mots.

ESPACEMENT n. m. Action d'espacer. ‖ Distance entre deux corps. ‖ *Arts graph.* Manière dont les mots sont espacés.

ESPACER v. t. (conj. **1**). Séparer par un espace, un intervalle : *espacer des arbres; espacer ses visites.* ‖ *Arts graph.* Séparer les mots par des espaces.

ESPACE-TEMPS n. m. (pl. *espaces-temps*). Espace à quatre dimensions liées entre elles, les trois premières étant celles de l'espace ordinaire, et la quatrième étant le temps, nécessaires à un observateur donné, selon la théorie de la relativité, pour situer un événement.

ESPADON n. m. (it. *spadone,* grande épée). Grande et large épée qu'on tenait à deux mains (XVe-XVIIe s.). ‖ Poisson des mers chaudes et tempérées, atteignant 4 m de long, et dont la mâchoire supérieure est allongée comme une lame d'épée. (Ordre des percomorphes.)

ESPADRILLE n. f. (dialecte pyrénéen *espardillo*). Chaussure à empeigne de toile et semelle de corde.

ESPAGNE, en esp. **España,** État de l'Europe méridionale; 504 750 km^2 (497 477 km^2, en excluant les Canaries); 38 800 000 hab. *(Espagnols).* Capit. *Madrid.*

GÉOGRAPHIE. Pays de l'Europe méditerranéenne, l'Espagne a longtemps souffert de conditions naturelles peu favorables tant à l'agriculture qu'au développement industriel. Depuis quelques années, elle a accompli de sérieux progrès, mais son essor économique reste fragile.

• *Le milieu naturel.* L'Espagne occupe la majeure partie de la péninsule Ibérique, qu'elle partage avec le Portugal. C'est un ensemble de hautes terres où les plaines sont peu étendues. Les plateaux de la Meseta, séparés en deux (Vieille-Castille et Nouvelle-Castille) par les lourdes chaînes des sierras de Gredos et de Guadarrama, occupent le centre du pays. Ils correspondent à des massifs hercyniens rabotés par l'érosion et sont bordés à la périphérie par des bourrelets montagneux : monts Cantabriques au N., monts Ibériques à l'E. et sierra Morena au S. La plaine de l'Èbre, au N., sépare cet ensemble de la chaîne récente des Pyrénées (3 404 m au pic d'Aneto), qui forme la frontière avec la France et dont l'Espagne ne possède que le lourd versant méridional. Au S., les plaines du Guadalquivir, ouvertes sur l'Atlantique, séparent la Meseta des chaînes alpines de la cordillère Bétique (3 478 m dans la sierra Nevada).

espadon

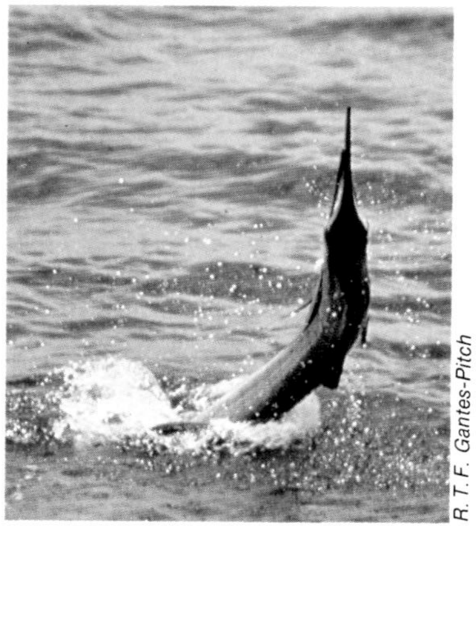
R. T. F. Gantes-Pitch

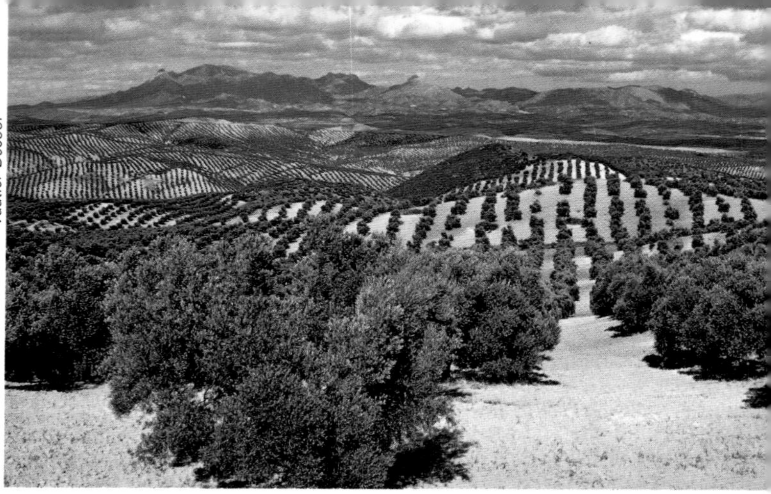
Vautier-Decool

Espagne : olivaie en Andalousie

D'étroites plaines côtières (Valence, Murcie, Alicante) jalonnent le littoral méditerranéen.

Tout le Nord-Ouest est sous l'influence de l'Atlantique et connaît un climat océanique humide, permettant la croissance de forêts de feuillus. Le reste du pays subit l'influence méditerranéenne. Mais si le climat est doux près des côtes, dans les plateaux de l'intérieur l'altitude et l'éloignement de la mer expliquent les tendances continentales se manifestant par des hivers rigoureux. La durée de la sécheresse estivale augmente du N. au S. Elle permet seulement la croissance de la forêt méditerranéenne (chênes verts, chênes-lièges), voire seulement de la steppe dans les secteurs les plus arides.

• *La population.* Elle est composée de différents groupes (Andalous, Castillans, Catalans, Basques), qu'opposent des idées particularistes. La densité moyenne reste peu élevée (70 hab. au km^2) malgré un accroissement démographique notable, dû surtout à l'abaissement de la mortalité, qui a caractérisé les cinquante dernières années. Cet accroissement a provoqué un fort courant d'émigration — vers les États-Unis et la France, puis vers l'Allemagne fédérale —, qui s'est ralenti progressivement. Aujourd'hui le taux d'accroissement est tombé au-dessous de 1 p. 100 par an. Parallèlement, s'est opérée une redistribution de la population à l'intérieur du pays. À l'exception de la région de Madrid, les plateaux du Centre, très pauvres, ont été délaissés au profit des régions périphériques, en particulier la Catalogne, le Pays basque, la région de Valence. La population urbaine ne cesse de croître par suite de l'exode rural, et le réseau urbain comprend une trentaine de villes de plus de 100 000 habitants, dominé par les agglomérations rivales de Madrid et de Barcelone.

• *L'économie. L'agriculture* occupe désormais moins du quart de la population active. Elle n'est guère favorisée par les conditions naturelles et souffre en particulier de la pauvreté des sols et de la sécheresse estivale. Dans le Nord dominent les petites exploitations, qui atteignent à peine le seuil de la rentabilité, tandis que le Sud est partagé en grands domaines, les latifundia, exploités d'une manière peu intensive. Dans les deux cas, le type d'exploitation constitue un frein à la modernisation, qui ne s'opère que très lentement.

Les différents types de cultures sont imposés par les conditions climatiques et les possibilités d'irrigation. Les plateaux et les plaines du Centre sont le domaine de la culture sèche, ou *secano.* On y pratique la culture extensive du blé (6 Mt pour l'ensemble du pays), dont le faible rendement est encore abaissé par le maintien fréquent de la jachère. Les plantations d'oliviers alimentent la fabrication de l'huile d'olive (0,7 Mt), dont l'Espagne est le premier producteur mondial, mais qui souffre de la concurrence des autres huiles moins chères. La culture de la vigne (35 Mhl de vin) a tendance à se concentrer et à s'améliorer, toutefois l'exportation du vin est difficile. Les secteurs les plus arides restent les terrains de parcours des troupeaux de moutons (17 M de têtes au total). Dans les plaines périphériques notamment (Guadalquivir, Valence, Murcie), on pratique la culture irriguée, ou *regadio.* Les productions sont variées : riz, agrumes (3 Mt), légumes, coton, tabac, betterave à sucre. Enfin, dans le Nord-Ouest, les influences océaniques permettent la culture du maïs et des arbres fruitiers, associés à l'élevage bovin laitier et à l'élevage porcin. Malgré le complément apporté par la pêche (1,2 Mt), active surtout sur l'Atlantique, la production agricole reste insuffisante pour nourrir la population.

L'industrie est devenue le secteur essentiel de l'économie. Son développement a été lent et a souffert en particulier de l'insuffisance des moyens de communication, due aux obstacles du relief. La vétusté des réseaux routier et ferroviaire commence à être combattue par des travaux de modernisation. Cependant, le taux de croissance industrielle a beaucoup progressé depuis 1960, grâce aux investissements étrangers, en particulier américains, et l'industrie apparaît maintenant comme un secteur dynamique. Les sources d'énergie sont pourtant peu abondantes. Le charbon des Asturies et du León (15 Mt) a connu un certain renouveau et le développement de l'hydroélectricité (Miño, Duero, Tage) est handicapé par la sécheresse d'été (l'hydroélectricité ne représente guère que le quart d'une production totale d'électricité approchant 125 TWh). De plus, le pays doit importer presque tout son pétrole. Les gisements de plomb, de zinc, de cuivre, d'uranium et de mercure alimentent une métallurgie de première transformation des métaux non ferreux. La sidérurgie est surtout implantée dans le Nord-Ouest, à proximité des mines de fer (Asturies, Pays basque). La production d'acier (13 Mt) satisfait les besoins de la métallurgie de transformation, au sein de laquelle les constructions navales et automobiles apparaissent comme les secteurs de pointe. L'industrie textile, ancienne, est localisée autour de Barcelone (coton, laine). Les industries chimiques (engrais, pétrochimie) se sont développées.

Cependant, la production industrielle reste insuffisante. En plus de certaines matières premières, le pays doit importer des biens d'équipement et sa balance commerciale est largement déficitaire. Ses principaux partenaires sont les pays du Marché commun et les États-Unis : le déficit n'est compensé qu'en partie par le tourisme, bien que les plages de la Costa Brava, de la Costa del Sol et des Baléares accueillent chaque année 43 millions de touristes (de France et d'Europe du Nord-Ouest), qui apportent des devises et procurent, au moins temporairement, des emplois pour la population. À cela s'ajoutent encore les revenus des travailleurs à l'étranger, dont le nombre dépasse le million. Toutefois, la balance des paiements est encore déficitaire.

Malgré son développement récent assez spectaculaire, l'Espagne demeure l'un des pays les plus pauvres de l'Europe, puisqu'elle se classe dans les derniers rangs par son produit par habitant. De plus, le faible niveau de vie moyen recouvre des inégalités régionales marquées. La misère règne encore dans les plateaux de l'intérieur et le développement des villes périphériques n'évite pas un chômage important. La croissance plus rapide du Nord (côte cantabrique et Catalogne, autour de la métropole économique de Barcelone) est, en partie, à l'origine d'antagonismes régionaux qui compliquent encore les problèmes. Les progrès récents de l'ensemble du pays restent fragiles car ils sont étroitement dépendants de la situation internationale, par l'intermédiaire des investissements étrangers (nettement stimulés toutefois par l'entrée de l'Espagne, en 1986, dans la C.E.E.) et des revenus du tourisme et des travailleurs émigrés.

HISTOIRE.

• *Des origines à Charles Quint.* Les Ibères s'installent dans le pays à l'époque néolithique; d'autres peuples — des Celtes notamment — suivent. Mais, très tôt, les côtes espagnoles attirent les peuples marchands : les Phéniciens, qui, dès 1100 av. J.-C., fondent des colonies prospères (Cadix, Málaga, Algésiras); les Grecs, attirés par les gisements métallifères, qui installent des comptoirs aux Baléares ainsi que dans l'est et le sud du pays (Alicante, Ampurias); les Carthaginois, qui, au VIIe s. av. J.-C., fondent Ibiza et occupent, au VIe s., pratiquement toute la côte méridionale de l'Espagne, où Hasdrubal crée, au IIIe s. av. J.-C., la ville de *Carthago Nova* (Carthagène). À la suite des guerres puniques, les Romains prennent le relais des Carthaginois, qu'ils ont vaincus, mais ils doivent faire face à de nombreux soulèvements indigènes, si bien que la péninsule ne leur est soumise entièrement que sous Auguste (19 av. J.-C.). Profon-

paysage de la Nouvelle-Castille

Tossá de Mar, station balnéaire de la Costa Brava, au nord de Barcelone

dément romanisée, l'Espagne est christianisée dès le IIIe s. Envahi, après 395, successivement par les Vandales (installés en Vandalucía [Andalousie]), les Suèves (Galice), les Alains (Lusitanie et Carthagène), le pays tombe, en 410, sous la domination des Wisigoths, qui y fondent un puissant royaume, à la civilisation originale et féconde, Tolède et Séville étant d'intenses foyers de culture chrétienne.

Mais les Arabes d'Afrique convoitent l'Espagne, qui, à partir de 711, passe sous leur domination, sauf les montagnes du Nord, où les partisans de Rodrigue, dernier roi wisigoth, organisent un bastion d'où partira la Reconquête (*Reconquista**). L'Espagne musulmane n'en devient pas moins un centre extraordinairement vivant de civilisation (art, philosophie, science), les Arabes servant d'intermédiaires entre les civilisations anciennes et l'Occident. L'émirat indépendant de Cordoue (756), devenu califat en 929, est au cœur de cette civilisation mozarabe; sa décadence, après la mort d'al-Mansūr (1002), se marque par la formation de petits États (*taifas*) qui doivent faire face aux offensives de plus en plus puissantes des princes chrétiens. Ceux-ci, du VIIIe au XIe s., ont réussi à constituer, au nord de la péninsule, des petits royaumes indépendants, embryons d'États importants : León*, puis Castille*, Navarre*, Catalogne*, Aragon*. En 1212, la victoire des rois chrétiens, à Las Navas de Tolosa, sur les Almohades* venus au secours des *taifas*, marque une étape décisive de la *Reconquista* : celle-ci est achevée, en 1492 (prise de Grenade), par les Rois Catholiques, Ferdinand V d'Aragon et Isabelle Ire de Castille. La même année, Christophe Colomb* prend pied en Amérique, où l'Espagne des conquistadores* va se tailler un immense empire, source de revenus considérables.

● *De Charles Quint (Charles Ier) à Charles IV.* C'est le petit-fils des Rois Catholiques et de Maximilien d'Autriche, Charles Quint*, reconnu roi d'Espagne (Charles Ier) par les Cortes en 1516, qui fonde la puissance espagnole, une puissance qui va menacer l'équilibre européen et même mondial : car elle s'appuie sans doute sur les territoires ibériques, mais aussi sur les colonies américaines, les comptoirs africains, les conquêtes aragonaises en Méditerranée (Sardaigne, Sicile, Naples), sur l'héritage bourguignon (Pays-Bas, Luxembourg, Franche-Comté) et sur l'héritage autrichien, assuré en 1519, année de l'élection de Charles Quint comme empereur. En fait, moins espagnol que néerlandais, Charles Quint est surtout pris par ses préoccupations continentales, qui le conduisent

ESPAGNE

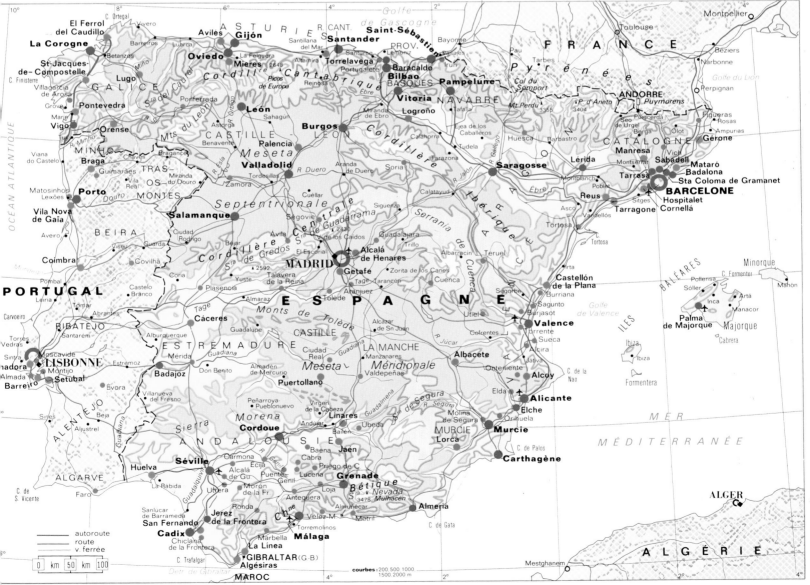

à poursuivre avec la France de François Ier une guerre interminable. Sa méconnaissance des problèmes castillans déclenche d'ailleurs la révolte des *comuneros* (« communes »), qui est écrasée dans le sang (1520-21). Finalement, ses échecs en France et en Allemagne amènent l'empereur à abdiquer (1556) en faveur de son fils, Philippe II, dont le règne (de 1556 à 1590) connaît tout à la fois l'apogée du « siècle d'or » espagnol (Cervantès, le Greco, Ignace de Loyola, Thérèse d'Ávila...) et les prémices de la décadence. La domination espagnole en Italie, la victoire de Lépante (1571) sur les Turcs, l'annexion (1580) du Portugal ont comme contrepoids l'échec de l'*Invincible Armada* devant les Anglais (1588), la révolte des Pays-Bas et la sécession des Provinces-Unies*, le dépeuplement de l'Espagne et son appauvrissement, l'expulsion des morisques, qui prive le pays d'artisans précieux. D'autre part, la concurrence néerlandaise et anglaise s'intensifie sur mer.

Au XVIIe s., qui est marqué en Espagne par une seconde renaissance culturelle (Lope de Vega, Vélasquez...), les successeurs de Philippe II — Philippe III (de 1598 à 1621), Philippe IV (de 1621 à 1665), Charles II (de 1665 à 1700) — connaissent des difficultés grandissantes. Dominés par leur entourage, ils sont incapables d'arrêter une décadence que la raréfaction des métaux précieux américains rend dramatique.

La puissance française s'impose alors en Europe aux dépens de l'Espagne, si bien qu'à la mort de Charles II, le dernier Habsbourg d'Espagne, la couronne passe au petit-fils de Louis XIV, le duc d'Anjou, devenu Philippe V (de 1700 à 1746); en refusant de renoncer à ses droits sur la France, celui-ci provoque la guerre de la Succession* d'Espagne (1701-1714), qui affaiblit encore l'Espagne, réduite en Europe à ses frontières naturelles. Philippe V et ses successeurs — Ferdinand VI (de 1746 à 1759) et Charles III (de 1759 à 1788) — pratiquent une politique à la française, centralisatrice, oublieuse des privilèges locaux (catalans, notamment). Une stérile politique italienne et une dépendance de fait à l'égard de la diplomatie française soulignent alors l'impuissance de l'Espagne à retrouver son rang. À l'intérieur, Charles III, adepte du despotisme* éclairé, tente cependant une relative rénovation économique d'un pays dont la stagnation va devenir endémique.

Charles IV (de 1788 à 1808), lui, est un incapable, dominé par Godoy*, l'amant de la reine Marie-Louise de Bourbon-Parme. Un moment adversaire (1793-1795) de la France révolutionnaire, l'Espagne rentre bientôt dans l'alliance française; à côté de bénéfices mineurs (Minorque), cette alliance se solde par le désastre naval franco-espagnol de Trafalgar (1805), qui anéantit à tout jamais la puissance maritime espagnole. Napoléon Ier croit dès lors qu'il lui sera facile de mettre la main sur la péninsule Ibérique : en fait, en acculant Charles IV et son fils Ferdinand (VII) à abdiquer, et en plaçant son frère, Joseph Bonaparte, sur le trône d'Espagne (1808), il déclenche une guerre atroce (1808-1814), où le sentiment national espagnol s'exalte aux dépens d'une France qui souffre de cette aventure.

● *De Ferdinand VII à Juan Carlos.* À peine débarrassée des Français, l'Espagne est affrontée à d'autres problèmes : à l'extérieur, la révolte des colonies américaines, bientôt indépendantes (Amérique latine); à l'intérieur, la révolte provoquée par le despotisme anachronique de Ferdinand VII; il faut d'ailleurs l'intervention des Français, instruments de la Sainte-Alliance, pour rétablir l'autorité du roi (1823). Quand meurt Ferdinand VII (1833), de nouveaux troubles surgissent, liés à la décision du roi de laisser le trône à sa fille Isabelle II (de 1833 à 1868), au détriment de son frère don Carlos. Trois guerres carlistes (v. CARLISME) vont, durant des années, ensanglanter un pays taraudé par la pauvreté et considéré en Europe comme une puissance de seconde zone. D'autre part, le règne d'Isabelle II est marqué par de multiples scandales, causes d'instabilité politique, les anciens bénéficiaires du Pacte colonial, rendu caduc par la perte de l'empire, cherchant des compensations en accaparant le gouvernement. Quant aux masses populaires, elles se heurtent aux intérêts d'une bourgeoisie plus foncière qu'industrielle.

En 1868, le général Juan Prim destitue la reine; le gouvernement provisoire qui se forme alors offre la couronne à Léopold de Hohenzollern; la candidature de ce dernier étant contestée par la France, on se tourne vers Amédée de Savoie, qui ne règne que trois ans (de 1870 à 1873); il est remplacé par une république éphémère (1873), puis par Alphonse XII* (de 1874 à 1885), fils d'Isabelle II, qui meurt prématurément, laissant un fils à naître, Alphonse XIII*.

La régence de Marie-Christine est assombrie par la guerre hispano-américaine (1898), qui se solde par la perte, pour l'Espagne, de Cuba, des Philippines et de Porto Rico. À l'intérieur, l'anarchie et le désordre ne s'arrêtent pas avec le règne personnel d'Alphonse XIII (1902). De guerre lasse, le roi, en 1923, abandonne la réalité du pouvoir au général Primo de Rivera, qui instaure un régime dictatorial : s'il pacifie le Maroc et rétablit le crédit de l'Espagne, celui-ci ne peut éviter une grave crise sociale qu'amplifient de forts mouvements autonomistes (en Catalogne, notamment). La force ne pouvant venir à bout de cette situation, Primo de Rivera démissionne (1930); un an plus tard, Alphonse XIII quitte l'Espagne et la république est proclamée. Mais le régime démocratique, laïque et socialisant qui est alors instauré se heurte à l'opposition de l'armée et aux intérêts des grands propriétaires, si bien que la nette victoire du Front populaire *(Frente popular),* aux élections du 18 février 1936, provoque une révolte militaire de grande envergure dont la direction est assurée par le général F. Franco*, considéré bientôt comme le chef des nationalistes. Entre ceux-ci et les républicains, une terrible guerre civile se développe (v. ESPAGNE [*guerre civile d'*]), qui ne se termine que le 1er avril 1939, par la défaite des républicains.

Maître du pays jusqu'à sa mort en 1975, Franco — le *caudillo* — dote l'Espagne d'un régime autoritaire, centralisateur et corporatiste, appuyé sur les forces conservatrices : armée, phalange, police, Église, classes privilégiées. Après des années d'isolement, l'Espagne, autour de 1950, rentre dans le concert des nations par la grâce des États-Unis, qui y installent des bases stratégiques; le « miracle économique » qu'elle connaît après 1960, en mettant fin à une longue stagnation et en attirant les capitaux étrangers, accélère cette reprise diplomatique; mais la lutte que le franquisme — avec des moyens souvent brutaux et, en tout cas, peu démocratiques — doit mener contre les « nouvelles couches » — étudiants, ouvriers, jeune clergé, sans oublier les autonomistes basques et catalans, — lui aliène une part notable de l'opinion mondiale. L'avènement (1975) de Juan Carlos Ier (né en 1938), petit-fils d'Alphonse XIII, la mise en place d'un gouvernement dirigé par Adolfo Suarez (1976) et l'adoption d'une nouvelle constitution (1978) préludent à une démocratisation et à une décentralisation (mise en place progressive de 17 communautés autonomes : Catalogne et Pays basque dès 1979, Galice 1980, Andalousie en 1981, etc.). Mais, dans le Pays basque, certains extrémistes maintiennent leur opposition totale au gouvernement de Madrid et entretiennent un climat de troubles. Après la démission d'A. Suarez (janv. 1981) et l'échec d'un coup d'État militaire (févr. 1981), Leopoldo Calvo Sotelo forme un nouveau gouvernement. À la suite de la victoire électorale de son parti aux élections législatives d'octobre 1982, le socialiste Felipe González devient Premier ministre. Il est confirmé dans ses fonctions après le nouveau succès des socialistes aux élections de juin 1986 et d'octobre 1989. En 1986, l'Espagne entre dans la C. E. E.

DÉFENSE ET ARMÉES

● 1953 : accords militaires hispano-américains renouvelés en 1970 et 1976 (emploi par les États-Unis de bases navales et aériennes).

● 1982 : adhésion à l'O. T. A. N. (confirmée par référendum en mars 1986).

● LES FORCES ESPAGNOLES EN 1985. Effectifs : 320 000 hommes (dont 240 000 appelés), auxquels s'ajoutent 64 000 gardes civils. Service militaire de 15 mois.

Armée de terre : 255 000 hommes. Forces d'intervention (3 divisions et 5 brigades). Forces du territoire (2 divisions de montagne et 10 brigades). Forces de réserve générale.

Marine : 60 000 hommes (dont 12 000 de l'infanterie de marine); 8 sous-marins, 1 porte-aéronefs, 11 destroyers, 11 frégates, une cinquantaine d'aéronefs.

Aviation : 30 000 hommes, 180 avions de combat.

Espagne *(guerre civile d'),* conflit qui opposa, de 1936 à 1939, le gouvernement républicain espagnol à une insurrection militaire et nationaliste. Le 13 juillet 1936, l'assassinat de Calvo Sotelo, leader de la droite aux Cortes, est l'occasion d'un soulèvement militaire dont le général Franco prend bientôt la tête. Ainsi débute une guerre qui oppose durant trente-deux mois le gouvernement républicain de *Frente popular,* soutenu par les autonomistes catalans et basques et bénéficiant de l'appui de l'U. R. S. S. (brigades internationales), de la France et du Mexique, aux nationalistes (ou franquistes), regroupant autour de l'armée la phalange et les *requetés* carlistes de Navarre et qui recevront une aide militaire de l'Italie et de l'Allemagne (légion Condor).

Marquée par son aspect révolutionnaire et par de nombreuses atrocités dans les deux camps, cette guerre prend la forme d'un conflit classique avec des fronts où sont menées de véritables opérations militaires (environ 800 000 hommes sont engagés de part et d'autre). Dès octobre 1936, l'Espagne est coupée en deux : l'Ouest étant contrôlé par Franco, qui établit un gouvernement à Burgos, l'Est restant fidèle aux républicains, demeurés maîtres de Madrid, de Barcelone et de Valence, ainsi que de la poche basque allant de Bilbao à Gijón. Après la prise de Málaga (févr. 1937), qui lui donne un port sur la Méditerranée, Franco conquiert le front nord (prise de Bilbao en juin, de Santander en août et de Gijón en octobre). 1938 voit la percée des troupes franquistes en Catalogne, qui coupe en deux, à Vinaroz (avr.), le territoire républicain. Après la chute de Barcelone (25-26 janv. 1939), les troupes de Franco rejettent l'armée républicaine en France, où elle est internée (févr.), et la guerre se termine avec la reddition de Madrid, où les franquistes entrent le 28 mars. Marquée par de violentes batailles (Brunete, Guadalajara, Teruel, Bilbao...) et par des épisodes dramatiques (Alcazar de Tolède, bombardement de Guernica), ce conflit, qui conditionnera durant près de quarante ans l'avenir de l'Espagne, aura coûté à ce pays environ 636 000 morts.

ESPAGNOL, E adj. et n. De l'Espagne.

ESPAGNOL n. m. Langue romane parlée en Espagne et en Amérique latine (sauf au Brésil). ■ Langue romane, l'espagnol est issu du latin vulgaire apporté par les conquérants romains (IIe et Ier s. av. J.-C.). Ce parler subit de profondes influences germaniques (période wisigothique) et surtout arabes. Les chrétiens ayant été refoulés au VIIIe s. dans les montagnes du nord de la péninsule, leur langue se diversifie en dialectes, dont les frontières sont orientées nord-sud : le catalan*, l'aragonais, le navarrais, le castillan, le léonais, le galicien. Les hasards de l'histoire ont fait du castillan la langue du royaume d'Espagne et de son empire colonial (Amérique du Sud, Philippines, etc.). L'espagnol s'enrichit et se fixe en partie aux XVIe et XVIIe s. au travers d'une littérature prestigieuse. Il connaît alors des influences italiennes et surtout françaises. Parlé par environ 200 millions de personnes, l'espagnol est aujourd'hui la troisième langue du monde par le nombre des locuteurs.

ESPAGNOLETTE n. f. (dimin. de *espagnol*). *Constr.* Mécanisme de fermeture d'une croisée ou d'un châssis, constitué par une tige métallique munie de crochets à ses extrémités et manœuvré par une poignée.

ESPALIER n. m. (it. *spalliera*). Rangée d'arbres fruitiers appuyés contre un mur, un treillage. ‖ Sorte d'échelle fixée à un mur et dont les barreaux servent à divers mouvements de gymnastique.

ESPALIER n. m. Chacun des deux galériens qui réglaient les mouvements des rameurs.

ESPALION (12500), ch.-l. de cant. de l'Aveyron, sur le Lot, à 32 km au N.-E. de Rodez; 4 883 hab. Constructions anciennes.

ESPAR n. m. Levier à l'usage de la grosse artillerie. ‖ *Mar.* Longue pièce de bois pouvant servir de mât, de vergue, etc.

ESPARCETTE n. f. (prov. *esparceto*). Nom usuel du *sainfoin des prés.*

ESPARTERO (Baldomero), général et homme d'État espagnol (Granátula 1793 - Logroño 1879). Chef des troupes fidèles à Isabelle II (1833), il battit les carlistes (1838-39). Régent de 1841 à 1843, il fut écarté du pouvoir par une coalition de modérés et de progressistes.

ESPÈCE n. f. (lat. *species*). Ensemble d'êtres animés ou de choses qu'un caractère commun distingue des autres du même genre : *espèce minérale.* ‖ Catégorie de choses; sorte, qualité : *les différentes espèces de délits, de fruits.* ‖ Groupe d'individus animaux ou végétaux ayant un aspect semblable, un habitat particulier, féconds entre eux, mais ordinairement stériles à l'égard des individus d'autres espèces. (L'*espèce animale* se divise en sous-espèces, races et variétés; plusieurs espèces voisines forment un genre.) ● *Cas d'espèce,* cas qui ne rentre pas dans la règle générale; situation de fait qui caractérise l'objet d'un litige donné, soumis à une juridiction. ‖ *En l'espèce,* en la matière, en ce cas. ‖ *Espèce chimique,* syn. de CORPS PUR. ‖ *Espèce de...,* terme de mépris. ‖ *Une espèce de...,* personne ou chose que l'on ne peut définir avec précision et que l'on assimile à une autre qui lui ressemble : *une espèce de marchand, de comédie.* ◆ pl. Monnaie ayant cours légal : *la loi interdit le paiement en espèces des sommes importantes et exige l'emploi du chèque.* ‖ *Théol.* Apparences du pain et du vin après la transsubstantiation. ● *Espèces de mots* (Ling.), parties du discours, classes grammaticales de mots.

ESPELETTE (64250 Cambo les Bains), ch.-l. de cant. des Pyrénées-Atlantiques, à 5,5 km au S.-O. de Cambo-les-Bains; 1 411 hab.

ESPÉRANCE n. f. (de *espérer*). Attente d'un bien qu'on désire; objet attendu : *on vit dans l'espérance d'une amélioration de son état; il est toute mon espérance.* ‖ *Théol.* L'une des trois vertus théologales. ● *Espérance mathématique d'une variable aléatoire discrète* X, moyenne arithmétique pondérée des valeurs possibles de la variable X par leur probabilité $E(X) = \Sigma_i p_i x_i$, x_i désignant les valeurs possibles et p_i les probabilités correspondantes. ‖ *Espérance de vie,* durée moyenne de vie, dans un groupe humain déterminé. ◆ pl. Accroissement dont est susceptible le bien de qqn; héritage possible : *apporter des espérances en dot.*

ESPÉRANTISTE adj. et n. Relatif à l'espéranto; qui connaît et qui pratique l'espéranto.

ESPÉRANTO n. m. Langue internationale, créée en 1887 par Zamenhof, et qui repose sur le maximum d'internationalité des racines et l'invariabilité des éléments lexicaux.

ESPÉRAZA (11260), comm. de l'Aude, sur l'Aude, à 19 km au S. de Limoux; 2 512 hab. Chapellerie. Matières plastiques.

ESPÉRER v. t. (lat. *sperare*) [conj. **5**]. Considérer ce qu'on désire comme capable de se réaliser; attendre avec confiance : *espérer une récompense; j'espère que vous réussirez.* ● *On ne vous espérait plus,* on ne vous attendait plus (en parlant de qqn qui est très en retard). ◆ v. t. ind. [**en**]. Mettre sa confiance en : *espérer en Dieu.*

ESPÉROU (l') ou **LESPÉROU,** sommet des Cévennes (Gard), au S. de l'Aigoual; 1 417 m. Station touristique à *l'Espérou* ou *Lespérou* (1 230 m).

ESPIÈGLE adj. et n. (de *Ulespiegle,* nom francisé du néerl. *Till Uilenspiegel*). Vif et malicieux.

ESPIÈGLERIE n. f. Petite malice.

ESPINEL (Vicente), écrivain espagnol (Ronda 1550 - Madrid 1624), auteur de *Marcos de Obregón* (1618), prototype de *Gil Blas.*

ESPINGOLE [ɛspɛ̃gɔl] n. f. (anc. fr. *espringuer,* danser, mot francique). Gros fusil court, à canon évasé (XVIe s.).

ESPINOSA, famille de danseurs classiques d'origine espagnole, qui se fixa à Londres (1872) et dont plusieurs membres devinrent des pédagogues réputés : ÉDOUARD (Moscou 1871 - Worthing 1950), fils de LEON (1825-1903), cofondateur de la Royal Academy of the British Ballet Organization (1930), et ses sœurs JUDITH (1876-1949), LEA (1883-1966) et RAY (1885-1934).

ESPINOUSE, monts de la partie sud du Massif central; 1 124 m.

ESPION, ONNE n. (it. *spione*). Personne chargée de recueillir des renseignements sur une puissance étrangère. ‖ Personne qui épie, observe, cherche à surprendre les secrets d'autrui.

ESPION n. m. Miroir oblique installé devant une fenêtre.

ESPIONNAGE n. m. Action d'espionner. ‖ Recherche de renseignements dont l'exploitation peut nuire à la défense nationale. ● *Espionnage industriel,* recherche de renseignements concernant l'industrie, et, notamment, des procédés de fabrication.

ESPIONNER v. t. Surveiller sournoisement qqn dans ses actions, ses paroles.

ESPIONNITE n. f. Obsession de ceux qui voient des espions partout.

ESPÍRITO SANTO, État du Brésil, sur l'Atlantique; 2 192 000 hab. Capit. *Vitória.*

ESPLANADE n. f. (it. *spianata;* lat. *planus,* uni). Terrain plat, uni et découvert, en avant d'une fortification ou devant un édifice : *l'esplanade des Invalides.*

ESPOIR [ɛspwar] n. m. État d'attente confiante; objet de ce sentiment : *perdre l'espoir; il est tout son espoir.* ● *Dans l'espoir de ou que,* dans la pensée de ou que. ‖ *Il n'y a plus d'espoir,* se dit d'une personne qui va mourir.

Espoir *(l'),* roman (1937) et film (1939) de Malraux. Une chronique de la guerre d'Espagne et de l'expérience qu'en a tirée l'auteur : l'espoir de l'homme, c'est la fraternité des combattants.

ESPONTON n. m. (it. *spuntone*). Pique à manche court portée par les officiers d'infanterie (XVIIe-XVIIIe s.).

ESPOO ou **ESBO,** v. de la Finlande méridionale; 145 000 hab.

ESPRESSIVO [ɛsprɛsivo] adj. inv. et adv. (mot it., *expressif*). *Mus.* Expressif, plein de sentiment.

ESPRIT n. m. (lat. *spiritus*). Principe immatériel, substance incorporelle, âme. ‖ Être imaginaire ou incorporel, comme les revenants, les fantômes, les âmes des morts... : *croire aux esprits.* ‖ Activité intellectuelle; intelligence : *avoir l'esprit vif.* ‖ Manière de penser, comportement, intention définie : *l'esprit d'invention, l'esprit d'entreprise.* ‖ Humour, ironie : *avoir de l'esprit.* ‖ Personne considérée sur le plan de son activité intellectuelle : *un esprit avisé; les grands esprits se rencontrent.* ‖ Caractère essentiel : *l'esprit d'une époque.* ‖ Sens, signification : *entrer dans l'esprit de la loi.* ‖ *Chim. anc.* La partie la plus volatile des corps soumis à la distillation. ‖ *Philos.* Principe de la pensée; ce principe considéré comme cause de phénomènes particuliers tels que les institutions, la morale, etc.; pour Hegel, idée parvenue au savoir d'elle-même qui constitue la vérité de la nature. ● *Avoir bon, mauvais esprit,* juger les autres avec bienveillance ou malveillance; se soumettre ou ne pas se soumettre à une autorité, une discipline. ‖ *Bel esprit* (Litt.), personne qui cherche à se distinguer par son goût et sa pratique des lettres. ‖ *Dans mon esprit,* selon moi. ‖ *Esprit rude,* signe qui marque l'aspiration dans la langue grecque (ʽ); *esprit doux,* signe contraire (ʼ). ‖ *Faire de l'esprit,* s'exprimer en termes vifs et ingénieux, faire des jeux de mots.

‖ *Perdre l'esprit,* devenir fou. ‖ *Présence d'esprit,* promptitude à dire ou à faire ce qui est le plus à propos. ‖ *Reprendre ses esprits,* revenir à la vie, se remettre d'un grand trouble. ‖ *Trait d'esprit, mot d'esprit,* pensée fine, ingénieuse, brillante. ‖ *Vue de l'esprit,* idée chimérique, utopique.

esprit *(De l'),* traité en quatre discours d'Helvétius (1758) : les idées naissent de l'expérience sensible, et l'inégalité de l'éducation.

esprit des lois *(De l'),* ouvrage de Montesquieu (1748), dans lequel il étudie les rapports des lois politiques avec la constitution des États, les mœurs, la religion, le commerce, le climat et la nature des sols des pays.

ESPRIT-DE-SEL n. m. Nom anc. de l'ACIDE CHLORHYDRIQUE.

ESPRIT-DE-VIN n. m. Nom anc. de l'ALCOOL ÉTHYLIQUE.

ESPRIU (Salvador), écrivain espagnol d'expression catalane (Santa Coloma de Farnés 1913 - Barcelone 1985). Ses poèmes et ses récits expriment sur le mode lyrique ou satirique le difficile destin de son pays (*Cimetière de Cinera,* 1946; *la Fin du labyrinthe,* 1955; *Semaine sainte,* 1971).

ESPRONCEDA Y DELGADO (José DE), écrivain espagnol (Almendralejo 1808 - Madrid 1842), poète romantique, auteur du *Diable-Monde* (1840).

ESQUIF [ɛskif] n. m. (it. *schifo*). *Litt.* Petite embarcation légère.

ESQUILIN *(mont),* la plus vaste des sept collines de Rome, sur la rive gauche du Tibre. L'Esquilin devint, sous l'Empire, un des quartiers les plus aristocratiques de Rome; c'est là que Mécène établit ses célèbres jardins.

ESQUILLE n. f. (lat. *schidia,* copeau). Petit fragment d'un os fracturé.

ESQUIMAU, AUDE adj. et n. Qui appartient au peuple des Esquimaux.

ESQUIMAU n. m. Langue des Esquimaux.

ESQUIMAU n. m. (nom déposé). Crème glacée enrobée de chocolat, fixée sur un bâtonnet.

ESQUIMAUTAGE n. m. Acrobatie d'un kayakiste qui se retourne dans l'eau avec son embarcation et se redresse ensuite.

ESQUIMAUX ou **ESKIMOS,** ethnie installée sur les rives du détroit de Béring et de la baie d'Hudson, en Alaska, au Groenland et au Labrador. Unis linguistiquement et culturellement, les Esquimaux vivent des fruits de la pêche (poissons, phoques, morses) et de la chasse, de leur exploitation (huile, ivoire) et de leur échange. Le climat les contraint à alterner deux types d'habitat (la tente, l'été, la « longue maison » en bois ou creusée dans la neige, l'hiver), qui exercent une influence prépondérante sur l'organisation sociale : familles dispersées l'été, regroupées l'hiver dans les « longues maisons », elles-mêmes rassemblées parfois autour d'une maison commune. C'est en hiver que se produisent les principales manifestations religieuses.

Les langues parlées par les Esquimaux sont mal connues. On les répartit en trois groupes dialectaux (inupik, yupik et aléoute), qui constituent la famille esquimau-aléoute.

Les origines de l'art esquimau se situent dans les cultures préhistoriques de Denbigh en Alaska (env. 2000 av. J.-C. à 800 apr. J.-C.), et du Prédorset dans la baie d'Hudson et la terre de Baffin d'une part (env. 2000 à 500 av. J.-C.), au Labrador et au Groenland d'autre part (env. 2000 à 800 av. J.-C.). La culture de Dorset (500 av. J.-C. à env. 800 apr. J.-C.) leur succède. L'industrie dite « de Thulé » apparaît vers 800 apr. J.-C. en Alaska et, plus tard, dans les autres régions; elle persiste jusqu'à environ 1300.

Les premières représentations figurées (petites sculptures en ivoire de morse) remontent à 800 av. J.-C. et annoncent le talent animalier des artistes ultérieurs. Les œuvres réalistes de la culture de Dorset se rapprochent de certains masques en bois ou en os de baleine de l'Alaska, région où l'art s'épanouit encore à l'époque moderne dans la réalisation de masques à fonction sacrée. Dans la baie de l'Hudson, l'ornementation d'objets usuels domine la production artistique moderne; au Groenland, l'art du masque n'est qu'un passe-temps, alors que, dans les îles Aléoutiennes, il atteint une puissance d'expression extrêmement violente.

ESQUINTANT, E adj. *Fam.* Très fatigant.

ESQUINTER v. t. (prov. *esquinta,* déchirer). *Fam.* Fatiguer beaucoup : *cette marche au soleil m'a esquinté.* ‖ Détériorer, abîmer : *esquinter sa voiture.* ‖ Critiquer de manière à détruire la réputation, dénigrer : *esquinter un auteur, une pièce.*

ESQUIRE [ɛskwajœr] n. m. (mot angl., *écuyer*) [par abrév., *esq.*]. Terme honorifique dont, en Angleterre, on fait parfois suivre tout nom d'homme non accompagné de titre nobiliaire.

ESQUIROL (Jean Étienne Dominique), médecin français (Toulouse 1772 - Paris 1840). Élève de Ph. Pinel*, il est, avec ce dernier, considéré comme l'un des fondateurs de la clinique et de la nosographie psychiatriques.

ESQUISSE n. f. (it. *schizzo*). Premier tracé d'un dessin ou d'un projet d'architecture, indiquant seulement l'ensemble et les divisions principales de l'œuvre définitive. ‖ Indication sommaire de l'ensemble d'une œuvre et de ses parties; plan général. ‖ Commencement, ébauche : *esquisse d'un sourire.*

ESQUISSER v. t. Faire une esquisse, décrire à grands traits : *esquisser un portrait, le plan d'un roman.* ‖ Commencer à faire : *esquisser un geste de défense.*

ESQUIVE n. f. Action de se dérober à l'attaque de l'adversaire.

ESQUIVER [ɛskive] v. t. (it. *schivare;* de *schivo,* dédaigneux). Éviter adroitement : *esquiver un coup, une difficulté.* ◆ **s'esquiver** v. pr. Se retirer furtivement.

ESSAI n. m. (lat. *exagium,* pesée). Épreuve à laquelle on soumet qqn, qqch pour voir s'ils sont aptes à ce qu'on attend : *faire l'essai d'une machine; mettre à l'essai.* ‖ Au rugby, action de déposer le ballon ou de le plaquer au sol le premier, dans l'en-but adverse. ‖ *Littér.* Titre d'ouvrages regroupant des réflexions diverses ou traitant un sujet qu'ils ne prétendent pas épuiser. ‖ *Min.* Recherche rapide des métaux dans les minerais. ● *Apprentissage par essais et erreurs* (Psychol.), forme d'apprentissage dans laquelle la solution est découverte progressivement et faite d'échecs qui tendent à s'éliminer et de succès qui tendent à se fixer, car produisant un effet favorable à l'organisme.

■ *(Littér.)* « Le mot *essai* est récent, disait, en 1612, en tête de ses *Essays,* F. Bacon, mais la chose est ancienne » : il faisait référence aux *Épîtres à Lucilius* de Sénèque. Il aurait pu tout aussi bien se recommander de Lao-tseu ou de Théophraste, de Confucius ou des aphorismes de la Bible (*Ecclésiastique* ou *Proverbes).* Il semble que l'essai ait gardé de cet ancien patronage deux caractères principaux : la liberté de la démarche, alliée à la densité de l'expression, et la préoccupation morale, sous son aspect didactique ou critique. D'où deux formes contradictoires : l'essai « familier » à la Montaigne, qui, à travers un autoportrait intellectuel et physique et au gré d'un cheminement qui a pour règles l'humeur et le plaisir esthétique, prend pour sujet l'homme dans sa totalité (W. Temple, Addison, Lamb, Hazlitt, Azorín, Unamuno, Ortega y Gasset, Remy de Gourmont, Alain); l'essai « scientifique », qui, pour des raisons de méthode, limite volontairement son objet et la portée de ses conclusions.

ESSAIM n. m. (lat. *examen*). Groupe d'abeilles, comportant une reine et plusieurs dizaines de milliers d'ouvrières, qui, à la belle saison, abandonne une ruche surpeuplée en vue de fonder une nouvelle ruche. ‖ *Litt.* Grande quantité, foule : *un essaim d'écoliers au sortir de l'école.*

ESSAIMAGE n. m. Multiplication des colonies d'abeilles, consistant dans l'émigration d'une partie de la population d'une ruche; époque où les abeilles essaiment.

ESSAIMER v. i. Quitter la ruche pour former une colonie nouvelle, en parlant des jeunes abeilles. ‖ *Litt.* Se disperser : *les Phéniciens ont essaimé dans tout le bassin méditerranéen.*

Essais, de Montaigne, publiés en deux volumes en 1580, réimprimés en 1582; deuxième édition comportant un troisième livre en 1588; dernière édition augmentée et posthume, publiée en 1595 par Pierre de Brach et Mlle de Gournay. Une méditation sur l'« humaine condition » saisie dans un dialogue entre un Moi intime, étalant ses humeurs, ses goûts et ses doutes, et des « modèles » fascinants (La Boétie, la théologie de Raymond de Sebonde, les cultures exotiques — les « cannibales » — découvertes par les conquérants et les explorateurs de son siècle) enchâssés au cœur de l'autoportrait. L'écriture des *Essais* traduit rigoureusement l'articulation de ces « motifs », les réflexions et les commentaires de Montaigne englobant des citations d'écrivains antiques et proliférant à partir d'elles, technique qui rappelle à la fois les « collages » des peintres modernes et les arabesques des compositions maniéristes.

Essai sur les mœurs et l'esprit des nations, œuvre historique de Voltaire (1756). Ce rapide panorama de l'évolution des civilisations depuis Charlemagne jusqu'au XVIIe s. montre les progrès de l'humanité, qui se libère de la superstition et de l'erreur, particulièrement incarnées par le Moyen Âge.

ESSANVAGE n. m. *Agric.* Destruction des sanves.

ESSAOUIRA, anc. **Mogador,** port du Maroc, sur l'Atlantique; 30 000 hab. Pêche. Conserveries.

ESSARTAGE ou **ESSARTEMENT** n. m. Brûlis de broussailles après déboisement, qui permet la culture temporaire.

ESSARTER v. t. Arracher et brûler les broussailles après déboisement.

ESSARTS [esar] n. m. pl. (lat. *sarire,* sarcler). Terre essartée.

ESSARTS (Les) [85140], ch.-l. de cant. de la Vendée, à 19,5 km au N.-E. de La Roche-sur-Yon; 3 672 hab.

ESSAYAGE n. m. Action d'essayer un vêtement en cours de confection pour le mettre au point.

ESSAYER v. t. (lat. pop. *exagiare*) [conj. **2**]. Utiliser pour en éprouver les qualités, en contrôler le fonctionnement : *essayer une voiture.* ‖ Faire l'essayage d'un vêtement. ‖ Tâcher de, s'efforcer de, tenter : *essayez de le persuader.* ● *Essayer de l'or,* en déterminer le titre. ◆ **s'essayer** v. pr. [**à**]. S'exercer à : *s'essayer à monter à cheval.*

ESSAYEUR, EUSE n. Fonctionnaire qui fait l'essai des matières d'or ou d'argent. ‖ Personne qui essaie les vêtements aux clients chez les tailleurs et les couturiers. ‖ Personne chargée de procéder à des essais.

ESSAYISTE n. (angl. *essayist*). Auteur d'essais littéraires.

ESSE [ɛs] n. f. Cheville de métal en forme de S. ‖ Sorte de crochet double.

ESSEN, v. de l'Allemagne fédérale (Rhénanie-du-Nord-Westphalie), au cœur de la Ruhr; 650 200 hab. Cathédrale, anc. abbatiale à deux chœurs opposés, remontant au début du XIe s. (trésor). Musée Folkwang (impressionnisme, expressionnisme...; affiche; photographie). Centre houiller et métallurgique. Siège des usines Krupp, fondées en 1811.

ESSEN, comm. de Belgique (prov. d'Anvers), au N. d'Anvers; 12 600 hab.

ESSENCE n. f. (lat. *esse,* être). Ce qui constitue la nature d'un être, d'une chose : *essence divine.* ‖ *Philos.* Réalité permanente d'une chose (opposé à ACCIDENT; syn. SUBSTANCE); nature d'un être indépendamment de son existence. ‖ Espèce, en parlant des arbres d'une forêt : *les essences résineuses.* ‖ Liquide pétrolier léger, incolore ou artificiellement coloré, à odeur caractéristique, distillant entre 40 et 220 °C environ, utilisé comme carburant, comme solvant ou pour divers usages industriels. ‖ Extrait, concentré par distillation : *essence de rose, de café.* ● *Par essence* (Litt.), par définition. ‖ *Service des essences* (Mil.), service chargé de ravitailler les armées en produits pétroliers.

■ Les stations-service proposent à l'automobiliste le choix entre une *essence ordinaire* et un ou, dans certains pays, plusieurs *supercarburants* capables d'augmenter légèrement les performances de son moteur. Cela tient en particulier à une meilleure résistance aux phénomènes de cliquetis et d'autoallumage, qualité mesurée par l'indice d'octane, dont le minimum est fixé en France à 89 pour l'ordinaire et à 97 pour le super; à l'œil nu, les deux carburants se distinguent par l'adjonction d'un colorant respectivement jaune et rouge. Toutes les caractéristiques des essences pour automobiles font l'objet d'une réglementation très stricte, notamment leur volatilité, qui doit être suffisante pour les départs à froid, tout en évitant l'étouffement du moteur au ralenti à chaud. Dans la pratique, les carburants doivent distiller entièrement entre 40 et 220 °C, et ne pas dépasser une tension de vapeur en vase clos de 0,8 bar (0,65 en été), mesurée à 37,8 °C (100 °F). Quant à leur teneur en soufre, elle doit être inférieure à 0,005 p. 100. Mélanges complexes d'hydrocarbures naturels et de synthèse, allant des C_4 (butane, isobutane, butylènes) aux C_8 (octane, isooctane, octènes, etc.), les essences constituent le produit clé du raffinage pétrolier. L'essence de premier jet, obtenue au cours de la distillation directe du brut, n'a qu'un indice d'octane faible et ne peut être utilisée que très partiellement dans le carburant ordinaire; elle doit donc subir un traitement spécial — décomposition et réassemblage des molécules longues —, qui est obtenu sous l'effet de la température (500 °C), de la pression (25 bar) et d'un catalyseur métallique (platine) : c'est le *reformage.* De nombreuses raffineries augmentent encore le rendement global de l'essence tirée du pétrole brut grâce au craquage catalytique du gasoil. De toute

FABRICATION DES ESSENCES ET CARBURANTS

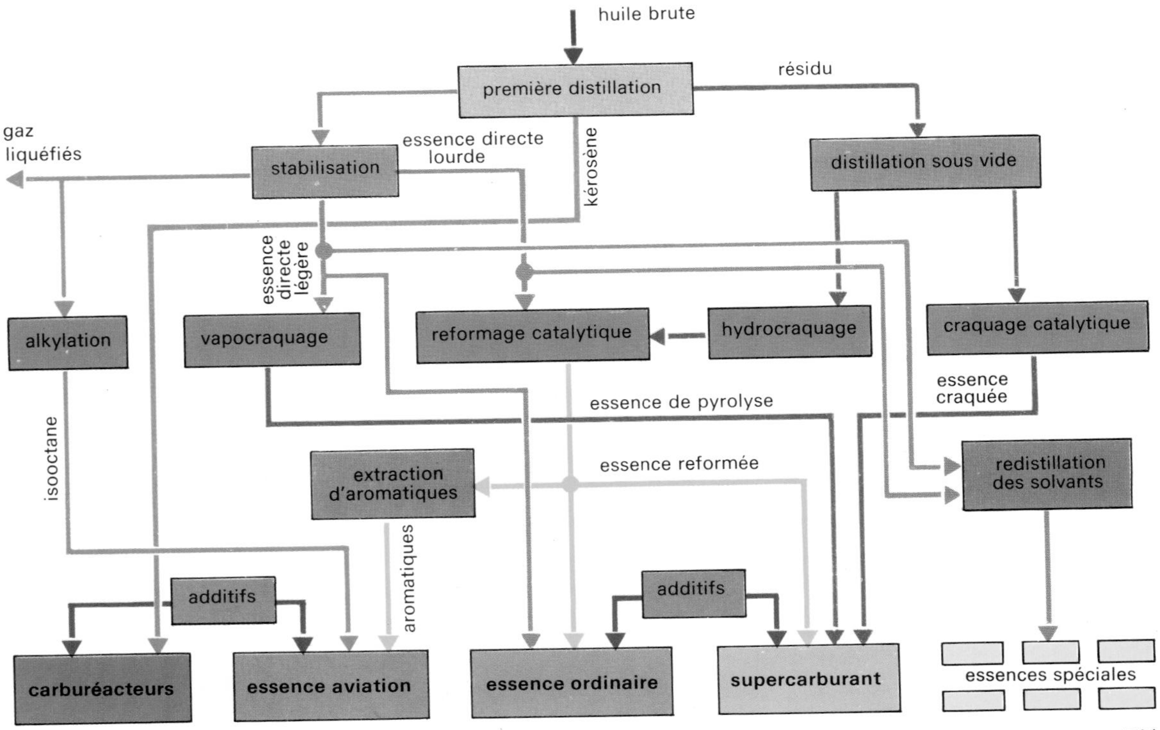

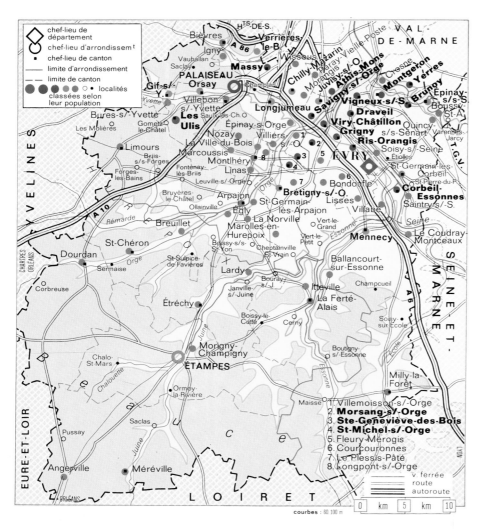

ESSONNE

courbes : 60 100 m

0 km 5 km 10

v ferrée
route
autoroute

Serguëi A.
Essenine

B.S.I.

La densité d'occupation est de 550 habitants au kilomètre carré (plus de cinq fois la moyenne nationale). En réalité, elle est bien supérieure à ce chiffre dans le nord du département, plus proche de Paris et fortement urbanisé, sinon très industrialisé et riche en services. Une grande partie de la population active travaille en effet dans les industries de la proche banlieue (Val-de-Marne notamment) et surtout dans les bureaux et les ateliers parisiens. Cependant, près des deux cinquièmes de la population active dans l'Essonne même sont occupés dans le secteur secondaire (constructions mécaniques et électriques notamment), implanté surtout dans la vallée de la Seine, en aval de Corbeil-Essonnes. L'agriculture est encore présente dans le sud-ouest (extrémité orientale de la Beauce, domaine céréalier), mais recule progressivement devant l'emprise urbaine, favorisée par la desserte autoroutière, s'ajoutant aux liaisons ferroviaires, plus anciennes, vers la capitale. Le secteur tertiaire est cependant l'activité dominante, grâce notamment aux nombreux instituts de recherches (Orsay, Saclay, Marcoussis, etc.). Sans très grande ville, le département possède toutefois près d'une vingtaine de communes comptant chacune plus de 15 000 habitants, villes au sens traditionnel, comme Corbeil-Essonnes ou, plus

souvent, cités surtout résidentielles, comme Massy et Palaiseau ou Savigny-sur-Orge, constituées surtout de grands ensembles, ces dernières progressent le long des grands axes de communication et submergent les noyaux villageois anciens ainsi que les traditionnelles résidences secondaires des Parisiens.

ESSOR n. m. (de *essorer*, au sens anc. de s'envoler). Développement, progrès de qqch : *l'essor de l'industrie*. ● *Donner l'essor à son imagination* (Litt.), lui donner libre cours. ‖ *Prendre son essor*, s'envoler (en parlant d'un oiseau).

ESSORAGE n. m. Action d'essorer.

ESSORER v. t. (lat. pop. *exaurare*; de *aura*, air). Extraire l'eau du linge après le rinçage, soit à la main, soit en machine à laver le linge.

ESSOREUSE n. f. Appareil servant à essorer le linge en le faisant tourner dans un tambour. ‖ Appareil servant à séparer le sucre cristallisé des mélasses.

ESSORILLER v. t. (préf. *es* et *oreille*). Litt. Couper les oreilles.

ESSOUCHEMENT n. m. Action d'essoucher.

ESSOUCHER v. t. (de *souche*). Arracher les souches qui sont restées dans un terrain après qu'on en a abattu les arbres.

ESSOUFFLEMENT n. m. État de celui qui est essoufflé. ‖ Respiration difficile.

ESSOUFFLER v. t. Mettre presque hors d'haleine, à bout de souffle. ◆ **s'essouffler** v. pr. Ne plus pouvoir suivre un rythme de développement trop rapide : *une économie qui s'essouffle*.

ESSOYES (10360), ch.-l. de cant. de l'Aube, à 30 km au N. de Châtillon-sur-Seine; 689 hab.

ESSUIE n. m. En Belgique, essuie-mains, serviette de bain, torchon.

ESSUIE-GLACE n. m. (pl. *essuie-glaces*). Dispositif, formé d'un balai muni d'une lame de caoutchouc, qui essuie automatiquement le pare-brise mouillé d'une automobile.

ESSUIE-MAINS n. m. inv. Linge pour s'essuyer les mains.

ESSUIE-MEUBLES n. m. inv. Torchon pour essuyer les meubles.

ESSUIE-PIEDS n. m. inv. Paillasson pour s'essuyer les pieds.

ESSUIE-VERRES n. m. inv. Torchon spécialement affecté à l'essuyage des verres à boire.

ESSUYAGE n. m. Action ou manière d'essuyer.

ESSUYER v. t. (lat. *exsucare*, exprimer le suc) [conj. 2]. Débarrasser d'un liquide, de la poussière, etc. : *essuyer la vaisselle; essuyer des meubles*. ‖ Subir, souffrir : *essuyer le feu de l'ennemi, un échec*. ● *Essuyer les plâtres* (Fam.), habiter une maison nouvellement bâtie; subir les premiers inconvénients d'une entreprise.

EST [ɛst] n. m. et adj. inv. (angl. *east*). L'un des quatre points cardinaux, côté de l'horizon où le soleil se lève; orient.

Est (autoroute de l'), autoroute reliant Paris à Strasbourg, par Reims et Metz.

Est (canal de l'), canal qui réunit la Meuse et le Rhône par la Moselle et la Saône.

ESTABLISHMENT [establi∫mənt] n. m. (mot angl.). Groupe puissant de gens installés qui défendent leurs privilèges, leur position sociale.

ESTACADE n. f. (it. *steccata*). Jetée à claire-voie, formée de grands pieux et établie dans un port ou un cours d'eau pour fermer un passage, protéger des travaux, etc.

ESTAFETTE n. f. (it. *staffetta*, petit étrier). Mil. Militaire chargé de transmettre un courrier.

ESTAFIER n. m. (it. *staffiere*). Valet armé, spadassin (vx).

ESTAFILADE n. f. (it. *staffilata*, coup de fouet). Coupure faite avec un instrument tranchant, principalement au visage.

ESTAGNON n. m. (mot prov.; de *estanh*, étain). Région. Récipient métallique destiné à contenir de l'huile, des essences.

ESTAIMPUIS, comm. de Belgique (Hainaut), au S. de Mouscron; 9 500 hab.

ESTAING (12190), ch.-l. de cant. de l'Aveyron, sur le Lot, à 10 km au N.-O. d'Espalion; 666 hab. Château des XVe-XVIe s.

ESTAING (Charles Henri, comte D'), amiral français (Ravel, Auvergne, 1729 - Paris 1794). Vice-amiral, il prend part à la guerre d'indépendance des États-Unis et bat l'amiral Byron (1779) avant de recevoir le commandement de l'escadre franco-espagnole de Cadix. Amiral en 1792, il est exécuté sous la Terreur.

ESTAIRES (59940), comm. du Nord, à 14 km au S.-O. d'Armentières; 5 632 hab.

EST-ALLEMAND, E adj. et n. (pl. *est-allemands, es*). De la République démocratique allemande.

ESTAMINET [estaminɛ] n. m. (wallon *staminé*). Petit café, débit de boissons (vx).

ESTAMPAGE n. m. Façonnage, par déformation plastique d'une masse de métal à l'aide de matrices, afin de lui donner une forme et des

manière, la fabrication des carburants doit être complétée par une désulfuration poussée et par l'incorporation de divers *additifs* : colorants, antigivrants et surtout antidétonants; remarquablement efficaces pour relever l'indice d'octane, ces derniers sont à base de plomb tétraéthyle toxique, si bien que leur emploi, selon les pays, est supprimé ou tend à être limité (France : 0,40 g/l). L'*essence d'aviation*, destinée aux moteurs à pistons, n'est plus fabriquée qu'en quantité assez faible pour subvenir aux besoins du tourisme, car les carburants à très haut indice d'octane, 130 et 140, exigés pour l'aviation commerciale et l'aviation militaire il y a quelques années remplacés aujourd'hui par les *carburéacteurs* : destinés aux turbopropulseurs et aux réacteurs d'avion, ces derniers sont des kérosènes ou des mélanges d'essence et de kérosène fluides jusqu'à − 60 °C.

Employées comme solvants et à des usages industriels et domestiques divers, les *essences spéciales* sont des coupes pétrolières étroites, aux limites distillatoires précises : par exemple, le white-spirit, utilisé surtout comme diluant de peinture, est une essence lourde distillant entre 140 et 200 °C. Ces produits doivent être désodorisés, désulfurés et, dans certains cas, spécialement désaromatisés.

ESSÉNIEN, ENNE adj. Relatif aux esséniens.

ESSÉNIENS, secte juive (IIe s. av. J.-C. - Ier s. apr. J.-C.), dont les membres formaient des communautés menant la vie ascétique. Le problème de l'influence des esséniens sur le christianisme naissant a été renouvelé par la découverte des manuscrits de Qumrân (v. MORTE [*manuscrits de la mer*]).

ESSENINE (Serguëi Aleksandrovitch), poète russe (Konstantinovo, gouvern. de Riazan, 1895-Leningrad 1925). Chantre de la vie paysanne (*Transfiguration*, 1919), il se rapprocha du groupe des « Scythes » et célébra la révolution d'Octobre (*le Pays d'ailleurs*, 1918) dans des recueils dont les outrances verbales le placent à la tête de l'école « imaginiste » (*les Juments-navires*, 1919; *la Chanson du pain*, 1921), mais sans pouvoir trouver autrement que dans le suicide l'unité d'une personnalité déchirée (*Pougatchev*, 1921; *Poèmes de l'homme à scandales*, 1923; *l'Homme noir*, 1925). Il avait épousé la danseuse Isadora Duncan.

ESSENTIEL, ELLE adj. (bas lat. *essentialis*). Nécessaire, indispensable : *condition essen-*

tielle; *la pièce essentielle d'un mécanisme*. ‖ Relatif à une essence : *huile essentielle*. ‖ Méd. Se dit d'une maladie dont la cause est inconnue.

ESSENTIEL n. m. Le point le plus important : *l'essentiel est d'être honnête*.

ESSENTIELLEMENT adv. Par-dessus tout, absolument, principalement.

ESSEQUIBO, fl. de la Guyana; 1 000 km environ. Bauxites dans son bassin.

ESSEULÉ, E adj. Qui est seul.

ESSEX, comté d'Angleterre, sur la mer du Nord, au N. de l'estuaire de la Tamise. Ancien royaume saxon fondé dans la première moitié du VIe s. et tombé successivement sous l'hégémonie du Kent (fin du VIe s. - début du VIIe s.), de la Mercie (VIIIe s.) et du Wessex (IXe s.), l'Essex devient, sous les monarchies anglo-saxonne et anglo-normande, le siège d'un comté (*shire*) administré par un représentant du roi (*sheriff*). Il s'étend aujourd'hui de l'estuaire de la Tamise à la rivière Stour.

ESSEX (Robert DEVEREUX, comte D'), homme politique anglais (Netherwood 1566 - Londres 1601). Rival de Raleigh* dans les faveurs d'Élisabeth Ire, il dirigea les affaires de 1585 à 1600, date de sa disgrâce. Ayant alors fomenté un complot contre la reine, il fut exécuté.

ESSEY-LÈS-NANCY (54270), comm. de Meurthe-et-Moselle, dans la banlieue est de Nancy; 8 320 hab. Église des XIIIe-XVe s. Aéroport.

ESSIEU n. m. (lat. *axis*, axe). Pièce de métal recevant une roue à chacune de ses extrémités et supportant le poids du véhicule.

ESSLING, village d'Autriche, dans la banlieue de Vienne. Théâtre, du 20 au 22 mai 1809, d'une violente bataille entre les Autrichiens et les Français, commandés par Masséna et par Lannes, qui y fut mortellement blessé.

ESSLINGEN, v. de l'Allemagne fédérale (Bade-Wurtemberg), sur le Neckar; 88 000 hab. Monuments médiévaux. Constructions mécaniques.

ESSONNE, riv. du Bassin parisien, affl. de la Seine (r. g.), qu'elle rejoint à Corbeil-Essonnes; 90 km.

ESSONNE (91), départ. de la Région Île-de-France; 1 804 km²; 988 000 hab. Ch.-l. *Évry*. Ch.-l. d'arr. *Étampes* et *Palaiseau*.

Au sud de Paris, l'Essonne est, depuis le milieu des années 60, le département français dont la population s'accroît le plus rapidement.

San Francisco. Ces élégantes et pittoresques demeures de style victorien voient leur horizon disputé par les buildings géants.

États-Unis

Deux siècles à peine après la rédaction
de leur Déclaration d'indépendance (1776),
les États-Unis sont devenus
la première puissance économique mondiale.
Et cette fédération de 50 États
(si l'on y joint l'Alaska et Hawaii),
qui ont leurs propres institutions politiques
et que séparent des frontières curieusement géométriques,
incarne aujourd'hui le monde industriel moderne
et la « société de consommation ».
Il est vrai que le niveau de vie américain —
le plus élevé du monde —,
ses conquêtes technologiques spectaculaires et de tous ordres,
l'immensité de son territoire (4 000 km de Boston à Los Angeles),
le gigantisme de ses « mégalopolis »,
une population riche en contrastes —
du petit paysan à l'administrateur de grande société,

du riche Texan à l'ingénieur du centre spatial Kennedy,
du blanchisseur chinois au domestique noir —,
ont contribué à façonner des États-Unis une image
où le mythe le dispute souvent à la réalité.
Par ailleurs, la puissance politique et militaire
de la Maison-Blanche,
la répartition de ses intérêts économiques
dans un nombre considérable de pays,
son rôle obligé de premier interlocuteur
des grandes puissances socialistes
polarisent l'attention des médias
et cristallisent les passions.
Pourtant, l'« Amérique » ne se réduit pas plus à Disneyland
ou à Hollywood qu'au Far West ou à Al Capone,
et, ni enfer ni paradis,
c'est un pays qui demeure extraordinairement neuf,
ouvert et chaleureux.

Un gigantesque « feeder », installation de nourrissage,
à Greeley, État du Colorado
où l'élevage bovin demeure l'une des principales ressources économiques.

Vautier-Decool

Serraillier-Rapho

Érigée au milieu du désert,
Las Vegas est célèbre
par ses casinos
aux enseignes
violemment lumineuses
et où l'on pratique
presque tous les jeux connus.
La ville avait été achetée
aux Mormons
par les Chemins de fer en 1903.

Le pipe-line transalaska,
traversant la taïga,
au nord de l'État.
Acquis par les États-Unis en 1867,
longtemps laissé à l'abandon,
l'Alaska possède officiellement
le statut d'État depuis 1959.
Il recèle l'un des plus riches
gisements de pétrole du monde.

Vautier-Decool

Vautier-De Nauxe

Vautier-Decool

L'orchestre du Mardi-Gras
à la foire du jazz
qui se tient chaque année,
en février, à La Nouvelle-Orléans.
Considérée comme le « berceau du
jazz », la région de La Nouvelle-Orléans
a produit un grand nombre
de musiciens importants,
comme Louis Armstrong.

B. Roberts-Rapho

Le *White Sands National Monument*, dans le sud
du Nouveau-Mexique. À chaque lever ou coucher
du soleil se déploie le fascinant jeu de
la lumière se reflétant sur les dunes de sable blanc.

Vente aux enchères du tabac à Lumberton,
en Caroline du Nord.
Cet État est le premier producteur de tabac des États-Unis.

Le château de Cendrillon,
à Disneyworld,
en Floride.
Ouvert au public
en 1971,
ce parc d'attractions,
véritable
royaume féerique
pour les enfants,
avait été précédé
par Disneyland,
près de Los Angeles,
créé en 1955.

Le Jardin de Vertume,
par Léon Davent (?),
d'après le Primatice.
XVIe s. Burin.
(Bibliothèque nationale,
Paris.)

Vue de l'Omval,
de Rembrandt. 1645.
Eau-forte.
(Bibliothèque nationale,
Paris.)

*Yama Uba et Kintoki
sur le dos*,
de Utamaro Kitagawa
(1753-1806).
Gravure sur bois.
(Musée Guimet, Paris.)

Se Repulen (Ils se font beaux), de Goya.
Eau-forte et aquatinte de la série des *Caprices*,
1797-1798. (Bibliothèque nationale, Paris.)

La Madone, de Edvard Munch. V. 1895-1902. Lithographie.
(Musée Munch, Oslo.)

La Lune rousse, de Johnny Friedlaender. 1967.
Gravure sur bois. (Coll. priv., Paris.)

dimensions déterminées très proches de celles de la pièce finie. ‖ Empreinte d'une inscription, d'un cachet ou d'un bas-relief méplat, obtenue par pression sur une feuille de papier mouillée, un bloc de plâtre humide, une poterie avant cuisson.

ESTAMPE n. f. (it. *stampa*). Image imprimée après avoir été gravée sur métal, bois, etc., ou dessinée sur support lithographique. ‖ Outil pour estamper.

■ L'estampe a joué un rôle déterminant dans la diffusion de reproductions et d'œuvres originales. Après les *xylographies* (images religieuses avec texte, livres d'heures et de chevalerie, cartes à jouer, etc., gravés sur bois en *taille d'épargne**) répandues au XVe s. dans les pays nordiques, où s'imposent la verve et la technique, en Italie, où domine un souci de beauté formelle, et en France, où ces influences se mêlent, la *taille-douce* (gravée en creux sur métal par divers moyens : *burin, pointe sèche, eau-forte*, plus tard *manière noire, aquatinte, vernis mou*,...), apparue à la fin du XVe s., va faire de la gravure un art de la Renaissance. En Italie, à l'orfèvre Maso Finiguerra (1426-1464) succèdent Mantegna*, puis le Parmesan*, tandis que M. Raimondi* donne ses lettres de noblesse à la gravure de reproduction (peintures de Raphaël); en Allemagne, Schongauer* est suivi de Dürer*, dont la perfection retentit dans l'œuvre des Altdorfer*, Cranach*, Hans Baldung*; aux Pays-Bas, Lucas de Leyde* précède la virtuosité maniériste de Goltzius*. En France, à côté de J. Duvet* ou de J. Cousin* le Père, de nombreux graveurs, tel E. Delaune*, diffusent l'art de la Renaissance.

L'école française s'affirme au XVIIe s. avec les portraitistes Robert Nanteuil* et Claude Mellan (1598-1688), le précis et foisonnant Callot* (*les Misères et malheurs de la guerre*, 1633), les

ornemanistes qui propagent le « grand goût » royal, et au XVIIIe s. avec de nombreux artistes aussi virtuoses dans le portrait, la reproduction (œuvres de Watteau, de Chardin, de Boucher...) et l'illustration d'ouvrages littéraires ou scientifiques (l'*Encyclopédie*). Dans le même temps, Van Dyck* et les graveurs de Rubens en Flandres, H. Seghers* et surtout Rembrandt* en Hollande, puis les Italiens Tiepolo* (*Caprices*, 1749), Canaletto* (*Vues de Venise*) et Piranèse* (*Prisons*, 1745) apparaissent comme des figures dominantes. À côté de la gravure néoclassique, à laquelle convient la rigueur du burin, l'eau-forte s'accorde à la violence inquiète de Goya* (*Caprices*, 1797-98), mais aussi à l'acuité des satiristes anglais (Hogarth*, Rowlandson*...).

Au XIXe s., la *lithographie* attire les artistes romantiques (Géricault*, Bonnington*, Delacroix*), mais ce sont surtout Gavarni* et plus encore Daumier*, avec leurs scènes de mœurs et leurs dessins satiriques, tout comme Toulouse-Lautrec* avec ses affiches, qui en tirent le meilleur parti. Toutefois, l'eau-forte garde son importance avec les artistes tournés, après William Blake*, vers le fantastique (Méryon*, Bresdin*, Redon*), tandis que l'estampe japonaise gravée sur bois, avec les principaux représentants de l'*ukiyo-e* (« peinture du monde qui passe ») de la fin du XVIIIe s. (Utamaro*) et du XIXe s. (Hokusai*, Hiroshige*), influence Degas*, Van Gogh*, Gauguin* et Toulouse-Lautrec par son style dépouillé de modelé, attentif au jeu des lignes et des plans.

Avec le XXe s., l'estampe est supplantée comme moyen de reproduction par la photographie et appartient désormais entièrement aux créateurs. Presque tous les artistes importants font appel à sa force d'expression, à son caractère direct, à sa diversité, que ce soit Picasso* ou Villon*, Rouault* ou Chagall*, ou encore les expressionnistes allemands. Mais, tandis que la gravure et la lithographie constituent une partie (chez Miró*, Hartung* ou Alechinsky [v. COBRA]) ou l'essentiel (Pierre Courtin, né en 1921) de nombreuses œuvres contemporaines, que Stanley William Hayter (1901-1988) ou Johnny Friedlaender (né en 1912) diffusent les procédés (aquatinte en couleurs...) aptes à transmettre la sensibilité de l'art abstrait lyrique, une nouvelle technique d'impression à plat, la *sérigraphie*, se montre particulièrement adaptée aux surfaces de couleurs sans nuances d'un artiste cinétique comme Vasarely* ou aux reports photographiques d'un Andy Warhol [v. POP ART]. En même temps, l'estampe retrouve sa qualité propre de multiple à grande diffusion qu'elle avait peu à peu abandonnée.

ESTAMPER v. t. (it. *stampare*; mot francique). Imprimer en relief ou en creux, par repoussage, au moyen d'une matrice gravée : *estamper des monnaies*. ‖ *Fam.* Faire payer trop cher, escroquer qqn.

ESTAMPEUR n. m. Ouvrier qui estampe. ‖ *Fam.* Escroc.

ESTAMPILLAGE n. m. Action d'estampiller : *l'estampillage des livres, des actions*.

ESTAMPILLE n. f. (esp. *estampilla*). Marque appliquée sur un objet d'art en guise de signature ou sur un produit industriel comme garantie d'authenticité.

ESTAMPILLER v. t. Marquer d'une estampille.

ESTAMPÍO (Juan SÁNCHEZ VALENCIA, dit), danseur et pédagogue espagnol (Jerez de la Frontera 1880 - Madrid 1957). Il forma la plupart des danseurs flamencos contemporains.

ESTANCIA n. f. (mot esp.). Grande propriété rurale (notamment pour l'élevage) en Amérique latine.

EST-ANGLIE, l'un des royaumes germaniques constitués en Grande-Bretagne à la suite des invasions anglo-saxonnes (V^{e}-VIe s.). Fondé peut-être par Wuffa vers 525-550, ce royaume angle fut annexé à son puissant voisin, le royaume de Mercie (VIIIe s.). Ravagé en 841 par les Danois, qui s'y implantèrent, il fut de 877 à 917 le siège d'un des trois royaumes constitués au sein du Danelaw (pays de la loi danoise).

ESTAQUE (l'), chaînon calcaire fermant au S. l'étang de Berre et dominant la *rade de l'Estaque*.

EST-CE QUE [ɛskə] adv. interr. Marque l'interrogation dans les phrases interrogatives directes : *est-ce qu'il fait beau?; est-ce que vous venez avec nous?*

ESTE n. et adj. → ESTONIEN.

ESTE, maison princière d'Italie, issue au Xe s. des marquis de Toscane. Elle tire son nom du marquisat d'Este (Vénétie). L'une de ses branches régna sur la Bavière, le Hanovre et le Brunswick; du XIVe au XVIe s., une autre donna des ducs de Ferrare et de Modène, qui firent de Ferrare l'un des plus grands centres artistiques de la Renaissance italienne et accueillirent Pétrarque, Pisanello, l'Arioste, le Tasse.

ESTER [ɛste] v. i. (lat. *stare*, se tenir debout) [seulement à l'inf.]. *Ester en justice* (Dr.), se présenter devant un tribunal soit comme demandeur, soit comme défendeur.

ESTER [ɛstɛr] n. m. Corps résultant de l'action d'un acide carboxylique sur un alcool, avec élimination d'eau. (Syn. anc. ÉTHER-SEL.)

ESTÉRASE n. f. Enzyme qui, en décomposant l'acétylcholine, limite la durée de son effet inhibiteur sur le cœur.

ESTEREL ou **ESTÉREL,** massif cristallin de Provence, culminant au mont Vinaigre (618 m).

ESTERHAZY, v. du Canada, dans le sud-est de la Saskatchewan; 2894 hab. Important gisement de potasse.

ESTERHÁZY (Marie Charles Ferdinand Walsin), officier français d'origine hongroise (Autriche 1847 - Harpenden, Hertfordshire, 1923). Soupçonné d'espionnage lors de l'Affaire Dreyfus*, il fut acquitté en 1898, mais il avoua sa culpabilité peu après.

ESTÉRIFICATION n. f. *Chim.* Réaction réversible d'un acide carboxylique sur un alcool.

ESTÉRIFIER v. t. *Chim.* Transformer en ester.

ESTERNAY (51310), ch.-l. de cant. de la Marne, sur le Grand Morin, à 13,5 km à l'O. de Sézanne; 1618 hab. Église des XVe-XVIe s.

ESTÈVE (Maurice), peintre français (Culan 1904). Entre les deux guerres mondiales, il s'est surtout consacré aux arts décoratifs. Par la suite, ses peintures, d'un souple géométrisme, fondées sur la puissance expressive de la couleur, ont rapidement abouti à l'abstraction. Estève a donné de nombreuses feuilles au fusain, à l'aquarelle, aux encres et crayons de couleur ainsi que des collages d'une verve inventive.

ESTHER, jeune fille juive, héroïne du livre qui porte son nom. Déportée à Babylone, Esther devient reine des Perses et sauve du massacre ses frères de race. Le *livre d'Esther* (v. le IIe s. av. J.-C.) est un récit édifiant qui garde le souvenir d'un « pogrom » auquel les Juifs ont miraculeusement échappé.

Esther, tragédie en trois actes et en vers, avec chœurs, de Racine, représentée pour la première fois en 1689 par les demoiselles de Saint-Cyr.

ESTHÈTE n. et adj. (gr. *aisthetês,* qui sent). Personne qui affecte de considérer la beauté comme la valeur suprême.

ESTHÉTICIEN, ENNE n. Personne, écrivain qui s'occupe d'esthétique. ‖ Personne dont la profession consiste à donner des soins dans un institut de beauté.

ESTHÉTIQUE adj. (gr. *aisthêtikos,* qui a la faculté de sentir). Qui a rapport au sentiment du beau : *le sens esthétique.* ‖ Qui a une certaine beauté, agréable à voir : *un geste esthétique.* • *Chirurgie esthétique* ou *correctrice,* celle qui a pour but de rendre leur aspect normal aux altérations congénitales ou traumatiques du corps.

ESTHÉTIQUE n. f. Théorie de la beauté en général et du sentiment qu'elle fait naître en nous; théorie de l'art. ‖ Mode, langage expressifs d'un artiste, d'une œuvre, etc. • *Esthétique industrielle,* discipline qui étudie l'objet fabriqué selon des critères de beauté, mais en envisageant aussi son usage.

■ Bien que le terme ait été employé pour la première fois par A. G. Baumgarten* dans *Aesthetica acroamatica* (1750-1758), l'esthétique, au sens de discours philosophique portant sur l'art, ses relations avec le vrai et le bien — autrement dit sur sa finalité —, remonte à Platon pour la tradition occidentale. Mais, depuis les travaux de B. Croce*, elle tend à se développer en discipline autonome.

Du *Phèdre** à l'*Esthétique* de Hegel, la tradition critique et philosophique s'accorde pour voir à travers la beauté la manifestation sensible de la vérité. « Le beau se définit comme la manifestation sensible de l'idée » (Hegel). Mais, dès lors que la beauté remplit cette fonction que lui assignent les philosophies, l'art* doit tomber en désuétude, car il n'est plus qu'une survivance exprimant une vérité que la religion et la science ont à énoncer. Dénoncé, par ailleurs, comme source d'illusions, l'art a néanmoins un sens. Il est en quelque sorte un discours muet dont l'esthétique profère la parole : c'est là le postulat qui soutient toute esthétique. À cet égard, celle qui se réclame des sciences humaines ne fait que renouveler les approches de phénomènes dont, à l'image de la philosophie, elle entend dégager la ou les significations. Dans cette optique, la beauté demeure la réfraction de quelque chose d'intelligible (le sens) à travers le sensible; elle reste invitation à dépasser le sensible. Tandis que les aspects éthique et politique de la finalité de l'art conduisent un Platon* et un Kant* à justifier la censure, les investigations phénoménologique (Merleau-Ponty*, M. Dufrenne), psychanalytique (Freud*), sociologique (Adorno*, P. Francastel*, G. Lukács*) et sémiologique (S. Langer) reconduisent cette finalité du sens de l'art sans tenir compte, le plus souvent, de la critique radicale qu'en fait Nietzsche*. (V. CRITIQUE.)

ESTHÉTIQUEMENT adv. De façon esthétique.

ESTHÉTISANT, E adj. Qui donne une trop grande importance aux valeurs formelles.

ESTHÉTISME n. m. Doctrine ou attitude artistique qui met au premier plan les valeurs formelles. ‖ École littéraire et artistique anglo-saxonne, qui se proposait de ramener les arts à leurs formes primitives (fin du XIXe s.).

ESTIENNE, famille d'imprimeurs-libraires et d'érudits français. Les plus célèbres de ses membres sont ROBERT Ier (Paris 1503 - Genève 1559), auteur d'un *Dictionnaire latin-français* (1539), et HENRI II, son fils (Paris 1531 - Lyon 1598), helléniste, auteur d'un *Thesaurus graecae linguae* (1572) et d'un traité qui défend l'emploi de la langue nationale, *De la précellence du langage français* (1579).

ESTIENNE (Jean-Baptiste), général français (Condé-en-Barrois 1860 - Paris 1936). Artilleur, il se spécialise dès 1915 dans les études qui aboutissent à la réalisation de l'artillerie d'assaut et des chars de combat, dont il fut le créateur en France.

ESTIENNE D'ORVES (Honoré D'), officier de marine français (Verrières-le-Buisson 1901-mont Valérien 1941). Pionnier de la Résistance, il fut arrêté par la Gestapo et fusillé par les Allemands en août 1941. Son *Journal de famille* et son *Journal de bord,* écrits en prison et publiés en 1950, témoignent d'une grande élévation spirituelle.

ESTIMABLE adj. Qui mérite l'estime.

ESTIMATEUR n. m. *Litt.* Personne qui fait une estimation.

ESTIMATIF, IVE adj. Qui constitue une estimation : *devis estimatif.*

ESTIMATION n. f. Évaluation. ‖ *Stat.* Recherche d'un ou plusieurs paramètres caractéristiques d'une population dont on a observé un échantillon.

ESTIME n. f. Appréciation favorable d'une personne ou d'une chose : *il a l'estime de tous.* ‖ *Mar.* Détermination de la position approchée d'un navire, en tenant compte des courants et de la dérive. • *À l'estime,* au jugé, approximativement. ‖ *Succès d'estime,* demi-succès d'une œuvre, louée par la critique, mais boudée par le public.

ESTIMER v. t. (lat. *aestimare*). Déterminer la valeur d'une chose : *estimer un tableau.* ‖ Calculer approximativement : *estimer une distance.* ‖ Faire cas de, avoir une opinion favorable de, reconnaître la valeur : *estimer un adversaire.* ‖ Juger, être d'avis, considérer : *j'estime que vous pourriez mieux faire.* ◆ **s'estimer** v. pr. Se considérer comme, se croire : *s'estimer perdu.*

ESTISSAC (10190), ch.-l. de cant. de l'Aube, sur la Vanne, à 21 km à l'O. de Troyes; 1757 hab. Église du XVIe s.

ESTIVAGE n. m. Migration des troupeaux dans les pâturages de montagne en été.

ESTIVAL, E, AUX adj. (lat. *aestivus,* de l'été). Qui a lieu en été; relatif à l'été : *travail estival; toilette estivale.*

ESTIVANT, E n. Personne qui passe ses vacances d'été dans une station balnéaire ou thermale, à la campagne, etc.

ESTIVATION n. f. (lat. *aestas,* été). *Zool.* Engourdissement de certains animaux en été.

ESTOC [ɛstɔk] n. m. (mot francique). Épée d'armes frappant de pointe (XVe-XVIe s.). • *Frapper d'estoc et de taille,* en se servant de la pointe et du tranchant d'une arme blanche.

ESTOCADE n. f. (it. *stoccata*). Épée de ville (XVIe-XVIIe s.). ‖ Coup de pointe (vx). ‖ Coup d'épée porté par le matador pour tuer le taureau. ‖ Attaque violente et soudaine.

ESTOMAC [ɛstɔma] n. m. (lat. *stomachus*). Partie du tube digestif renflée en poche et située sous le diaphragme, entre l'œsophage et l'intestin grêle, où les aliments sont brassés plusieurs heures et imprégnés de suc gastrique, qui coagule le lait et hydrolyse les protéines. ‖ Partie du corps qui correspond à l'estomac : *recevoir un coup dans l'estomac.* • *Avoir de l'estomac* (Fam.), avoir de la hardiesse. ‖ *Avoir l'estomac dans les talons* (Fam.), être affamé. ‖ *Avoir un estomac d'autruche* (Fam.), avoir une grande facilité à digérer. ‖ *Le faire à l'estomac* (Fam.), agir en se payant d'audace.

■ Chez les animaux, la fonction de l'estomac, définie d'après l'organe humain de ce nom, peut être partagée entre plusieurs poches du tube digestif antérieur. L'*accumulation* hâtive de nourriture, permettant d'écourter les repas, se fait dans un *jabot* chez les oiseaux et les insectes, dans une *panse* chez les ruminants. Ces organes permettent une régurgitation, en vue de nourrir les congénères (abeille) ou les petits (divers oiseaux), ou d'alléger le vol en cas de poursuite, ou d'éliminer les parts indigestes du repas, ou, simplement, de permettre la suite de la digestion (rumination). Le *broyage mécanique des aliments,* rendu nécessaire en cas d'absence des dents, se fait chez les oiseaux dans un *gésier* aux parois musclées, rempli de petits cailloux. La *digestion chimique* a lieu dans le feuillet et la caillette des ruminants, dans le ventricule succenturié des oiseaux. Dans tous les cas, le système des poches gastriques se termine par un *pylore,* au-delà duquel commence l'intestin et qui n'admet le passage des aliments que lorsque la phase gastrique de leur digestion est achevée.

Chez l'homme, l'estomac fait suite à l'œsophage au niveau du cardia (orifice du diaphragme) et se continue par le duodénum au niveau du pylore. Il comprend un pôle supérieur (grosse tubérosité ou fundus) et un corps vertical, qui continue le fundus. L'antre prépylorique fait suite au corps de l'estomac et se rétrécit jusqu'au pylore. La paroi de l'estomac comprend quatre couches : une couche séreuse (le péritoine), la musculeuse, la sous-muqueuse et la muqueuse, responsable de la sécrétion du suc gastrique.

L'estomac a une fonction mécanique : il sert de réservoir aux aliments et assure le brassage et l'évacuation progressive de ceux-ci. Il a aussi une fonction chimique : le suc gastrique, acide (solution d'acide chlorhydrique) et dont l'enzyme est la pepsine, joue un rôle important dans la digestion des protides; il contient également le « facteur intrinsèque » nécessaire à l'absorption de la vitamine B12.

Les *hémorragies gastriques* sont dues le plus

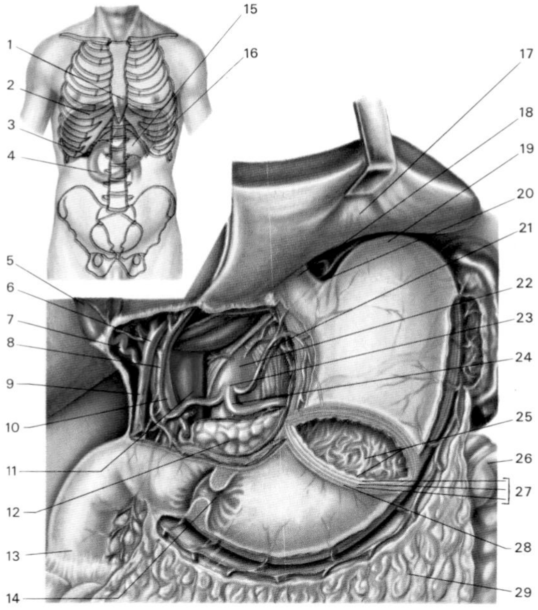

Structure de l'**ESTOMAC** et rapports avec les organes voisins. En haut à gauche, position de l'estomac dans l'abdomen. 1. Œsophage; 2. Foie; 3. Vésicule biliaire; 4. Duodénum; 5. Vésicule biliaire; 6. Canal hépatique; 7. Canal cystique; 8. Artère hépatique; 9. Canal cholédoque; 10. Veine porte; 11. Veine cave inférieure; 12. Pancréas; 13. Duodénum; 14. Pylore (en transparence et en coupe); 15. Estomac; 16. Rate; 17. Foie relevé; 18. Œsophage; 19. Grosse tubérosité; 20. Cardia; 21. Artère coronaire stomachique; 22. Aorte; 23. Tronc cœliaque; 24. Artère splénique; 25. Muqueuse; 26. Côlon; 27. Paroi musculaire; 28. Péritoine; 29. Grand épiploon.

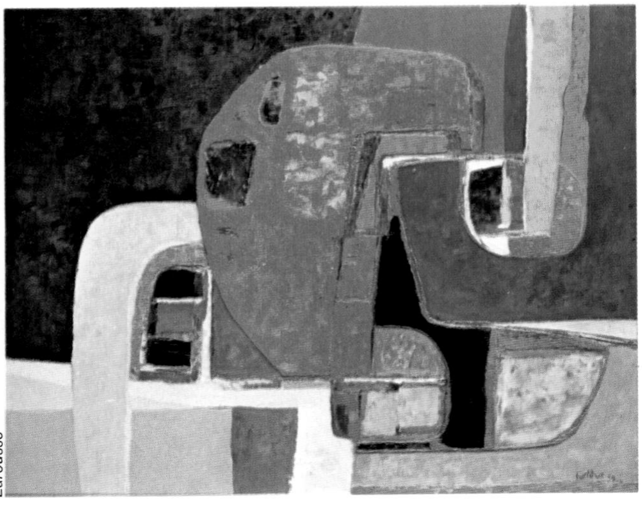
Maurice **Estève** : *Copenhague,* 1959. (Coll. priv.)

Larousse

souvent à un ulcère ou à un cancer. Elles se traduisent par un vomissement sanglant (hématémèse) ou des selles noires (melæna).

Les *ulcères* de l'estomac* sont cause de crises douloureuses périodiques, rythmées par les repas.

Les *tumeurs bénignes* sont très rares et reconnues par l'examen histologique.

Le *cancer de l'estomac,* dont les signes sont discrets au début (douleurs à type de crampes, pesanteurs) et souvent trompeurs (manque d'appétit, altération de l'état général), est le plus fréquent des cancers digestifs. Il est rarement révélé par des hémorragies digestives. L'examen radiographique facilite le diagnostic en montrant des images lacunaires, des raideurs localisées. La gastroscopie permet d'observer la tumeur et souvent d'en faire la biopsie. Le traitement est chirurgical : gastrectomie subtotale ou totale élargie suivant l'extension de la tumeur.

Les *gastrites* correspondent à une inflammation de la muqueuse de l'estomac. Les *gastrites aiguës* s'accompagnent presque toujours d'une atteinte de l'intestin grêle (gastro-entérite). Les causes sont infectieuses et alimentaires (indigestion). On peut leur rattacher le classique « embarras gastrique », qui se manifeste par des gastralgies accompagnées de vomissements et de diarrhée. Les *gastrites chroniques* se manifestent par des douleurs épigastriques, des troubles dyspeptiques. La radiographie montre l'existence de gros plis, de « spicules » témoins d'érosions superficielles. La gastroscopie confirme le diagnostic. Le traitement comprend les pansements gastriques, les anticholinergiques (atropine), la suppression de l'alcool, du tabac, des épices.

ESTOMAQUER v. t. *Fam.* Causer une vive surprise à qqn en le choquant; scandaliser : *cette nouvelle l'a estomaqué.*

ESTOMPAGE ou **ESTOMPEMENT** n. m. Action d'estomper; caractère de ce qui est estompé.

ESTOMPE n. f. (néerl. *stomp,* bout). Peau, papier roulé en pointe pour estomper un dessin. ‖ Ce dessin lui-même.

ESTOMPER v. t. Étaler les traits de crayon d'un dessin de façon dégradée. ‖ Couvrir d'une ombre légèrement dégradée. ◆ **s'estomper** v. pr. S'effacer; devenir flou : *souvenirs qui s'estompent.*

ESTONIE, en estonien **Eesti,** république fédérée de l'U. R. S. S., sur la Baltique; 45 100 km²; 1 500 000 hab. *(Estoniens).* Capit. *Tallin.*

GÉOGRAPHIE. Pays plat, souvent marécageux, l'Estonie est la moins peuplée des républiques fédérées de l'U. R. S. S. C'est un territoire encore à dominante agricole (pomme de terre, lin, cultures fourragères, exploitation de la forêt, élevage bovin et porcin) malgré les progrès de l'industrie qui bénéficie de l'exploitation de schistes bitumineux. La capitale est la seule ville dépassant 100 000 habitants.

HISTOIRE. L'Estonie, peuplée de Finno-Ougriens, est soumise du IXe au XIIIe s. aux invasions des Vikings, des Danois, des Suédois, des Russes et des Allemands. Les chevaliers Porte-Glaive* et les Danois achèvent en 1227 la conquête du pays, qu'ils convertissent au christianisme. L'ordre Teutonique* acquiert en 1346 la région contrôlée par les Danois. Les colons allemands réduisent les paysans estoniens au servage. Au XVIe s., le pays est partagé entre la Pologne — qui acquiert la Livonie* en 1561 — et la Suède. Les Suédois sont les maîtres de toute l'Estonie de 1629 à 1721. La paix de Nystad* (1721) attribue l'Estonie aux Russes, qui favorisent les barons baltes. Au XIXe s. se développe un mouvement nationaliste. En 1920, les Soviétiques reconnaissent l'indépendance de l'Estonie. L'U. R. S. S. annexe l'Estonie en 1940 et y instaure une république socialiste soviétique, occupée par les Allemands de 1941 à 1944.

ESTONIEN, ENNE ou **ESTE** adj. et n. De l'Estonie.

ESTONIEN n. m. Langue finno-ougrienne parlée en Estonie.

ESTOPPEL n. m. *Dr. intern.* Objection s'opposant à ce que, au cours d'une instance, une partie soutienne une position qui, bien qu'éventuellement conforme à la réalité, contredit une position antérieurement soutenue ou qu'elle prétend soutenir au cours de la même instance.

ESTOQUER v. t. Porter l'estocade au taureau.

ESTOURBIR v. t. (all. *gestorben,* mort). *Pop.* Assommer, tuer.

ESTRADE n. f. (esp. *estrado;* lat. *stratum,* ce qui est étendu). Petit plancher surélevé pour y placer des sièges, une table.

ESTRADIOT n. m. → STRADIOT.

ESTRAGON n. m. (mot ar.). Plante potagère aromatique. (Famille des composées.)

ESTRAMAÇON n. m. (it. *stramazzone;* de *mazza,* masse). Épée longue, à deux tranchants (XVIe et XVIIe s.).

ESTRAN n. m. (angl. *strand,* rivage). *Géogr.* Portion du littoral comprise entre les plus hautes et les plus basses mers.

ESTRAPADE n. f. (it. *strappata*). Supplice qui

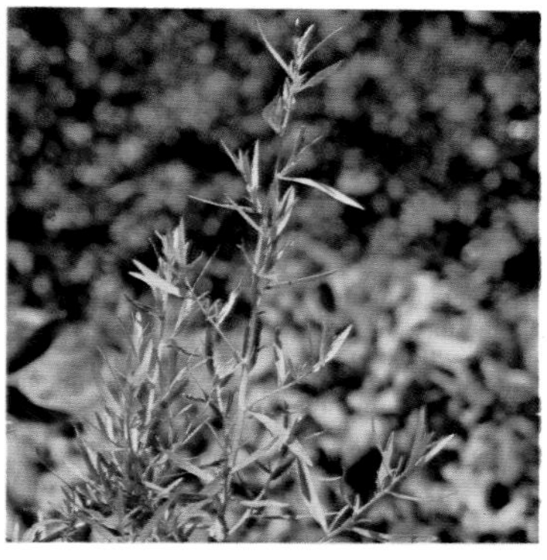

F. Varin

estragon

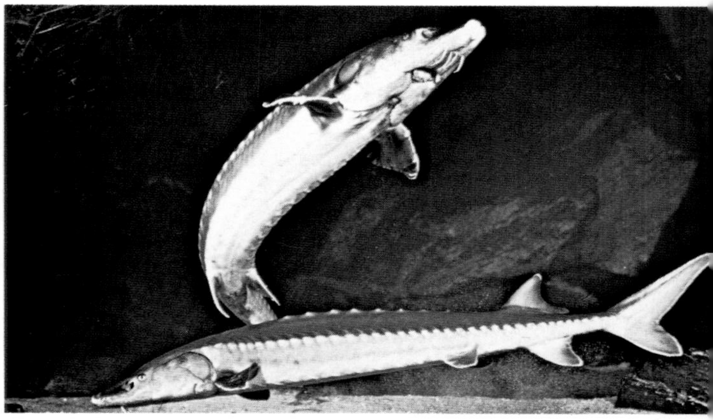

J. Six

esturgeons

consistait à hisser le coupable à une certaine hauteur, puis à le laisser tomber plusieurs fois; mât, potence servant à ce supplice.

ESTRAPASSER v. t. *Équit.* Harasser un cheval en lui faisant faire un trop long manège.

ESTRÉES (Gabrielle D') [château de Cœuvres, Picardie, 1573 - Paris 1599]. Maîtresse d'Henri IV, elle lui laissa trois enfants, dont César, duc de Vendôme.

ESTRÉES-SAINT-DENIS (60190), ch.-l. de cant. de l'Oise, à 17 km à l'O. de Compiègne; 3 547 hab. *(Dionysiens).*

ESTRELA *(serra da),* chaîne de montagnes du Portugal central; 1 981 m (point culminant du pays).

ESTRÉMADURE, en esp. **Extremadura,** région de l'Espagne formée des provinces de Badajoz et de Cáceres et constituant une communauté autonome; 41 602 km²; 1 065 000 hab. À l'ouest de la Nouvelle-Castille, l'Estrémadure est une terre au climat rude et aux sols médiocres, dont l'élevage ovin et porcin et parfois les céréales constituent les seules ressources. Les progrès de l'irrigation (plan de Badajoz) ne suffisent pas à retenir une population parmi les moins denses d'Espagne.

ESTRÉMADURE, en portug. **Estremadura,** région du Portugal central comprise entre l'Atlantique et le cours inférieur du Tage, correspondant partiellement aux actuels districts de Lisbonne, de Santarém et de Leiria.

ESTRIE, autre nom des CANTONS DE L'EST.

ESTROPE n. f. (lat. *stroppus,* corde). *Mar.* Ceinture en filin avec laquelle on entoure une poulie et qui sert à la suspendre ou à la fixer.

ESTROPIÉ, E adj. et n. Se dit de qqn privé de l'usage d'un ou de plusieurs membres.

ESTROPIER v. t. (it. *stroppiare*). Priver de l'usage normal d'un ou de plusieurs membres. ‖ Altérer, écorcher dans la prononciation ou l'orthographe : *estropier un nom.*

ESTUAIRE n. m. (lat. *aestus,* marée). Embouchure d'un fleuve où se font sentir les marées.

ESTUDIANTIN, E adj. Relatif aux étudiants : *vie estudiantine.*

ESTURGEON n. m. (mot francique). Poisson chondrostéen à bouche ventrale et à cinq rangées longitudinales de plaques. (Chaque femelle, qui peut atteindre 6 m de long et 200 kg, pond dans les grands cours d'eau de 3 à 4 millions d'œufs, que l'on consomme sous le nom de *caviar;* les jeunes passent un ou deux ans dans les estuaires, avant d'achever leur croissance en mer.)

ESZTERGOM, v. de Hongrie, sur le Danube, au N.-O. de Budapest; 31 000 hab. Restes du palais royal (XIe-XIIe s.) avec fresques de la Renaissance (XVe s.). Cathédrale néoclassique (1822) avec chapelle Renaissance de l'édifice précédent et très important trésor. Vieille ville baroque (XVIIIe s.). Musée historique et Musée chrétien.

ET conj. (lat. *et*). Indique la liaison (addition, opposition, conséquence) entre deux mots ou deux propositions de même fonction. ● *Et/ou,* formule indiquant que les deux termes coordonnés le sont, au choix, soit par *et,* soit par *ou.*

ÊTA n. m. Septième lettre (η) de l'alphabet grec, notant un ê long.

E. T. A., sigle de *Euzkadi Ta Askatasuna,* « le Pays basque et sa liberté », mouvement nationaliste du Pays basque, fondé en 1956. La majorité de l'E. T. A. signe avec Madrid l'accord sur l'autonomie du Pays basque (1979), tandis qu'une branche « politico-militaire » continue de s'opposer au gouvernement central.

ÉTABLE n. f. (lat. *stabulum*). Bâtiment destiné au logement des bovins.

ÉTABLES-SUR-MER (22680), ch.-l. de cant. des Côtes-du-Nord, à 18 km au N. de Saint-Brieuc; 2 039 hab. *(Tagarins).*

ÉTABLI n. m. Table de travail des menuisiers, des ajusteurs, des tailleurs, etc.

ÉTABLIR v. t. (lat. *stabilire;* de *stabilis,* stable). Fixer, installer dans un lieu, une position : *établir sa demeure.* ‖ Instituer, mettre en vigueur : *établir un usage.* ‖ *Litt.* Pourvoir d'une fonction, d'un emploi : *établir ses enfants.* ‖ Démontrer la réalité, prouver : *établir un fait.* ◆ **s'établir** v. pr. Fixer sa demeure, son commerce, son activité.

ÉTABLISSEMENT n. m. Action d'établir : *l'établissement d'une république.* ‖ Maison où se donne un enseignement (école, collège, lycée). ‖ Exploitation commerciale ou industrielle ne disposant ni d'une personnalité juridique ni de l'autonomie financière. ● *Établissement classé,* établissement affecté à une industrie dangereuse ou incommode pour le voisinage. ‖ *Établissement financier,* entreprise qui, sans posséder la qualification de banque, participe à des opérations comme le financement de ventes à crédit, les opérations sur titres, le crédit-bail, etc. ‖ *Établissement public,* personne morale de droit public, généralement chargée d'assurer un service public, et dotée d'un budget et d'un patrimoine propres. ‖ *Établissement d'utilité publique,* organisme privé ayant un but d'intérêt général.

établissement *(Acte d'),* loi *(Act of Settlement)* qui, votée par le Parlement anglais en 1701, assurait une succession protestante au trône en cas de disparition sans enfants de Guillaume* III et de sa belle-sœur Anne*. C'est en vertu de cet acte qu'en 1714 la dynastie hanovrienne succéda aux Stuarts*.

Établissements de Saint Louis, recueil des coutumes de Touraine et d'Anjou rédigé vers 1270. Cette œuvre privée et anonyme doit son nom au fait qu'elle débutait par la transcription des deux ordonnances (établissements) de Saint Louis sur diverses questions de procédure. D'excellente qualité, elle fut utilisée dans de nombreuses régions de France (Maine, Poitou, Champagne).

ÉTABLISSEMENTS FRANÇAIS DANS L'INDE → INDE FRANÇAISE.

ÉTAGE n. m. (lat. *stare,* se tenir debout). Dans un bâtiment, espace habitable délimité par des divisions horizontales, planchers ou voûtes (dans le décompte des étages, le rez-de-chaussée n'est pas compris). ‖ Chacune des divisions d'une chose formée de parties superposées : *compresseur à neuf étages.* ‖ Division d'une période géologique, correspondant à un ensemble de terrains de même âge. ● *De bas étage,* de qualité médiocre.

ÉTAGEMENT n. m. Action d'étager; disposition en étages.

ÉTAGER v. t. (conj. **1**). Mettre à des niveaux différents, échelonner, superposer. ◆ **s'étager** v. pr. Être disposé par rangs superposés.

ÉTAGÈRE n. f. Tablette fixée horizontalement sur un mur. ‖ Meuble formé d'un ensemble de tablettes superposées.

ÉTAI [etɛ] n. m. (mot francique). Élément constitutif d'un étaiement.

ÉTAI [etɛ] n. m. (anc. angl. *staeg*). *Mar.* Cordage destiné à consolider un mât.

ÉTAIEMENT [etɛmɑ̃] ou **ÉTAYAGE** n. m. Action d'étayer. ‖ Ouvrage provisoire en charpente, destiné à soutenir ou à épauler une construction.

ÉTAIN n. m. (lat. *stagnum;* de *stannum,* plomb argentifère). Métal usuel, nº 50, de masse atomique 118,69, blanc, relativement léger et très malléable. ‖ Objet en étain.

■ Employé, sous forme de bronze, dès le IIIe millénaire, l'étain était connu comme métal au début de notre ère. Il est le plus fusible des métaux usuels (point de fusion, 232 °C) et a pour densité 7,2. À froid, il peut prendre une autre forme allotropique, l'étain gris, de densité 5,8. Il n'est pas oxydé par l'air à la température ordinaire.

Bivalent dans les composés *stanneux,* comme l'oxyde SnO et le chlorure $SnCl_2$, il est quadrivalent dans les composés *stanniques* (SnO_2, $SnCl_4$). Ces composés ne sont pas toxiques.

L'étain est extrait de son principal minerai, la *cassitérite* (SnO_2), par des traitements successifs d'enrichissement, de grillage et de réduction par le carbone. En raison de sa résistance à certains agents corrosifs, le métal pur est utilisé sous forme de revêtement pour le matériel de cuisine, dans les industries alimentaire et pharmaceutique ainsi que pour la protection de pièces mécaniques. L'étamage de l'acier (fer-blanc) se pratique soit *au trempé,* par immersion des pièces dans un bain de métal fondu, soit par *électrolyse* (étamage en continu de feuillard d'acier). L'étain entre dans la composition des alliages soit comme élément de base, soit comme addition, en raison de sa fusibilité (soudures, caractères d'imprimerie), de son faible coefficient de frottement (alliages antifriction avec le plomb et l'antimoine), de sa facilité de moulage et de formage (vaisselle, objets d'art) ainsi que de son action durcissante (bronzes).

Stagnante, la production mondiale oscille annuellement entre 200 000 et 250 000 t, assurée pour plus de moitié par l'Asie du Sud-Est (Malaysia [le tiers de la production mondiale], Indonésie et Thaïlande). La Bolivie, la Chine, puis l'U. R. S. S. et l'Australie sont les autres producteurs notables.

ÉTAIN (55400), ch.-l. de cant. de la Meuse, à 20 km au N.-E. de Verdun, sur l'Orne; 3 811 hab. Église des XIIIe-XVe s., très restaurée.

ÉTAL n. m. (mot francique) [pl. *étaux* ou *étals*]. Table sur laquelle on débite de la viande de boucherie. ‖ Table où l'on dispose les marchandises dans les marchés.

ÉTALAGE n. m. Disposition des marchandises, de la devanture. ‖ Ensemble de ces marchandises. ‖ Lieu où on les expose, devanture : *décoration de l'étalage.* ‖ Action de montrer avec ostentation, par vanité : *faire étalage de sa richesse, de son érudition.* ◆ pl. Partie d'un haut fourneau qui se trouve au-dessous du ventre et au-dessus de la région des tuyères.

ÉTALAGER v. t. (conj. **1**). Disposer en étalage.

ÉTALAGISTE n. Décorateur sachant mettre en valeur un étalage par sa présentation et sa décoration. ‖ Vendeur exerçant son activité à l'étalage.

ÉTALE adj. Sans mouvement, immobile : *navire étale.* ● *Mer* ou *cours d'eau étale,* mer ou cours d'eau qui ne monte ni ne descend.

ÉTALE n. m. Moment où la mer ne monte ni ne baisse.

ÉTALEMENT n. m. Action d'étaler.

ÉTALER v. t. Exposer pour la vente : *étaler des marchandises.* ‖ Disposer à plat en éparpillant, en déployant : *étaler une carte.* ‖ Appliquer une couche fine : *étaler de la peinture sur un mur.* ‖ Répartir dans le temps : *étaler des paiements, les vacances.* ‖ Montrer avec ostentation : *étaler ses connaissances.* ● *Étaler son jeu,* montrer toutes ses cartes. ‖ *Étaler le vent* (Mar.), lui résister. ◆ **s'étaler** v. pr. *Fam.* S'étendre, tomber : *s'étaler sur l'herbe.* ‖ Prendre de la place.

ÉTALIER, ÈRE adj. et n. Qui tient un étal pour le compte d'un maître boucher.

ÉTALON n. m. (anc. fr. *estel,* pieu). *Métrol.* Norme en général. ● *Étalon de mesure,* modèle servant à définir une unité de grandeur. ‖ *Étalon monétaire,* valeur ou métal, adopté par un ou plusieurs pays comme pivot de leur système monétaire. (Ce peut être une monnaie.)

ÉTALON n. m. (mot francique). Cheval entier spécialement destiné à la reproduction.

ÉTALONNAGE ou **ÉTALONNEMENT** n. m. Action d'étalonner.

ÉTALONNER v. t. Vérifier, par comparaison avec un étalon, l'exactitude des indications d'un instrument de mesure. ‖ Établir la graduation d'un instrument. ‖ Appliquer un test psychologique à un groupe de référence et lui donner des valeurs chiffrées en fonction de la répartition statistique des résultats. ‖ Assurer l'unité ou l'équilibre photographique d'un film.

ÉTAMAGE n. m. Action d'étamer.

ÉTAMBOT n. m. (mot scandin.). *Mar.* Pièce de bois ou de métal formant la limite arrière de la carène.

ÉTAMBRAI n. m. *Mar.* Pièce soutenant un mât à hauteur du pont.

ÉTAMER v. t. (de *étain*). Recouvrir d'une couche d'étain. ‖ Mettre le tain à une glace.

ÉTAMEUR n. m. Ouvrier qui étame.

ÉTAMINE n. f. (lat. *stamineus,* fait de fil). Petite étoffe mince non croisée. ‖ Tissu non croisé, de crin, de soie, etc., pour passer au tamis.

ÉTAMINE n. f. (lat. *stamina*). Organe sexuel mâle des végétaux à fleurs, comprenant une partie grêle, le *filet,* et une partie renflée, *l'anthère,* qui renferme le pollen.

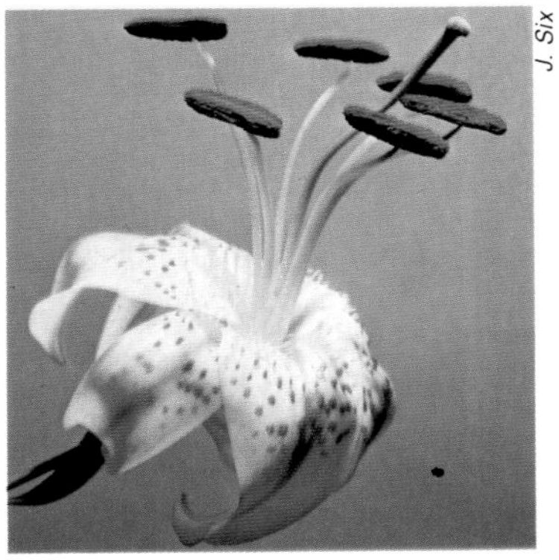

J. Six

étamines

ÉTAMPAGE n. m. Action d'étamper.

ÉTAMPE n. f. Outil en acier analogue à une matrice, servant à produire des empreintes sur des pièces métalliques à chaud ou à froid.

ÉTAMPER v. t. Exécuter un travail à l'étampe.

ÉTAMPES (91150), ch.-l. d'arr. de l'Essonne, sur la Juine, à l'extrémité nord-est de la Beauce; 19 491 hab. *(Étampois).* Restes du donjon royal quadrilobé du XIIe s. Quatre importantes églises aux éléments s'échelonnant du XIe au XVIe s. Hôtel de ville en partie du XVIe s.

ÉTAMPEUR n. m. Ouvrier qui réalise à la machine des pièces de forge diverses.

ÉTANCHE adj. Qui retient bien les fluides, ne les laisse pas pénétrer ou s'écouler. ‖ Qui maintient une séparation absolue : *les cloisons étanches entre les classes sociales.* ● *Porte étanche,* porte métallique fermant hermétiquement une ouverture pratiquée dans une cloison étanche.

ÉTANCHÉITÉ n. f. Qualité de ce qui est étanche.

ÉTANCHEMENT n. m. Action d'étancher.

ÉTANCHER v. t. (lat. *stare,* s'arrêter). Arrêter l'écoulement d'un liquide : *étancher le sang.* ‖ Rendre étanche : *étancher un tonneau.* ● *Étancher la soif,* l'apaiser en buvant.

ÉTANÇON n. m. (lat. *stare,* se tenir debout). Pièce en bois ou en acier soutenant ou appuyant un mur, un plancher, les flancs d'une tranchée, etc. ‖ Pièce d'assemblage dans les charrues.

ÉTANÇONNEMENT n. m. Action d'étançonner.

ÉTANÇONNER v. t. Soutenir avec des étançons; étayer.

ÉTANG n. m. (anc. fr. *estanchier,* arrêter l'eau). Étendue d'eau stagnante, naturelle ou artificielle.

ÉTANG-SALÉ (L') [97427], ch.-l. de cant. de la Réunion; 7 479 hab.

ÉTANT n. m. *Philos.* Être en tant qu'il existe.

ÉTAPE n. f. (moyen néerl. *stapel,* entrepôt). Lieu où s'arrête une troupe en mouvement, une équipe de coureurs cyclistes, etc., avant de repartir. ‖ Distance d'un de ces lieux à un autre; épreuve sportive consistant à franchir cette distance : *gagner une étape.* ‖ Période, degré : *procéder par étapes.*

Étapes de la croissance économique *(les),* ouvrage de l'économiste américain W. W. Rostow (1960). Il définit les phases successives par lesquelles passe le développement économique : la société traditionnelle, les conditions préalables au démarrage, le démarrage, le progrès vers la maturité et l'ère de la consommation de masse.

ÉTAPLES (62630), ch.-l. de cant. du Pas-de-Calais, à l'embouchure de la Canche, à 5 km à l'E. du Touquet; 11 310 hab. Industrie automobile. — Ce fut le principal port des flottes du Nord du roi Philippe Auguste. Par la *paix d'Étaples,* conclue avec le roi de France Charles VIII, Henri VII d'Angleterre s'engagea à lever le siège de Boulogne (1492).

ÉTARQUER v. t. *Mar.* Raidir, tendre le plus possible : *étarquer un foc.*

ÉTAT n. m. (lat. *status*). Manière d'être, situation d'une personne ou d'une chose : *état de santé; bâtiment en mauvais état.* ‖ Manière d'être d'un corps relative à sa cohésion, sa fluidité, l'arrangement ou l'ionisation de ses atomes (état solide, état cristallin, etc.). ‖ Ensemble des données caractéristiques d'un système thermodynamique ou cybernétique. ‖ Liste énumérative, inventaire, compte : *état du personnel, des dépenses.* ‖ *Litt.* Condition sociale, profession : *état militaire.* ‖ *Litt.* Forme de gouvernement : *état républicain.* ● *Équation d'état* (Phys.), équation entre les grandeurs qui définissent l'état d'un corps pur. ‖ *État d'âme,* disposition particulière de l'humeur. ‖ *État de choses,* circonstances, conjonctures particulières. ‖ *État civil,* condition des individus en ce qui touche les relations de famille, la naissance, le mariage, le décès, etc. ‖ *État des lieux,* acte intervenant entre le propriétaire et le locataire d'une maison, d'un appartement, à l'effet d'en constater l'état lors de l'entrée du locataire et lors de son départ. ‖ *État de nature,* état hypothétique de l'humanité, logiquement antérieur à la vie en société. ‖ *État des personnes,* ce qui caractérise l'existence juridique, la situation familiale des personnes. ‖ *Être en état de,* être capable de. ‖ *Être hors d'état de,* être dans l'incapacité de. ‖ *Faire état de,* tenir compte de; s'appuyer sur; citer. ‖ *Tenir en état,* conserver, réparer. ◆ pl. *États généraux,* sous l'Ancien Régime, assemblées convoquées par le roi de France pour traiter des affaires importantes concernant l'État. ‖ *États provinciaux,* sous l'Ancien Régime, assemblées périodiques des représentants des trois ordres de certaines provinces dites *pays d'état.*

■ *États généraux.* La première assemblée répondant vraiment à cette définition se tient en 1347. Devenant rouage administratif destiné à obtenir des subsides pour la royauté, les états généraux s'organisent au XVIe s. Mais la monarchie absolue enracinée par Louis XIV est naturellement hostile à ce genre de consultations. Aussi n'y a-t-il pas de réunion des états généraux entre 1614 et 1789.

Les États généraux de 1789 jouent un rôle capital, car leur convocation — qu'accompagne la mise au point des cahiers* de doléances — souligne la faiblesse de la royauté et la force des idées nouvelles, notamment dans le tiers état, qui obtient la double représentation. Réunis à Versailles le 5 mai 1789, les 1 139 députés restent longtemps dans l'expectative, le roi ne prenant aucune initiative majeure et la noblesse multipliant les atermoiements.

Le passage d'une partie du clergé dans les rangs du tiers (12-16 juin) précipite le ralliement d'une partie notable des privilégiés à la cause du tiers. Le 27 juin, Louis XVI est mis devant le fait accompli : la réunion des trois ordres en une seule assemblée qui, en se proclamant, le 9 juillet, Assemblée constituante*, fait vraiment entrer la France dans la Révolution.

■ *États provinciaux.* Leur généralisation, au milieu du XIVe s., fut principalement due à la nécessité pour la royauté d'organiser la défense des pays contre l'envahisseur anglais et d'obtenir de ces régions les subsides indispensables. Cependant, le renforcement progressif de l'absolutisme royal diminua leur rôle et provoqua leur disparition en de nombreuses régions. Seules neuf provinces (Languedoc, Bourgogne, Bretagne, Provence, Dauphiné, Artois, Hainaut, Cambrésis, Flandre), appelées « pays d'état » par opposition aux « pays d'élection », conservèrent cette organisation.

ÉTAT n. m. Entité politique présidant aux destinées collectives d'une société et exerçant, à ce titre, le pouvoir légal. ● *Affaire d'État,* affaire importante. ‖ *Appareil d'État,* pour les marxistes, institution politique ou juridique aux mains d'une classe sociale. ‖ *Coup d'État,* action d'une autorité qui viole les formes constitutionnelles; conquête du pouvoir politique par des moyens illégaux. ‖ *Homme d'État,* homme qui participe à la direction de l'État ou exerce un rôle politique important. ‖ *Raison d'État,* considération de l'intérêt public au nom duquel est justifiée une action le plus souvent injuste.

■ La catégorie *politique* d'État est issue des catégories de cité, de république, de corps politique et de la notion juridique d'État *(Du contrat social).* Produit des volontés individuelles, l'État est aussi défini comme l'instance où se réalise l'union de ces volontés. Rompant avec la problématique du contrat, Hegel distingue l'État de la société civile ou « sphère des besoins » et le conçoit comme la « substance éthique consciente d'elle-même ». L'État n'est plus seulement rationnel, mais historique. L'exercice de la violence est une de ses prérogatives majeures. Dès lors, ce sont les rapports qui lient l'État aux individus qui deviennent le problème principal sur lequel se heurtent le libéralisme et l'anarchisme.

Pour Marx et les marxistes, l'État n'est pas au-dessus, mais dans la lutte de classes : il est l'ensemble des institutions dont se sert une classe pour en opprimer une autre (administration, justice, police, armée, éducation, information). Au terme de la dictature du prolétariat, c'est-à-dire lors du passage du socialisme au communisme, il doit s'éteindre : « Le gouvernement des personnes fait place à l'administration des choses. »

État et la révolution *(l'),* ouvrage de Lénine écrit en août 1917 et dans lequel l'auteur reprend et développe les thèses de Marx et d'Engels sur la nécessité, pour le prolétariat, de « démolir la machine de l'État bourgeois » afin d'établir la dictature* du prolétariat.

ÉTAT FRANÇAIS, régime politique institué en France par le maréchal Pétain* après la défaite de 1940. (V. VICHY [*gouvernement de*].)

ÉTATIQUE adj. Relatif à l'État.

ÉTATISATION n. f. Action d'étatiser.

ÉTATISER v. t. Faire administrer par l'État.

ÉTATISME n. m. Système politique dans lequel l'État intervient directement dans le domaine économique et social.

ÉTATISTE adj. et n. Relatif à l'étatisme; partisan de l'étatisme.

ÉTAT-MAJOR n. m. (pl. *états-majors*). Groupe d'officiers chargés d'assister un chef militaire dans l'exercice de son commandement; lieu où il se réunit. ‖ Ensemble des collaborateurs les plus proches d'un chef, des personnes les plus importantes d'un groupe : *l'état-major d'un ministre, d'un parti.*

ÉTATS DE L'ÉGLISE ou **ÉTATS PONTIFICAUX,** nom donné à la partie centrale de l'Italie tant qu'elle fut sous la domination des papes (756-1870).

À l'origine des États de l'Église, il y eut les biens, dits « Patrimoine de saint Pierre », dont les empereurs et les fidèles comblèrent l'Église, notamment autour de Rome. Mais ce qu'on a appelé « donation de Constantin » est un faux qui reflète la croyance générale à une donation de cet empereur au pape Sylvestre Ier. Les domaines de la papauté s'accroissent grâce aux Carolingiens (IXe s.), puis aux donations de la comtesse Mathilde de Toscane (1077), atteignant même le bassin inférieur du Pô. Les papes de la Renaissance s'efforcent, de leur côté, de récupérer — la plupart du temps avec l'aide au moins morale de la monarchie française — nombre de petites villes romagnoles et de la marche d'Ancône. En 1798, Pie VI est dépossédé par les Français, qui créent l'éphémère République romaine. Pie VII recouvre ses États, moins les légations (1800), jusqu'à ce que Napoléon Ier le dépouille de ses domaines (1807-1809), qui sont incorporés au royaume d'Italie ou à l'Empire français. Sous les pontificats suivants, les États de l'Église restent frappés d'immobilisme politique et social, cependant qu'un courant libéral s'y développe. Pie IX (de 1846 à 1878) semble d'abord devoir donner satisfaction à ce mouvement; mais la proclamation de la République romaine en 1849 l'amène à durcir sa position et à s'exiler. Rentré à Rome (1850) sous la protection des troupes françaises, il rétablit le *statu quo.* Cependant, le parachèvement de l'unité italienne est inévitable : la prise de Rome, le 20 septembre 1870, par les Italiens met fin en fait aux États de l'Église. Pie IX et ses trois successeurs immédiats se considéreront comme prisonniers au Vatican, situation à laquelle Pie XI et Mussolini mettent fin en signant, le 11 février 1929, les accords du Latran*, qui créent l'État du Vatican*.

ÉTATS-UNIS, en angl. **United States of America,** république fédérale de l'Amérique du Nord comprenant 50 États, le district fédéral de Columbia, les territoires extérieurs (îles Vierges américaines, Samoa américaines, Guam et l'État associé de Porto Rico); 9 364 000 km² (sans les territoires extérieurs); 241 000 000 d'hab. *(Américains).* Capit. *Washington.*

GÉOGRAPHIE. Les États-Unis se placent au troisième rang mondial par la superficie et au quatrième par la population. Ils bénéficient d'un vaste territoire, aux conditions naturelles et aux ressources variées, dont ils ont su tirer parti, et constituent indiscutablement la première puissance économique du monde. Les firmes américaines contrôlent non seulement la production intérieure, mais encore, dans une large mesure, les marchés internationaux, voire l'économie entière de certains pays. Aussi les fluctuations de l'économie américaine intéressent-elles l'ensemble du monde occidental.

● *Le milieu naturel.* Le pays s'étend sur trois vastes ensembles de relief.

À l'E., la plaine côtière de l'Atlantique, qui s'élargit de la frontière canadienne à la Floride, est bordée par le massif des Appalaches*. Celui-ci s'étire du N. au S. sur environ 2 000 km aux États-Unis, en une succession de chaînes (Adirondacks, montagnes Bleues) et de plateaux (Allegheny, Cumberland). Ce massif ancien raboté par l'érosion, puis rajeuni, présente un relief marqué par l'alternance de crêtes de roches dures et de dépressions évidées dans les roches tendres, entaillées par de profondes gorges.

Tout le centre du pays est occupé par une vaste dépression sédimentaire au relief très monotone. La forte empreinte glaciaire qui caractérise le nord de ce couloir de plaines (région des Grands Lacs) disparaît dans les plaines centrales du Mississippi et du Missouri, qui s'élargissent au S. vers la côte du golfe du Mexique, basse et marécageuse. Vers l'O., la

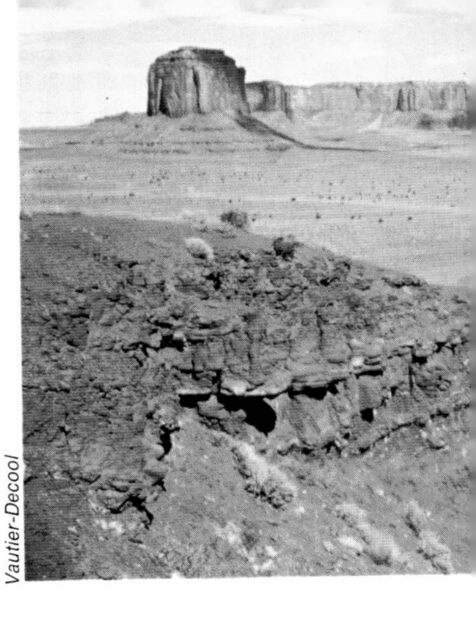

Vautier-Decool

dépression se relève dans les Grandes Plaines jusqu'à la bordure des Rocheuses.

Le système dit « des Rocheuses » occupe tout l'ouest du pays. Les montagnes Rocheuses proprement dites, à l'E., et la chaîne des Cascades et la sierra Nevada (4 418 m, au mont Whitney), à l'O., encadrent une succession de hauts plateaux (Grand Bassin, Colorado), accidentés de profonds fossés (Vallée de la Mort, Grand Canyon du Colorado). Une dépression discontinue (Vallée Centrale de Californie) sépare ces reliefs de la Chaîne Côtière qui borde l'étroite plaine littorale sur le Pacifique.

La disposition du relief influe sur la répartition des climats. Seule la côte pacifique reçoit les influences d'ouest. Elle connaît un climat océanique au N., couvert de forêts de conifères, et méditerranéen au S., en Californie. À l'exception de la côte du golfe du Mexique, au climat subtropical, le reste du pays est marqué par la continentalité. Le volume des précipitations diminue de l'E. vers le centre, expliquant le passage de la forêt à feuilles caduques des Appalaches à la prairie des Grandes Plaines. À l'abri de toute influence maritime, les hauts plateaux des Rocheuses subissent un climat à tendance désertique. (V. carte p. 518.)

● *La population.* Les Indiens, population autochtone, le plus souvent cantonnés dans des réserves, constituent moins de 1 p. 100 des habitants. L'essentiel du peuplement trouve son origine dans l'immigration européenne. Celle-ci a débuté dès le XVIIe s., mais elle s'est intensifiée au XIXe. Elle s'est effectuée par vagues successives, comprenant d'abord des Anglo-Saxons, puis des Scandinaves et enfin des Italiens et des Slaves. Ces différentes nationalités se sont assez rapidement mêlées pour former la nation américaine. Numériquement, les Noirs (descendants des esclaves amenés d'Afrique pour travailler dans les plantations du Sud) constituent le second groupe, et leur importance relative (12 p. 100 de la population totale) tend à augmenter par suite de leur plus rapide accroissement démographique. Les Hispano-Américains sont près de 10 millions et les Asiatiques environ 3 millions.

Longtemps dû à l'immigration, l'accroissement de la population dépend maintenant essentiellement de l'excédent réduit des naissances sur les décès. L'immigration est réglementée et limitée pratiquement aux habitants de l'Europe occidentale.

De faible densité moyenne (25), la population est très inégalement répartie. Elle se concentre surtout dans le Nord-Est, dans la région des Grands Lacs et sur la côte pacifique. La grande mobilité des habitants n'arrive guère à compenser l'inégalité du peuplement, due à des causes historiques et économiques. La forte urbanisation (plus des trois quarts des habitants résident dans des villes) est liée au développement industriel. De nombreuses agglomérations dépassent le million d'habitants.

● *L'économie.* Les États-Unis sont la première puissance économique mondiale. Leur mise en valeur s'est faite à partir de l'Est, point d'arrivée des colons européens. Elle a progressé parallèlement aux moyens de communication : le rôle de la voie ferrée a été essentiel dans la conquête de l'Ouest. Actuellement, le pays dispose d'un réseau routier et d'un réseau ferroviaire importants, surtout denses dans le Nord-Est, auxquels s'ajoutent les voies navigables des Grands Lacs (reliés à l'Hudson par le canal Érié) et du Mississippi. En raison des longues distances, l'avion joue un très grand rôle dans les liaisons intérieures.

L'*agriculture* occupe moins de 3 p. 100 de la population active. Fortement mécanisée, elle est caractérisée par des rendements très élevés et par la vaste taille des exploitations. Les diverses productions s'ordonnent partiellement en fonction du climat. L'élevage bovin (110 M de têtes, pour l'ensemble du pays) laitier domine dans le Nord-Est et dans la région des Grands Lacs. Des cultures maraîchères lui sont associées à proximité des grands centres urbains. La polyculture,

Monument Valley, en Arizona

ÉTATS-UNIS

le fleuve
Mississippi,
dans l'État
du même nom

Heilman-Holmès-Lebel

avec prédominance du tabac, caractérise la côte atlantique et les Appalaches. Le domaine du maïs (200 à 220 Mt) s'étend surtout sur les plaines du moyen Mississippi; il y est cultivé en association avec le soja et l'élevage de porcs (54 M de têtes) et de volailles. Le blé (60 Mt environ) domine dans les Grandes Plaines. La culture du coton (3 Mt) est pratiquée dans tout le Sud, à l'exception de la côte du golfe du Mexique et de la Floride, spécialisées dans les cultures tropicales (riz, canne à sucre, agrumes [10 Mt au total]). La Californie produit des fruits (agrumes, raisins) et des légumes; là sont aussi les principaux vignobles américains. L'exploitation de la forêt domine dans les régions fraîches et arrosées (Nord-Ouest, nord des Appalaches), alors que, dans les secteurs à tendance aride, on pratique un élevage bovin extensif.

L'immensité du territoire explique donc la variété des productions. Une diversification a été réalisée pour pallier les inconvénients de la monoculture. La production est largement excédentaire et une part notable est exportée.

Mais c'est l'*industrie* qui fait la puissance des États-Unis. L'industrialisation a débuté à la fin du XIXᵉ s. Elle s'est appuyée sur d'importantes ressources en matières premières et sur la présence de capitaux.

Les sources d'énergie sont abondantes. Le sous-sol (notamment les Appalaches) recèle du charbon (750 Mt) ainsi que du pétrole et du gaz naturel (Texas, Californie, Alaska) [au total environ 500 Mt de pétrole et près de 500 Gm³ de gaz naturel]. La mise en valeur du potentiel hydroélectrique est encore limitée (vallées du Tennessee, de la Columbia) et l'essentiel de l'électricité (environ 2 400 TWh) est d'origine thermique; la part du nucléaire s'accroît. Les minerais métallifères sont aussi nombreux : gisements de fer (31 Mt, extraits notamment près du lac

Supérieur), de cuivre (Montana, Arizona, Utah), zinc, plomb, bauxite, phosphates, or, etc. Malgré ces ressources variées, le pays importe des matières premières (fer, pétrole et gaz).

Toutes les branches industrielles sont représentées. Les activités se concentrent dans trois grands secteurs : le Nord-Est surtout (comprenant la région des Grands Lacs, le nord des Appalaches et la côte atlantique), le Sud (en particulier la côte du golfe du Mexique et la façade pacifique. La sidérurgie (70 à 90 Mt d'acier) se localise à proximité du charbon (Pittsburgh, région des Grands Lacs); elle alimente toute la gamme des industries de transformation, qui se placent au premier rang : constructions automobiles (environ 8 M de véhicules), aéronautiques, ferroviaires, etc. Les industries chimiques occupent le second rang; localisées dans le Nord-Est et au Texas, elles sont très diversifiées : production de matières plastiques, de caoutchouc synthétique, d'engrais, de produits pharmaceutiques, pétrochimie, etc. L'industrie textile se concentre en Nouvelle-Angleterre et surtout dans le Sud cotonnier. Les industries alimentaires reposent sur la transformation des produits agricoles : minoteries, conserveries (viande), laiteries (poudre de lait), sucreries, etc.

La puissance des différentes branches industrielles, qui occupent les premières places mondiales dans beaucoup de domaines, s'explique à la fois par les richesses naturelles et par la forte productivité, résultant d'une mécanisation très poussée et d'une haute technologie. Malgré les lois antitrusts, l'industrie est aux mains de gigantesques entreprises (General Motors, General Electric, Exxon, etc.).

La prospérité de l'économie repose également sur les échanges avec l'extérieur. Le pays importe des matières premières et exporte

des produits fabriqués. La balance commerciale, défavorisée par un dollar surévalué, est déficitaire. Le commerce extérieur s'effectue principalement avec les autres pays du continent américain, l'Europe occidentale et le Japon.

L'énorme volume de la production assure à la population américaine un niveau de vie très élevé (on compte, par exemple, 1 voiture pour 2 hab.), qui masque l'existence de couches de populations défavorisées (en particulier les Noirs). Cependant, l'économie, qui repose plus sur la consommation intérieure qu'extérieure, est sujette à des crises de surproduction, se traduisant par l'aggravation du chômage. Ces crises affectent également l'équilibre mondial en raison de l'emprise économique que les États-Unis exercent sur de nombreux pays.
HISTOIRE.

● *Des origines à l'indépendance.* À la fin du XVIᵉ s., le territoire de la future Union est à peu près vide d'Européens. Au XVIIᵉ s., la quête des fourrures, la curiosité et le zèle religieux déterminent, à partir du Canada français, une série d'expéditions qui sont à l'origine de la Louisiane*. Dans le même temps, des vagues d'émigrants venus d'Angleterre, d'Écosse ou d'Irlande, généralement poussés par des motifs religieux — anglicans, puritains, presbytériens, quakers, papistes, jacobites — déposent en Amérique du Nord plusieurs centaines de milliers de personnes, auxquelles il faut ajouter un nombre important de non-Britanniques — Allemands, Français, Hollandais, Scandinaves —, qui, entre 1607 (fondation de Jamestown) et 1733, fondent treize colonies anglaises, formant trois groupes : au nord, dans la Nouvelle-Angleterre, les colonies de New Hampshire, Massachusetts, Rhode Island, Connecticut prolongent, dans de grandes villes puritaines, l'activité capitaliste et bourgeoise de la métropole; au centre (New York,

Heilman-Holmès-Lebel

culture du blé en Pennsylvanie

New Jersey, Delaware, Pennsylvanie), le brassage des populations est plus important; au sud (Maryland, Virginie, les Carolines, Géorgie) s'implante une riche aristocratie de propriétaires fonciers qui, en 1760, font travailler près de 400 000 esclaves (Noirs importés d'Afrique). Le gouvernement de ces colonies — en fait très autonomes l'une par rapport à l'autre — est un compromis entre le centralisme métropolitain et le *self-government*.

Au XVIIIᵉ s., les colons américains font bloc avec Londres contre les menaces indienne, française (au Canada) et espagnole (en Floride). Mais la victoire anglaise à la fin de la guerre de Sept Ans (1763), en levant l'hypothèque française (le Canada devient britannique), donne aux colonies américaines le sentiment que le moment est venu d'obtenir une autonomie réelle et juridique. L'attitude de la métropole, qui, ruinée par la guerre, impose autoritairement à ses sujets américains une série de taxes et d'impôts ruineux et impopulaires, au point de provoquer un boycott systématique, oriente le mouvement autonomiste américain vers l'indépendance. Les répliques sanglantes des garnisons britanniques aux manifestations de rues (1770, 1775) provoquent la rupture des colonies avec la métropole. Le 4 juillet 1776, un congrès continental proclame l'indépendance des États-Unis; il met sur pied une armée qui, aidée par les Français (v. LA FAYETTE) et commandée par George Washington*, finit par battre les troupes royales. La paix de Paris (3 sept. 1783) reconnaît l'existence, de l'Atlantique au Mississippi et du nord de la Floride aux Grands Lacs, de la république fédérée des États-Unis.

● *De l'indépendance à la guerre de Sécession.* Dotée d'abord d'une constitution confédérale, élaborée dès 1778, mais peu consistante et sans contenu vraiment « national », la République, au milieu de mille difficultés, liées surtout aux réticences d'États qui veulent demeurer souve-

ENTRÉE DES ÉTATS DANS L'UNION

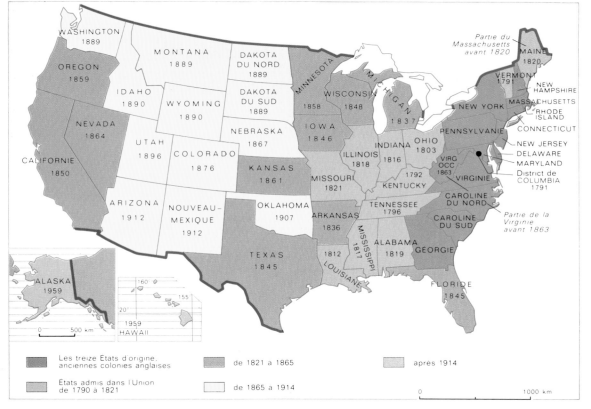

WASHINGTON 1889
OREGON 1859
MONTANA 1889
DAKOTA DU NORD 1889
Partie du Massachusetts avant 1820
MAINE 1820
IDAHO 1890
WYOMING 1890
DAKOTA DU SUD 1889
MINNESOTA 1858
WISCONSIN 1848
MICHIGAN 1837
VERMONT 1791
NEW HAMPSHIRE
MASSACHUSETTS
NEVADA 1864
UTAH 1896
COLORADO 1876
NEBRASKA 1867
IOWA 1846
ILLINOIS 1818
INDIANA 1816
OHIO 1803
NEW YORK
RHODE ISLAND
CONNECTICUT
PENNSYLVANIE
CALIFORNIE 1850
KANSAS 1861
MISSOURI 1821
KENTUCKY
VIRG OCC 1863
NEW JERSEY
DELAWARE
MARYLAND
District de COLUMBIA 1791
ARIZONA 1912
NOUVEAU-MEXIQUE 1912
OKLAHOMA 1907
ARKANSAS 1836
TENNESSEE 1796
VIRGINIE
CAROLINE DU NORD
Partie de la Virginie avant 1863
MISSISSIPPI 1817
ALABAMA 1819
GÉORGIE
CAROLINE DU SUD
TEXAS 1845
LOUISIANE 1812
FLORIDE 1845
ALASKA 1959
1959 HAWAII

0   500 km

0   1000 km

Les treize États d'origine, anciennes colonies anglaises

États admis dans l'Union de 1790 à 1821

de 1821 à 1865

de 1865 à 1914

après 1914

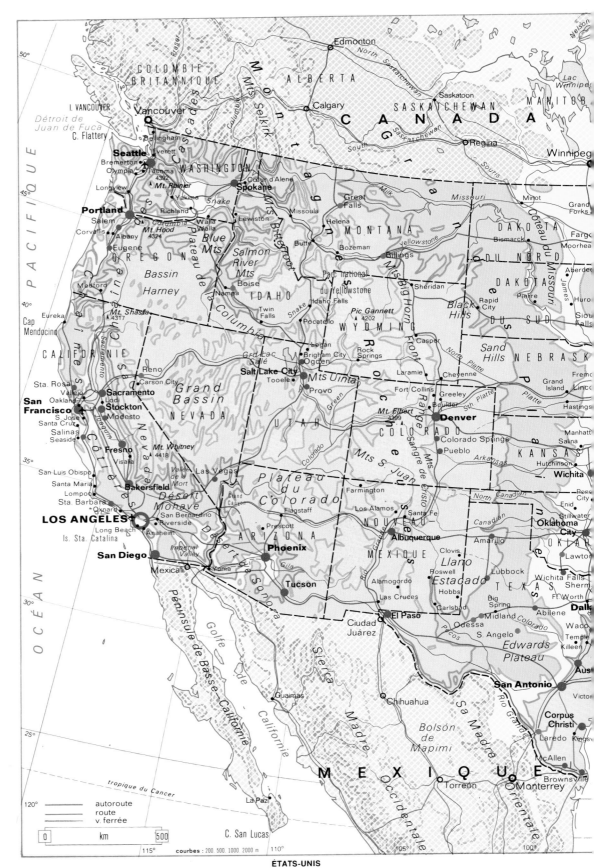

ÉTATS-UNIS

rains, se donne, le 17 septembre 1787, une constitution fédérale, toujours en vigueur : c'est un compromis souple qui vise à assurer, dans le respect des autonomies, la défense commune et la sauvegarde de l'intérêt général, notamment par la création d'un solide exécutif présidentiel. Le premier président élu est George Washington (de 1789 à 1797).

Presque aussitôt naissent des difficultés liées à l'interprétation de la Constitution. Les fédéralistes (leader : Alexander Hamilton), au pouvoir de 1789 à 1801, sont partisans d'un pouvoir fédéral fort et d'un centralisme économique favorable au grand commerce du Nord. Les républicains, eux, qui représentent les petits propriétaires ruraux et les citoyens des petits États, sont soucieux de sauvegarder leurs franchises; en 1801, ils enlèvent la présidence au fédéraliste John Adams (de 1797 à 1801), successeur de Washington, et imposent Thomas Jefferson (de 1801 à 1809). Mais, une fois au pouvoir, les républicains s'orientent par nécessité vers un renforcement du gouvernement central. Il est vrai que les Américains sont affrontés, de 1810 à 1815, à la seconde guerre d'Indépendance qui voit une nouvelle défaite des Anglais. Ainsi confirmés dans leur orgueil national, ils inaugurent l'« Ère des bons sentiments », qui couvre les présidences de deux disciples de Jefferson : James Madison (de 1809 à 1817) et James Monroe (de 1817 à 1825). Tandis que celui-ci définit une doctrine neutraliste — « l'Amérique aux Américains », toutes les énergies du pays sont absorbées par la poussée vers l'ouest, favorisée par l'achat à la France de la Louisiane (1803), immense territoire où vont s'organiser treize nouveaux États. L'acquisition de la Floride, en 1819, l'annexion — à la suite d'une guerre avec le Mexique (1846-1848) — du Texas, du Nouveau-Mexique et de la Californie et la cession par l'Angleterre de l'Oregon (1846) permettent rapidement aux États-Unis d'atteindre leurs frontières actuelles. Une croissance démographique spectaculaire — 4 millions d'habitants en 1790, 32 millions en 1860 —, liée à une immigration européenne puissante et continue, va de pair avec l'urbanisation (New York a déjà 1 million d'habitants en 1860) et avec la formation de nouveaux États : la République compte trente-trois États en 1860 (douze autres seront créés entre 1861 et 1896, cinq autres — dont l'Alaska, acheté aux Russes en 1867, et l'archipel des Hawaii, annexé en 1898 — entre 1907 et 1959). La présidence d'Andrew Jackson, l'ère jacksonienne (de 1829 à 1837), marque l'apogée de la jeune Amérique.

La puissance économique de la République est à la mesure du courage de ses pionniers et de sa croissance démographique; mais, entre le Nord puritain et industriel, qui détient la puissance financière, et le Sud agricole, esclavagiste et « colonial », qui dépend du Nord pour ses investissements et ses produits manufacturés, le fossé s'élargit, le problème de l'abolition de l'esclavage apparaissant comme le terrain de lutte. Cette dichotomie se révèle surtout après le départ de Jackson (1837). Cependant, tant que deux démocrates sudistes — Franklin Pierce (de 1853 à 1857) et James Buchanan (de 1857 à 1861) — sont à la Maison-Blanche, la « sécession » est encore formelle, encore qu'elle soit entretenue par une agitation perpétuelle. Quand le nouveau parti républicain réussit, en 1860, à imposer son candidat, Abraham Lincoln*, qui est ouvertement antiesclavagiste, la guerre civile éclate et onze États du Sud font sécession pour constituer les États confédérés d'Amérique (8 févr. 1861). La guerre de Sécession* (1861-1865) se termine par la victoire du Nord, mais coûte à la République 617 000 morts et lui vaut une situation économique dramatique.

L'assassinat de Lincoln, à l'issue du vote du treizième amendement, qui abolit l'esclavage (1865), illustre la difficulté de la reconstruction et de la réconciliation. D'autant plus que les « radicaux » du Nord, vainqueurs aux élections de 1866, pratiquent à l'égard du Sud vaincu une politique de coercition, à laquelle met fin le président Ulysses Grant (de 1869 à 1877). Cependant, le Sud reste marqué par le mépris du Noir, mépris entretenu par les *carpet-baggers* et les extrémistes du Ku Klux Klan*.

● *L'ère de prospérité.* En fait, le Nord se désintéresse de ce qui se passe dans le Sud, cela parce que, une fois passées les années de reconstruction, les États-Unis entrent dans l'âge doré qui, pendant le dernier tiers du siècle, fait d'eux la plus grande puissance économique du monde. Une évolution démographique exceptionnelle — 40 millions d'habitants en 1870, 76 millions en 1900, 90 millions en 1910, 100 millions en 1918 — favorise cette croissance, qui entraîne presque le quadruplement du produit national brut entre 1870 et 1906. Mais, si les voies ferrées atteignent 300 000 kilomètres en 1900, si l'industrie connaît un essor foudroyant, favorable aux trusts et aux holdings, et marqué par les progrès de la standardisation, du taylorisme et du dumping, le monde rural subit les contrecoups d'une évolution qui fait baisser beaucoup plus les prix agricoles que les prix industriels. D'où une grave crise populiste à

partir de 1890 : crise qui contribue à fortifier le syndicalisme *(Knights of Labour)* et à donner au mouvement progressiste, éminemment social, une grande audience. Les progressistes se retrouvent d'ailleurs dans la personne de deux grands présidents : le républicain Theodore Roosevelt (de 1901 à 1909) et le démocrate T. W. Wilson (de 1913 à 1921), qui sont à l'origine d'une importante législation *antitrust*.

Dans ce courant, la doctrine de Monroe fait place peu à peu à l'impérialisme américain, d'abord sur le plan économique, puis sous forme d'expansion territoriale : guerre hispano-américaine (1898), qui fait passer Cuba, Porto

Rico et les Philippines sous le protectorat américain; formation de la république de Panamá, sous contrôle américain (1903) — le canal de Panamá, achevé en 1914, étant, en fait, l'œuvre des États-Unis; occupation d'Haïti (1916); achat au Danemark des îles Vierges (1917); intervention au Mexique (1914)...

● *Depuis la Première Guerre mondiale.* La neutralité américaine dans la Première Guerre mondiale s'avère difficile à maintenir, surtout face au blocus et aux torpillages allemands. Le 6 avril 1917, le Congrès déclare la guerre à l'Allemagne, ce qui a pour effet l'envoi sur le front français d'un important corps expéditionnaire dont l'in-

tervention est décisive. La guerre, d'ailleurs, enrichit encore les États-Unis, auprès desquels les Alliés se sont endettés. Mais, lorsque T. Wilson prétend, en 1919, se présenter comme l'arbitre de l'Europe de l'après-guerre, il est désavoué par ses compatriotes qui, désireux avant tout d'un retour à la normale, lui donnent comme successeurs les républicains, Warren Harding (de 1921 à 1923), puis Calvin Coolidge (de 1923 à 1929) et Herbert C. Hoover (de 1929 à 1933). Les États-Unis, durant dix ans (1919-1929), continuent à s'enrichir, les profits industriels s'accroissent de 62 p. 100 et les techniques modernes envahissent la civilisation. Encore que

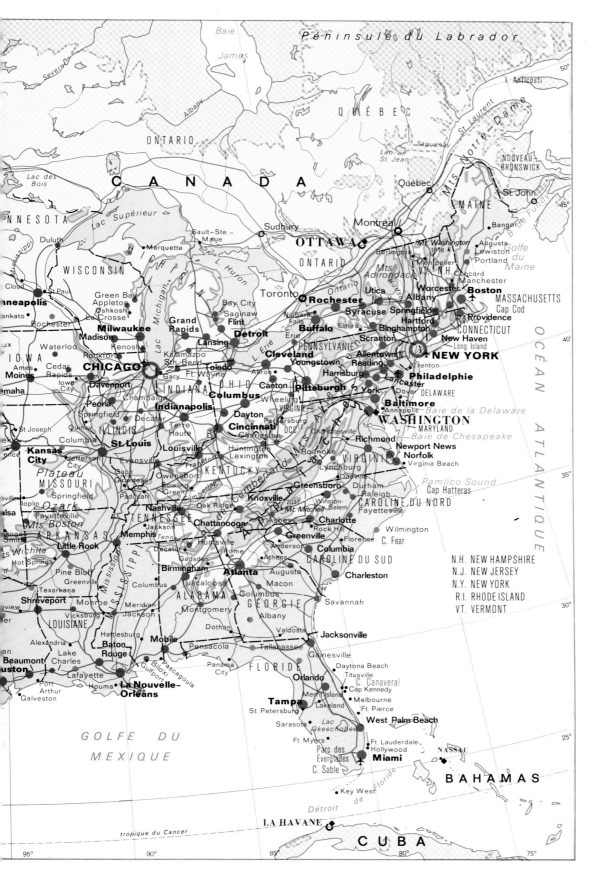

« guerre froide », nouant une chaîne d'alliances qui enserre le monde communiste, dans lequel entre, en 1949, l'énorme Chine : d'où l'épisode de la guerre de Corée (1950-1953).

Avec le jeune et populaire président démocrate John F. Kennedy (de 1961 à 1963) et, après son assassinat, avec Lyndon B. Johnson (de 1963 à 1969), une certaine détente internationale s'établit — malgré la guerre du Viêt-nam* et la crise de Cuba (1962) —, tandis que la prospérité américaine se développe : prospérité combattue par un nombre de plus en plus grand de révoltés et de marginaux, la richesse des uns ayant pour corollaire la pauvreté des autres, celle des Noirs notamment, représentés par des organisations qui réclament le *Black Power*.

Le président républicain Richard Nixon (de 1969 à 1974) est affronté à la guerre du Viêt-nam, déjà pourrissante. Il préconise la vietnamisation du conflit et le retrait des troupes américaines du Viêt-nam, qui sera effectif en 1973. Dans le même temps, R. Nixon mise sur un rapprochement spectaculaire des États-Unis et de la Chine. À l'intérieur, il s'efforce de mettre en œuvre un « nouveau réalisme », en luttant contre la délinquance et contre la pauvreté de trop d'Américains. Mais il ne peut juguler l'inflation et le chômage, et, étant lui-même inculpé dans un scandale public, dit « affaire du Watergate », il doit démissionner le 8 août 1974. Son successeur, l'ancien vice-président Gerald Ford, se trouve affronté à une situation intérieure dégradée. Au début de 1977 il est remplacé par un démocrate du Sud, Jimmy Carter*. Au cours des années suivantes, la normalisation des rapports sino-américains (déc. 1978) et la médiation américaine dans le traité de paix israélo-égyptien (26 mars 1979) accroissent les divergences avec l'U.R.S.S. Les États-Unis, qui doivent faire face à une situation économique et financière menaçante, se trouvent confrontés à l'Iran (nov. 1979) à la suite d'une prise d'otages à l'ambassade américaine de Téhéran. En novembre 1980 le républicain Ronald Reagan est élu à la présidence. Les rapports avec l'U.R.S.S. se durcissent nettement et les États-Unis interviennent militairement à plusieurs reprises en 1983 dans diverses régions du monde (Grenade et Liban, qu'ils quittent en 1984). La reprise économique, à partir de 1983, contribue à la réélection triomphale de R. Reagan en 1984. Toutefois, les déficits budgétaire et commercial restent considérables et le scandale de l'« Irangate » (vente secrète d'armes à l'Iran), qui éclate en 1986, crée de profonds remous dans l'opinion. À l'extérieur, Reagan mène une politique de fermeté (aide aux contre-révolutionnaires nicaraguayens, raid de représailles sur la Libye en 1986), tout en renouant le dialogue avec l'U.R.S.S. (négociations sur le désarmement). Au début de 1989, le républicain George Bush devient président de la République. Il prolonge la ligne politique de son prédécesseur, alliant ouverture (rencontre Bush-Gorbatchev à Malte, déc. 1989) et interventionnisme (opération militaire à Panamá).

DÉFENSE ET ARMÉES

- *1945* : 11 millions d'hommes (production de 1940 à 1945, 296 000 avions, 130 000 blindés, 8 millions de tonnes de navires de guerre).

- *1945-1955* : monopole atomique américain.

- *1961* : doctrine McNamara de la *riposte graduée*.

- *1962-1973* : engagement au Viêt-nam.

- *1972-1974* : accords SALT I avec l'U.R.S.S.

- *1979* : accords SALT II.

- *1981* : ouverture avec l'U.R.S.S. des négociations START.

- *1983* : lancement de l'Initiative* de défense stratégique (I.D.S.).

- *1987* : accord avec l'U.R.S.S. (déc.) sur le démantèlement des missiles à moyenne portée en Europe.

- LES FORCES AMÉRICAINES EN 1985. Effectifs : plus de 2 millions d'hommes, dont un peu plus du quart à l'étranger (300 000 en Europe). Armée de volontariat.
Force nucléaire stratégique : 1052 ICBM (« Titan », « Minuteman II » et « III »), 520 SLBM (« Poseidon C3 » et « Trident C4 » sur 32 sousmarins), 436 bombardiers lourds.
North American Aerospace Defense (NORAD) [défense aérospatiale du continent nord-américain avec le Canada] : ensemble complexe comprenant 312 intercepteurs, des missiles, des systèmes antimissiles et des réseaux de surveillance, d'alerte et de contrôle (radars, satellites).
Armée de terre : 780 000 hommes, 16 divisions ; 40 000 engins blindés dont 12 000 chars et 4 000 automoteurs ; 9500 aéronefs.
Marine : 570 000 hommes, 90 sous-marins nucléaires d'attaque, 14 porte-avions, 29 croiseurs, 70 destroyers, 100 frégates, plus de 100 bâtiments amphibies et 150 navires de soutien. Aéronavale : 1600 aéronefs.
Aviation : plus de 600 000 hommes ; 2 400 avions de combat.

---

la prohibition de l'alcool (1919) favorise contrebande et gangstérisme, et que la xénophobie, le racisme, l'antisémitisme, l'antisocialisme connaissent aussi de nouvelles flambées. Le paupérisme est particulièrement développé dans les campagnes.

L'entêtement du gouvernement à maintenir les barrières douanières et l'avidité des spéculateurs sont à l'origine de la crise boursière, puis économique, qui éclate à Wall Street en octobre 1929 et qui atteint l'Europe, d'où les Américains rapatrient leurs capitaux. Chômage, misère, agitation endémique : devant cette vague, le président Hoover se révèle incapable et perd toute

popularité; en 1932, c'est le démocrate F. D. Roosevelt qui est élu. Promettant aux Américains une « nouvelle donne » (*New Deal*), celui-ci applique moins un programme qu'une méthode. Par une série de mesures dirigistes mais efficaces — moratoire national, abandon de l'étalon-or, dévaluation du dollar, aide aux fermiers, travail fourni aux chômeurs, politique de grands travaux... — Roosevelt remet lentement l'économie américaine sur pied. Il est réélu en 1936, 1940 et 1944.

La production de guerre, à partir de 1940, permet à l'économie américaine d'atteindre de nouveaux sommets. Car l'isolationnisme améri-

cain, dès le début de la Seconde Guerre* mondiale, s'avère impossible. L'attaque des Japonais sur Pearl Harbor (7 déc. 1941) fait entrer les États-Unis dans le conflit : les Américains seront les grands vainqueurs de l'Allemagne nazie et du Japon, en 1945.

Dès lors, les États-Unis, qui ratifient la Charte de l'O.N.U. (1945), prennent des responsabilités à l'échelle mondiale; mais, tandis que l'Europe occidentale se lie à eux par une alliance, l'U.R.S.S. apparaît très vite comme leur ennemi numéro un. Ainsi, sous Harry S. Truman (de 1945 à 1953) et sous Dwight D. Eisenhower (de 1953 à 1961), les États-Unis vivent en

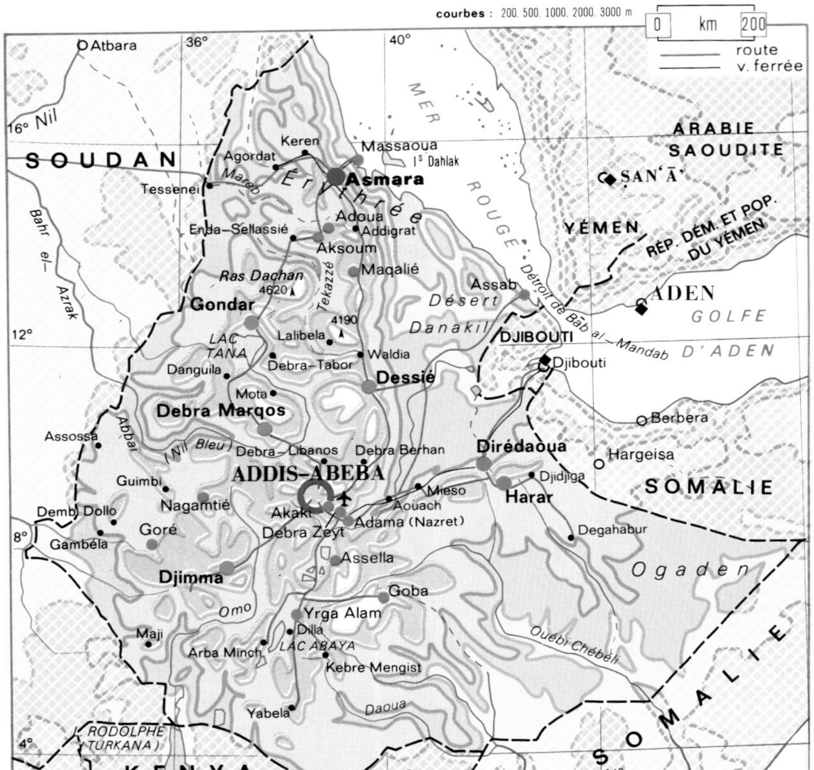

ÉTHIOPIE

ÉTAU n. m. (pl. de *estoc*) [pl. *étaux*]. Instrument formé de deux mâchoires que l'on rapproche pour maintenir des objets qu'on veut limer, buriner, etc.

ÉTAU-LIMEUR n. m. (pl. *étaux-limeurs*). Machine à raboter dans laquelle la coupe est obtenue par le déplacement de l'outil.

ÉTAYAGE n. m. *Psychanal.* Appui originaire que trouvent les pulsions sexuelles sur les fonctions vitales. || Syn. de ÉTAIEMENT.

ÉTAYER [etɛje] v. t. (conj. **2**). Soutenir avec des étais : *étayer un mur.* || Appuyer par des arguments, soutenir : *étayer un raisonnement.*

ET CETERA, ET CÆTERA ou **ETC.** [ɛtsetera] loc. adv. (loc. lat., *et le reste*). S'ajoute à une énumération pour indiquer qu'elle est incomplète.

ÉTÉ n. m. (lat. *aestas, aestatis*). Saison qui suit le printemps et précède l'automne (du solstice de juin [21 ou 22] à l'équinoxe de septembre [22 ou 23] dans l'hémisphère Nord). || Période des chaleurs en général.

ÉTEIGNOIR n. m. Petit cône métallique servant à éteindre les bougies ou les chandelles. || *Fam.* et *vx.* Personne triste, austère.

ÉTEINDRE v. t. (lat. *extinguere*) [conj. **55**]. Faire cesser de brûler, de briller : *éteindre le feu, une lampe.* || Faire cesser d'être éclairé : *éteindre le bureau.* || Interrompre le fonctionnement d'un appareil de chauffage, d'un poste de radio, etc. || Faire cesser, mettre un terme, effacer : *éteindre la soif, un souvenir, une dette.* ◆ **s'éteindre** v. pr. Cesser de brûler, de briller. || Mourir doucement, expirer.

ÉTEINT, E adj. Qui a perdu son éclat, sa vivacité : *regard éteint.*

ÉTEL (56410), comm. du Morbihan, à l'entrée de la *rivière d'Étel,* à 16,5 km à l'O. d'Auray; 2 699 hab. Pêche. Conserveries.

ÉTENDAGE n. m. Action d'étendre. || Bâtiment très ventilé pour faire sécher les fils et les tissus après teinture.

ÉTENDARD n. m. (mot francique). Enseigne de guerre et, notamment, drapeau des troupes autref. à cheval (artillerie, cavalerie, train). || *Bot.* Pétale supérieur de la corolle d'une papilionacée. ● *Lever l'étendard de la révolte,* se révolter.

ÉTENDERIE n. f. Four dans lequel on transforme en verre plat des cylindres de verre soufflé ou dans lequel on recuit le verre plat.

ÉTENDOIR n. m. Corde ou fil sur lesquels on étend le linge; lieu où l'on dresse ces fils.

ÉTENDRE v. t. (lat. *extendere*) [conj. **46**]. Déployer en long et en large, allonger : *étendre du linge, étendre les bras.* || Coucher tout du long : *étendre un homme à terre.* || Appliquer sur une surface, étaler : *étendre du beurre sur une tartine.* || Ajouter de l'eau pour diminuer la concentration : *étendre du vin.* || Augmenter, agrandir : *étendre son pouvoir.* || *Fam.* Refuser qqn à un examen. ◆ **s'étendre** v. pr. Se coucher. || Se développer : *son pouvoir s'est étendu.* || Avoir une certaine étendue. ● *S'étendre sur un sujet,* le développer longuement.

ÉTENDU, E adj. Vaste : *plaine très étendue.* || Déployé : *ailes étendues.* || À quoi l'on a ajouté de l'eau : *alcool étendu.*

ÉTENDUE n. f. Dimension en superficie : *un pays d'une grande étendue.* || Durée d'une chose : *l'étendue de la vie.* || Développement, longueur, ampleur : *l'étendue d'un discours, d'un désastre.* || *Philos.* Propriété de ce qui est situé dans l'espace; réalité ontologique. (Syn. : MATIÈRE, CORPS.) || *Stat.* Différence entre la plus grande et la plus petite valeur d'un groupe d'observations ou échantillons. ● *Étendue de la voix,* écart entre le son le plus grave et le son le plus aigu. (On dit aussi *registre.*)

ÉTÉOCLE, héros du cycle thébain, fils d'Œdipe* et de Jocaste*, frère de Polynice*, avec qui il entre en conflit pour la possession du trône de Thèbes; les deux frères s'entretuent dans un combat singulier (v. SEPT CHEFS [*guerre des*]).

ÉTERNEL, ELLE adj. (lat. *aeternalis*). Sans commencement ni fin : *on ne peut concevoir Dieu autrement qu'éternel.* || Qui n'a point de fin, qui dure autant que la vie : *reconnaissance éternelle.* || Qui ne semble pas se terminer; qui lasse par sa longueur, sa répétition : *d'éternelles discussions.* || Qui est associé continuellement à qqn : *son éternelle cigarette à la bouche.* ● *Feu éternel,* supplice sans fin des damnés. || *La Ville éternelle,* Rome.

ÉTERNEL (l') n. m. Dieu.

ÉTERNELLEMENT adv. De toute éternité. || Sans cesse, continuellement.

ÉTERNISER v. t. Faire durer longtemps, faire traîner en longueur : *éterniser un procès, un débat.* ◆ **s'éterniser** v. pr. Durer très longtemps : *crise qui s'éternise.* || *Fam.* Rester longtemps en un lieu.

ÉTERNITÉ n. f. (lat. *aeternitas*). Durée qui n'a ni commencement ni fin. || La vie future : *songer à l'éternité.* || Temps très long : *il y a une éternité que je ne l'ai pas vu.* ● *De toute éternité,* de temps immémorial.

ÉTERNUEMENT n. m. Contraction subite des muscles expiratoires, par suite de laquelle l'air est chassé tout à coup et avec violence par le nez et par la bouche. (L'éternuement est produit par un réflexe à point de départ rhino-pharyngien ou oculaire [nerf trijumeau].)

ÉTERNUER v. i. (lat. *sternutare*). Faire un éternuement.

ÉTÉSIEN adj. m. (gr. *etêsioi* [*anemoi*], [vents] annuels). *Litt.* Se dit d'un vent qui souffle du nord sur la Méditerranée orientale.

ÉTÊTAGE ou **ÉTÊTEMENT** n. m. Action ou manière d'étêter les arbres.

ÉTÊTER v. t. Couper, enlever la tête de : *étêter un clou.* || Couper la cime d'un arbre. || Enlever à un produit pétrolier la fraction la plus légère, ou tête de distillation.

ÉTEULE [etœl] n. f. (lat. *stipula*). *Litt.* Chaume qui reste sur place après la moisson.

ÉTHANE n. m. *Chim.* Hydrocarbure saturé, de formule C_2H_6.

ÉTHER n. m. (lat. *aether,* mot gr.). *Antiq.* Fluide subtil remplissant, selon les Anciens, les espaces situés au-delà de l'atmosphère terrestre. || Fluide hypothétique, impondérable, élastique, que l'on regardait comme l'agent de transmission de la lumière. || *Chim.* Oxyde d'éthyle $(C_2H_5)_2O$, liquide très volatil et inflammable, bon solvant, dit aussi *éther sulfurique.* (L'éther est un anesthésique général employé en inhalations.) || *Poét.* Les espaces célestes.

■ On a d'abord confondu sous le nom d'« éthers » des composés très divers, résultant de l'action d'acides sur les alcools. On distingue aujourd'hui :
— les *éthers-oxydes,* de formule générale R—O—R', R et R' étant des radicaux hydrocarbonés, identiques ou différents. Le plus important est l'*oxyde d'éthyle* $(C_2H_5)_2O$, dit encore « éther ordinaire » ou « éther sulfurique » (il résulte de l'action de cet acide sur l'alcool à chaud). C'est un liquide incolore, d'odeur caractéristique, léger et mobile, bouillant à 34 °C et très inflammable. Il sert comme solvant et était employé comme anesthésique;
— les *éthers halohydriques,* de formule RX, résultant de l'action de l'acide halogéné HX sur l'alcool ROH. Ce sont en général des liquides d'odeur éthérée, non miscibles à l'eau. Les plus importants sont le *chlorure de méthyle* CH_3Cl, employé comme agent frigorifique, et le *chlorure d'éthyle* C_2H_5Cl, qui sert d'anesthésique;
— les *éthers des oxacides minéraux,* comme les éthers nitreux NO_2R, nitriques NO_3R et sulfuriques SO_4HR et SO_4R_2;
— les *éthers carboxyliques,* qui sont les esters*.

ÉTHÉRÉ, E adj. Qui a l'odeur de l'éther. || *Litt.* Qui a quelque chose de léger, d'inconsistant, d'aérien, de très pur : *regard éthéré.*

ÉTHÉROMANE n. et adj. Toxicomane à l'éther.

ÉTHÉROMANIE n. f. Intoxication chronique par l'éther consommé par inhalation, boisson ou injection.

ÉTHER-SEL n. m. Syn. vieilli de ESTER.

ÉTHIONAMIDE n. m. Antibiotique antituberculeux dérivé de l'acide isonicotinique.

ÉTHIOPIE, État de l'Afrique orientale, sur la mer Rouge; 1 237 000 km²; 36 millions d'hab. (*Éthiopiens*). Capit. *Addis-Abeba.*

GÉOGRAPHIE. La majeure partie du pays s'étend sur un massif montagneux couvert d'épanchements basaltiques et incisé de profondes vallées. Il est bordé au N.-E. par le fossé des Danakil, zone d'instabilité de l'écorce terrestre, au volcanisme actif, et, au S.-E., par de vastes plateaux (Ogaden). Le climat, très chaud dans les vallées à l'abri des précipitations, se tempère dans les montagnes, qui reçoivent des pluies abondantes. À Addis-Abeba, à 2 500 m d'altitude, les moyennes mensuelles sont de 15 °C et le total des précipitations excède 1 m.

La population est composée de groupes ethniques variés : Amharas, Gallas, Danakil, Somalis et Noirs principalement, aux religions diverses, et entre lesquels existent des antagonismes. Elle se concentre sur les hauteurs du massif éthiopien. Le pays est faiblement urbanisé, les seules villes importantes étant la capitale, Addis-Abeba, et Asmara (en Érythrée).

L'agriculture demeure le secteur essentiel de l'économie. L'Est est consacré à un élevage nomade, mais dans le massif éthiopien la culture s'étage en fonction de l'altitude. Dans les zones basses, des cultures souvent tropicales (coton, canne à sucre, maïs, tabac) trouent la forêt dense. L'étage intermédiaire, de 1 800 à 2 500 m, est le plus riche : on y cultive le café, principal produit d'exportation, le *dourah* (variété de millet), des fruits et des légumes. Les hautes terres sont le domaine de l'élevage bovin, qui fournit des peaux pour l'exportation.

L'activité industrielle n'a guère dépassé le stade artisanal, et le pays doit importer des biens de consommation. Les deux principaux ports sont Assab et Massaoua, qui ont supplanté Djibouti lors du rattachement de l'Érythrée. L'Éthiopie reste un pays très pauvre. La misère et l'analphabétisme sévissent. Les divisions du pays freinent son développement.

HISTOIRE. La légende rattache la première dynastie éthiopienne à la descendance de Salomon et de la reine de Saba. Constitué au Ier s. de l'ère chrétienne, après l'installation de tribus sémites venues de l'Arabie du Sud, le royaume d'Aksoum*, dont le chef porte le titre de *negusa negast* (« roi des rois »), étend sa domination sur l'Éthiopie du Nord jusqu'au Nil bleu. Christianisé au IVe s., il suit l'Église égyptienne dans le monophysisme, puis, après une période brillante (IIIe-VIe s.), il subit l'expansion de l'islām, qui le prive du littoral de la mer Rouge, et s'effondre au Xe s. La période, mal connue, qui s'ouvre alors est marquée par le règne de la dynastie Zagoué, au Lasta (de 1149 à 1270), suivi d'un brillant renouveau avec Yekouno Amlak (de 1270 à 1285), qui prétend restaurer la dynastie salomonienne au Choa. L'amharique devient alors la langue principale.

Au XVIe s., l'Europe découvre l'Éthiopie par l'intermédiaire des Portugais et identifie cette terre chrétienne en plein pays musulman au royaume fabuleux du « Prêtre Jean ». Presque entièrement conquise par les Arabes de 1527 à 1543, l'Éthiopie se libère avec l'aide des Portugais, mais elle se révolte bientôt contre l'action des missionnaires catholiques et se ferme aux Occidentaux. Jusqu'au XIXe s., le pays se développe en vase clos. L'autorité royale s'affaiblit devant les ambitions des chefs héréditaires des provinces, les « ras », dont les rivalités menacent l'unité de l'empire. Malgré le déclin politique qui caractérise cette période « féodale », un centre culturel brillant se constitue à Gondar.

Au XIXe s., Théodoros II (de 1855 à 1868) conquiert le pouvoir sur les autres ras, se fait proclamer « roi des rois » et restaure l'autorité centrale sur les provinces. Avec l'ouverture du canal de Suez (1869), l'Éthiopie devient l'enjeu des rivalités économiques et militaires des Européens. La France s'installe à Obok (1881) et à Djibouti (1885), les Italiens à Assab (1882) et à Massaoua (1885). L'appui des Italiens permet à Ménélik II, ras du Choa, d'accéder au trône (de 1889 à 1909). Celui-ci leur reconnaît en échange la possession de l'Érythrée* par le traité d'Ucciali (1889), qu'il dénonce dès 1893 devant les prétentions italiennes au protectorat. Après la victoire éthiopienne d'Adoua (1896), l'Italie reconnaît la souveraineté de l'Éthiopie et conserve l'Érythrée. Ménélik II transfère la capitale à Addis-Abeba, agrandit et modernise l'empire, et renforce l'autorité royale, tout en s'efforçant de limiter l'expansion européenne sur les côtes. Les Européens interviennent cependant dans les affaires intérieures du pays, favorisant la déposition de Iyassou, fils et successeur de Ménélik, et l'accession du ras Tafari comme régent (1917). Celui-ci fait entrer l'Éthiopie sur la scène internationale en adhérant à la Société des Nations (1923) et au pacte Briand-Kellogg (1928), puis, proclamé « négus » (1928), il monte sur le trône en 1930 sous le nom d'Hailé* Sélassié Ier. Dès 1931, il promulgue une constitution de type occidental et entreprend un vaste programme de modernisation, interrompu par la conquête italienne (1935-36). L'Éthiopie, vaincue, constitue alors, avec l'Érythrée et la Somalie, l'Afrique orientale italienne. Libérée par les troupes franco-anglaises en 1941, elle retrouve son indépendance, entre à l'O. N. U. en 1945 et reprend accès sur le littoral de la mer Rouge par la fédération (1952) puis l'annexion (1962) de l'Érythrée. Son rôle dans l'évolution de l'Afrique contemporaine devient prépondérant avec la création de l'Organisation de l'unité africaine, dont le siège est fixé à Addis-Abeba (1963) et au sein de laquelle l'Éthiopie a une influence modératrice. À l'intérieur, l'empereur poursuit sa politique réformatrice, mais la libéralisation du régime est jugée insuffisante. Une première tentative de coup d'État échoue en 1960. Menacé depuis le début de son histoire par des divisions ethniques et religieuses, le gouvernement impérial doit faire face au développement de mouvements séparatistes en Érythrée (dès 1962) et en Ogaden (1964). À ces difficultés s'ajoutent des problèmes frontaliers avec le Soudan et le Kenya (résolus respectivement par les accords de 1967 et 1970), et surtout avec la Somalie. La persistance d'un grand retard économique et d'un très bas niveau de vie, des inégalités sociales et ethniques très profondes aboutissent à une dégradation croissante de la situation intérieure. Une grave famine et le développement de la guérilla en Érythrée et en Ogaden provoquent, en 1974, une révolution dirigée par des militaires progressistes. Après la déposition d'Hailé Sélassié (qui meurt en 1975), le conseil militaire, dirigé à partir de 1977 par Hailé Mariam Mengistu, engage l'Éthiopie dans la voie d'un socialisme autoritaire. Le nouveau régime, qui bénéficie du double soutien soviétique et cubain, doit faire face au conflit frontalier avec la Somalie et au maintien de la sécession en Érythrée et, à partir de 1984, à une famine meurtrière. En 1987, une nouvelle Constitution fait de l'Éthiopie une république populaire et démocratique. Le conseil militaire est dissous et le colonel Mengistu gouverne désormais assité d'un Parlement, émanation du parti unique (Parti des travailleurs éthiopiens, créé en 1984). En 1988, l'Éthiopie signe un accord de paix avec la Somalie.

Éthiopie *(campagnes d')* ● *Campagne de 1894-1896.* Le négus Ménélik II ayant dénoncé, en 1893, le traité d'Ucciali, conclu avec les Italiens en 1889, le corps expéditionnaire du général Baratieri (1841-1901), après avoir obtenu quel-

● *Campagne de 1935-36.* Le 3 octobre 1935, 10 divisions italiennes, appuyées par des blindés et une nombreuse aviation, engagent les hostilités contre l'armée du négus Hailé Sélassié, de ques succès en 1895, est écrasé à Adoua (1er mars 1896) par les Éthiopiens, qui imposent à l'Italie la paix d'Addis-Abeba (26 oct. 1896).

structure féodale. Cette armée n'en résiste pas moins pendant sept mois, remportant même certaines victoires, comme celle du lac Achanghi (1er-4 avr. 1936). Elle ne peut cependant pas empêcher Badoglio, venu d'Érythrée, et Graziani, venu de Somalie, de faire leur jonction (10 mai), après que Gondar (1er avr.), Dessié (15 avr.), Addis-Abeba (5 mai) et Harar (8 mai)

Bottin

paysage de l'**Éthiopie,** au nord d'Addis-Abeba

furent tombés. Le négus doit s'embarquer à Djibouti et il ira à Genève plaider en vain sa cause à la Société des Nations (juin), avant de se réfugier en Angleterre.

● *Campagne de 1940-41.* V. GUERRE MONDIALE *(Seconde).*

ÉTHIOPIEN, ENNE adj. et n. D'Éthiopie. ● *Langues éthiopiennes,* langues sémitiques de l'Éthiopie et de l'Érythrée (guèze, amharique, tigré, etc.).

ÉTHIQUE adj. (gr. *êthikos,* moral; de *êthos,* mœurs). Qui concerne les principes de la morale : *jugement éthique.*

ÉTHIQUE n. f. *Philos.* Doctrine du bonheur des hommes et des moyens d'accès à cette fin. ‖ Ensemble particulier de règles de conduite (syn. MORALE). ‖ Partie théorique de la morale. ● *Éthique médicale,* syn. de BIOÉTHIQUE.

Éthique *(l'),* œuvre de Spinoza, publiée, en latin, en 1677. « Démontrée selon la méthode géométrique », la vérité de l'être (Dieu) et de la connaissance que le sage en a doit conduire ce dernier à l'amour de Dieu, c'est-à-dire de la nature.

Éthique à Nicomaque *(l'),* ouvrage d'Aristote, dans lequel il pose le bonheur comme fin de l'activité de l'homme, défini en tant qu'animal politique *(la Politique).* Le bonheur dépend de la vertu, de l'amitié et de la justice; il se parfait par l'exercice de la pensée philosophique.

ETHMOÏDAL, E, AUX adj. Qui concerne l'os ethmoïde.

ETHMOÏDE adj. et n. m. (gr. *êthmos,* crible, et *eidos,* forme). Os impair et médian de la tête, qui forme la partie supérieure du squelette du nez et dont la lame criblée, située à la base du crâne, est traversée par les nerfs olfactifs.

ETHNARCHIE [ɛtnarʃi] n. f. (gr. *ethnos,* peuple, et *arkhê,* commandement). Dignité d'ethnarque; province dirigée par un ethnarque.

ETHNARQUE n. m. *Antiq.* Gouverneur de provinces d'Orient relativement autonomes, vassales des Romains. ‖ Chef civil de communautés juives de la diaspora romaine. ‖ Évêque de certaines Églises orthodoxes.

ETHNIE n. f. (gr. *ethnos,* peuple). Groupement de familles au sens large, dans une aire géographique variable, dont l'unité repose sur une structure familiale, économique et sociale commune, sur une langue et une culture communes.

ETHNIQUE adj. Relatif à l'ethnie : *influences ethniques.* ‖ Qui désigne les habitants d'un pays : FRANÇAIS *est un nom ethnique.*

ETHNOBIOLOGIE n. f. Science qui inventorie et analyse les connaissances botaniques *(ethnobotanique)* et zoologiques *(ethnozoologie)* des populations de chasseurs-ramasseurs.

ETHNOCENTRIQUE adj. Relatif à l'ethnocentrisme.

ETHNOCENTRISME n. m. Tendance d'un individu ou d'un groupe à valoriser son groupe, son pays, sa nationalité.

ETHNOCIDE n. m. Destruction d'une ethnie sur le plan culturel.

ETHNOGRAPHE n. Spécialiste d'ethnographie.

ETHNOGRAPHIE n. f. Branche des sciences humaines qui a pour objet l'étude descriptive des ethnies.

ETHNOGRAPHIQUE adj. Relatif à l'ethnographie.

ETHNOLINGUISTIQUE n. f. Science qui étudie le langage des peuples sans écriture. ◆ adj. Relatif à l'ethnolinguistique.

ETHNOLOGIE n. f. Étude scientifique des ethnies, dans l'unité de la structure linguistique, économique et sociale de chacune dans les liens de civilisation qui les caractérisent et dans leur évolution.

ETHNOLOGIQUE adj. Relatif à l'ethnologie.

ETHNOLOGUE n. Spécialiste d'ethnologie.

ETHNOMUSICOLOGIE n. f. Branche de la musicologie qui étudie notamment la musique des sociétés primitives et la musique populaire des sociétés plus évoluées.

ETHNOPSYCHIATRIE n. f. Étude du sens que revêt ce qui est considéré comme anomalie ou trouble psychique dans une culture donnée, en fonction des autres caractéristiques de cette culture.

ÉTHOGRAMME n. m. Enregistrement graphique de l'ensemble des mouvements et déplacements spontanés d'un animal en liberté apparente.

ÉTHOLOGIE n. f. (gr. *êthos,* mœurs, et *logos,* science). Étude scientifique du comportement des espèces animales.

■ L'école dite « objectiviste », dont les principaux représentants sont K. Lorenz* et N. Tinbergen*, oriente ses recherches vers l'observation des comportements de l'animal dans son milieu naturel. Elle développe les aspects phylogénétiques et ontogénétiques des comportements, qu'elle répartit en activités innées et en activités acquises. L'éthologie objectiviste donne une importance prépondérante à la notion de mécanisme inné de déclenchement, qui est à la base de la théorie hiérarchique de l'instinct*.

Outre l'observation de l'animal en liberté ou en semi-liberté dans la nature, elle peut être amenée à étudier l'élevage d'une espèce en captivité : l'élevage en laboratoire permet, en effet, de contrôler et de faire varier les conditions du milieu ou d'isoler un individu de son environnement social. La méthode des leurres, qui consiste à présenter à un animal un objet qui a les caractéristiques du stimulus déclencheur d'un comportement instinctuel, a permis, notamment, de dégager quelles étaient les configurations perceptives privilégiées capables de déclencher ce comportement. L'ensemble des données qualitatives ou quantitatives recueillies permet de tracer l'« éthogramme » du sujet observé.

ÉTHOLOGIQUE adj. Relatif à l'éthologie.

ETHOS [etɔs] n. m. (mot gr.). *Anthropol.* Caractère commun à un groupe d'individus appartenant à une même société.

ÉTHUSE n. f. → ÆTHUSE.

ÉTHYLE n. m. (lat. *aether,* et gr. *hulê,* bois). Radical univalent C_2H_5, dérivé de l'éthane.

ÉTHYLÈNE n. m. Hydrocarbure gazeux incolore (C_2H_4), légèrement odorant, produit à partir du pétrole et à la base de nombreuses synthèses.

■ L'un des plus importants produits de base de la chimie, des plastiques, du caoutchouc et d'autres industries, l'éthylène est gazeux à l'état naturel, liquide au-dessous de —104 °C. Il est le premier terme des *carbures éthyléniques,* qui renferment une *(alcènes),* deux *(alcadiènes)* ou plus de deux *(polyènes)* doubles liaisons. Il est fabriqué par *vapocraquage* (steam-cracking), pyrolyse à 800 °C non catalytique de naphta (essence lourde) ou de gasoil. Comme toutes les oléfines à double liaison entre atomes de carbone, c'est un corps hautement réactif, dont on tire de nombreux dérivés : il se polymérise facilement pour donner les deux variétés de ce plastique bien connu qu'est le *polyéthylène,* haute et basse densité; combiné avec le chlore, il fournit un autre plastique non moins connu, le *polychlorure de vinyle;* avec le benzène, il donne un isolant thermique, le *polystyrène,* et un caoutchouc synthétique, le copolymère butadiène styrène; par oxydation, on débouche sur toute une chimie organique de l'éthylène, comme les antigels, les détergents, les fibres (Tergal), les solvants, les fluides hydrauliques et les polyuréthannes, aux nombreuses applications, allant des mousses de rembourrage aux similicuirs. À la sortie du vapocraqueur, dont les plus récents ont une capacité de 500 000 t par an, l'éthylène est stocké à l'état liquide sous pression ou sous forme cryogénique avant d'être acheminé vers une usine utilisatrice par wagon, camion, chaland, navire ou pipeline.

ÉTHYLÉNIQUE adj. Se dit des hydrocarbures contenant une liaison double, de formule générale C_nH_{2n}, encore appelés *alcènes* et *oléfines.*

ÉTHYLIQUE adj. Se dit des dérivés de l'éthane : *alcool éthylique* (ou alcool ordinaire), de formule C_2H_5OH. ◆ adj. et n. Syn. de ALCOOLIQUE.

ÉTHYLISME n. m. Syn. de ALCOOLISME.

ÉTHYLSULFURIQUE adj. Syn. de SULFOVINIQUE.

ÉTIAGE n. m. (de *étier*). Niveau moyen le plus bas d'un cours d'eau. (Syn. MAIGRE.)

ÉTIENNE *(saint),* un des sept diacres de la première communauté chrétienne de Jérusalem, membre influent de la fraction des hellénistes (juifs convertis venant de la Diaspora et parlant grec). Il mourut martyr vers 31.

ÉTIENNE Ier, II, III, IV, V, VI, VII, VIII, IX → PAPE.

ÉTIENNE Ier *(saint)* [Esztergom v. 970/975-Buda 1038], roi de Hongrie (1000-1038), fondateur de l'État hongrois. Fils de Géza, duc des Magyars, et époux de la fille du duc de Bavière, il succède à son père en 997. Aidé de missionnaires italiens, il entreprend aussitôt la christianisation de son pays, se déclare vassal du Saint-Siège et reçoit du pape Silvestre II la couronne de Hongrie (1000). Il développe dans son royaume une administration centralisée (comitats [*vármegye*], gouvernés par des comtes [*ispán*] nommés par lui).

ÉTIENNE DE BLOIS (1097 ? - 1154), comte de Boulogne et de Mortain, puis roi d'Angleterre (1135-1154). Il était fils d'Étienne, comte de Blois, et d'Adèle d'Angleterre, sœur d'Henri* Ier Beauclerc. À la mort d'Henri Ier (1135), il évince la fille de ce dernier, Mahaut, et se fait proclamer roi d'Angleterre par les grands. Mais, dès 1139, il doit lutter contre les partisans du mari de Mahaut, Geoffroi Plantagenêt, comte d'Anjou. La conquête de la Normandie par Geoffroi et la mort de son fils Eustache (1153) le contraignent à faire d'Henri Plantagenêt, fils de Geoffroi, l'héritier de son royaume (accords de Wallingford, 1154).

ÉTIENNE III le Grand → MOLDAVIE.

ÉTIENNE Ier BÁTHORY (1533 - Grodno 1586), prince de Transylvanie (1571-1576), roi de Pologne (1576-1586). Élu prince de Transylvanie à la mort de Jean Sigismond Zápolya (1571), il fait ainsi échec au candidat des Habsbourg, Gaspard Bekes. En décembre 1575, la diète polonaise l'élit roi à l'encontre du candidat allemand, Maximilien II de Habsbourg. Le règne d'Étienne Ier est marqué par la lutte victorieuse contre Ivan le Terrible pour la possession de la Livonie (1582), par l'introduction des Jésuites dans le pays et par le soutien à la Contre-Réforme.

ÉTIENNE NEMANJA (Ribnica [auj. Titograd]-mont Athos 1200), grand joupan de Rascie, prince de Serbie (v. 1170-1196). Vers 1187, il entreprend de délivrer les États serbes de la tutelle byzantine et annexe le Monténégro, la Dalmatie, l'Herzégovine et la Serbie danubienne. Très pieux, il favorise l'implantation de monastères et, vers 1193, il abdique au profit d'Étienne Ier, son fils, pour se retirer au monastère du mont Athos.

ÉTIENNE Ier NEMANJIĆ († 1228), grand joupan (1195-1217), puis roi de Serbie (1217-1227), second fils d'Étienne Nemanja. À la mort de son père, son frère Vuk, soutenu par la papauté et la Hongrie, le chasse de ses États (1200). Restauré en 1203, Étienne resserre ses liens avec Venise en épousant la petite-fille du doge Enrico Dandolo*. En 1217, il reçoit du pape la couronne de Serbie. Il n'en proclame pas moins l'indépendance de l'Église serbe (1219) et contribue ainsi à l'éveil d'une conscience nationale.

ÉTIENNE IX UROŠ IV DUŠAN (1308-Diavoli 1355), roi, puis empereur des Serbes (1331-1355). Ce grand chef militaire rêve de remplacer l'Empire byzantin moribond par un vaste État gréco-serbe, capable de contenir les Turcs. Son mariage avec Hélène, sœur du tsar de Bulgarie, lui permet de restaurer la suprématie serbe sur la Bulgarie (1331). Étienne conquiert la Macédoine (1345), l'Albanie, l'Épire et la Thessalie (1348-49). Couronné empereur des Serbes, des Grecs, des Bulgares et des Albanais (Pâques 1346), il affirme l'indépendance de l'Église serbe et promulgue un code fondé sur le droit grec (le *Dušanov Zakonik,* 1349).

ÉTIENNE-MARTIN (Étienne MARTIN, dit), sculpteur français (Loriol-sur-Drôme 1913). Souvent intitulées *Demeures,* ses grandes sculptures en bois (souches retravaillées) ou en bronze, à la fois massives et découpées, viscérales, évoquent le surgissement d'un fond primitif de l'être comme de la civilisation. Étienne-Martin a exercé une influence importante, notamment comme professeur à l'École nationale supérieure des beaux-arts (à partir de 1967).

ÉTIER n. m. (lat. *aestuarium,* bassin au bord de la mer). Canal qui amène l'eau de mer dans les marais salants.

ÉTINCELAGE n. m. Procédé d'usinage utilisant l'action abrasive d'étincelles électriques à haute fréquence. ‖ *Chir.* Procédé permettant de détruire certains tissus organiques par l'utilisation de courants de haute fréquence.

ÉTINCELANT, E adj. Qui étincelle, brillant : *couleurs étincelantes; esprit étincelant.*

ÉTINCELER v. i. (conj. **3**). Briller d'un vif éclat, scintiller : *les étoiles étincellent.* ● *Étinceler d'esprit* (Litt.), abonder en traits d'esprit.

H. Tazieff

l'**Etna** en éruption

Saint **Étienne Ier.** Initiale ornée d'un manuscrit du XIVe s. (Bibliothèque nationale, Budapest.)

B. N., Budapest

ÉTINCELLE n. f. (lat. *scintilla*). Parcelle qui, portée à l'incandescence, est projetée au loin : *jeter des étincelles.* ‖ Manifestation brillante et fugitive : *étincelle de génie.* ● *Étincelle électrique,* phénomène lumineux et crépitant, dû à une décharge brusque et se produisant lorsqu'on rapproche deux corps électrisés à des potentiels différents. ‖ *Faire des étincelles* (Fam.), être brillant.

ÉTINCELLEMENT n. m. Éclat de ce qui étincelle; scintillement.

ÉTIOLEMENT n. m. Affaiblissement, appauvrissement : *l'étiolement de l'esprit.* ‖ *Agr.* Action d'étioler une plante; état d'une plante étiolée.

ÉTIOLER v. t. *Agr.* Faire pousser une plante à l'abri de la lumière, afin qu'elle reste blanche. ◆ **s'étioler** v. pr. Devenir chétif, malingre; s'affaiblir.

ÉTIOLOGIE n. f. (gr. *aitia,* cause, et *logos,* science). Partie de la médecine qui recherche les causes des maladies.

ÉTIOLOGIQUE adj. Relatif à l'étiologie. ‖ Se dit d'un récit qui vise à expliquer, par certains faits (réels ou mythiques) des origines, la signification d'un phénomène naturel, d'un nom, d'une institution, etc.

ÉTIOPATHIE n. f. (gr. *aïtia,* cause, et *pathos,* souffrance). Méthode de médecine naturelle à base de manipulations, fondée sur la recherche de l'origine de la douleur.

ÉTIQUE adj. (anc. fr. *fièvre hectique,* qui amaigrit). *Litt.* Maigre, décharné.

ÉTIQUETAGE n. m. Action d'étiqueter.

ÉTIQUETER v. t. (conj. **4**). Marquer d'une étiquette. ‖ Classer qqn.

ÉTIQUETEUR, EUSE n. Personne qui pose des étiquettes.

ÉTIQUETEUSE n. f. Machine servant à étiqueter.

ÉTIQUETTE n. f. (anc. fr. *estiquer,* attacher). Petit écriteau qu'on met sur un objet pour en indiquer le prix, le contenu, etc. ‖ Cérémonial en usage dans une cour, dans la maison d'un chef d'État, dans une réception : *observer l'étiquette.* ‖ *Inform.* Instruction particulière au sein d'un programme; ensemble de caractères lié à un groupe de données et destiné à l'identifier. ● *Mettre une étiquette,* classer qqn selon son appartenance politique, sociale ou idéologique.

ÉTIRABLE adj. Qui peut être étiré.

ÉTIRAGE n. m. Action d'étirer. ‖ Opération qui amène une barre ou un tube, par passage à froid à travers une filière, à une longueur plus grande et à une section plus réduite. ● *Banc d'étirage,* machine utilisée pour l'étirage.

ÉTIREMENT n. m. Action d'étirer, de s'étirer.

ÉTIRER v. t. Étendre, allonger par traction. ‖ Former en continu une feuille de verre plat ou un tube de verre. ‖ Réduire la section des rubans et des mèches en filature. ◆ **s'étirer** v. pr. S'allonger en étendant les membres, pour se délasser.

ETNA, volcan actif du nord-est de la Sicile; 3 345 m d'altitude.

ÉTOFFE n. f. (mot germ.). Article textile ayant une certaine cohésion. ‖ Alliage dont on fait les tuyaux d'orgue. ● *Avoir de l'étoffe*, avoir de grandes qualités. ◆ pl. Bénéfices que l'imprimeur prélève sur le papier et les fournitures diverses qu'il facture.

ÉTOFFÉ, E adj. Abondant, consistant : *devoir bien étoffé.* ● *Voix étoffée*, pleine et sonore.

ÉTOFFER v. t. Garnir d'étoffe. ‖ Enrichir de faits, développer : *étoffer un roman.*

ÉTOILE n. f. (lat. *stella*). Dans le langage courant, tout astre qui brille dans le ciel, à l'exception de la Lune, et du Soleil. ‖ *Astron.* Astre doué d'un éclat propre observable sous la forme d'un point lumineux. ‖ Influence attribuée aux astres sur le sort des hommes, destinée : *être né sous une bonne étoile.* ‖ Objet, ornement, formé de branches qui rayonnent à partir d'un point central. ‖ Fêlure à fentes rayonnantes. ‖ Carrefour à plus de quatre branches rayonnantes. ‖ Artiste célèbre au théâtre, au cinéma. ‖ Danseur, danseuse de classe internationale; suprême échelon dans la hiérarchie de certains corps de ballet (Opéra de Paris). ‖ Insigne de certaines décorations. ‖ En France, insigne de grade des officiers généraux (v. GRADE). ‖ Sur un panneau, dans un guide, signe unique ou multiple qui caractérise la catégorie ou la qualité d'un hôtel, d'un restaurant, d'un site touristique. ‖ *Comm.* Unité de froid équivalent à − 6 °C et qui, multipliée, indique le degré maximal de réfrigération d'un conservateur ou d'un congélateur. ● *À la belle étoile*, en plein air, la nuit. ‖ *Étoile de David*, symbole judaïque constitué par une étoile à six branches. ‖ *Étoile double*, ensemble de deux étoiles proches l'une de l'autre dans le ciel. (Le plus souvent les deux composantes d'une étoile double sont liées physiquement et tournent autour de leur centre de gravité commun.) ‖ *Étoile filante*, phénomène lumineux provoqué par le déplacement rapide d'un corpuscule solide, généralement de très petites dimensions, porté à l'incandescence par suite du frottement dans les couches atmosphériques supérieures. ‖ *Étoile géante*, étoile possédant une grande luminosité et une faible densité. ‖ *Étoile de mer*, animal marin en forme d'étoile à cinq branches, de l'embranchement des échinodermes. (Les étoiles de mer, ou *astéries*, carnassières, aux bras souples et régéné-

rant facilement, atteignent chez certaines espèces un diamètre de 50 cm. Elles forment la classe des *astérides*.) ‖ *Étoile multiple*, ensemble d'étoiles qui gravitent les unes et les autres autour d'un centre de gravité commun. ‖ *Étoile naine*, étoile de forte densité moyenne et de luminosité relativement faible. ‖ *Étoile à neutrons*, étoile extrêmement dense et de petite dimension, constituée d'un gaz de neutrons. ‖ *Étoile Polaire*, celle des étoiles visibles à l'œil nu qui est, actuellement, la plus proche du pôle Nord de la sphère céleste. ‖ *Étoile à sursauts*, étoile jeune caractérisée par des changements brusques et brefs d'éclat et de spectre. ‖ *Étoile variable*, étoile soumise à d'importantes variations d'éclat.

■ Bien qu'apparaissant comme des points brillants identiques et immuables, les étoiles sont très différentes les unes des autres par leur masse, par leur luminosité et par leur composition. Contrairement aux planètes* du système solaire, visibles grâce à la réflexion de la lumière du Soleil* à leur surface, elles fabriquent elles-mêmes leur énergie, dont, au début du XXᵉ s., on envisagea la source dans des réactions thermonucléaires. Cette dépense d'énergie par rayonnement se traduit par l'existence d'un schéma de leur évolution. Actuellement, les astronomes pensent qu'une étoile naît de la contraction d'un nuage de matière interstellaire. Cette protoétoile commence à rayonner, car la contraction provoque une élévation de température, puis un effondrement bref se produit : une étoile est née. La température, de l'ordre de 1 million de degrés, est alors suffisante dans les régions centrales pour que les réactions thermonucléaires s'amorcent : quatre noyaux d'hydrogène fusionnent pour donner un noyau d'hélium et une certaine quantité d'énergie. L'hydrogène étant le constituant principal de l'étoile, cette phase va durer très longtemps. Aussi observe-t-on de nombreuses étoiles à ce stade de leur évolution. Plus une étoile est massive, plus son hydrogène sera brûlé rapidement, cette phase pouvant durer de 10 millions à 10 milliards d'années. En revanche, la combustion de l'hydrogène ne se produit pas dans les petites étoiles, car leur température n'est jamais assez élevée, et celles-ci deviennent des naines blanches. Lorsque l'hydrogène s'épuise dans les régions centrales de l'étoile, le

noyau se contracte, permettant ainsi à l'hydrogène de brûler sur des couches moins profondes pendant que l'enveloppe se dilate : c'est la phase des *géantes rouges*. Le Soleil atteindra ce stade dans 5 milliards d'années. Son rayon aura alors centuplé, et la température sur la Terre dépassera 2 000 °C. La façon dont les étoiles meurent dépend encore de leur masse, mais ce processus est encore mal connu. Après la combustion de l'hélium en couches, de nouvelles réactions nucléaires se produisent au centre; une phase explosive a lieu, qui peut donner naissance soit à un trou noir, soit à une étoile à neutrons ou à une naine blanche, selon que l'étoile est plus ou moins massive. Ces modèles théoriques d'évolution sont fondés sur les données d'observations d'étoiles différentes, dont l'analyse du rayonnement permet de connaître leur luminosité, la composition chimique et la température de leur enveloppe.

Seule la masse des étoiles doubles se détermine aisément. La mesure du rayon d'une étoile, difficile jusqu'à maintenant, est rendue plus facile par de nouvelles techniques interférométriques et par de nouvelles techniques infrarouges.

Étoile (ordres de l') nom donné à de nombreux ordres de chevalerie ayant l'étoile pour insigne. Les deux anciens ordres coloniaux français, l'étoile d'Anjouan et l'étoile noire du Bénin, ont été remplacés en 1964 par l'ordre national du Mérite.

Étoile (place de l') → CHARLES-DE-GAULLE (place).

ÉTOILÉ, E adj. Semé d'étoiles : *ciel étoilé.* ‖ Formé de branches qui rayonnent à partir d'un point central. ● *Bannière étoilée*, drapeau des États-Unis.

ÉTOILEMENT n. m. Fêlure en étoile.

ÉTOILER v. t. Fêler en étoile : *étoiler un carreau.* ‖ *Litt.* Semer d'étoiles ou d'objets en forme d'étoile.

ÉTOLE n. f. (lat. *stola*, robe). Ornement liturgique fait d'une large bande d'étoffe porté de façon différente par l'évêque, le prêtre et le diacre. ‖ Fourrure en forme d'étole.

ÉTOLIE, région montagneuse de la Grèce centrale, qui ne prit une importance politique qu'au IVᵉ s. av. J.-C. avec la constitution de la *ligue Étolienne.* Après avoir imposé son autorité à

Delphes, la ligue s'opposa efficacement à la Macédoine, mais fut démantelée par les Romains en 167 av. J.-C.

ÉTOLIEN, ENNE adj. et n. De l'Étolie.

ETON, v. de Grande-Bretagne, sur la Tamise, à l'O. de Londres; 4 000 hab. Collège fondé en 1440.

ÉTONNAMMENT adv. De façon étonnante.

ÉTONNANT, E adj. Qui frappe par qqch d'extraordinaire, d'inattendu, d'étrange; prodigieux, remarquable : *une mémoire étonnante.*

ÉTONNEMENT n. m. Surprise causée par qqch de singulier, d'inattendu.

ÉTONNER v. t. (lat. pop. *extonare*, frapper de stupeur). Surprendre par qqch d'extraordinaire, d'inattendu; abasourdir, stupéfier. ◆ **s'étonner** v. pr. Être surpris.

ÉTOUFFAGE n. m. Action de tuer la chrysalide d'un cocon de ver à soie.

ÉTOUFFANT, E adj. Qui fait qu'on étouffe; suffocant : *la chaleur étouffante d'une salle.*

ÉTOUFFE-CHRÉTIEN n. m. inv. *Fam.* Aliment, pâtisserie difficiles à avaler à cause de leur consistance épaisse ou farineuse.

ÉTOUFFÉE (À L') loc. adv. Mode de cuisson des viandes ou des légumes en vase clos, avec peu ou pas de liquide. (Syn. ÉTUVÉE.)

ÉTOUFFEMENT n. m. Action d'étouffer. ‖ Grande difficulté à respirer, suffocation.

ÉTOUFFER v. t. (lat. pop. *stuffare*, boucher). Faire périr par asphyxie. ‖ Gêner en rendant la respiration difficile : *chaleur qui étouffe.* ‖ Assourdir, amortir : *tapis qui étouffe les pas.* ‖ Empêcher d'éclater ou de se développer : *étouffer un scandale, une révolte.* ● *Étouffer le feu*, l'éteindre. ◆ v. i. Respirer avec peine; être mal à l'aise : *on étouffe ici.* ◆ **s'étouffer** v. pr. Perdre la respiration.

ÉTOUFFOIR n. m. *Mus.* Mécanisme à l'aide duquel on arrête subitement les vibrations des cordes d'un instrument de musique. ‖ *Fam.* Salle dont l'atmosphère est chaude et confinée.

ÉTOUPE n. f. (lat. *stuppa*). Partie la plus grossière de la filasse de chanvre ou de lin.

ÉTOUPILLE [etupij] n. f. Artifice contenant une composition fulminante servant à la mise à feu d'une charge de poudre. ‖ v. t. Munir d'une étoupille.

ÉTOURDERIE n. f. Caractère de celui qui ne réfléchit pas avant d'agir; irréflexion, distraction, inattention. ‖ Acte irréfléchi : *commettre des étourderies.*

ÉTOURDI, E adj. et n. Qui agit sans réflexion, sans attention : *enfant étourdi.*

Étourdi (l') ou les Contretemps, comédie de Molière en cinq actes, représentée à Lyon en 1655 et à Paris en 1658.

ÉTOURDIMENT adv. En étourdi, inconsidérément, imprudemment.

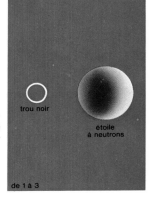
trou noir
étoile à neutrons
de 1 à 3

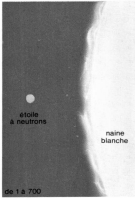
étoile à neutrons
naine blanche
de 1 à 700

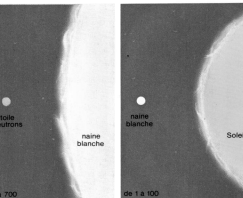
naine blanche
Soleil
de 1 à 100

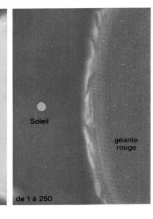
Soleil
géante rouge
de 1 à 250

◁ Dimensions comparées
d'un trou noir,
d'une étoile à neutrons,
d'une naine blanche,
du Soleil
et d'une géante rouge

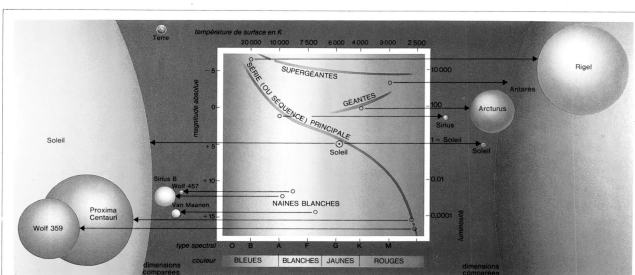

Classification des **étoiles** selon le diagramme de Hertzsprung-Russell (on a figuré la position, sur le diagramme, de quelques étoiles remarquables, et représenté, de part et d'autre du diagramme, leurs dimensions comparées)

ÉTOURDIR v. t. (lat. *turdus*, grive). Faire perdre à demi connaissance : *étourdir d'un coup de bâton.* ‖ Fatiguer, importuner par le bruit, les paroles : *ce bruit m'étourdit.* ‖ Causer une sorte de griserie : *le vin l'étourdit un peu.* ◆ **s'étourdir** v. pr. Se distraire pour ne penser à rien.

ÉTOURDISSANT, E adj. Qui étourdit : *bruit étourdissant.* ‖ Extraordinaire, éblouissant : *nouvelle étourdissante.*

Varin-Visage-Jacana

étourneau

ÉTOURDISSEMENT n. m. Vertige, perte de conscience passagère. ‖ État de griserie.

ÉTOURNEAU n. m. (lat. *sturnus*). Passereau à plumage sombre tacheté de blanc, insectivore et frugivore. (Long. 20 cm. Famille des sturnidés.) [Syn. SANSONNET.] ‖ Jeune étourdi.

ÉTRANGE adj. (lat. *extraneus*). Contraire à l'usage, à l'ordre, à l'habitude; bizarre, extraordinaire : *une nouvelle, un sourire étrange.*

ÉTRANGEMENT adv. De façon étrange.

ÉTRANGER, ÈRE adj. et n. Qui n'appartient pas à la nation, à la famille, au groupe. ◆ adj. Qui n'appartient pas à la chose dont on parle : *dissertation étrangère au sujet.* ‖ Qui n'est pas connu : *visage étranger.* ‖ Qui est sans rapport, sans relation avec : *étranger à une affaire.* ● *Corps étranger* (Méd.), chose qui se trouve, contre nature, dans le corps de l'homme ou de l'animal.

ÉTRANGER n. m. Pays autre que celui dont on est citoyen : *partir pour l'étranger.*

Étranger *(l')*, roman d'A. Camus (1942). Le flux de la vie quotidienne et la banalité d'un fait divers (un Français d'Algérie enterre sa mère, prend une maîtresse et tue un Arabe) relatés avec une concision et une précision qui dessinent et détachent si nettement leurs contours matériels qu'ils en deviennent insolites un roman qui donne le *sentiment* de l'absurde, comme *le Mythe* de Sisyphe*, publié la même année, en explicite la *notion.*

ÉTRANGETÉ n. f. Caractère de ce qui est étrange, extraordinaire. ‖ Chose étrange. ● *Sentiment d'étrangeté* (Psychol.), altération de la résonance affective des perceptions.

ÉTRANGLÉ, E adj. Resserré, rétréci. ● *Voix étranglée*, à demi étouffée.

ÉTRANGLEMENT n. m. Action d'étrangler. ‖ Resserrement, rétrécissement : *l'étranglement d'une vallée.* ● *Goulet* ou *goulot d'étranglement*, difficulté limitant ou retardant une évolution.

ÉTRANGLER v. t. (lat. *strangulare*). Serrer, comprimer excessivement le cou, en gênant ou en faisant perdre la respiration. ‖ Resserrer fortement. ‖ Empêcher de se manifester, de s'exprimer librement : *étrangler la presse.*

étrave d'un navire porte-conteneurs

Howaldtswerke Deutsche Werft

ÉTRANGLEUR, EUSE n. Celui, celle qui étrangle.

ÉTRANGLOIR n. m. *Mar.* Appareil destiné à ralentir la course d'une chaîne d'ancre.

ÉTRAVE n. f. (mot scandin.). *Mar.* Forte pièce de charpente qui termine la coque d'un navire à l'avant. ● *Propulseur d'étrave*, petite hélice placée dans un tunnel transversal, près de l'étrave, et permettant le déplacement latéral du navire.

ÊTRE v. i. (lat. pop. *essere*, class. *esse*) [v. tableau des conjugaisons]. Sert : 1° à lier l'attribut, le compl. de lieu, de manière, etc., au sujet : *la neige est blanche; il est sans ressources; il est à Paris;* 2° d'auxiliaire dans les temps composés des verbes passifs, pronominaux, et de certains verbes neutres : *nous sommes venus; je me suis promené;* 3° de syn. de ALLER aux temps composés : *j'ai été à Rome.* ‖ Exister : *je pense donc je suis.* ● *C'est, ce sont*, etc., servent à présenter qqn, qqch. ‖ *En être*, marque le point où on est parvenu, le résultat. ‖ *En être pour sa peine*, avoir perdu sa peine. ‖ *Être de*, marque l'origine, la participation, la condition, etc. ‖ *Être en*, être vêtu en : *être en deuil.* ‖ *Être pour*, être partisan de. ‖ *N'être plus*, avoir cessé de vivre. ‖ *Y être*, être chez soi; comprendre.

ÊTRE n. m. Tout ce qui possède l'existence, tout ce qui est : *les êtres vivants.* ‖ Personne, individu : *un être détestable.* ‖ *Philos.* Existence. ‖ Ce à quoi on peut penser ou dont on peut parler. (Syn. ENTITÉ.) ● *L'Être suprême*, Dieu. (L'expression s'applique particulièrement au culte déiste organisé par Robespierre en mai-juin 1794.)

ÉTRÉCHY (91580), ch.-l. de cant. de l'Essonne, à 7 km au N. d'Étampes; 5600 hab. Église des XIIe-XIIIe s.

Être et le Néant *(l')*, œuvre de J.-P. Sartre, parue en 1943. Dans cet « Essai d'ontologie phénoménologique », Sartre décrit les relations qu'entretient l'être humain en situation dans le monde et fonde ainsi la philosophie existentielle.

Être et le temps *(l')*, œuvre principale d'Heidegger (1927), dans laquelle il tente de sortir de la philosophie dans la mesure où celle-ci, comme métaphysique, a toujours ramené à la forme de l'étant-présent l'être que tout étant présuppose et le temps que tout présent présuppose pour inaugurer une authentique réflexion ontologique sur l'être comme question.

ÉTREINDRE v. t. (lat. *stringere*) [conj. **55**]. *Litt.* Serrer fortement en entourant : *étreindre dans ses bras.* ‖ Oppresser, saisir l'esprit : *l'émotion étreignait les spectateurs.*

ÉTREINTE n. f. Action d'étreindre, de serrer dans ses bras.

ÊTRE-LÀ n. m. inv. (trad. de l'all. *Dasein*). *Philos.* Étant dont l'essence réside dans son existence. (Syn. HOMME.)

ÉTRENNE n. f. (lat. *strena*). Présent fait à l'occasion du premier jour de l'année ou de tout autre jour consacré par l'usage (surtout au pl.) : *recevoir, donner des étrennes.* ● *Avoir l'étrenne de qqch*, en avoir l'usage le premier ou pour la première fois.

ÉTRENNER v. t. Faire usage d'une chose pour la première fois : *étrenner une robe.* ◆ v. i. Être le premier à subir un inconvénient.

ÉTRÉPAGNY (27150), ch.-l. de cant. de l'Eure, à 13 km à l'O. de Gisors; 3233 hab.

ÊTRES n. m. pl. (lat. *extera*, ce qui est à l'extérieur). *Litt.* Disposition des diverses parties d'une habitation.

ÉTRÉSILLON n. m. (altér. d'*estesillon*, bâton). Élément de construction placé entre deux parties qui tendent à se rapprocher.

ÉTRÉSILLONNEMENT n. m. Action d'étrésillonner. ‖ Assemblage d'étrésillons.

ÉTRÉSILLONNER v. t. Neutraliser l'une par l'autre deux poussées convergentes.

ÉTRETAT (76790), comm. de la Seine-Maritime, sur la Manche, à 17 km au S.-O. de Fécamp; 1577 hab. Église romane et gothique. Falaises. Station balnéaire.

ÉTRIER n. m. (mot francique). Anneau en métal, suspendu par une courroie de chaque côté de la selle, et sur lequel le cavalier appuie le pied. ‖ Petite échelle de corde avec planchettes ou barreaux de métal léger, qui sert à l'alpiniste en escalade artificielle. ‖ Pièce métallique pour renforcer une pièce de charpente ou pour la lier à une autre. ‖ Pièce métallique de la fixation du ski, qui maintient solidement l'avant de la chaussure. ‖ *Anat.* Osselet de l'oreille moyenne, placé en dedans de l'enclume et s'articulant avec la fenêtre ovale. ● *Avoir le pied à l'étrier*, être prêt à partir; être en bonne voie pour réussir. ‖ *Coup de l'étrier*, verre que l'on boit avant de partir. ‖ *Tenir l'étrier à qqn*, l'aider à monter à cheval; (litt.) favoriser ses desseins. ‖ *Vider les étriers*, tomber de cheval.

ÉTRILLE n. f. (lat. *strigilis*). Instrument de fer, formé de petites lames dentelées, pour enlever les malpropretés qui s'attachent au poil des chevaux. ‖ Crabe comestible, à pattes postérieures aplaties en palette, commun sous les rochers littoraux. (Long. 6 cm.)

Scala

Détail d'une des fresques de la tombe des Lionnes à Tarquinia (Latium). VIe s. av. J.-C.

ÉTRUSQUES

Sarcophage provenant de Cerveteri (Latium). Terre cuite, fin du VIe s. av. J.-C. (Musée du Louvre, Paris.)

Lauros-Giraudon

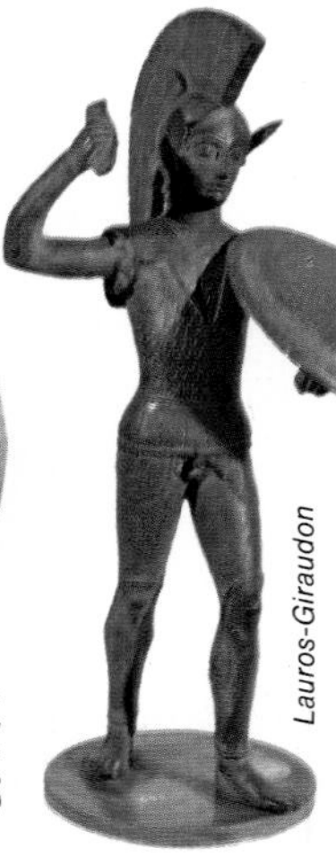

Lauros-Giraudon

Guerrier combattant. Statuette en bronze, milieu du Ve s. av. J.-C. (Musée archéologique, Florence.)

ÉTRILLER v. t. Frotter avec l'étrille. ‖ *Fam.* Malmener, battre, réprimander : *étriller un adversaire.* ‖ *Fam.* Faire payer trop cher.

ÉTRIPAGE n. m. Action d'étriper.

ÉTRIPER v. t. Retirer les tripes de : *étriper un lapin.* ‖ *Fam.* Blesser ou tuer à l'arme blanche.

ÉTRIQUÉ, E adj. (néerl. *strijken*, amincir). Qui manque d'ampleur : *un vêtement étriqué.* ‖ Mesquin, d'esprit étroit.

ÉTRIVE n. f. *Mar.* Amarrage sur un ou deux cordages.

ÉTRIVIÈRE n. f. (de *étrier*). Courroie servant à soutenir les étriers.

ÉTROIT, E adj. (lat. *strictus*). Qui a peu de largeur : *chemin étroit.* ‖ Qui tient serré : *nœud étroit.* ‖ Borné, qui manque d'envergure : *esprit étroit.* ‖ Strict, rigoureux : *étroite obligation.* ‖ Intime, qui lie fortement : *amitié étroite.* ● *À l'étroit*, dans un espace trop petit : *être logé à l'étroit.*

ÉTROITEMENT adv. À l'étroit. ‖ Intimement : *amis étroitement unis.* ‖ Strictement, rigoureusement : *s'en tenir étroitement à la consigne.*

ÉTROITESSE n. f. Caractère de ce qui est étroit; exiguïté. ‖ Défaut de largeur dans l'esprit, les sentiments : *étroitesse de vues.*

ÉTRON n. m. (mot germ.). Matière fécale moulée.

ÉTRONÇONNER v. t. Dépouiller un tronc de ses branches, sauf au sommet.

ÉTRURIE, région de l'Italie antique, correspondant, approximativement, à la Toscane.

ÉTRURIE *(royaume d')*, royaume éphémère, érigé en 1801 par Bonaparte au profit du duc de Parme; il fut réuni à l'Empire français en 1808 et transformé en grand-duché de Toscane, dont Élisa Bonaparte fut la souveraine (1809-1814).

ÉTRUSQUE adj. et n. D'Étrurie.

ÉTRUSQUE n. m. Langue non indo-européenne parlée par les Étrusques.

ÉTRUSQUES, peuple de l'Italie ancienne, qui prospéra à partir du VIIe s. av. J.-C., puis qui fut soumis par les Romains. Les Étrusques s'appelaient eux-mêmes *Rasena* ou *Rasna;* les Romains les nommaient *Tusci* ou *Etrusci*, et les Grecs *Tyrrhéniens* ou *Tyrsènes.*

HISTOIRE. L'origine de ce peuple a fait l'objet de plusieurs thèses (celle de l'autochtonie, celle de l'immigration venue de Lydie), dont l'une, celle de la fusion d'éléments ethniques très variés (Italiques, Orientaux), paraît actuellement l'emporter. Le point de départ de l'expansion étrusque a été la Toscane : au VIIIe s. av. J.-C., le peuple étrusque occupe la région située entre l'Arno et le Tibre, où, dès cette époque, se développent douze riches cités dominées par des oligarchies, au sein desquelles se recrutent les *lucumons*, chefs de ces États. Dès la seconde moitié du VIIe s. av. J.-C., les Étrusques se lancent dans une politique d'expansion en s'emparant de Rome*, qui, pendant un siècle, doit obéir à une dynastie de rois étrusques. Vers le nord, ils atteignent la plaine du Pô et Felsina (Bologne), d'où ils contrôlent la côte adriatique et la région des lacs alpins. À la même époque, ils s'installent en Campanie, où ils fondent Capoue, s'implantent en Corse et affirment leur supériorité maritime sur la mer Tyrrhénienne. Mais leur puissance est éphémère. Le particularisme de chaque cité les empêche de réaliser un front commun face aux Romains, qui, en 509 av. J.-C., ont chassé leur roi étrusque, aux Grecs, qui les battent à Aricia (506 av. J.-C.), puis à Cumes (474 av. J.-C.), aux Samnites, qui s'emparent de la Campanie, et aux Gaulois, qui annexent la plaine padane au début du IVe s. av. J.-C. Enfin, c'est leur patrie que les Étrusques doivent défendre contre l'envahisseur romain à partir du IVe s. av. J.-C. Le siège de Véies (406-396 av. J.-C.) par M. Furius* Camillus marque la prise de l'Étrurie méridionale. Les autres cités tombent une à une aux mains de Rome. La conquête de la Toscane peut être considérée comme achevée à la veille de la première guerre punique.

Mais la civilisation étrusque survécut aux défaites. C'était une civilisation essentiellement urbaine; chaque cité avait son originalité, ses ressources : Populonia était un centre sidérurgique, Véies et Vulci étaient des centres d'artisanat d'art... La religion est l'aspect le plus connu de la civilisation étrusque : la doctrine religieuse était résumée dans des livres sacrés dont certains avaient fait l'objet des révélations d'un génie mystérieux, Tagès, et d'une nymphe, Bégoé. L'influence des Étrusques sur Rome a été considérable, tant dans le domaine religieux (haruspicine, collèges sacerdotaux) que dans celui des institutions (triomphe, règle de la procédure). Mais surtout l'Étrurie mit les Latins pour la première fois en contact avec l'hellénisme.

BEAUX-ARTS. Précédé par la civilisation villanovienne, l'art étrusque se développe à partir du VIIIe s. av. J.-C.; il sera surtout étudié grâce au matériel funéraire et aux sépultures, réalisées

J. Six

eucalyptus

avec un soin extrême. Les villes sont édifiées selon un plan classique, repris ensuite par les Romains (un cardo N. S. et des decumani perpendiculaires, comme à Marzabotto). Les tombes révèlent également ce souci d'urbanisme et constituent de véritables « villes des morts ». Construites en blocs de pierre au nord de la Toscane ou creusées dans la pierre volcanique au sud, elles comprennent une ou plusieurs chambres funéraires souvent sous tumulus. Des techniques modernes (plan par photographie aérienne, sondage photographique, etc.) ont permis de localiser le mobilier funéraire (vases, bronzes et aussi bijoux et parures, domaine où excellaient les Étrusques). Décorant de nombreuses tombes, les fresques échelonnées entre le VIe s. et le IIe s. av. J.-C. constituent un précieux ensemble artistique et documentaire (Tarquinia*, Chiusi*, Orvieto, Vulci*, Cerveteri*...). Succédant, vers 550, à la période orientalisante, le style ionico-étrusque suscite des créations plus animées (tombe des Taureaux, des Augures [Tarquinia], etc.). Vers le Ve s., l'influence d'Athènes et du style sévère prédomine, et les thèmes mythologiques sont associés à ceux de la vie quotidienne (jeux, banquets...). L'art pictural atteint alors son apogée.

Cette allégresse est suivie par une période classique pendant le IVe s. av. J.-C., avant de sombrer dans une décadence où seules règnent l'angoisse et la terreur de l'au-delà. La sculpture, même si la ronde-bosse en pierre est assez rare, a subi la même évolution. Les sarcophages en terre cuite de Cerveteri ou l'*Apollon* de Véies* en sont les plus brillants témoignages. Durant la décadence du IVe s. av. J.-C., des œuvres aussi parfaites que la *Chimère d'Arezzo* (Florence, Musée archéologique) ou le *Mars* du musée de Todi demeurent des exceptions. Mais le portrait, malgré l'influence hellénistique, reste un domaine où l'artiste étrusque déploie ses dons d'observateur, talent qu'il transmettra au sculpteur romain.

ETTELBRÜCK, v. du Luxembourg, sur l'Alzette; 6 000 hab. Métallurgie.

ETTERBEEK, comm. de Belgique (Brabant), dans l'agglomération bruxelloise; 44 000 hab. Parc et musées du Cinquantenaire.

ÉTUDE n. f. (lat. *studium,* zèle). Travail de l'esprit qui s'applique à apprendre ou approfondir : *s'intéresser à l'étude des sciences.* ‖ Ouvrage où s'expriment les résultats d'une recherche : *savante étude d'un auteur.* ‖ Salle où les élèves font leurs devoirs, apprennent leurs leçons à la fin des heures de cours; temps qu'ils passent dans cette salle. ‖ Charge des officiers ministériels; bureau où ils travaillent avec leurs clercs. ‖ Travaux qui précèdent, préparent l'exécution d'un projet : *étude d'un port.* ‖ Croquis de détail : *étude de main.* ‖ Morceau de musique instrumentale ou vocale composé pour vaincre une difficulté technique. ◆ pl. Ensemble des cours suivis dans un établissement scolaire ou universitaire : *terminer ses études.*

Études, ballet de Harald Lander, musique de Czerny, créé en 1952 à l'Opéra de Paris et d'abord produit sous le titre d'*Étude* (1948). Présentation scénique d'une classe de travail chorégraphique.

Études de la nature, par Bernardin de Saint-Pierre (1784). L'ouvrage, complété en 1796 par *les Harmonies de la nature,* met en relief le principe de finalité dans l'organisation du monde sensible.

ÉTUDIANT, E n. Personne qui suit les cours d'une université ou d'un établissement supérieur spécialisé. ◆ adj. Relatif aux étudiants, organisé par les étudiants : *le syndicalisme étudiant.*

ÉTUDIÉ, E adj. Préparé avec soin : *discours étudié.* ‖ Qui manque de naturel : *des gestes étudiés.* ● *Prix étudié,* aussi bas que possible.

ÉTUDIER v. t. Chercher à acquérir la connaissance de, apprendre : *étudier la musique.* ‖ Examiner, analyser : *étudier un projet de loi, un phénomène.* ◆ **s'étudier** v. pr. S'observer avec attention, soigneusement.

ÉTUI n. m. (anc. fr. *estuier,* garder). Sorte de boîte qui sert à mettre, à porter, à conserver un objet : *étui à lunettes.* ‖ *Arm.* Cylindre qui contient la charge d'une cartouche et auquel est fixé le projectile. (Syn. DOUILLE.) ‖ *Mar.* Enveloppe de toile peinte dont on recouvre les voiles, les embarcations, etc.

ÉTUPES (25460), ch.-l. de cant. du Doubs, banlieue est de Montbéliard; 4 676 hab.

ÉTUVAGE n. m. Action d'étuver.

ÉTUVE n. f. Chambre de bain chauffée par des bouches de chaleur ou des radiateurs pour provoquer la transpiration. ‖ Petit four pour faire sécher différentes substances. ‖ Fosse dans laquelle on traite à la vapeur des grumes de bois écorcées avant le déroulage. ‖ Appareil pour la désinfection ou la stérilisation par la chaleur. ‖ Appareil utilisé en microbiologie pour maintenir les cultures à une température constante. ‖ *Fam.* Pièce où il fait très chaud.

ÉTUVÉE (À L') loc. adv. Syn. de À L'ÉTOUFFÉE.

ÉTUVER v. t. (gr. *tuphos,* vapeur). Cuire à l'étouffée. ‖ Sécher ou chauffer dans une étuve.

ÉTYMOLOGIE n. f. (gr. *etumos,* vrai, et *logos,* science). Science qui a pour objet l'origine des mots. ‖ Origine d'un mot.

ÉTYMOLOGIQUE adj. Relatif à l'étymologie.

ÉTYMOLOGIQUEMENT adv. D'après l'étymologie.

ÉTYMOLOGISTE n. Spécialiste d'étymologie.

ÉTYMON [etimɔ̃] n. m. Mot que l'on considère comme donnant l'étymologie d'un terme.

ETZIONI (Amitaï), sociologue américain (Cologne 1929). On lui doit une théorie dynamique de l'organisation, dans laquelle il met en exergue le phénomène de changement qui caractérise les organisations dans une société (*Modern Organization,* 1964; *The Active Society,* 1968).

Eu, symbole chimique de l'*europium.*

EU (76260), ch.-l. de cant. de la Seine-Maritime, sur la Bresle, à 4 km à l'E. du Tréport; 8 712 hab. (*Eudois*). Église gothique. Collège (mausolées des fondateurs) et château des XVIe-XVIIe s.

EUBÉE, île grecque de la mer Égée, proche du continent; 165 000 hab. Du VIIIe au VIe s. av. J.-C., l'Eubée prend une part importante au mouvement de colonisation hellénique. Convoitée par Athènes à cause de sa prospérité, elle passe sous la domination des Athéniens (506), puis des Macédoniens (338), auxquels les Romains la soustrairont en 196 av. J.-C.

EUBULIDE, philosophe grec de l'école de Mégare (IVe s. av. J.-C.).

EUCALYPTOL n. m. Huile essentielle retirée des feuilles d'eucalyptus et qu'on emploie en médecine.

EUCALYPTUS [økaliptys] n. m. (gr. *eu,* bien, et *kaluptos,* couvert). Grand arbre originaire d'Australie, qui pousse surtout dans les régions chaudes et dont les feuilles sont très odorantes. (Haut. : jusqu'à 150 m en Australie, environ 30 m dans le midi de la France.) [Myrtacées.]

EUCARYOTE adj. et n. m. Espèce vivante dont les cellules ont un noyau nettement séparé du cytoplasme. (Contr. PROCARYOTE.)

EUCHARISTIE [økaristi] n. f. (gr. *eukharistia,* action de grâce). Sacrement qui, suivant la doctrine catholique, contient réellement et substantiellement le corps, le sang, l'âme et la divinité de Jésus-Christ sous les apparences du pain et du vin. (Luther enseigne la coexistence de la substance du pain et du vin avec la substance du corps et du sang du Christ. Calvin admet une présence réelle mais spirituelle.) ‖ La messe elle-même.

EUCHARISTIQUE adj. Relatif à l'eucharistie.

EUCLIDE, mathématicien du IIIe s. av. J.-C. Ses *Éléments,* considérés depuis l'époque de leur composition comme le livre de géométrie par excellence, résument presque tous les apports grecs antérieurs à Archimède. Au début de cette œuvre, remarquable par une clarté et une rigueur qui n'ont jamais été dépassées, sont posées des « notions communes », auxquelles Euclide a constamment recours par la suite et parmi lesquelles figure son fameux postulat : *Par un point du plan, on ne peut mener qu'une parallèle à une droite.*

EUCLIDIEN, ENNE adj. Relatif à Euclide et à sa méthode. ● *Géométrie euclidienne,* géométrie qui repose sur le postulat des parallèles d'Euclide. ‖ *Géométrie non euclidienne,* géométrie qui rejette le postulat des parallèles d'Euclide.

EUDÉMIS [ødemis] n. m. Papillon dont la chenille, appelée encore *ver de la grappe,* attaque la vigne. (Famille des tortricidés.)

EUDES (*saint* Jean) → JEAN EUDES (*saint*).

EUDES (v. 860 - La Fère 898), roi de France (888-898), fils aîné de Robert le Fort. Déjà comte de Paris, il accède aux anciens comtés paternels (Anjou, Blésois, Touraine en octobre 886). La vigueur qu'il déploie dans la défense de Paris contre les Normands (885-886) amène les grands du royaume à le préférer à Charles* le Simple, alors âgé de huit ans. Couronné à Compiègne en février 888, Eudes ne parvient pas à débarrasser son royaume des Normands et doit, dès 893, faire face aux partisans de Charles. Vainqueur de ce dernier (897), il meurt le 1er janvier 898, après avoir invité ses partisans à reconnaître le Carolingien.

EUDES (Émile), révolutionnaire français (Roncey, Manche, 1843 - Paris 1888). Blanquiste, il participa à la Commune de Paris (1871).

EUDIOMÈTRE n. m. (gr. *eudia,* beau temps). *Phys.* Tube de verre gradué servant à mesurer les variations de volume dans les réactions chimiques entre gaz.

EUDIOMÉTRIE n. f. Détermination de la composition d'un gaz par emploi de l'eudiomètre.

EUDIOMÉTRIQUE adj. Relatif à l'eudiométrie.

EUDISTE n. m. Membre de la société cléricale fondée à Caen, en 1643, par saint Jean Eudes pour les missions intérieures et la direction des séminaires.

EUDOXE de Cnide, astronome et mathématicien grec (Cnide v. 405 - *id.* v. 355). Le premier, il répondit au problème cosmologique posé par Platon : trouver un système de mouvements circulaires qui rende compte des apparences célestes. Son système, composé de sphères homocentriques centrées sur une Terre* immobile, mais ayant des axes de rotation différents et agissant les unes sur les autres, présentait toutefois le gros défaut de ne pouvoir expliquer les variations des distances des planètes à la Terre. On attribue aussi à Eudoxe de Cnide l'invention du cadran solaire horizontal.

EUDOXIE, impératrice d'Orient († Constantinople 404). Fille du général franc Bauto, elle épousa en 395 l'empereur Arcadius*, sur lequel elle eut un grand ascendant : son rôle politique devint prépondérant après la disgrâce d'Eutrope* (399). Eudoxie entra en conflit avec l'évêque de Constantinople, saint Jean* Chrysostome, qu'elle fit bannir.

EUDOXIE, impératrice d'Orient (Athènes - † Jérusalem 460). Épouse de Théodose II*, elle exerça une profonde influence surtout dans le domaine intellectuel et contribua au progrès de l'hellénisme dans l'empire d'Orient.

EUGÉNATE n. m. Pâte durcissante très utilisée en chirurgie dentaire.

EUGÈNE Ier, II → PAPE.

EUGÈNE III (Bernardo PAGANELLI DI MONTEMAGNO) [Pise - † Tivoli 1153], pape de 1145 à 1153. Cistercien, disciple de saint Bernard* de Clairvaux, il continua, devenu pape, à s'inspirer des conseils de ce dernier : il confia d'ailleurs à Bernard le soin de prêcher la deuxième croisade*. À Rome, où il résida peu, il eut à affronter le parti d'Arnaud* de Brescia, mais il s'efforça de poursuivre l'œuvre réformatrice de Grégoire VII.

EUGÈNE IV (Gabriele CONDULMER) [Venise 1383 - Rome 1447], pape de 1431 à 1447. Par la convocation du concile de Florence* il s'efforça de réaliser l'union des Églises : celle-ci fut éphémère (1439-1443) et d'ailleurs toute formelle.

EUGÈNE († Flavius Frigidus [auj. Hubelj], vallée de la Vipava, Yougoslavie, 394), usurpateur de l'Empire romain (392-394). Professeur de rhétorique, il fut proclamé empereur en Gaule par Arbogast* après la mort de Valentinien II*. Théodose Ier* ayant refusé de le reconnaître, il se tourna vers les païens de Rome. Maître de l'Italie, il rétablit le statut païen et permit au préfet du prétoire Nicomaque Flavien de mener une violente réaction païenne. Mais Théodose, qui se porta contre lui, fut victorieux à la Rivière Froide (la Vipava) [394], victoire qui marqua la défaite définitive du paganisme.

EUGÈNE (Eugène DE SAVOIE-CARIGNAN, dit **le Prince**), homme de guerre (Paris 1663 - Vienne 1736). Au service de l'Autriche, il se distingua durant la guerre de la Succession d'Espagne; mais, vainqueur à Malplaquet (1709), il fut vaincu par Villars à Denain (1712). En 1717, il enleva Belgrade aux Turcs. Par la suite, il se consacra à la mise en valeur des confins militaires de l'Empire.

Eugène Onéguine, roman en vers de Pouchkine (1825-1832). Un jeune homme blasé échoue dans l'épreuve de l'amour et de l'amitié : le premier chef-d'œuvre de la littérature russe moderne.

EUGÉNIE (Eugénia DE MONTIJO DE GUZMÁN, *impératrice*), impératrice des Français (Grenade 1826 - Madrid 1920). Ayant épousé Napoléon III (1853), elle joua un rôle politique discutable

Lauros-Giraudon

L'impératrice **Eugénie,** par F. X. Winterhalter. (Château de Compiègne.)

après la naissance de son fils, le prince impérial, en 1856; protectrice du parti ultramontain, elle favorisa l'entreprise du Mexique. Régente en août 1870, elle ne put sauver l'Empire au lendemain du désastre de Sedan (septembre). Elle perdit son époux en 1873 et son fils en 1879.

Eugénie Grandet, roman de Balzac (1833). Un exemple de la contamination et de la stérilisation par l'or : le père Grandet mène une vie d'avarice pour la seule jouissance tactile et visuelle des écus; son neveu Charles, jeune dandy oisif, finit dans la peau d'un aventurier d'affaires; sa fille Eugénie, écrasée par son père et trompée par son cousin, sacrifie sa vie de femme à la gestion mécanique de sa fortune, qu'elle consacre à des œuvres de charité.

EUGÉNIQUE adj. Relatif à l'eugénisme.

EUGÉNISME n. m., ou **EUGÉNIQUE** n. f. (gr. *eu,* bien, et *gennân,* engendrer). Science des conditions favorables au maintien de la qualité de l'espèce humaine. ‖ Théorie sociale fondée sur cette science.

EUGÉNISTE n. Partisan de l'eugénisme.

EUGLÈNE n. f. (gr. *euglênos,* aux beaux yeux). Protozoaire flagellé des eaux douces, à la fois nageur et chlorophyllien.

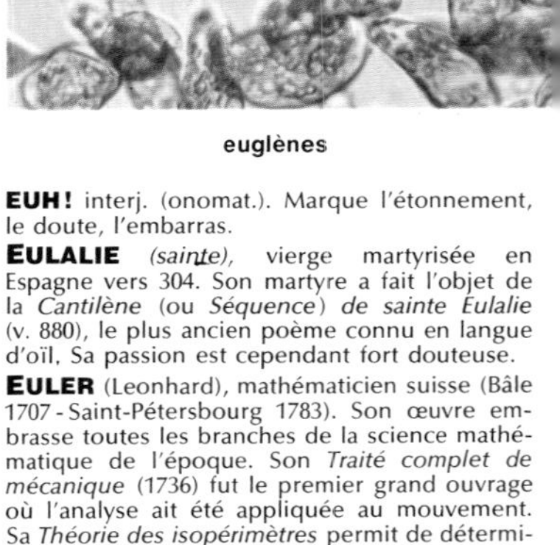

K. Ross-Jacana

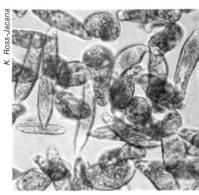

euglènes

EUH! interj. (onomat.). Marque l'étonnement, le doute, l'embarras.

EULALIE (*sainte*), vierge martyrisée en Espagne vers 304. Son martyre a fait l'objet de la *Cantilène* (ou *Séquence*) *de sainte Eulalie* (v. 880), le plus ancien poème connu en langue d'oïl. Sa passion est cependant fort douteuse.

EULER (Leonhard), mathématicien suisse (Bâle 1707 - Saint-Pétersbourg 1783). Son œuvre embrasse toutes les branches de la science mathématique de l'époque. Son *Traité complet de mécanique* (1736) fut le premier grand ouvrage où l'analyse ait été appliquée au mouvement. Sa *Théorie des isopérimètres* permit de déterminer les courbes ou les surfaces pour lesquelles certaines fonctions indéfinies sont plus grandes ou plus petites que pour toutes les autres.

EULER-CHELPIN (Hans VON), biochimiste allemand (Augsbourg 1873 - Stockholm 1964). Il a étudié les fermentations, les enzymes et les vitamines, et il a découvert les coenzymes. (Prix Nobel de chimie, 1929.)

EUMÈNE n. m. Guêpe solitaire des régions chaudes.

EUMENÈS ou **EUMÈNE,** lieutenant d'Alexandre (v. 360 - 316 av. J.-C.). Dans les luttes entre les diadoques* pour la succession du conquérant, il lutta aux côtés de Perdiccas*; il fut vaincu et mis à mort par Antigonos*.

EUMENÈS Ier, II → ATTALIDES.

EUMÉNIDES → ÉRINYES.

Euménides (*les*), tragédie d'Eschyle (458 av.

J.-C.), qui forme avec *Agamemnon* et les *Choéphores* la trilogie de l'*Orestie*. Poursuivi par les Érinyes (les déesses de la Vengeance), Oreste arrive à Athènes; Athéna détourne de lui la colère des déesses en leur offrant un culte: celles-ci deviennent alors les Euménides (les *Bienveillantes*).

EUMYCÈTE n. m. Champignon, au sens botanique précis du mot, par oppos. aux groupes voisins.

EUNECTE n. m. Autre nom de l'ANACONDA.

EUNUQUE n. m. (gr. *eunoukhos*, qui garde le lit). Homme castré, jadis préposé en Orient à la garde du harem. ‖ Homme sans énergie virile.

EUPATOIRE n. f. Plante de la famille des composées, dont une espèce à fleurs roses, appelée usuellement *chanvre d'eau*, est commune dans les lieux humides. (Haut. 1,50 m.)

EUPATRIDES, membres de la classe aristocratique athénienne qui détinrent le pouvoir aux VIIIᵉ et VIIᵉ s. av. J.-C. Dépossédés de leurs privilèges par Solon, ils conservèrent une grande influence grâce à leur richesse foncière et à leurs charges religieuses.

EUPEN, comm. de Belgique (prov. de Liège), sur la Vesdre; 16 800 hab. Église baroque.

EUPHAUSIACÉ n. m. Petit crustacé marin vivant en troupes immenses et formant aussi le *krill* dont se nourrissent les baleines. (Les *euphausiacés* forment un ordre.)

EUPHÉMIQUE adj. Qui relève de l'euphémisme.

EUPHÉMISME n. m. (gr. *euphêmismos*, emploi d'un mot favorable). Adoucissement d'une expression trop crue, trop choquante: *par euphémisme on dit « n'être plus jeune », pour « être vieux ».*

EUPHONIE n. f. (gr. *eu*, bien, et *phônê*, voix). Suite harmonieuse de sons.

EUPHONIQUE adj. Qui produit l'euphonie: *lettre euphonique* (le *t* dans *viendra-t-il*).

EUPHONIQUEMENT adv. De façon euphonique.

EUPHORBE n. f. (lat. *euphorbia herba*; de *Euphorbe*, médecin de Juba, roi de Numidie). Plante très commune, à latex blanc, type de la famille des euphorbiacées. (Certaines espèces des régions chaudes sont charnues ou arborescentes.)

euphorbe

EUPHORBIACÉE n. f. Plante dicotylédone, telle que l'*euphorbe*, la *mercuriale*, l'*hévéa*, le *croton*, le *ricin*. (Les *euphorbiacées* forment une famille.)

EUPHORIE n. f. (gr. *eu*, bien, et *pherein*, porter). Sensation de joie intérieure, de satisfaction.

EUPHORIQUE adj. Relatif à l'euphorie.

EUPHORISANT, E adj. et n. m. Qui provoque un état de bien-être, de joie intérieure: *une boisson euphorisante.*

EUPHORISATION n. f. Action de rendre euphorique.

EUPHORISER v. t. Rendre euphorique.

EUPHOTIQUE adj. Se dit de la zone terrestre ou océanique directement éclairée par le Soleil.

EUPHRAISE n. f. Plante qui parasite les racines des graminées. (Haut. 10 cm; famille des scrofulariacées.)

EUPHRATE, fl. de l'Asie occidentale; 2 780 km. Il naît dans l'est de la Turquie, s'écoule vers le sud, pénètre dans la Syrie, dont il traverse le nord-est avant d'entrer en Iraq, où il rejoint le Tigre, puis du golfe Persique, pour former le Chaṭṭ al-'Arab. Depuis longtemps utilisé pour l'irrigation, l'Euphrate, aux basses eaux d'été, a vu son cours partiellement régularisé par la mise en service de plusieurs grands ouvrages (dont le barrage de Ṭabqa*, en Syrie, et le barrage Atatürk, en Turquie).

EUPHRONIOS, potier et peintre de vases athénien (fin du VIᵉ s. - début du Vᵉ s. av. J.-C.). Meil-

leur représentant du « style sévère » à figures rouges, il a poursuivi une longue carrière de peintre, puis de potier et a dirigé un atelier où ont travaillé bien des jeunes artistes. Son génie inventif est soutenu par un graphisme très pur, comme en témoigne le cratère en calice de Berlin (*Toilette d'éphèbes*).

EUPHUISME n. m. (de *Euphuès*, roman de l'Anglais J: Lyly, 1580). Forme anglaise de la préciosité.

EUPLECTELLE n. f. Éponge des mers chaudes, à squelette siliceux formé de fibres fines.

EUPRAXIQUE adj. (gr. *eu*, bien, et *praxis*, action). Qui accompagne un comportement normal et bien adapté.

EURAFRICAIN, E adj. Qui concerne à la fois l'Europe et l'Afrique.

EURAFRIQUE, nom donné quelquefois à l'ensemble de l'Europe et de l'Afrique.

EURASIATIQUE adj. Relatif à l'Eurasie.

EURASIE, nom donné à l'ensemble de l'Europe et de l'Asie.

EURASIEN, ENNE adj. et n. Métis d'Européen et d'Asiatique.

Euratom ou **Communauté européenne de l'énergie atomique,** organisme international institué par le traité signé à Rome le 25 mars 1957 et entré en vigueur le 1ᵉʳ janvier 1958, les contractants étant les mêmes que ceux de la Communauté européenne du charbon et de l'acier (C.E.C.A.) et que ceux de la Communauté économique européenne (C.E.E.). Son but est d'établir les conditions nécessaires en Europe à la formation et à la croissance des industries nucléaires.

EURE, riv. de l'ouest du Bassin parisien, née dans le Perche, affl. de la Seine (r. g.); 225 km. Elle passe à Chartres.

EURE (27), départ. de la Région Haute-Normandie; 6 040 km²; 462 323 hab. Ch.-l. *Évreux*. Ch.-l. d'arr. *Les Andelys* et *Bernay*.

Situé dans l'ouest du Bassin parisien, le département est surtout formé de plateaux crayeux, souvent recouverts de limon et aptes à la grande culture mécanisée. C'est notamment le cas de la Campagne du Neubourg, dans le centre de l'Eure, de la plaine de Saint-André, au sud-est, et du Vexin normand, au nord de la Seine, régions productrices de céréales. L'élevage bovin domine dans l'ouest (Lieuvin et pays d'Ouche), plus humide, où la couverture argileuse est favorable à l'herbe. L'élevage est aussi développé dans les vallées (Seine, Eure et Iton, Andelle), qui sont également les sites des principales villes, dont la préfecture est de loin la plus importante.

L'agriculture emploie encore approximativement le dixième de la population active, beaucoup moins que l'industrie, qui en occupe plus des deux cinquièmes. À côté des industries traditionnelles (textile, métallurgie) se sont développées des activités élaborées (mécanique de précision, matériel électrique et électronique, transformation de matières plastiques), implantées surtout dans la partie orientale du dépar-

tement, plus proche de Paris et favorisée dans la mesure où il s'agit souvent d'opérations de décentralisation industrielle. En revanche, le secteur tertiaire tient une place moins grande; pour les services de haut niveau, le département vit dans l'orbite de Paris, de Rouen ou même du Havre et de Caen. La densité d'occupation, de l'ordre de 70 habitants au kilomètre carré, est sensiblement inférieure à la moyenne nationale, mais la population s'accroît aujourd'hui rapidement, notamment dans la partie

orientale, de Verneuil à Gisors en passant par Évreux.

EURÊKA! [øreka] interj. (gr. *heurêka*, j'ai trouvé). Selon la légende, exclamation d'Archimède découvrant tout d'un coup dans son bain la poussée des liquides sur les corps immergés, et employée aujourd'hui lorsqu'on trouve brusquement une solution, une bonne idée.

EURE-ET-LOIR (28), départ. du nord de la Région Centre; 5 880 km²; 362 813 hab. Ch.-l.

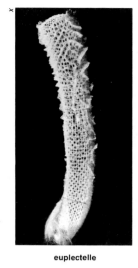

euplectelle

EURE

EURE-ET-LOIR ▽

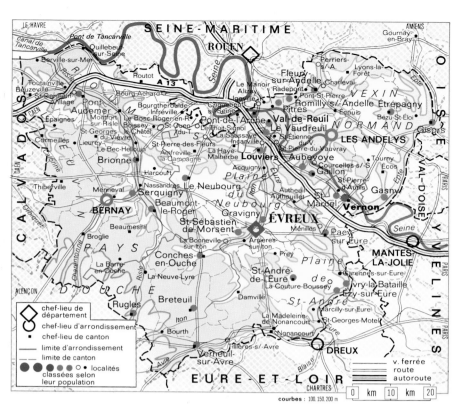

chef-lieu de département
chef-lieu d'arrondissement
chef-lieu de canton
limite d'arrondissement
limite de canton
localités classées selon leur population

v. ferrée
route
autoroute

courbes : 100, 150, 200 m
0   km   10   km   20

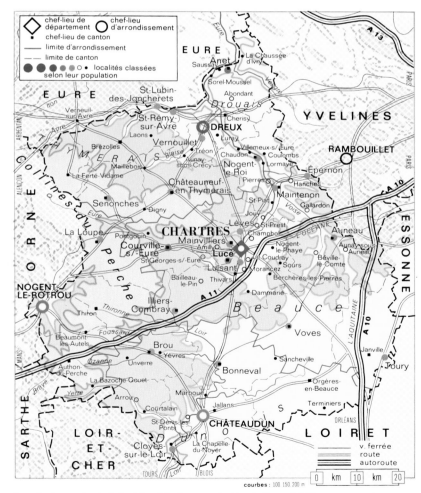

chef-lieu de département ◇   chef-lieu d'arrondissement ○
chef-lieu de canton
limite d'arrondissement
limite de canton
localités classées selon leur population

v. ferrée
route
autoroute

courbes : 100, 150, 200 m
0   km   10   km   20

J. Six

EUROPE

Chartres. Ch.-l. d'arr. *Châteaudun, Dreux* et *Nogent-le-Rotrou.*

Situé dans l'ouest du Bassin parisien, le département associe des parties des anciennes provinces de l'Orléanais, du Maine et de l'Île-de-France. Il est occupé sur près des deux tiers de sa superficie par la grande table calcaire, recouverte de limon, de la Beauce. Il est ainsi un des premiers départements français pour les productions de blé, d'orge, de maïs et aussi de colza. Au nord, le Drouais est partiellement forestier et herbager (élevage bovin). L'élevage domine dans l'ouest, dans les collines bocagères du Perche, qui annoncent déjà le Massif armoricain. Il est associé aux cultures (céréales notamment) dans le Thimerais, au nord-ouest. Au total, l'agriculture emploie environ le dixième de la population active, alors que plus des deux cinquièmes de celle-ci sont occupés dans l'industrie, implantée dans les villes jalonnant les rares vallées : Eure (avec Chartres) et Loir (Châteaudun).

L'industrie n'a pourtant longtemps eu qu'une importance modeste, liée essentiellement à la valorisation de la production agricole (meuneries, laiteries, etc.). Favorisée par une bonne desserte routière (et aujourd'hui autoroutière) et ferroviaire, à proximité relative de Paris, le département a bénéficié d'opérations de décentralisation, notamment par l'implantation d'usines de constructions électriques et mécaniques, établies surtout dans l'est, vers Dreux et surtout Chartres. La densité d'occupation n'atteint pas encore 60 habitants au kilomètre carré, étant inférieure de plus d'un tiers à la moyenne nationale, mais la population s'accroît très rapidement depuis une quinzaine d'années; elle a augmenté de plus d'un cinquième de 1962 à 1975, ce qui est l'une des progressions les plus nettes pour un département où il n'existe pas de très grande ville.

EURIPE, chenal étroit entre l'île d'Eubée et la Grèce continentale.

EURIPIDE, poète tragique grec (Salamine 480-Pella, Macédoine, 406 av. J.-C.). Son origine est obscure : de famille noble suivant les uns, fils de cabaretier suivant les autres, il aurait étudié la peinture. Il possédait certainement une bonne connaissance de la philosophie et des sciences, et l'influence des sophistes — Anaxagore, Protagoras, Prodicos — est sensible dans son œuvre. Au contraire d'Eschyle et de Sophocle, il n'eut pas d'activité politique et fut essentiellement un écrivain. À vingt-cinq ans, il fit jouer sa première tragédie, aujourd'hui perdue, *les Péliades* (455), mais son premier succès date de 441. Marqué par les troubles de la guerre du Péloponnèse, profondément pessimiste, il exprime dans son théâtre son goût du pathétique et de l'horreur (*Alceste,* 438; *Médée,* 431; *Hippolyte,* 428; *Andromaque,* v. 426; *Héraclès* furieux,* v. 424; *les Suppliantes,* 422; *Hélène,* 412; *les Bacchantes** et *Iphigénie à Aulis,* 405). Des quatre-vingt-douze pièces qu'il avait composées, il reste dix-sept tragédies et un drame satyrique, *le Cyclope.* Euripide se retira à la cour d'Archélaos, roi de Macédoine, où il mourut, dit-on, dévoré par des chiens. Ses innovations étonnèrent d'abord les Athéniens : importance de l'analyse des passions amoureuses et des rôles de femmes; rajeunissement et transformations des mythes; indépendance des chœurs par rapport à l'action; souci de la mise en scène. Raillé par Aristophane, il eut peu de succès de son vivant, mais il gagna rapidement l'admiration de la postérité. Par-delà l'« euripidomanie » qui, selon Lucien de Samosate, s'empara des cités grecques, son théâtre fut une source d'inspiration essentielle pour les écrivains classiques français, et particulièrement pour Racine.

EURISTIQUE adj. et n. f. → HEURISTIQUE.

EUROCOMMUNISME n. m. Adaptation du communisme à la situation politique existant dans les pays de l'Europe occidentale.

Euripide

EUROCOMMUNISTE adj. et n. Qui appartient à l'eurocommunisme.

EUROCRATE n. *Fam.* et *péjor.* Fonctionnaire des institutions européennes.

Ob
Sibérie
Irtych
Berezniki
Perm
Sverdlovsk
Tcheliabinsk
Oustinov
(Ijevsk)
Oufa
Kama
Leonid-Brejnev
Almetievsk
Sterlitamak
Toliatti
Kouïbychev
Oural
KAZAKHSTAN
Volga
MER CASPIENNE
Mt Elbrous
5642
Mt Dykhtaou
5203
Mt Kazbek
5033
Tbilissi
GÉORGIE
Kirovabad
Bakou
AZERBAÏDJAN
Koura
ARMÉNIE
Erevan
Araxe
Tabriz
L. d'Ourmia
IRAN
Mossoul
Kirkūk
Bākhtarān
Zagros
Tigre
IRAQ
Bagdād
0
km
500
courbes : 200, 500, 1000 m

EURODEVISE n. f. Devise placée, en Europe, dans une banque d'un pays différent du pays de la devise concernée.

EURODOLLAR n. m. Dollar déposé à l'extérieur des États-Unis, dans une banque européenne. • *Marché de l'eurodollar,* marché de prêts et d'emprunts, généralement à court terme, libellés en dollars, dont les intermédiaires sont des établissements bancaires situés en Europe.

EUROMISSILE n. m. Missile nucléaire stratégique basé en Europe. (Il s'agit essentiellement des missiles de croisière et des Pershing II américains qui, en novembre 1983, ont commencé à être installés dans certains États membres de l'O. T. A. N. pour contrebalancer l'installation des missiles SS 20 soviétiques.)

EUROMONNAIE n. f. Ensemble des dépôts effectués dans des banques européennes extérieures au pays où a cours la devise déposée. (Un « eurofranc » est, ainsi, un franc déposé dans une banque européenne extérieure à la France.)

EURO-OBLIGATION n. f. (pl. *euro-obligations*). Titre d'emprunt émis par une collectivité en dehors de son pays d'origine et libellé en une monnaie cotée, essentiellement en Europe.

EUROPE, une des cinq parties du monde; 10,5 millions de kilomètres carrés; 685 millions d'hab.

GÉOGRAPHIE. L'Europe forme l'extrémité occidentale du bloc eurasiatique. Limitée à l'E. par la lourde chaîne de l'Oural et au S.-E. par la haute barrière du Caucase, elle est, partout ailleurs, bordée par la mer, qui la pénètre en profondes échancrures. De dimensions réduites, ce continent au relief varié est le plus densément peuplé du monde.

L'Europe comprend une grande diversité de paysages naturels.

La grande plaine de l'Europe du Nord commence en Flandre, s'élargit dans le nord de l'Allemagne et en Pologne, et devient immense en Russie, où elle s'étend depuis la Baltique jusqu'à l'Ukraine. Elle s'ouvre sur la mer du Nord et la Baltique par des côtes basses et sableuses. Elle a été profondément marquée par les glaciations quaternaires. Celles-ci y ont creusé de multiples lacs et abandonné des dépôts morainiques qui forment des collines désorganisées. Les sols sont parfois enrichis par un saupoudrage de lœss.

Des massifs anciens occupent le nord et le centre du continent. Au N. subsistent les traces du plissement calédonien dans les hautes terres d'Écosse et surtout de Scandinavie, où affleurent également des terrains précambriens rabotés par l'érosion (bouclier scandinave). Ces montagnes ont été sculptées au quaternaire par l'érosion glaciaire, responsable des nombreux lacs et des vallées en auge qui, envahies par la mer, forment les fjords. Mais l'Europe moyenne est le domaine des chaînes hercyniennes. Celles-ci s'échelonnent en massifs discontinus depuis l'Irlande jusqu'à la Bohême, en passant par le Massif armoricain, le Massif central, les Vosges et le Massif schisteux rhénan. À ce système se rattache également la Meseta ibérique. Ces massifs ont été aplanis, puis, au tertiaire, soulevés de nouveau lors du plissement alpin, ces derniers mouvements s'accompagnant souvent de fractures limitant des fossés d'effondrement (Alsace). L'influence glaciaire est nette, surtout dans les secteurs les plus septentrionaux. Entre ces massifs se disposent des dépressions occupées par des bassins sédimentaires : bassins de Londres, de Paris, de Souabe-Franconie. La sédimentation s'y est déroulée pendant le secondaire et le tertiaire par suite de la subsidence, et l'érosion y a dégagé des reliefs de côte.

L'Europe méridionale se rattache au système alpin. Elle est caractérisée par des montagnes jeunes, au relief déchiqueté, où les glaciers sont encore présents. À l'O. se dresse la barrière des Pyrénées (3 404 m au pic d'Aneto). L'arc alpin s'étire de la Méditerranée jusqu'à Vienne (4 807 m au mont Blanc), encadrant la plaine du Pô. Il se prolonge vers le S. dans l'Apennin, qui forme l'ossature de la péninsule italienne, et vers l'E. dans les Alpes Dinariques et les Carpates, encadrant la plaine pannonienne et la plaine de Valachie. Ces deux dernières chaînes se rejoignent dans la péninsule balkanique, qui s'émiette en îles dans la Méditerranée.

L'Europe appartient entièrement au domaine tempéré. Sa partie occidentale est sous l'influence des vents d'ouest, chargés d'humidité. Un climat océanique, plus ou moins frais suivant la latitude, affecte tout le nord-ouest du continent, marqué par une forte pluviosité et des températures douces, accentuées par l'influence du Gulf Stream. En dehors de la lande, qui couvre les régions les plus ventées (Bretagne, Irlande, Écosse), la végétation naturelle a largement été défrichée. L'Europe méridionale jouit d'un climat méditerranéen, dont la longueur de la sécheresse estivale augmente vers le S. Des forêts de chênes verts ou une végétation buissonneuse (maquis et garrigue) subsistent sur les hauteurs. Vers l'E., l'influence océanique s'atténue progressivement et le climat devient continental, avec des hivers rigoureux et des étés orageux. Le nord de l'Europe orientale porte de belles forêts de conifères (taïga), tandis qu'au S. les riches sols de l'Ukraine sont couverts de prairies.

Le réseau hydrographique reflète à la fois le climat et la disposition du relief. Les fleuves d'une Europe occidentale au relief morcelé sont généralement courts et caractérisés par un régime mixte, car leur bassin englobe des zones variées (Rhône, Rhin). L'Europe orientale, au contraire, compte de grands fleuves (Vistule, Volga, Don, Dniepr) au régime régulier, seulement interrompu par l'embâcle hivernale.

Le peuplement est ancien et, pour des raisons historiques, comprend des ethnies variées, aux langues et aux religions diverses. L'empreinte humaine est partout sensible. Actuellement, cependant, la population tend à stagner par suite d'un faible taux de natalité et l'on observe un vieillissement de la population à peu près général. La densité moyenne recouvre des inégalités régionales. Les zones les moins peuplées correspondent aux secteurs peu favorables à la culture (Scandinavie) ou aux montagnes vidées par l'exode rural. Les habitants se concentrent dans les grands foyers industriels (Angleterre, vallée du Rhin, région parisienne, Lombardie).

HISTOIRE. Sur le plan politique, l'Europe est divisée en un grand nombre de nations, parfois très petites, regroupées au sein de deux blocs. Le bloc occidental, lié aux États-Unis, est caractérisé par une économie de type libéral, tandis que le bloc oriental, dominé par l'U. R. S. S., est marqué par une économie collectiviste.

Mais à l'intérieur de ces deux blocs coexistent des pays au développement économique très inégal. En effet, si l'Europe a été le berceau de la révolution industrielle, qui a débuté en Angleterre à la fin du XVIIIe s., cette révolution a inégalement affecté les diverses régions pour des raisons à la fois naturelles (abondance des matières premières) et historiques. Actuellement, sur le plan économique, un certain nombre de nations dominent l'Europe, et en particulier l'Allemagne fédérale et la France à l'ouest. Ces pays sont fortement industrialisés, et l'agriculture n'y occupe qu'une place souvent réduite. On y rencontre les plus fortes concentrations de population. À l'opposé, d'autres pays ont encore une économie essentiellement rurale, où la part de l'industrie ne s'accroît que lentement. Il s'agit principalement du Portugal, de la Grèce, de la Yougoslavie, de l'Albanie, de la Bulgarie. Le sous-emploi y alimente un fort courant d'émigration temporaire (sauf dans les pays socialistes) vers les grands foyers industriels.

Les pays du bloc oriental sont groupés au sein du Comecon*, auquel fait pendant, en Europe occidentale, la Communauté* économique européenne (C. E. E.).

Mais les changements intervenus en Europe de l'Est en 1989 modifient sensiblement la configuration de l'espace politique et économique européen.

LA DÉFENSE DE L'EUROPE. Après 1945, c'est autour de la crainte d'un relèvement allemand que l'Europe, ruinée par l'aventure hitlérienne, cherche à organiser une défense commune (traité franco-britannique de Dunkerque, 1947). Très vite, cependant, la mainmise soviétique sur l'Europe orientale et centrale (Kominform, 1947; coup de Prague, 1948) met l'Europe de l'Ouest à la merci de la puissance de l'U. R. S. S., militairement présente à 150 km du Rhin. Par le traité de Bruxelles, la France, la Grande-Bretagne et les pays du Benelux se prémunissent contre toute menace d'agression. Mais la faiblesse de leurs moyens militaires les conduit, en 1949, à s'associer aux États-Unis par le pacte atlantique (v. ATLANTIQUE NORD [*traité de l'*]), qui leur apporte le poids du monopole nucléaire et de la puissance industrielle des Américains. En 1954, le projet de Communauté européenne de défense, qui, par une intégration militaire poussée, tendait à neutraliser les craintes d'un réarmement de l'Allemagne de l'Ouest, échoue. Par les accords de Paris (oct. 1954), la République fédérale d'Allemagne accède, avec l'Italie, à l'Union de l'Europe occidentale. Elle est admise dans le pacte atlantique en 1955, ce qui occasionne la création, par l'U. R. S. S., du pacte de Varsovie, auquel adhère l'Allemagne de l'Est (1956). L'accession de l'U. R. S. S. à l'armement nucléaire (1949-1953), mettant fin au monopole des États-Unis, aboutissait à un équilibre entre les deux puissances, tandis que la Grande-Bretagne, en 1952, et la France, en 1960, devenaient, elles aussi, puissances nucléaires.

Succédant à la guerre froide entre les blocs des années 50, cette situation nouvelle modifiait les données de la défense de l'Europe. Malgré plusieurs crises (Cuba, 1962; Tchécoslovaquie, 1968), un climat de détente s'instaure entre les États-Unis et l'U. R. S. S., que traduiront, à partir de 1963, de nombreux accords de limitation des armements (v. DÉSARMEMENT) comme la normalisation des relations entre l'Allemagne fédérale, l'U. R. S. S. et la Pologne (1970) et l'accord sur Berlin de 1971. Des deux côtés, les blocs occidental et soviétique apparaissent moins rigides (retrait de la France de l'O. T. A. N., 1966; relative libération de la politique roumaine, 1968). Après de longues négociations s'ouvrent en 1973 deux conférences, l'une à Vienne sur la réduction des forces en Europe centrale, l'autre à Helsinki sur la sécurité européenne. Cette dernière conférence aboutit, le 1er août 1975, à la signature, par tous les États d'Europe, sauf l'Albanie, d'un acte final consacrant les frontières de 1945 et affirmant leur volonté de respecter mutuellement leur indépendance. À la suite de l'implantation, à partir de 1977, des SS 20 soviétiques en U. R. S. S. et dans les pays du Pacte de Varsovie, les membres de l'O. T. A. N. acceptent en 1979 le déploiement, dans certains États d'Europe occidentale, des euromissiles* américains. Leur installation commence en novembre 1983. Mais, en déc. 1987, les États-Unis et l'U. R. S. S. signent un accord prévoyant le démantèlement des missiles à moyenne portée en Europe.

Europe *(Conseil de l')* → CONSEIL DE L'EUROPE.

EUROPÉANISATION n. f. Action d'européaniser.

EUROPÉANISER v. t. Façonner aux mœurs européennes. ‖ Considérer une question politique ou économique à l'échelle de l'Europe.

EUROPÉEN, ENNE adj. et n. Qui habite l'Europe; qui lui est relatif. ‖ Relatif à la communauté économique ou politique de l'Europe unifiée.

EUROPIUM [ørɔpjɔm] n. m. Métal (Eu) nº 63, de masse atomique 151,96, du groupe des terres rares.

EUROPOORT, avant-port de Rotterdam (Pays-Bas), entre la Meuse de Brielle et le Nieuwe Waterweg. Raffinage du pétrole et pétrochimie.

Eurovision, organisme international chargé de coordonner entre les pays de l'Europe occidentale tous les échanges d'émissions radiodiffusées et télévisées. L'Eurovision dispose d'un *centre administratif,* installé à Genève, et d'un *centre technique,* installé à Bruxelles. Un *convertisseur de définition* permet d'utiliser les diverses émissions d'images, quelle que soit la définition utilisée.

EURYDICE *Myth. gr.* Femme d'Orphée.

EURYHALIN, E adj. Se dit des organismes marins capables de supporter de grandes différences de salinité.

EURYHALINITÉ n. f. Caractère d'un organisme euryhalin.

EURYMÉDON, fleuve côtier de l'Asie Mineure, en Pamphylie, à l'embouchure duquel, en 468 av. J.-C., Cimon* remporta sur les Perses une victoire décisive.

EURYTHERME adj. Se dit des organismes poïkilothermes capables de supporter de grandes différences de température.

EURYTHERMIE n. f. Caractère d'un organisme eurytherme.

EURYTHMIE n. f. (gr. *eu,* bien, et *ruthmos,* rythme). Combinaison harmonieuse des proportions, des lignes, des couleurs, des sons.

EURYTHMIQUE adj. Qui a un rythme régulier, harmonieux.

EUSCARA ou **EUSKERA** n. m. → ESKUARA.

EUSCARIEN ou **EUSKERIEN** adj. et n. → ESKUARIEN.

EUSÈBE de Césarée, évêque de Césarée de Palestine (v. 265 - v. 340). Mêlé aux controverses de l'arianisme*, il prend une position moyenne assez ambiguë. Son œuvre essentielle est l'*Histoire ecclésiastique,* où il retrace la vie de l'Église des origines à Constantin.

EUSTATIQUE adj. Relatif à l'eustatisme.

EUSTATISME n. m. (gr. *eu,* bon, et *stasis,* niveau). Variation du niveau général des océans, due à un changement climatique ou à des mouvements tectoniques.

EUTECTIQUE adj. Se dit d'un mélange de corps solides, dont la fusion se fait à température constante, comme celle des corps purs.

EUTERPE, muse de la Musique et de la Poésie lyrique. Elle est souvent représentée avec une flûte simple ou un aulos double à la main.

EUTEXIE n. f. (gr. *eu,* bien, et *têkein,* fondre). *Point d'eutexie,* température de fusion d'un mélange eutectique.

EUTHANASIE n. f. (gr. *eu,* bien, et *thanatos,* mort). Doctrine selon laquelle il est licite d'abréger la vie d'un malade incurable pour mettre fin à ses souffrances.

EUTHANASIQUE adj. Relatif à l'euthanasie.

EUTHÉRIEN n. m. Syn. de PLACENTAIRE.

EUTOCIE [øtɔsi] n. f. (gr. *eutokia*). Accouchement normal. (Contr. DYSTOCIE.)

EUTOCIQUE adj. Se dit d'un accouchement normal.

EUTROPE, esclave et eunuque arménien († Constantinople 399). En 395, il remplaça Rufin* auprès d'Arcadius* et exerça au nom de l'empereur la réalité du pouvoir; après avoir conclu un accord avec Stilicon, il s'aliéna le Goth Gaïnas, chef du parti germanique, et l'impératrice Eudoxie* : il fut disgracié en 399.

EUTROPHICATION n. f. Évolution biochimique des eaux où sont déversés trop de déchets industriels nutritifs, ce qui perturbe leur équilibre biologique par diminution de l'oxygène dissous.

EUTROPHISATION n. f. Évolution naturelle des eaux semblable à l'eutrophication, mais plus limitée.

EUTYCHÈS, moine byzantin (v. 378 - v. 454). Adversaire du nestorianisme, il fut accusé de verser dans le monophysisme. Condamné au concile de Chalcédoine (451), il mourut en exil.

EUX pr. pers. masc. pl. de *lui.*

eV, symbole de l'*électronvolt.*

ÉVACUATEUR, TRICE adj. Qui sert à l'évacuation.

ÉVACUATEUR n. m. *Évacuateur de crues,* dispositif assurant l'évacuation des eaux surabondantes d'un barrage.

ÉVACUATION n. f. Action d'évacuer. ‖ *Méd.* Rejet par voie naturelle ou artificielle de certaines matières nuisibles ou trop abondantes.

ÉVACUÉ, E adj. et n. Qui est évacué d'une zone de combat, d'une zone sinistrée.

ÉVACUER v. t. (lat. *evacuare,* vider). Faire sortir d'un endroit : *évacuer un blessé.* ‖ Faire quitter en masse un lieu, cesser de l'occuper :

évacuer un théâtre. ‖ Faire sortir de l'organisme : *évacuer de la bile.* ‖ Rejeter à l'extérieur, déverser, vider : *évacuer les eaux d'égout.*

ÉVADÉ, E adj. et n. Se dit d'une personne qui s'est échappée de l'endroit où elle était enfermée.

ÉVADER (S') v. pr. (lat. *evadere,* sortir de). S'échapper furtivement d'un lieu où l'on était enfermé : *les prisonniers se sont évadés.* ‖ Se libérer des contraintes, des soucis, etc. : *s'évader quelques heures à la campagne.*

Évadés *(médaille des),* décoration française créée en 1926 et modifiée en 1946 pour les prisonniers de guerre évadés.

ÉVAGINATION n. f. (lat. *ex,* hors de, et *vagina,* gaine). Sortie d'un organe hors de sa gaine.

ÉVAGRE le Pontique, théologien grec (dans le Pont 346-en Égypte 399). Disciple d'Origène, moine, il est surtout connu comme l'auteur d'un manuel de vie spirituelle : *le Moine ou De la vie pratique.*

ÉVALUABLE adj. Qui peut être évalué.

ÉVALUATION n. f. Action d'évaluer; la quantité évaluée.

ÉVALUER v. t. (lat. *valere,* valoir). Déterminer la valeur, le prix, l'importance de qqch.

ÉVANESCENCE n. f. *Litt.* Qualité de ce qui est évanescent.

ÉVANESCENT, E adj. (lat. *evanescens*). *Litt.* Qui disparaît, fugitif : *impression évanescente.*

ÉVANGÉLIAIRE n. m. Livre liturgique contenant l'ensemble des passages de l'Évangile qui sont lus à la messe.

ÉVANGÉLIQUE adj. Relatif à l'Évangile; conforme à l'Évangile. ‖ Terme employé par les protestants pour caractériser leur réforme comme un retour à l'esprit de l'Évangile.

ÉVANGÉLIQUEMENT adv. De façon évangélique.

ÉVANGÉLISATEUR, TRICE adj. et n. Qui évangélise.

ÉVANGÉLISATION n. f. Action d'évangéliser.

ÉVANGÉLISER [evɑ̃ʒelize] v. t. Prêcher l'Évangile à ceux qui l'ignorent.

ÉVANGÉLISME n. m. Aspiration ou tendance à retourner à une vie religieuse selon l'esprit évangélique. ‖ Doctrine de l'Église évangélique.

ÉVANGÉLISTE n. m. Auteur d'un des quatre Évangiles. ‖ Dans les églises protestantes, prédicateur itinérant.

ÉVANGILE n. m. (gr. *euaggelion,* bonne nouvelle). Enseignement de Jésus-Christ : *prêcher l'Évangile.* ‖ Chacun des quatre livres qui le contient. (Dans ces deux sens, prend une majuscule.) ‖ Passage des Évangiles lu au début de la messe. ‖ Document, livre qui sert de base à une doctrine. • *Parole d'évangile,* chose tout à fait digne de foi.

Évangiles, écrits du Nouveau Testament* où se trouvent consignés la vie et le message de Jésus. Ils sont au nombre de quatre, attribués à saint Matthieu*, à saint Marc*, à saint Luc* et à saint Jean*. On admet généralement que l'Évangile de Marc est le plus ancien et qu'il a été utilisé par Luc et Matthieu, qui, d'autre part, ont leurs sources propres; l'Évangile de Jean est une composition originale. La rédaction des Évangiles se situe entre 70 et après 80 pour les trois premiers, et vers l'an 100 pour le dernier.

ÉVANOUIR (S') v. pr. (lat. *evanescere*). Perdre connaissance. ‖ Disparaître, cesser d'être : *mes illusions se sont évanouies.*

ÉVANOUISSEMENT n. m. Action de s'évanouir; perte de connaissance. ‖ Disparition, effacement. ‖ Mot préconisé par l'Administration pour remplacer FADING.

EVANS (Oliver), ingénieur américain (Newport, Delaware, 1755 - New York 1819). Il inventa le cardage mécanique pour le traitement de la laine et du coton (1777). L'un des premiers, il utilisa la chaudière à vapeur à pression relativement élevée.

EVANS (*sir* Arthur John), archéologue britannique (Nash Mills, Hertfordshire, 1851 - Boar's Hill, Oxfordshire, 1941). Ses fouilles, entreprises en 1900, ont révélé la civilisation minoenne*, à laquelle il a fourni ses premières structures chronologiques. Bien que discutée, son œuvre de restauration à Cnossos* restitue les volumes et les proportions de l'immense palais.

EVANS (Walker), photographe américain (Saint-Louis, Missouri, 1903 - New Haven, Connecticut, 1975). Une vision statique et brutale de la réalité, une écriture précise et dépouillée font de son œuvre, à l'opposé de tout esthétisme, l'une des plus marquantes du style documentaire (reportages [1935-1940], sur la misère rurale aux États-Unis) qui influence fortement la photographie d'aujourd'hui.

EVANS-PRITCHARD (Edward Evan), anthropologue britannique (Crowborough, Sussex, 1902 - Oxford 1973). Influencé par Malinowski* et Radcliffe-Brown*, il participe au développement du courant « historisant » de l'anthropologie dans les années 50. Partisan d'études comparatives à petite échelle, il subordonne toujours l'élaboration théorique aux recherches empiriques. Ses principales publications sont *The Nuer* (1940) et *Social Anthropology* (1951).

EVANSVILLE, v. des États-Unis (Indiana), sur l'Ohio; 139 000 hab.

ÉVAPORABLE adj. Susceptible d'évaporation.

ÉVAPORATEUR n. m. Appareil servant à la dessiccation des fruits, des légumes, du lait, etc. ‖ Élément d'une machine frigorifique dans lequel le liquide frigorigène se vaporise en produisant du froid. ‖ *Mar.* Appareil chauffé à la vapeur et servant à distiller l'eau de mer.

ÉVAPORATION n. f. Transformation sans ébullition d'un liquide en vapeur par sa surface.

ÉVAPORATOIRE adj. Propre à provoquer l'évaporation.

ÉVAPORÉ, E adj. et n. Étourdi, léger.

ÉVAPORER v. t. (lat. *evaporare*). Produire l'évaporation de : *évaporer un liquide.* ◆ **s'évaporer** v. pr. Se transformer en vapeur par évaporation. ‖ Disparaître brusquement, se dissiper.

ÉVAPORITE n. f. Formation sédimentaire (sel gemme, gypse, etc.) résultant d'une évaporation.

ÉVAPOTRANSPIRATION n. f. Rejet global de vapeur d'eau par un terrain et par les plantes qui le couvrent.

ÉVARISTE *(saint)* → PAPE.

ÉVASÉ, E adj. Large, bien ouvert.

ÉVASEMENT n. m. État de ce qui est évasé; orifice ou sommet élargi.

ÉVASER v. t. (lat. *vas,* vase). Élargir une ouverture. ◆ **s'évaser** v. pr. S'ouvrir largement.

ÉVASIF, IVE adj. Qui n'est pas catégorique, pas précis : *réponse évasive.*

ÉVASION n. f. Action de s'évader, de s'échapper, de s'en aller au loin. ‖ Distraction, changement : *besoin d'évasion.* • *Évasion fiscale,* utilisation intentionnelle et abusive de possibilités fiscales plus favorables que celles auxquelles on est normalement assujetti. (Elle se distingue de la fraude fiscale.)

ÉVASIVEMENT adv. De façon évasive.

ÉVASURE n. f. Ouverture plus ou moins grande d'un orifice.

ÉVAUX-LES-BAINS (23110), ch.-l. de cant. de la Creuse, à 25 km au S.-O. de Montluçon; 1 906 hab. Église médiévale, restaurée. Station thermale spécialisée dans le traitement des maladies nerveuses et rhumatismales.

ÈVE, nom donné par la Bible à la première femme, mère du genre humain.

ÉVÊCHÉ n. m. Territoire soumis à la juridiction d'un évêque. (Syn. DIOCÈSE.) ‖ Siège, palais épiscopal.

ÉVÊCHÉS (les **Trois-**) → TROIS-ÉVÊCHÉS (les).

ÉVECTION n. f. (lat. *evectio*). *Astron.* Inégalité périodique dans le mouvement de la Lune.

ÉVEIL n. m. Action de sortir de sa torpeur : *l'éveil du peuple.* ‖ Action de se manifester, d'apparaître : *l'éveil de l'intelligence.* ‖ *Physiol.* État d'un être qui ne dort pas. • *Disciplines d'éveil,* disciplines destinées à stimuler le développement sensori-moteur et perceptif ainsi que la socialisation de l'enfant, comme l'histoire, la géographie, l'éducation artistique, par rapport aux disciplines dites « fondamentales », comme le français, les mathématiques, les langues étrangères. ‖ *Donner l'éveil,* inciter à se mettre sur ses gardes. ‖ *En éveil,* sur ses gardes, aux aguets.

ÉVEILLÉ, E adj. Vif, alerte : *esprit éveillé.*

ÉVEILLER v. t. (lat. *evigilare*). *Litt.* Tirer du sommeil. ‖ Provoquer une réaction, exciter un sentiment : *éveiller l'attention, un désir.*

ÉVEINAGE n. m. Ablation de veines. (Mot recommandé par l'Administration pour traduire STRIPPING.)

ÉVÉNEMENT n. m. (lat. *evenire,* arriver). Ce qui arrive; ce qui se produit. ‖ Fait historique important. ‖ *Stat.* Éventualité qui se réalise. ‖ *Psychol.* Scène ou fait déterminé capable d'appeler les réactions intimes d'un sujet et d'infléchir son histoire. ◆ pl. Situation générale dans ce qu'elle a d'exceptionnel.

ÉVÉNEMENTIEL, ELLE adj. *Histoire événementielle,* celle qui se borne à la narration des événements.

ÉVENT n. m. (de *éventer*). Altération des aliments ou des boissons causée par l'action de l'air. ‖ *Techn.* Chacun des orifices ménagés dans un moule de fonderie, un réservoir, un tuyau, etc., pour laisser échapper les gaz. ‖ *Zool.* Narine simple ou double des cétacés.

ÉVENTAIL n. m. (pl. *éventails*). Instrument portatif qui se replie sur lui-même et avec lequel on s'évente. ‖ Ensemble différencié de choses de même catégorie. • *Voûte en éventail,* variété de voûte très ouvragée qui caractérise le style gothique anglais dit *Tudor.*

ÉVENTAIRE n. m. Étalage de marchandises, à l'extérieur d'une boutique. ‖ Plateau que portent devant eux certains marchands ambulants.

ÉVENTÉ, E adj. Altéré par l'air : *vin éventé.* ‖ Divulgué : *un secret éventé.*

ÉVENTER v. t. (lat. *ventus,* vent). Exposer au vent : *éventer des vêtements.* ‖ Agiter l'air autour : *se faire éventer.* • *Éventer le grain,* le remuer pour éviter la fermentation. ‖ *Éventer la mèche* (Fam.), pénétrer un secret. ‖ *Éventer une mine,* la découvrir et l'empêcher de fonctionner. ‖ *Éventer un secret,* le révéler. ◆ **s'éventer** v. pr. Se rafraîchir à l'aide d'un éventail. ‖ Perdre de ses qualités par le contact de l'air : *parfum qui s'est éventé.*

ÉVENTRATION n. f. Rupture de la paroi musculaire abdominale, laissant la peau seule pour contenir les viscères.

ÉVENTRER v. t. Ouvrir le ventre. ‖ Défoncer, ouvrir de force, faire une brèche dans qqch : *éventrer une porte.*

ÉVENTREUR n. m. Qui éventre.

ÉVENTUALITÉ n. f. Caractère de ce qui est éventuel; hypothèse, possibilité. ‖ Fait qui peut se réaliser : *parer à toute éventualité.*

ÉVENTUEL, ELLE adj. (lat. *eventus,* événement). Qui dépend des circonstances; hypothétique, possible.

ÉVENTUELLEMENT adv. De façon éventuelle; le cas échéant.

ÉVÊQUE n. m. Dans les Églises catholique et orientales, prêtre qui a reçu la plénitude du sacerdoce et qui a la direction spirituelle d'un diocèse. ‖ Dans plusieurs Églises réformées, dignitaire ecclésiastique.

EVERE, comm. de Belgique (Brabant), dans la banlieue nord de Bruxelles; 30 500 hab.

EVEREST *(mont),* point culminant du globe (8 848 m), dans l'Himālaya, à la frontière du Népal et du Tibet. Son sommet a été atteint pour la première fois en 1953 par le Néo-Zélandais E. Hillary et le sherpa N. Tensing.

EVERGEM, comm. de Belgique (Flandre-Orientale), au N. de Gand; 29 300 hab.

EVERGLADES (les), région marécageuse de la Floride méridionale. Parc national.

ÉVERTUER (S') v. pr. Faire des efforts pour; s'efforcer de : *s'évertuer à faire de l'esprit.*

ÉVHÉMÉRISME [evemerism] n. m. Ensemble de théories anciennes et modernes sur l'origine des religions, fondées sur la pensée du Grec Évhémère (IIIe s. av. J.-C.) et faisant dériver le surnaturel de faits historiques transposés sur le plan du mythe.

ÉVIAN-LES-BAINS (74500), ch.-l. de cant. de la Haute-Savoie, sur la rive sud du lac Léman; 6 133 hab. *(Évianais).* Station thermale aux eaux bicarbonatées sodiques, très faiblement minéralisées, utilisées dans le traitement des maladies rénales et urinaires (lithiases), hépatiques, cardio-vasculaires et nutritionnelles (goutte, diabète). — Lieu de la conférence entre la France et le F. L. N., où fut conclu le cessez-le-feu qui, en mars 1962, mit fin à la guerre d'Algérie.

ÉVICTION n. f. (lat. *evictio*). Expulsion par force ou intrigue. ‖ *Dr.* Perte d'un droit sur une chose en raison de l'existence d'un droit d'un tiers sur la même chose. • *Éviction scolaire,* interdiction faite à un enfant contagieux de se rendre à l'école.

ÉVIDAGE n. m. Action d'évider.

ÉVIDEMENT n. m. Action d'évider. ‖ Partie évidée d'une pièce; échancrure. ‖ *Chir.* Enlè-

Leroy-Pitch

le massif de l'**Everest,**

Lauros-Giraudon

éventail (fin XVIIIe s.-début XIXe s.). [Musée des Arts décoratifs, Bordeaux.] Coll. part.

Scala

Voûte en **éventail** du cloître de la cathédrale de Gloucester. Seconde moitié du XIVe s.

à la frontière du Népal et du Tibet

ɹement des parties intérieures d'un os malade sans attaquer le périoste.

ÉVIDEMMENT [evidamɑ̃] adv. De façon évidente; certainement, sans aucun doute.

ÉVIDENCE n. f. Caractère de ce qui est évident : *l'évidence d'une preuve.* ‖ Chose évidente. • *De toute évidence, à l'évidence,* sûrement. ‖ *Mettre en évidence,* rendre manifeste. ‖ *Se mettre en évidence,* se faire remarquer.

ÉVIDENT, E adj. (lat. *evidens*). Qui s'impose immédiatement à l'esprit par son caractère de certitude; manifeste, indiscutable.

ÉVIDER v. t. (de *vide*). Creuser intérieurement, tailler à jour, découper.

ÉVIER n. m. (lat. *aquarius,* relatif à l'eau). Cuvette munie d'une alimentation en eau et d'une vidange, et dans laquelle on lave en particulier la vaisselle.

ÉVINCEMENT n. m. Action d'évincer.

ÉVINCER v. t. (lat. *evincere,* vaincre) [conj. **1**]. Éloigner, écarter par intrigue : *évincer un concurrent.* ‖ *Dr.* Déposséder juridiquement un possesseur de bonne foi.

ÉVIN-MALMAISON (62141), comm. du Pas-de-Calais, à 8 km au N.-E. d'Hénin-Beaumont; 123 hab.

ÉVISA (20126), comm. de la Corse-du-Sud, à) km à l'E. de Porto; 248 hab.

ÉVISCÉRATION [eviserasjɔ̃] n. f. Sortie des viscères hors de l'abdomen.

ÉVISCÉRER v. t. (conj. **5**). Enlever les viscères.

ÉVITABLE adj. Qui peut être évité.

ÉVITAGE n. m. *Mar.* Changement de direction du cap d'un navire autour de son ancre sous l'action du vent ou de la marée.

ÉVITEMENT n. m. *Réaction conditionnelle d'évitement,* réaction conditionnelle par laquelle un être vivant apprend à éviter une stimulation punitive. ‖ *Voie d'évitement* (Ch. de f.), voie secondaire ménagée à côté d'une voie principale pour servir de garage.

ÉVITER v. t. (lat. *evitare*). Échapper, parer à ce qui peut être nuisible, désagréable : *éviter un obstacle.* ‖ Faire en sorte que qqn ne subisse pas les inconvénients : *éviter une corvée à qqn.* ‖ S'abstenir, se garder de : *éviter de parler; éviter le sel dans les aliments.* ◆ v. i. *Mar.* Faire son évitage.

ÉVOCABLE adj. Que l'on peut évoquer.

ÉVOCATEUR, TRICE adj. Qui a la propriété ou le pouvoir d'évoquer : *mot évocateur.*

ÉVOCATEUR n. m. *Éthol.* Syn. de STIMULUS DÉCLENCHEUR.

ÉVOCATION n. f. Action d'évoquer. ‖ *Psychol.* Fonction mnésique permettant le rappel des souvenirs passés.

ÉVOCATOIRE adj. Qui donne lieu à une évocation.

ÉVOÉ! ou **ÉVOHÉ!** interj. *Antiq.* Cri des bacchantes en l'honneur de Dionysos.

ÉVOLUÉ, E adj. Qui a atteint un certain degré avancé de civilisation.

ÉVOLUER v. i. Exécuter des évolutions. ‖ Passer par une série progressive de transformations : *la société évolue sans cesse.* ‖ Changer d'opinion.

ÉVOLUTIF, IVE adj. Susceptible d'évolution ou qui produit l'évolution. ‖ Se dit d'une maladie dont les symptômes ou manifestations se succèdent sans interruption.

ÉVOLUTION n. f. (lat. *evolutio,* déroulement). Mouvement d'ensemble exécuté par une troupe, une flotte, des avions, une équipe sportive, etc. ‖ Série de transformations successives : *l'évolution des idées.* ‖ *Biol.* Série des transformations successives qu'ont subies les êtres vivants pendant les temps géologiques. ‖ *Méd.* Succession des phases d'une maladie : *l'évolution d'une tumeur.*

(*Biol.*) L'important développement de la découverte paléontologique depuis Cuvier* a révélé l'importance des changements survenus dans les faunes et les flores du globe depuis le début des temps fossilifères, il y a 600 millions d'années. De leur côté, les progrès de l'anatomie comparée ont souligné l'étroite parenté des formes actuelles et fossiles. La stratigraphie, enfin, appuyée sur la datation absolue des terrains, fait la synthèse des deux sciences précédentes en faisant apparaître des *lignées,* des « séries évolutives » (ammonites, équidés, etc.) le long desquelles on voit des caractères évoluer progressivement au fil des temps, parfois selon les mêmes lois : spécialisation, augmentation de la taille, etc. Il est donc devenu difficile, aujourd'hui, d'invoquer de simples *substitutions,* lors desquelles un stock d'êtres mieux armés pour la vie viendraient (d'où?) supplanter des êtres moins doués, sans en être les descendants. Ce phénomène a parfois eu lieu, mais le « fixisme » échoue à en tirer l'explication générale des changements biologiques. Il est plus simple et plus rationnel de voir dans l'évolution des populations animales et végétales un reflet de celle des espèces elles-mêmes. Lamarck* a eu le grand mérite d'énoncer clairement, le premier, la notion d'évolution. Si Darwin* n'a pas expliqué l'origine même des novations, il a formulé définitivement les lois de leur succès et de leur échec, c'est-à-dire les processus selon lesquels l'évolution des lignées détermine celle des populations. De Vries*, avec la notion de *mutation,* a fourni à l'évolutionnisme une base scientifique précise, sur laquelle la génétique des populations a édifié un appareil statistique imposant, tendant (avec un certain succès) à éviter tout « finalisme », tout « intentionnalisme » au cours d'évolutions qui conduisent pourtant à des adaptations d'une stupéfiante perfection. On ne saurait cependant nier radicalement toute évolution « pour cause interne ».

ÉVOLUTIONNISME n. m. Ensemble des théories explicatives du mécanisme de l'évolution des êtres vivants (lamarckisme, darwinisme, mutationnisme). ‖ Doctrine sociologique et anthropologique selon laquelle l'histoire des sociétés humaines se déroule de façon progressive et sans discontinuité.

ÉVOLUTIONNISTE n. et adj. Partisan de l'évolutionnisme.

ÉVOQUER v. t. (lat. *evocare*). Appeler, faire apparaître par la magie : *évoquer les esprits.* ‖ Rappeler à la mémoire : *évoquer le passé.* ‖ Faire apparaître à l'esprit par l'imagination ou par écrit : *évoquer une question, l'avenir.* ‖ Avoir quelque ressemblance, quelque lien avec : *ce dessin évoque un rocher.* ‖ *Dr.* Se réserver une cause qui devait être examinée par une juridiction inférieure.

ÉVORA, v. du Portugal méridional, ch.-l. de distr., dans l'Alentejo; 34 000 hab. Petit temple romain du IIe s. Fortifications. Cathédrale des XIIe-XVIe s. (trésor; cloître du XIVe s.). Églises, couvent, palais et demeures surtout des XVe-XVIe s., avec éléments de style manuélin. Musée régional d'art ancien.

ÉVRAN (22630), ch.-l. de cant. des Côtes-du-Nord, à 11 km au S.-E. de Dinan; 1 616 hab.

ÉVRECY (14210), ch.-l. de cant. du Calvados, à 15 km au S.-O. de Caen; 1 136 hab.

ÉVREUX (27000), ch.-l. du départ. de l'Eure, sur l'Iton, à 102 km à l'O. de Paris; 48 653 hab. (*Ébroïciens*). Base et école de l'armée de l'air. Centre de commandement des forces aériennes stratégiques. Constructions électriques et mécaniques.

HISTOIRE. Ancienne cité gallo-romaine, Évreux fut le siège d'un comté normand cédé à la France dès 1198 et donné en apanage par Philippe le Bel à son frère Louis, qui fut ainsi la tige des comtes d'Évreux dont le plus célèbre fut Charles* le Mauvais, roi de Navarre.

BEAUX-ARTS. Cathédrale élevée du XIIe au XVIIIe s. (remarquables vitraux des XIVe et XVe s.). Musée municipal dans l'ancien évêché, de la fin du XVe s. Église Saint-Taurin (XIe-XVe s.; châsse du XIIIe s., chef-d'œuvre d'orfèvrerie gothique).

ÉVRON (53600), ch.-l. de cant. de la Mayenne, à 24 km au S.-E. de Mayenne; 6 774 hab. Église romane et gothique, anc. abbatiale (peintures, vitraux); anc. abbaye (bâtiments du XVIIIe s.).

ÉVRY (91000), ch.-l. du départ. de l'Essonne, sur la Seine, à 25 km au S.-S.-E. de Paris; 29 578 hab. (*Évryens*). Hippodrome. Constructions aéronautiques. Industrie alimentaire. — Évry est l'une des villes nouvelles de l'agglomération parisienne.

EVTOUCHENKO (Ievgueni Aleksandrovitch), poète soviétique (Zima, Sibérie, 1933). Un moment incarnation du désir de liberté de la jeunesse après le stalinisme (*la Troisième Neige,* 1955; *Babi Iar,* 1961; *Autobiographie précoce,* 1963), il est revenu à une inspiration plus nationale et plus orthodoxe (*la Vedette de liaison,* 1966; *les Baies sauvages de Sibérie,* 1981).

EVZONE [ɛfzɔn] n. m. (gr. *euzônos,* qui a une belle ceinture). Fantassin grec.

ÉWÉS, ethnie du Ghana, du Togo et du Bénin.

EWING (*sir* James Alfred), physicien écossais (Dundee 1855-Cambridge 1935). Il a, en 1882, peu après Warburg*, découvert l'hystérésis magnétique et lui a donné ce nom.

EX- (mot lat., *hors de*), préfixe qui, placé devant un nom, exprime ce qu'une personne ou une chose a cessé d'être : *un ex-ministre;* ou ce qu'elle ne possède plus : *un titre de rente ex-coupon.*

EXA-, préfixe (symb. : E) qui, placé devant une unité, la multiplie par 10^{18}.

EX ABRUPTO loc. adv. (lat. *abruptus,* abrupt). Brusquement, sans préparation.

EXACERBATION n. f. Paroxysme, redoublement d'un mal.

EXACERBER v. t. (lat. *exacerbare,* irriter). Porter à un très haut degré : *exacerber un désir.*

EXACT, E [ɛgzakt *ou* ɛgza, akt] adj. (lat. *exactus,* achevé). Juste, conforme à la règle ou à la vérité : *calcul exact.* ‖ Qui respecte l'horaire, qui arrive à l'heure, ponctuel : *employé exact.* • *Les sciences exactes,* mathématiques, astronomie, sciences physiques, par opposition aux SCIENCES HUMAINES.

EXACTEMENT adv. Avec exactitude, précisément, rigoureusement : *régler exactement un compte.*

EXACTEUR n. m. Celui qui commet une exaction.

EXACTION n. f. (lat. *exactio,* action de faire payer). Action de celui qui exige plus qu'il n'est dû, ou même ce qui n'est pas dû. ◆ pl. Abus de pouvoir, actes de violence.

EXACTITUDE n. f. Caractère de ce qui est exact, de celui qui est exact.

EX AEQUO [egzeko] loc. adv. et n. m. inv. (mots lat. *à égalité*). Sur le même rang : *élèves ex aequo à une composition; deux ex aequo.*

EXAGÉRATION n. f. Action d'exagérer; excès.

EXAGÉRÉ, E adj. Où il y a de l'exagération, excessif : *bénéfices exagérés.*

EXAGÉRÉMENT adv. De façon exagérée.

EXAGÉRER v. t. (lat. *exaggerare,* entasser) [conj. **5**]. Dépasser la mesure, la vérité, dans ses paroles, ses actes; accentuer, outrer : *exagérer un détail.* ◆ **s'exagérer** v. pr. *S'exagérer qqch,* lui donner une importance démesurée.

EXALTANT, E adj. Qui exalte, qui stimule : *une mission exaltante.*

EXALTATION n. f. *Litt.* Action d'élever à un plus haut degré de mérite; glorification : *exaltation de la vertu.* ‖ Surexcitation intellectuelle associée le plus souvent à l'hyperactivité et à l'euphorie : *parler avec exaltation.* • *Exaltation de la sainte Croix,* fête de l'Église (14 septembre) en mémoire du retour à Jérusalem des reliques de la Croix de Jésus reconquises sur les Perses (628).

EXALTÉ, E adj. et n. Pris d'une sorte de délire; passionné, surexcité : *tête exaltée.*

EXALTER v. t. (lat. *exaltare,* élever). Inspirer de l'enthousiasme : *musique qui exalte l'imagination.* ‖ Porter à un haut degré un sentiment. ◆ **s'exalter** v. pr. S'enthousiasmer jusqu'à un point exagéré.

EXAMEN n. m. (mot lat.). Recherche, investigation réfléchie : *examen d'une question.* ‖ Épreuve que subit un candidat : *passer un examen.* • *Examen de conscience,* examen critique de sa propre conduite. ‖ *Libre examen,* droit pour tout homme de ne croire que ce que sa raison individuelle peut contrôler.

EXAMINATEUR, TRICE n. Personne chargée d'examiner des candidats.

EXAMINER v. t. (lat. *examinare*). Observer attentivement, minutieusement : *examiner une affaire.* ‖ Faire subir un examen : *examiner un candidat, un malade.*

EX ANTE loc. adv. (mots lat., *d'avant*). S'emploie pour désigner la période antérieure à des faits économiques que l'on analyse. (Contr. EX POST.)

EXANTHÉMATIQUE adj. De la nature de l'exanthème, ou qui s'accompagne d'exanthème.

EXANTHÈME n. m. (gr. *exanthêma,* efflorescence). Éruption cutanée accompagnant certaines maladies infectieuses (rougeole, scarlatine, érysipèle, typhus).

EXARCHAT [ɛgzarka] n. m. *Hist.* Circonscription militaire byzantine où commandait un exarque. (Il y eut deux exarchats, celui de Ravenne [Italie], de 584 à 751, et celui de Carthage [Afrique], qui succomba en 709 sous les coups des Arabes.) ‖ En Orient, circonscription ecclésiastique administrée par un exarque. ‖ Dignité d'exarque.

EXARQUE n. m. (gr. *exarkhos*). Gouverneur d'un exarchat. ‖ Prélat de l'Église orientale qui a juridiction épiscopale.

EXASPÉRANT, E adj. Qui irrite à l'excès.

EXASPÉRATION n. f. État de violente irritation. ‖ *Litt.* Aggravation : *l'exaspération d'une douleur.*

EXASPÉRER v. t. (lat. *exasperare;* de *asper,* âpre) [conj. **5**]. Irriter vivement, énerver fortement. ‖ *Litt.* Rendre plus intense.

EXAUCEMENT n. m. Action d'exaucer.

EXAUCER [ɛgzose] v. t. (lat. *exaltare,* élever) [conj. **1**]. Satisfaire qqn en lui accordant ce qu'il demande; accueillir favorablement ce qui est demandé : *exaucer un désir.*

EX CATHEDRA loc. adv. (mots lat., *du haut de la chaire*). *Théol.* Se dit du pape lorsqu'en tant que chef de l'Église il proclame une vérité de foi. ‖ D'un ton doctoral.

EXCAVATEUR, TRICE n. *Trav. publ.* Engin de terrassement muni d'une chaîne à godets circulant sur une élinde.

EXCAVATION n. f. Action de creuser dans le sol. ‖ Creux, cavité.

EXCAVER v. t. (lat. *cavus,* creux). Creuser (dans la terre) : *excaver le sol.*

EXCÉDANT, E adj. Qui excède; qui fatigue ou importune extrêmement.

EXCÉDENT n. m. Nombre, quantité qui dépasse la limite : *excédent de bagages.* • *Excédents pétroliers,* solde positif, pour les pays producteurs de pétrole, entre les ressources dues aux ventes de pétrole et les achats qu'ils font de l'extérieur.

Ambassade de la R.D.A.

excavateur à roues

EXCÉDENTAIRE adj. Qui est en excédent.

EXCÉDER v. t. (lat. *excedere,* s'en aller) [conj. **5**]. Dépasser en nombre, en quantité, en durée la limite fixée : *la dépense excède les recettes.* ‖ Aller au-delà de certaines limites, outrepasser : *excéder son pouvoir.* ‖ Importuner, exaspérer : *ce bruit m'excède.*

EXCELLEMMENT adv. *Litt.* De façon excellente.

EXCELLENCE n. f. Degré de perfection : *l'excellence de ma vue.* ‖ Titre donné aux ambassadeurs, aux ministres, aux évêques, etc. (Prend une majuscule.) • *Par excellence,* au plus haut point; tout spécialement. ‖ *Prix d'excellence,* prix donné au meilleur élève d'une classe.

EXCELLENT, E adj. Supérieur dans son genre : *un excellent photographe;* très bon, parfait : *d'excellents résultats.*

EXCELLER v. i. (lat. *excellere*). Être supérieur en son genre, l'emporter sur les autres : *exceller en mathématiques.*

EXCENTRATION n. f. *Mécan.* Déplacement du centre.

EXCENTRÉ, E adj. Loin du centre : *région excentrée.*

EXCENTRER v. t. *Mécan.* Déplacer le centre, l'axe de qqch.

EXCENTRICITÉ n. f. Éloignement par rapport à un centre : *l'excentricité d'un quartier.* ‖ Originalité, bizarrerie de caractère, extravagance; acte extravagant. • *Excentricité d'une conique* (Math.), rapport constant qui lie les distances d'un point de la courbe à un foyer et à la directrice correspondante. ‖ *Excentricité de l'orbite d'une planète, d'un satellite* (Astron.), excentricité de l'ellipse décrite autour de l'astre attirant.

EXCENTRIQUE adj. Situé loin du centre : *les quartiers excentriques de Paris.* ‖ *Math.* Se dit d'un cercle qui, renfermé dans un autre, n'a pas le même centre que ce dernier.

EXCENTRIQUE adj. et n. Qui est en opposition avec les usages reçus; bizarre, extravagant : *conduite excentrique.*

EXCENTRIQUE n. m. *Mécan.* Dispositif excentré, calé sur un arbre tournant et utilisé pour la commande de certains mouvements.

EXCENTRIQUEMENT adv. De façon excentrique.

EXCEPTÉ prép. Hormis, à la réserve de.

EXCEPTÉ, E adj. Non compris dans un ensemble.

EXCEPTER v. t. (lat. *exceptare*, exclure). Ne pas comprendre dans un nombre : *excepter certains condamnés d'une amnistie.*

EXCEPTION n. f. (lat. *exceptio*). Action d'excepter, de mettre à part. ‖ Ce qui est exclu de la règle commune : *les exceptions confirment la règle.* ‖ *Dr.* Moyen de défense qui tend soit à différer la solution du procès, soit à soulever l'illégalité d'un acte au cours de l'instance. • *À l'exception de*, à la réserve de. ‖ *Faire exception*, échapper à la règle. ‖ *Loi, tribunal d'exception* (Dr.), en dehors du droit commun.

EXCEPTIONNEL, ELLE adj. Qui forme exception, qui n'est pas ordinaire. ‖ Qui se distingue par ses mérites, sa valeur.

EXCEPTIONNELLEMENT adv. De façon exceptionnelle.

EXCÈS [ɛksɛ] n. m. (lat. *excessus*). Quantité qui se trouve en plus : *l'excès d'un nombre sur un autre.* ‖ Ce qui dépasse la mesure normale : *excès d'indulgence.* ‖ Dérèglement de conduite, abus. • *Excès de langage*, propos discourtois, injurieux. ‖ *Excès de pouvoir* (Dr.), dépassement de la compétence d'une autorité administrative. ◆ pl. Actes de violence, de démesure.

EXCESSIF, IVE adj. Qui excède la mesure; exagéré, exorbitant : *une rigueur excessive.* ‖ Qui pousse les choses à l'excès.

EXCESSIVEMENT adv. Avec excès : *boire excessivement.* ‖ Extrêmement, tout à fait : *cela me déplaît excessivement.*

EXCIDEUIL (24160), ch.-l. de cant. de la Dordogne, à 35 km au N.-E. de Périgueux; 1 584 hab. Vestiges d'un château féodal.

EXCIPER v. t. ind. [**de**] (lat. *excipere*, excepter). *Dr.* Alléguer une exception, une excuse : *exciper de sa bonne foi.*

EXCIPIENT n. m. (lat. *excipio*, je reçois). Substance à laquelle on incorpore certains médicaments : *le miel est un excipient.*

EXCISER v. t. (lat. *excidere*, couper). Enlever avec un instrument tranchant : *exciser une tumeur.*

EXCISION n. f. Action d'exciser, de couper.

EXCITABILITÉ n. f. Faculté d'entrer en action sous l'influence d'une cause stimulante.

EXCITABLE adj. Prompt à s'exciter, instable. ‖ *Physiol.* Qui peut être excité.

EXCITANT, E adj. Qui éveille des sensations, des sentiments, très intéressant : *lecture excitante.* ‖ *Méd.* Qui excite, stimule l'organisme.

EXCITANT n. m. Substance propre à augmenter l'activité organique.

EXCITATEUR, TRICE adj. et n. Qui excite.

EXCITATEUR n. m. *Phys.* Instrument à poignées isolantes, pour décharger un condensateur.

EXCITATION n. f. Action d'exciter; ce qui excite. ‖ Activité anormale de l'organisme. ‖ Encouragement, provocation : *excitation à la violence.* ‖ *Psychiatr.* Agitation psychomotrice.

EXCITATRICE n. f. Machine électrique secondaire, envoyant du courant dans l'inducteur d'un alternateur.

EXCITÉ, E adj. et n. Qui est énervé, agité.

EXCITER [ɛksite] v. t. (lat. *excitare*). Donner de la vivacité, de l'énergie; mettre dans un état de tension : *exciter au travail; exciter la soif; exciter la foule; exciter un chien.* ‖ Provoquer, faire naître : *exciter le rire.* ‖ *Phys.* Faire passer un atome, un noyau, une molécule d'un niveau d'énergie à un niveau plus élevé. ‖ Produire un flux d'induction magnétique dans une génératrice, un moteur électriques. ◆ **s'exciter** v. pr. S'énerver. ‖ Prendre un vif intérêt à qqch.

EXCLAMATIF, IVE adj. Qui marque l'exclamation.

EXCLAMATION n. f. Cri de joie, de surprise, d'indignation, etc. • *Point d'exclamation* **(!)**, signe de ponctuation placé après une exclamation, une interjection.

EXCLAMER (S') v. pr. (lat. *exclamare*). Pousser des exclamations.

EXCLU, E adj. et n. Qui a été rejeté, chassé d'un groupe.

EXCLURE v. t. (lat. *excludere*) [conj. **62**]. Renvoyer, mettre dehors : *exclure d'un parti; exclure d'une salle.* ‖ Ne pas compter dans un ensemble : *on a exclu l'hypothèse du suicide.* ‖ Être incompatible avec : *ces exigences excluent tout accord.* • *Il n'est pas exclu que*, il est possible que.

EXCLUSIF, IVE adj. Qui appartient par privilège spécial : *droit exclusif.* ‖ Qui repousse tout ce qui est étranger : *amour exclusif.* ‖ Absolu, de parti pris : *homme exclusif dans ses idées.*

EXCLUSION n. f. Action d'exclure; renvoi. • *À l'exclusion de*, à l'exception de.

EXCLUSIVE n. f. Mesure d'exclusion : *prononcer l'exclusive contre qqn.*

EXCLUSIVEMENT adv. En excluant, non compris : *du mois de janvier au mois d'août exclusivement.* ‖ Uniquement : *s'occuper exclusivement d'histoire.*

EXCLUSIVISME n. m. Caractère des gens exclusifs.

EXCLUSIVITÉ n. f. Possession sans partage. ‖ Droit exclusif de publier un article, de vendre un livre, de projeter un film. ‖ Produit, film bénéficiant de ce droit. • *Salle d'exclusivité*, salle de cinéma qui projette les films avant les salles d'exploitation générale.

EXCOMMUNICATION n. f. Censure ecclésiastique qui retranche qqn de la communion des fidèles. ‖ Exclusion d'un groupe.

EXCOMMUNIÉ, E adj. et n. Frappé d'excommunication.

EXCOMMUNIER v. t. Retrancher de la communion de l'Église. ‖ Rejeter hors d'un groupe.

EXCORIATION n. f. Légère écorchure.

EXCORIER v. t. (lat. *corium*, cuir). Écorcher légèrement la peau.

EXCRÉMENT n. m. (lat. *excrementum*, sécrétion). Matière évacuée du corps par les voies naturelles, et, en particulier, résidus de la digestion évacués par le rectum. (Le plus souvent au plur.) [Syn. FÈCES.]

EXCRÉMENTIEL, ELLE adj. De la nature de l'excrément.

EXCRÉTER v. t. Éliminer hors de l'organisme.

EXCRÉTEUR, TRICE ou **EXCRÉTOIRE** adj. Qui sert à l'excrétion : *conduit excréteur.*

EXCRÉTION n. f. (lat. *excretio*). Fonction organique assurant le rejet des constituants inutiles ou nuisibles du milieu intérieur, sous forme gazeuse (air expiré), liquide (urine, sueur) ou même solide chez certains animaux des déserts. (L'évacuation des excréments n'est pas une fonction d'excrétion.)

EXCROISSANCE n. f. Tumeur qui vient sur quelque partie du corps de l'homme ou de l'animal (les *verrues*, les *polypes*, les *loupes*), ou sur des végétaux (les *bourrelets* de l'orme).

EXCURSION n. f. (lat. *excursio*). Voyage ou promenade d'agrément, de recherche.

EXCURSIONNER v. i. Faire une excursion.

EXCURSIONNISTE n. Personne qui fait une excursion.

EXCUSABLE adj. Qui peut être excusé.

EXCUSE n. f. Raison que l'on donne pour se disculper ou disculper autrui : *fournir une excuse.* ‖ Raison invoquée pour se soustraire à une obligation : *se trouver de bonnes excuses pour ne rien faire.* ‖ Carte du jeu de tarot. ‖ *Dr.* Fait qui, accompagnant une infraction, peut entraîner une atténuation ou la suppression de la peine. ◆ pl. Expression du regret d'avoir commis une faute ou offensé qqn : *faire des excuses.*

EXCUSER v. t. (lat. *excusare*). Disculper qqn d'une faute : *excuser un coupable.* ‖ Servir d'excuse : *rien ne peut vous excuser.* ‖ Accepter les motifs allégués : *je vous excuse.* ‖ Pardonner, tolérer par indulgence : *excuser les fautes de la jeunesse.* ◆ **s'excuser** v. pr. Présenter ses excuses, exprimer des regrets.

EXEAT [ɛgzeat] n. m. inv. (mot lat., *qu'il sorte*). Permission donnée à un prêtre par son évêque de quitter le diocèse, à un fonctionnaire par son chef de service de quitter sa circonscription. • *Donner son exeat à qqn* (Litt.), le congédier.

EXÉCRABLE adj. *Litt.* Qui excite l'horreur : *crime exécrable.* ‖ Très mauvais : *humeur, temps exécrable.*

EXÉCRABLEMENT adv. *Litt.* Très mal.

EXÉCRATION n. f. *Litt.* Sentiment d'horreur extrême; objet de ce sentiment.

EXÉCRER [ɛgzekre *ou* ɛksecre] v. t. (lat. *execrari*, maudire) [conj. **5**]. *Litt.* Avoir en exécration, en horreur; avoir de l'aversion pour.

EXÉCUTABLE adj. Qui peut être exécuté.

EXÉCUTANT, E n. Musicien, musicienne qui exécute sa partie dans un concert. ‖ Personne qui exécute une tâche, un ordre.

EXÉCUTER v. t. (lat. *exsequi*, poursuivre). Mettre à effet, accomplir, réaliser : *exécuter un projet.* ‖ Mener à bien, achever un ouvrage : *exécuter un tableau.* ‖ Jouer : *exécuter une sonate.* ‖ Mettre à mort : *exécuter un condamné.* • *Exécuter un débiteur* (Dr.), saisir ses biens et les faire vendre par autorité de justice. ◆ **s'exécuter** v. pr. Se résoudre à agir.

EXÉCUTEUR, TRICE n. *Exécuteur testamentaire*, personne à laquelle le testateur a confié le soin d'exécuter son testament. ‖ *Exécuteur des hautes œuvres*, le bourreau.

EXÉCUTIF, IVE adj. et n. m. Se dit du pouvoir chargé d'appliquer les lois.

EXÉCUTION n. f. Action, manière d'exécuter, d'accomplir : *l'exécution d'un plan.* ‖ Action de jouer une œuvre musicale. • *Exécution capitale*, ou *exécution*, mise à mort d'un condamné. ‖ *Exécution forcée* (Dr.), exécution d'une obligation à l'aide de la force publique ou d'une saisie. ‖ *Mettre à exécution*, réaliser.

EXÉCUTOIRE adj. et n. m. *Dr.* Qui donne pouvoir de procéder à une exécution. • *Formule exécutoire*, formule apposée sur un acte ou sur un jugement, et qui contient l'ordre aux agents de la force publique de le faire exécuter.

EXÉCUTOIREMENT adv. *Dr.* De façon exécutoire.

EXÈDRE n. f. (gr. *exedra*). Dans l'Antiquité, salle munie de sièges pour la conversation, parfois semi-circulaire. ‖ Dans les anciennes basiliques chrétiennes, banc de pierre adossé au fond de l'abside. ‖ Édicule de pierre formant banquette semi-circulaire.

EXÉGÈSE n. f. (gr. *exêgêsis*). Science qui consiste à établir, selon les normes de la critique scientifique, le sens d'un texte ou d'une œuvre littéraire. (Ce terme est surtout utilisé pour l'interprétation des textes bibliques.) ‖ Interprétation d'un texte.

EXÉGÈTE n. Spécialiste de l'exégèse.

EXÉGÉTIQUE adj. Relatif à l'exégèse.

EXÉKIAS, potier et peintre attique de vases (actif dans la seconde moitié du VIe s. av. J.-C.). Harmonieusement ordonnées et empreintes de sérénité, ses compositions révèlent sa maîtrise technique. Brillant représentant de la céramique à figures noires, ce créateur aura une influence déterminante sur les générations suivantes d'artistes, notamment par des œuvres telles que sa célèbre coupe de Munich représentant Dionysos sur un bateau.

EXELMANS (Remi Isidore, *comte*), maréchal de France (Bar-le-Duc 1775 - Paris 1852). Engagé en 1791, héros de la cavalerie des campagnes de la Révolution et de l'Empire, colonel à Austerlitz, général à Eylau, il livra en 1815 le dernier combat à Rocquencourt. Grand chancelier de la Légion d'honneur en 1850, il est fait maréchal de France en 1851.

EXEMPLAIRE adj. (lat. *exemplaris*). Qui peut servir d'exemple : *conduite exemplaire.* ‖ Qui peut servir de leçon, d'avertissement : *punition exemplaire.*

EXEMPLAIRE n. m. (lat. *exemplarium*). Chacun des objets (livres, gravures, etc.) produits d'après un type commun. ‖ Individu d'une espèce minérale, végétale ou animale.

EXEMPLAIREMENT adv. De façon exemplaire.

EXEMPLARITÉ n. f. Caractère de ce qui est exemplaire.

EXEMPLE n. m. (lat. *exemplum*). Personne ou chose qui peut servir de modèle : *un exemple à suivre.* ‖ Châtiment qui peut servir de leçon : *punir qqn pour l'exemple.* ‖ Fait antérieur, considéré par rapport à ce dont il s'agit : *ce que vous dites là est sans exemple.* ‖ Chose précise, événement, phrase qui sert à illustrer, à éclairer : *appuyer son raisonnement d'un exemple.* • *À l'exemple de*, à l'imitation de. ‖ *Par exemple*, pour en citer des exemples; interj. fam. exprimant la surprise : *par exemple! vous voilà!*

EXEMPLIFICATION n. f. Action d'exemplifier.

EXEMPLIFIER v. t. Expliquer, illustrer par des exemples.

EXEMPT, E [ɛgzɑ̃, ɑ̃t] adj. (lat. *exemptus*, affranchi). Qui n'est pas assujetti à une charge : *exempt de service.* ‖ Qui est à l'abri de : *exempt de soucis.* ‖ Dépourvu de : *exempt d'erreurs.*

EXEMPT n. m. Anc. officier de police.

EXEMPTÉ, E adj. et n. Se dit d'une personne dispensée de qqch.

EXEMPTER [ɛgzɑ̃te] v. t. Rendre exempt, dispenser d'une charge.

EXEMPTION [ɛgzɑ̃psjɔ̃] n. f. Privilège qui exempte : *obtenir une exemption d'impôts.*

EXEQUATUR [ɛgzekwatyr] n. m. inv. (mot lat., *qu'on exécute*). Acte autorisant un consul étranger à exercer ses fonctions. ‖ Jugement ou ordonnance rendant exécutoire une sentence rendue en pays étranger ou par des arbitres.

EXERCÉ, E adj. Devenu habile à la suite d'exercices : *oreille exercée.*

EXERCER v. t. (lat. *exercere*). [conj. **1**]. Soumettre à un entraînement méthodique, former : *exercer des soldats au maniement des armes.* ‖ Mettre à l'épreuve : *exercer sa patience.* ‖ Mettre en usage, faire agir : *exercer un contrôle.* ‖ Pratiquer, s'acquitter de : *exercer la médecine, des fonctions.* ‖ Mettre en jeu, donner cours à : *exercer l'hospitalité.* • *Exercer un droit*, en faire usage. ◆ **s'exercer** v. pr. S'entraîner, se former par la pratique : *s'exercer à l'escrime.* ‖ Se manifester, agir : *ses qualités n'ont pas eu la possibilité de s'exercer.*

EXERCICE n. m. (lat. *exercitium*). Action de s'exercer, travail destiné à exercer qqn; dépense physique : *cela ne s'apprend que par un long exercice; faire de l'exercice.* ‖ Action de pratiquer une activité, un métier : *l'exercice de la médecine.* ‖ Séance d'instruction militaire pratique : *aller à l'exercice.* ‖ Devoir donné à des élèves en application des cours. ‖ Période comprise entre deux inventaires comptables ou deux budgets. • *Entrer en exercice*, entrer en fonction. ◆ pl. *Exercices spirituels*, pratiques de dévotion.

EXERCISEUR n. m. Appareil de gymnastique pour la musculation des membres.

EXÉRÈSE n. f. (gr. *exairêsis*, enlèvement). *Chi*
Opération par laquelle on retranche du corp
humain ce qui lui est étranger ou nuisibl
(tumeur, calcul, organe malade).

EXERGUE n. m. (gr. *ex*, hors de, et *ergo*
œuvre). Petit espace laissé en bas d'une médail
pour y mettre une inscription, une date; c
qu'on y grave. ‖ Inscription en tête d'u
ouvrage. • *Mettre en exergue*, mettre en év
dence.

EXETER, v. de Grande-Bretagne (Devon), prè
de la Manche; 96 000 hab. Cathédrale (XIIe-XIVe s
à chœur et transept typiques du style *decorate*
(fin XIIIe s.). Vestiges médiévaux. Hôtel de vil
de 1595.

EXFOLIANT, E adj. Qui provoque une exfoliation de la peau : *crème exfoliante.*

Exekias :
Achille et Ajax jouant aux dés.
Amphore, VIe s. av. J.-C. (Musée du Vatican.)

EXFOLIATION n. f. *Méd.* Séparation des pa
ties mortes qui se détachent d'un os, d'u
tendon, de la peau par petites lames.

EXFOLIER v. t. (lat. *ex*, hors de, et *foliu*
feuille). Séparer par lames minces et super
cielles : *exfolier une roche, des ardoises.*

EXHALAISON n. f. Gaz ou odeur qui s'exha
d'un corps.

EXHALATION n. f. Action d'exhaler. ‖ *Mé*
Évaporation cutanée.

EXHALER [ɛgzale] v. t. (lat. *exhalare*). Pouss
hors de soi, répandre des vapeurs, des odeur
ces roses exhalent une odeur agréable. ‖ *L*
Donner libre cours à, exprimer : *exhaler*
colère; exhaler des plaintes. ◆ **s'exhaler** v.
Se répandre dans l'atmosphère. ‖ Se manifest

EXHAURE n. f. (lat. *exhaurire*, épuiser). *M*
Épuisement des eaux d'infiltration. ‖ Ensemb
des installations permettant cet épuisement.

EXHAUSSEMENT n. m. Action d'exhausse
état de ce qui est exhaussé.

EXHAUSSER v. t. Augmenter en hauteu
rendre plus élevé : *exhausser une maison d'*
étage.

EXHAUSTEUR n. m. Appareil amenant da
une nourrice le liquide d'un réservoir placé pl
bas.

EXHAUSTIF, IVE adj. (angl. *exhaustive;* de
exhaust, épuiser; lat. *exhaurire*). Qui épuise
fond un sujet : *étude exhaustive.*

EXHAUSTIVEMENT adv. De façon exha
tive.

EXHÉRÉDATION n. f. *Dr.* Action de déshé
ter : *l'exhérédation de Jean sans Terre (1206)*

EXHÉRÉDER v. t. (lat. *exheredare;* de *ex*, h
de, et *heres*, héritier) [conj. **5**]. *Dr.* Déshérite

EXHIBER v. t. (lat. *exhibere*). Mettre sous
yeux, présenter : *exhiber ses papiers.* ‖ Fa
étalage de, montrer avec ostentation ou im
deur : *exhiber ses décorations.* ◆ **s'exhi**
v. pr. Se montrer au public avec affectatio
s'afficher.

EXHIBITION n. f. Action de faire voir,
présenter. ‖ Présentation au public d'anima
ou de choses. ‖ Action de faire un étala
impudent de : *exhibition d'un luxe révoltant*

EXHIBITIONNISME n. m. Tendance patho
gique à exhiber ses organes génitaux. ‖
d'afficher en public des idées, des sentime
ou des actes qu'on devrait tenir secrets.

EXHIBITIONNISTE n. Personne qui pratiq
l'exhibitionnisme.

EXHORTATION n. f. Encouragement. ‖ D
cours, paroles par lesquels on exhorte.

EXHORTER v. t. (lat. *exhortari*). Exciter, enc
rager par ses paroles : *exhorter qqn à*
patience.

EXHUMATION n. f. Action d'exhumer.

EXHUMER v. t. (lat. *ex*, hors de, et *hum*
terre). Extraire un cadavre de la terre. ‖ Tirer
l'oubli, rappeler : *exhumer le passé.*

EXIGEANT, E adj. Difficile à contenter.

EXIGENCE n. f. Ce qu'une personne exige, réclame à une autre : *les exigences de la clientèle.* || Caractère d'une personne exigeante. || Ce qui est commandé par qqch, nécessité, obligation : *les exigences d'une profession.*

EXIGER v. t. (lat. *exigere*) [conj. **1**]. Demander comme chose due; ordonner : *exiger le paiement d'une dette.* || Nécessiter, réclamer : *son état exige des soins.*

EXIGIBILITÉ n. f. Caractère de ce qui est exigible : *l'exigibilité d'une dette.*

EXIGIBLE adj. Qui peut être exigé.

EXIGU, Ë adj. (lat. *exiguus*). Qui est de trop petite dimension : *logement exigu.*

EXIGUÏTÉ [ɛgzigɥite] n. f. Petitesse, étroitesse : *l'exiguïté d'un appartement.*

EXIL n. m. (lat. *exilium*). Expulsion de qqn hors de sa patrie. || Lieu où réside l'exilé : *Victor Hugo passa dix-huit ans en exil.* || Obligation de vivre éloigné d'un lieu qu'on regrette.

Exil, poème en sept chants de Saint-John Perse (1942). Un débat entre le poète et la solitude que l'homme retrouve en tout lieu, mais qui est l'espace même que peuplera sa création.

EXILÉ, E n. Personne condamnée à l'exil, ou qui vit dans l'exil.

EXILER v. t. Bannir de sa patrie. || Éloigner d'un lieu. ◆ **s'exiler** v. pr. Se retirer pour vivre à l'écart. || Quitter volontairement sa patrie.

EXINSCRIT [ɛgzɛ̃skri] adj. m. *Math.* Se dit d'un cercle tangent à un côté d'un triangle et aux prolongements des deux autres.

EXISTANT, E adj. Qui existe, actuel.

EXISTENCE n. f. (lat. *existentia*, choses existantes). Le fait d'exister : *l'existence d'une nappe de pétrole, d'un traité.* || Vie, manière de vivre : *finir son existence; une existence heureuse.* || Durée : *gouvernement qui a trois mois d'existence.*

EXISTENTIALISME n. m. Doctrine philosophique qui s'interroge sur la notion d'être à partir de l'existence vécue par l'homme. (Ce mouvement, qui s'inspire surtout des idées de Heidegger et de Kierkegaard, a eu pour principal représentant en France J.-P. Sartre.)

EXISTENTIALISTE adj. et n. De l'existentialisme. || Nom donné, après la Seconde Guerre mondiale, à une jeunesse à la mode qui fréquentait les cafés de Saint-Germain-des-Prés à Paris et qui se recommandait de l'existentialisme.

EXISTENTIEL, ELLE adj. Relatif à l'existence. ● *Quantificateur existentiel* (Log.), symbole noté ∃ (s'énonçant *il existe*), exprimant le fait que certains éléments d'un ensemble (au moins un) vérifient une propriété donnée.

EXISTER v. i. (lat. *existere*). Être actuellement en vie, vivre : *tant qu'il existera des hommes.* || Être en réalité, durer, subsister : *cette coutume n'existe plus.* || Être important, compter : *cet échec n'existait pas pour lui.* ● *Ça n'existe pas,* c'est sans valeur.

EXIT [ɛgzit] (mot lat., *il sort*), indication scénique de la sortie d'un acteur.

EX-LIBRIS [ɛkslibris] n. m. inv. (mots lat., *d'entre les livres de*). Vignette que les bibliophiles collent au revers des reliures de leurs livres, et qui porte leur nom ou leur devise.

EXMES (61310), ch.-l. de cant. de l'Orne, à 16 km à l'E. d'Argentan; 341 hab.

EXOBIOLOGIE n. f. Discipline qui étudie la possibilité d'existence de la vie dans l'Univers. (Syn. ASTROBIOLOGIE.)

Yolf-Jacana

exocet

EXOCET [ɛgzɔsɛ] n. m. (gr. *exô*, au-dehors, et *koitê*, gîte). Poisson des mers chaudes, appelé usuellement *poisson volant* parce que ses nageoires pectorales, très développées, lui permettent de planer sur 200 ou 300 m de distance.

Exocet, missile français autoguidé. Pesant 650 kilos et d'une portée moyenne de 50 kilomètres, il peut être tiré d'un aéronef, d'un bateau ou d'une batterie côtière.

EXOCRINE adj. Se dit des glandes qui rejettent leur produit sur la peau ou dans une cavité naturelle (glandes sébacées, mammaires, digestives, etc.).

EXODE n. m. (gr. *exodos*, départ). Émigration en masse d'un peuple. || Départ en foule : *l'exode des vacanciers au mois d'août.* ● *Exode des capitaux,* déplacement des capitaux vers l'étranger. || *Exode rural,* migration définitive des habitants des campagnes vers la ville.

Exode (l'), sortie d'Égypte des Hébreux* sous la conduite de Moïse. Ces événements, que les historiens situent v. 1250 av. J.-C., sont rapportés dans le *livre de l'Exode,* deuxième livre du Pentateuque*.

EXOGAME adj. et n. Qui pratique l'exogamie. (Contr. ENDOGAME.)

EXOGAMIE n. f. *Anthropol.* Règle contraignant un individu à choisir son conjoint en dehors du groupe auquel il appartient.

EXOGAMIQUE adj. Relatif à l'exogamie.

EXOGÈNE adj. (gr. *exô*, au-dehors, et *gennân*, engendrer). Qui se forme à l'extérieur.

EXONDÉ, E adj. Se dit d'une terre sortie de l'eau et précédemment immergée.

EXONÉRATION n. f. Action d'exonérer; dispense, allégement.

EXONÉRER v. t. (lat. *exonerare;* de *onus, oneris,* charge) [conj. **5**]. Dispenser totalement ou en partie d'une charge, d'une obligation, fiscale en particulier.

EXOPHTALMIE n. f. (gr. *ophtalmos*, œil). Saillie du globe oculaire hors de son orbite.

EXOPHTALMIQUE adj. Qui relève de l'exophtalmie.

EXORBITANT, E adj. Tout à fait excessif : *prix exorbitant.*

EXORBITÉ, E adj. Se dit des yeux qui ont l'air de sortir de leur orbite.

EXORCISATION n. f. Action d'exorciser.

EXORCISER v. t. (gr. *exorkizein*, prêter serment). Conjurer, chasser les démons par des prières, des formules et actes rituels.

EXORCISME n. m. Cérémonie au cours de laquelle on exorcise. || Texte liturgique utilisé pour cette cérémonie.

EXORCISTE n. m. Celui qui exorcise les démons. || Clerc qui avait reçu le troisième ordre mineur. (Cet ordre* a été supprimé en 1972.)

EXORDE n. m. (lat. *exordium*). Première partie d'un discours oratoire. || *Litt.* Début, entrée en matière.

EXORÉIQUE adj. Qui est propre aux régions dont les eaux courantes gagnent la mer.

EXORÉISME n. m. Caractère des régions (72 p. 100 de la surface du globe) dont les eaux courantes rejoignent la mer.

EXOSMOSE n. f. (gr. *exô*, au-dehors, et *ôsmos*, poussée). *Phys.* Courant de liquide qui s'établit d'un système fermé (une cellule par exemple) vers l'extérieur, à travers une membrane semi-perméable, lorsque le milieu extérieur est plus concentré.

EXOSPHÈRE n. f. Couche atmosphérique qui s'étend au-dessus de 1 000 km environ, où les molécules les plus légères échappent à la pesanteur et s'élèvent lentement vers l'espace interplanétaire.

EXOSTOSE n. f. (gr. *osteon*, os). Tumeur bénigne d'un os, causée par un traumatisme, une inflammation ou un trouble de l'ossification. || *Bot.* Syn. de LOUPE.

EXOTÉRIQUE adj. (gr. *exôterikos*, public). Se dit des doctrines philosophiques et religieuses enseignées publiquement (par oppos. aux doctrines ÉSOTÉRIQUES).

EXOTHERMIQUE adj. (gr. *exô*, au-dehors, et *thermos*, chaleur). Se dit d'une transformation qui dégage de la chaleur.

EXOTIQUE [ɛgzɔtik] adj. (gr. *exôtikos*). Qui appartient aux pays étrangers, qui en provient.

EXOTISME n. m. Caractère de ce qui est exotique. || Goût pour ce qui est exotique.

EXOTOXINE n. f. Toxine diffusée dans le milieu extérieur par une bactérie.

exp, symbole représentant la fonction exponentielle.

EXPANSÉ, E adj. Se dit d'une résine synthétique à structure alvéolaire, utilisée pour l'isolation thermique ou acoustique ainsi que pour la fabrication de meubles moulés.

EXPANSIBILITÉ n. f. Tendance qu'ont les corps gazeux à occuper un plus grand espace.

EXPANSIBLE adj. (lat. *expansus*, étendu). Capable d'expansion.

EXPANSIF, IVE adj. Qui aime à communiquer ses sentiments; communicatif, démonstratif. || Se dit d'un ciment dont le durcissement est accompagné d'un gonflement contrôlable.

EXPANSION n. f. (lat. *expandere*, déployer). Développement en volume ou en surface : *l'expansion des gaz.* || Développement de certains organes. || Tendance à communiquer ses sentiments : *besoin d'expansion.* || Mouvement de ce qui se développe; tendance à s'agrandir : *expansion industrielle, coloniale.* ● *Expansion économique,* développement économique. || *Expansion de l'Univers* (Astron.), théorie suggérée par W. De Sitter en 1917, et relative à un état d'évolution continue de l'Univers impliquant que les différentes galaxies s'éloignent systématiquement les unes des autres.

EXPANSIONNISME n. m. Attitude politique visant à l'expansion d'un pays au-delà de ses limites. || Tendance d'un pays où l'accroissement de la puissance économique est systématiquement encouragé par l'État.

EXPANSIONNISTE adj. et n. Qui vise à l'expansion.

EXPANSIVITÉ n. f. Caractère de celui ou de ce qui est expansif.

EXPATRIATION n. f. Action d'expatrier ou de s'expatrier; état de celui qui est expatrié.

EXPATRIER v. t. Obliger qqn à quitter sa patrie. ◆ **s'expatrier** v. pr. Quitter sa patrie pour s'établir ailleurs.

EXPECTATIVE n. f. Attitude prudente de qqn qui attend pour se décider : *rester dans l'expectative.*

EXPECTORANT, E adj. et n. m. Qui facilite l'expectoration.

EXPECTORATION n. f. Action d'expectorer. (L'expectoration peut être séreuse [sérosité, eau], muqueuse [mucus], muco-purulente [mucus et pus], purulente ou sanglante.)

EXPECTORER v. t. (lat. *expectorare;* de *pectus, pectoris,* poitrine). Rejeter par la bouche les substances contenues dans les bronches.

EXPÉDIENT n. m. Moyen de résoudre momentanément une difficulté, de se tirer d'embarras : *user d'expédients.* ● *Vivre d'expédients,* recourir à toutes sortes de moyens indélicats pour subsister.

EXPÉDIER v. t. (lat. *expedire*, dégager). Envoyer à destination : *expédier des marchandises.* || Faire promptement qqch pour s'en débarrasser : *expédier un travail.* || Se débarrasser de qqn : *expédier un importun.* || *Dr.* Délivrer copie conforme : *expédier un contrat de mariage.*

EXPÉDITEUR, TRICE adj. et n. Qui fait un envoi par la poste, par le chemin de fer, etc.

EXPÉDITIF, IVE adj. Qui agit promptement, qui expédie vivement un travail. || Qui permet de faire vite : *des procédés expéditifs.*

EXPÉDITION n. f. (lat. *expeditio*). Action d'envoyer; envoi. || Exécution, règlement : *expédition des affaires courantes.* || Opération militaire en dehors du pays d'origine : *l'expédition d'Égypte.* || Voyage, excursion, mission : *une expédition polaire.* || *Dr.* Copie d'un acte notarié ou d'un jugement.

EXPÉDITIONNAIRE n. Employé d'administration chargé de recopier les états, etc. || Expéditeur de marchandises. ◆ adj. *Corps expéditionnaire,* ensemble des troupes d'une expédition militaire.

EXPÉDITIVEMENT adv. De façon expéditive.

EXPÉRIENCE n. f. (lat. *experientia*). Connaissance acquise par une longue pratique jointe à l'observation : *avoir de l'expérience.* || Épreuve, essai effectué pour étudier un phénomène : *faire une expérience de chimie.* || *Philos.* Tout ce qui est appréhendé par les sens et constitue la matière de la connaissance humaine; ensemble des phénomènes connus et connaissables.

EXPÉRIMENTAL, E, AUX adj. Fondé sur l'expérience scientifique : *la méthode expérimentale.* || Qui sert à expérimenter : *avion expérimental.*

EXPÉRIMENTALEMENT adv. De façon expérimentale.

EXPÉRIMENTATEUR, TRICE adj. et n. Qui fait des expériences en physique, en chimie, etc.

EXPÉRIMENTATION n. f. Action d'expérimenter; essai d'application, expérience. || *Épistémol.* Utilisation de montages techniques pour analyser la production de phénomènes et vérifier des hypothèses scientifiques.

EXPÉRIMENTÉ, E adj. Instruit par l'expérience.

EXPÉRIMENTER v. t. Soumettre à des expériences : *expérimenter un appareil.*

EXPERT, E adj. (lat. *expertus*). Versé dans la connaissance d'une chose par la pratique; exercé, habile : *un ouvrier expert.*

EXPERT n. m. Connaisseur, spécialiste. || Personne nommée pour éclairer le tribunal sur certains aspects du procès. ● *À dire d'experts,* suivant leur avis.

EXPERT-COMPTABLE n. m. (pl. *experts-comptables*). Personne faisant profession d'analyser, de contrôler ou d'organiser des comptabilités.

EXPERTEMENT adv. Avec adresse.

EXPERTISE n. f. Intervention, opération d'un expert : *faire une expertise.* || Rapport d'un expert : *attaquer une expertise.* ● *Expertise médicale,* mode de solution d'un différend entre le médecin traitant d'un assuré social et le médecin-conseil de la caisse de l'organisme de sécurité sociale. || *Expertise mentale,* examen médico-légal effectué par un psychiatre désigné par le juge d'instruction, en vue d'évaluer l'état mental de l'inculpé au moment du délit, son degré de responsabilité et ses possibilités de réadaptation sociale.

EXPERTISER v. t. Soumettre à une expertise.

EXPIABLE adj. Qui peut être expié.

EXPIATION n. f. Action d'expier; châtiment, peine.

EXPIATOIRE adj. Se dit de ce qui sert à expier : *sacrifice expiatoire.*

EXPIER [ɛkspje] v. t. (lat. *expiare*). Subir un châtiment, une peine pour réparer une faute. || *Relig.* Réparer un péché par la pénitence.

EXPIRANT, E adj. Qui se meurt, qui expire.

EXPIRATEUR adj. et n. m. Se dit des muscles dont la contraction produit une expiration (muscles intercostaux et abdominaux).

EXPIRATION n. f. Action de chasser hors de la poitrine l'air qu'on a inspiré. || Époque où se termine un temps prescrit ou convenu : *expiration d'un bail.*

EXPIRATOIRE adj. Qui se rapporte à l'expiration de l'air pulmonaire.

EXPIRER v. t. (lat. *exspirare*, souffler). Expulser par une contraction de la poitrine. ◆ v. i. Mourir. || Arriver à son terme, prendre fin : *son bail expire à la mi-janvier.*

EXPLÉTIF, IVE adj. et n. m. *Ling.* Se dit d'un mot, d'une expression qui n'est pas nécessaire au sens de la phrase, mais qui sert parfois à lui donner plus de force (comme *vous* dans : *on* VOUS *le prend, on* VOUS *l'assomme*), ou qui dépend des seules règles de la syntaxe (comme *ne* dans : *je crains qu'il* NE *vienne*).

EXPLICABLE adj. Qu'on peut expliquer.

EXPLICATIF, IVE adj. Qui sert à expliquer : *note explicative.*

EXPLICATION n. f. Action d'expliquer, de s'expliquer; commentaire, justification, discussion. ● *Avoir une explication avec qqn,* lui demander compte de sa conduite.

EXPLICITATION n. f. Action d'expliciter.

EXPLICITE adj. (lat. *explicitus*). Clair, qui ne prête à aucune contestation : *réponse explicite.* || *Dr.* Énoncé formellement, complètement : *clause explicite.*

EXPLICITEMENT adv. En termes clairs; sans équivoque : *poser explicitement une condition.*

EXPLICITER v. t. Rendre explicite, plus clair; éclairer : *expliciter sa pensée.*

EXPLIQUER v. t. (lat. *explicare*, déplier). Faire comprendre ou faire connaître en détail par un développement oral ou écrit; éclaircir, exposer : *expliquer un problème, un projet.* || Être une justification, apparaître comme une cause : *le danger d'avalanche explique qu'on ne peut construire à cet endroit.* || Commenter : *expliquer un auteur.* ◆ **s'expliquer** v. pr. Exprimer sa pensée. || Avoir une discussion avec qqn. || Comprendre la raison, le bien-fondé : *je m'explique mal sa présence ici.* || Devenir intelligible : *sa réaction s'explique très bien.*

EXPLOIT n. m. (lat. *explicitum;* de *explicare,* accomplir). Action d'éclat, action mémorable. ● *Exploit d'huissier,* acte de procédure rédigé et signé par un huissier.

EXPLOITABILITÉ n. f. Qualité de ce qui est exploitable.

EXPLOITABLE adj. Qui peut être exploité, cultivé : *gisement exploitable.*

EXPLOITANT, E n. Personne qui met en valeur un bien productif de richesse : *les exploitants agricoles.* || Personne qui s'occupe de la gestion d'une salle de cinéma.

EXPLOITATION n. f. Action de mettre en valeur des biens, des bois, des mines, des usines, des fonds de commerce. || Affaire qu'on exploite, lieu où l'on exploite (terres, mine, etc.) : *exploitation agricole, minière, commerciale.* || Action d'abuser à son profit : *exploitation de l'homme par l'homme.* || Utilisation méthodique : *l'exploitation d'un succès.* || *Mil.* Phase du combat offensif, visant à tirer un parti maximal de la réussite d'une attaque. ● *Compte d'exploitation,* anc. document comptable, complémentaire du compte de pertes et profits, auj. remplacé par le *compte* de résultat.*

■ *Exploitation minière.* Un gisement peu profond s'exploite en carrière *à ciel ouvert;* on enlève au fur et à mesure le terrain stérile qui le recouvre, d'où le nom de « découverte » donné aussi à ce genre d'exploitation. La progression de l'exploitation se fait par gradins d'une dizaine de mètres de hauteur, séparés par des banquettes sur lesquelles circulent les engins d'abattage, de chargement et de transport. Les gradins supérieurs sont dans le stérile, les gradins inférieurs dans le minerai. Le *rapport de découverture* est le volume de stérile à enlever pour extraire une tonne de minerai; au-delà d'un certain chiffre, le gisement s'approfondissant, il faut passer à l'exploitation souterraine. Ce rapport limite est d'autant plus grand que le minerai vaut plus cher et que le matériel utilisé est plus puissant; il peut dépasser 20 dans le cas du charbon, aux États-Unis. La forme générale de l'excavation est un entonnoir s'il s'agit d'un *amas*, ou une tranchée dans le cas d'une *couche* ou d'un *filon*.

L'*exploitation souterraine* est plus complexe, demandant des puits, un réseau de galeries, avec les contraintes de l'aérage et des mesures de sécurité. Les engins devant être descendus dans les puits et circuler dans les galeries sont de dimensions plus limitées que ceux qui sont employés en carrière. Une couche de 0,8 à 4 m d'épaisseur, parfois plus, est en général exploitée en une fois entre son *toit* et son *mur*, soit par *longue taille*, c'est-à-dire sur un front aligné de 100 à 300 m, soit par *chambres et piliers*, c'est-à-dire par une série de galeries parallèles de 4 à 6 m de large, sur lesquelles sont branchées des *recoupes* délimitant des piliers rectangulaires de 5 à 15 m. Ceux-ci sont soit abandonnés tels quels, ils sont alors de plus faible dimension, soit dépilés en formant des chambres. Une taille peut être *chassante* — s'éloignant au fur et à mesure de sa progression de l'origine du quartier en avançant les galeries nécessaires aux deux extrémités de la taille, qui seront bordées par les vieux travaux — ou *rabattante* — auquel cas il a fallu au préalable creuser ces galeries qui se raccourciront progressivement. L'exploitation par taille permet la récupération complète du gisement, mais exige un soutènement approprié pour maintenir l'allée de travail entre le front de taille et le remblai ou le foudroyage des vieux travaux. L'exploitation par chambres et piliers, faite avec un toit assez bon, a l'avantage de ne demander aucun soutènement et de permettre l'emploi de machines automotrices sur pneus ou chenilles; mais la récupération du gisement n'y est que plus ou moins partielle suivant que les piliers sont abandonnés — auquel cas, si le pourcentage exploité a été convenablement déterminé, il ne se produira pas d'affaissement en surface — ou que chaque pilier est successivement dépilé en formant une chambre en bordure du foudroyage de la chambre précédente, dont on se protège par l'abandon de petits piliers. En principe, dans ce type d'exploitation, on ne remblaie pas. Les meilleurs résultats sont obtenus en couche régulière à pente faible, où on utilise un matériel classique : en taille, convoyeur blindé, rabot ou haveuse à rotor, soutènement métallique par étançons et chapeaux articulés, ou, mieux, soutènement marchant; en chambres et piliers, jumbo de foration ou mineur continu, chargeuse et camions, ou chargeuse-transporteuse sur pneus.

EXPLOITÉ, E adj. et n. Se dit d'une personne dont on tire un profit abusif.

EXPLOITER v. t. Faire valoir une chose, en tirer du profit : *exploiter une ferme, un brevet.* ‖ Tirer parti, user à propos : *exploiter la situation.* ‖ Profiter abusivement de qqn; faire travailler qqn à bas salaire.

EXPLOITEUR, EUSE n. Personne qui tire du travail d'autrui des profits abusifs.

EXPLORATEUR, TRICE n. Personne qui va à la découverte d'un pays.

EXPLORATEUR, TRICE adj. et n. *Méd.* Se dit d'instruments ou d'actions qui permettent d'établir un diagnostic.

EXPLORATION n. f. Action d'explorer; résultat de cette action. ● *Exploration fonctionnelle*, ensemble d'examens biologiques ou cliniques permettant d'apprécier l'état de fonctionnement d'un organe.

EXPLORATOIRE adj. Se dit de négociations préliminaires : *des conversations exploratoires.*

EXPLORER v. t. (lat. *explorare*). Visiter un lieu en l'étudiant avec soin. ‖ Examiner les différents aspects d'une question, d'un texte, etc. : *explorer les possibilités d'un accord.* ‖ *Méd.* Observer le fonctionnement d'un organe à l'aide d'instruments spéciaux.

EXPLOSER v. i. Faire explosion : *la nitroglycérine explose facilement.* ‖ Se manifester bruyamment, ne pas pouvoir se contenir. ‖ Se développer, progresser rapidement : *cet athlète a explosé aux jeux Olympiques.*

EXPLOSEUR n. m. Appareil servant à faire exploser à distance une mine au moyen d'un courant électrique.

EXPLOSIBILITÉ n. f. Qualité de ce qui est explosible.

EXPLOSIBLE adj. Qui peut exploser.

EXPLOSIF, IVE adj. Relatif à l'explosion. ‖ Critique, tendu : *situation explosive.*

EXPLOSIF n. m. Corps destiné à exploser sous l'influence de la chaleur ou d'un choc.

■ Les *explosifs primaires*, ou *explosifs d'amorçage*, sont des corps qui, en quantité de un gramme ou moins, ne peuvent pas être soumis à l'action d'une flamme sans prendre d'emblée le régime détonant : tels sont le fulminate de mercure et l'azoture de plomb. Les *explosifs secondaires* peuvent, à l'air libre, brûler avec le concours de l'oxygène de l'air ou bien déflagrer sans intervention d'oxygène extérieur (cette

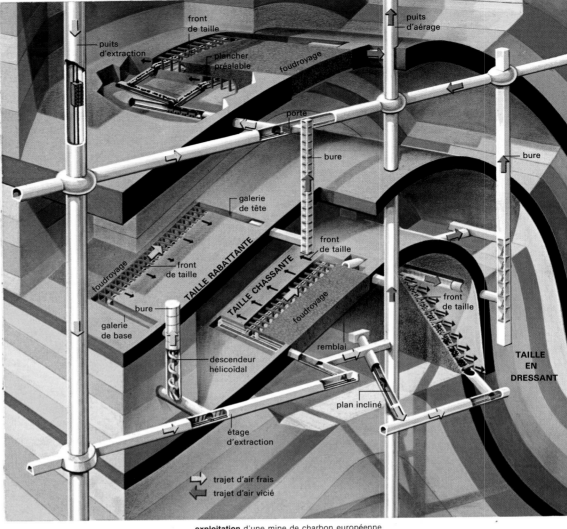

exploitation d'une mine de charbon européenne

déflagration peut se transformer spontanément en détonation, après un temps variable). On les fait détoner à coup sûr par l'action d'un explosif d'amorçage. Les explosifs secondaires, dont sont chargées les munitions explosives, sont le plus souvent des dérivés nitrés : composés aromatiques (trinitrotoluène, trinitrophénol ou acide picrique) ou composés hétérocycliques (hexogène). La nitroglycérine, qui, seule, ne se prête pas à l'emploi comme explosif, entre dans la composition d'une vaste famille d'explosifs appelés *dynamites*. Une des plus simples est la *dynamite-gomme*, composée de 92 p. 100 de nitroglycérine et de 8 p. 100 de nitrocellulose, d'une qualité spéciale, apte à bien retenir la nitroglycérine liquide : c'est un des explosifs de mine les plus puissants et les plus brisants; les autres dynamites renferment, avec la nitroglycérine, divers constituants qui peuvent être eux-mêmes explosifs ou non explosifs. Depuis 1970, on emploie beaucoup l'explosif dit « nitrate-fuel », constitué par 94 p. 100 de sphérules de nitrate d'ammonium poreux ayant absorbé 6 p. 100 d'huile minérale. Dans certains travaux de minage, on utilise des bouillies explosives ou des gels aqueux. Pour le formage des métaux à l'explosif, on emploie des explosifs en plaques à base d'hexogène ou de penthrite.

EXPLOSION n. f. (lat. *explodere*, rejeter en frappant des mains). Action d'éclater violemment : *l'explosion d'une bombe.* ‖ Libération très rapide sous forme de gaz à haute pression et à haute température d'une énergie stockée sous un volume réduit. ‖ Troisième temps de fonctionnement d'un moteur suivant le cycle à quatre temps. ‖ Manifestation vive et soudaine : *l'explosion de la colère.* ‖ Développement, accroissement brutal : *l'explosion démographique.*

EXPONENTIEL, ELLE adj. (lat. *exponens*, exposant). *Math.* Se dit d'une qualité dont l'exposant est variable ou inconnu : *fonction exponentielle.* ● *Équation exponentielle*, équation où l'inconnue entre en exposant.

■ La fonction exponentielle, qui au nombre réel *x* fait correspondre le nombre réel *y*, noté e^x, est la fonction inverse ou réciproque de la fonction logarithme* népérien, qui au nombre réel positif *y* fait correspondre son logarithme népérien ln *y*. La fonction logarithme est la

fonction fondamentale de l'analyse. Il en est donc de même de la fonction exponentielle. Le tableau de variation de la fonction $x \curvearrowright y = e^x$ est

x	$- \infty$		0		$+ \infty$
y	0		1		$+ \infty$

x varie de $- \infty$ à $+ \infty$. Mais $y = e^x$ est toujours positif et varie dans l'intervalle $]0, + \infty[$, la valeur zéro n'étant jamais atteinte. La courbe représentative se rapproche, quand *x* tend vers $- \infty$, de l'axe *x'x*, qui est *asymptote* à la courbe. Quand *x* tend vers $+ \infty$, *y* tend aussi vers $+ \infty$ et la courbe prend la direction de O*y*, sans se rapprocher de O*y* : la courbe présente une branche parabolique dans la direction de O*y*. Le nombre *e* est la *base* des logarithmes népériens. C'est un nombre *irrationnel transcendant*. Son logarithme népérien est égal à 1. Les règles de calcul sur les exponentielles sont les suivantes :

$$e^{x_1} \cdot e^{x_2} = e^{x_1 + x_2}$$

car, si l'on prend les logarithmes, on a

$$\ln (e^{x_1} \cdot e^{x_2}) = \ln e^{x_1} + \ln e^{x_2} = x_1 + x_2 = \ln e^{x_1 + x_2},$$

de même $(e^x)^z = e^{xz}$.

La dérivée* de la fonction exponentielle est

si $x \curvearrowright y = e^x$, $x \curvearrowright y'_x = e^x$.

exponentielle

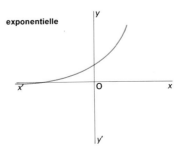

La fonction exponentielle est la seule fonction égale à sa dérivée.

EXPORTABLE adj. Que l'on peut exporter.

EXPORTATEUR, TRICE adj. et n. Qui exporte.

EXPORTATION n. f. Action d'exporter; marchandises exportées.

EXPORTER v. t. (lat. *exportare*). Transporter et vendre à l'étranger des produits ou des capitaux.

EXPOSANT, E n. Personne qui présente ses produits, ses œuvres dans une exposition.

EXPOSANT n. m. *Math.* Signe, lettre ou chiffre indiquant la puissance à laquelle est élevée une quantité (on l'écrit au-dessus et à droite de cette quantité) : *dans* $4^3 = 4 \times 4 \times 4$, *3 est l'exposant*.

EXPOSÉ n. m. Développement explicatif dans lequel on présente, par écrit ou oralement, des faits ou des idées : *un exposé de la situation.* ● *Exposé des motifs* (Dr.), remarques qui précèdent le dispositif d'un projet de loi, afin d'expliquer les raisons qui sont à son origine.

EXPOSER v. t. (lat. *exponere*). Mettre en vue, présenter aux regards : *exposer des produits.* Placer, tourner d'un certain côté, orienter : *exposer au midi.* ‖ Soumettre à l'action de : *exposer des plantes à la lumière.* ‖ Mettre en péril, faire courir un risque : *exposer sa vie.* Expliquer, faire connaître : *exposer une théorie.* ‖ *Phot.* Soumettre une surface sensible à un rayonnement. ◆ **s'exposer** v. pr. Courir un risque : *s'exposer aux critiques.*

EXPOSITION n. f. Action de placer sous les regards du public des objets divers, des œuvres d'art, des produits industriels ou agricoles; le lieu où on les expose. ‖ Orientation, situation par rapport à la lumière : *exposition agréable.* ‖ Autref., peine infamante par laquelle on exposait le condamné, attaché à un poteau. ‖ Action de faire connaître, récit : *exposition d'un fait.* ‖ Partie d'une œuvre littéraire dans laquelle on fait connaître le sujet. ‖ *Mus.* Partie d'une fugue ou d'une œuvre en forme de sonate, dans laquelle le thème est énoncé. *Phot.* Action d'exposer une surface sensible. ‖ *Phys.* Quotient par la masse d'un volume d'air de la somme des charges électriques de tous les ions de même signe produits dans ce volume par un rayonnement γ et χ, lorsque tous les électrons libérés par les photons sont complètement arrêtés dans l'air. ● *Exposition universelle,* exposition admettant les produits et réalisations de tous les pays.

EX POST [ɛkspɔst] loc. adv. S'emploie en science économique pour désigner les faits perçus après leur survenance. (Contr. EX ANTE.)

EXPRÈS, EXPRESSE [ɛksprɛ, -ɛs] adj. (lat. *expressus,* nettement exprimé). Précis, nettement exprimé, formel : *ordre exprès; défense expresse.* ◆ adj. inv. et n. m. Qui est chargé d'une mission rapide; remis immédiatement au destinataire : *lettre exprès; par exprès.* ◆ adv. À dessein, avec intention : *il est venu tout exprès pour vous voir.* ● *Fait exprès,* coïncidence plus ou moins fâcheuse, qui semble déterminée à l'avance.

EXPRESS [ɛksprɛs] adj. et n. m. inv. Qui assure un service, une liaison rapide : *une voie express; prendre l'express.* ‖ Café plus ou moins concentré obtenu par le passage de la vapeur sous pression à travers de la poudre de café.

EXPRESSÉMENT adv. En termes exprès; de façon précise : *expressément défendu.*

EXPRESSIF, IVE adj. Qui exprime avec force une pensée, un sentiment, une émotion : *un geste expressif.*

EXPRESSION n. f. (lat. *expressio*). Manifestation de la pensée, du sentiment par la parole, la physionomie, le geste, etc. : *l'expression de la joie.* ‖ Mot ou groupe de mots, considérés sur le plan de la signification : *expression démodée.* ‖ Ensemble de signes propres à exprimer un sentiment sur le visage. ‖ *Mus.* Faculté, pour le compositeur ou pour l'interprète, de rendre sensibles certaines idées d'une œuvre. ● *Droit d'expression des salariés,* droit institué par la loi du 4 août 1982, qui permet aux salariés de toutes les entreprises de s'exprimer d'une façon directe et collective sur le contenu, l'organisation et les conditions de leur travail. ‖ *Expression abdominale* (Obstétr.), pressions faites sur l'abdomen pour aider l'expulsion du fœtus lors de l'accouchement. ‖ *Expression algébrique* (Math.), ensemble de lettres et de nombres liés les uns aux autres par des signes d'opérations algébriques, et indiquant les opérations qu'il faudrait effectuer sur les mesures de grandeurs données ou inconnues pour en déduire la mesure d'une grandeur dépendant de celles-ci. ‖ *Expression corporelle,* ensemble d'attitudes, de gestes et de sons vocaux, susceptibles de traduire des situations émotionnelles ou physiques. ‖ *Réduire une fraction à sa plus simple expression,* trouver une fraction égale à la fraction donnée et ayant les termes les plus simples possible. ‖ *Réduire à sa plus simple expression,* amener à la forme la plus simple ou supprimer totalement.

EXPRESSIONNISME n. m. Tendance artistique et littéraire du XXe s. qui s'attache à l'intensité de l'expression. ‖ Caractère d'intensité et de singularité expressives.

■ *L'expressionnisme littéraire.* Né dans l'atmosphère de la fin du XIXe s. et de la Première Guerre mondiale, l'expressionnisme, même s'il se recommande de Goya, Hölderlin, Rimbaud ou Whitman, est d'abord le cri d'angoisse et de révolte d'une jeunesse (et tout particulièrement allemande) devant la violence et l'éclatement de la civilisation européenne (industrialisation sauvage, gangrène des villes, prolétarisation massive, prolifération de la bureaucratie, conflits sociaux et armés). Dans une société qui glisse, sourde et indifférente, à la catastrophe, il faut pour se faire entendre crier ou frapper fort : d'où les caractéristiques premières de l'expressionnisme littéraire, le schématisme des thèmes et la violence du style; d'où sa prédilection pour la poésie et le théâtre. La poésie (Ernst Stadler, Georg Heym, Gottfried Benn*, Georg Trakl*, August Stramm, Ernst Toller, Bruno Goetz, le jeune Brecht*) réagit contre l'esthétique néoromantique, l'impressionnisme de l'école de Vienne, l'art pour l'art du cercle de Stefan George. Le théâtre rompt avec les conflits de caractères et le déroulement de l'intrigue, pour évoquer les diverses facettes du « moi lyrique » dans un *Stationendrama* qui se rattache à la fois au mystère* médiéval (présentation d'actions simultanées) et à la « tragédie » de Strindberg (*le Chemin de Damas,* 1898) : vision du destin de l'homme avec Georg Kaiser* ou révolte plus sensuelle et plus immédiate avec Wedekind*, Fritz von Unruh*, Carl Hauptmann, Ivan Goll. La prose, sous sa forme romanesque, cherche à mêler les temps et les lieux, à dissoudre les personnages traditionnels : plus que Heinrich Mann*, Kasimir Edschmid ou Carl Einstein, c'est Alfred Döblin* qui en a donné l'illustration la plus typique dans ses premiers romans, avant d'y joindre des préoccupations formelles plus systématiques et proches du futurisme*.

● *L'expressionnisme en art.* Inséparable d'une conception angoissée et révoltée du monde et de l'homme, l'expressionnisme se caractérise par un langage émotionnel véhément et spontané. La vie, comme l'œuvre, des artistes expressionnistes sera souvent tourmentée ou tragique, à l'image de leurs précurseurs de la fin du XIXe s. (Van Gogh, Gauguin, Toulouse-Lautrec, Ensor, Munch). Profondément nordique, ce courant se développe en Allemagne avec les peintres du groupe *Die Brücke* (Dresde, puis Berlin, 1905-1913); soucieux d'authenticité, ils redécouvrent l'art primitif et la tradition médiévale (Ernst Ludwig Kirchner, 1880-1938), avec un style souvent lourd et violent (Max Pechstein, 1881-1955), et cultivent l'irréalisme de la couleur et les déformations (Karl Schmidt-Rottluff [1884-1976], Erich Heckel [1883-1970] ainsi qu'Emil Nolde*). La Première Guerre mondiale disperse les artistes allemands et suscite l'expression pathétique d'Oskar Kokoschka*, à côté du pessimisme grinçant de Max Beckmann (1884-1950), tandis que la défaite conduit au réalisme acéré et à la critique sociale qu'incarne le mouvement de la « Nouvelle Objectivité » d'O. Dix* et de G. Grosz*.

Autre aspect de l'expressionnisme, le courant flamand, rustique et ferme, est illustré par les peintres de l'école de Laethem-Saint-Martin : Constant Permeke*, Gustave De Smet (1877-1943), aux sujets populaires et mélancoliques, Frits Van den Berghe (1883-1939), dont l'art coloré se teinte de surréalisme. En Amérique, on signalera l'art, issu de la révolution, du muralisme* mexicain (Rivera, Orozco, Siqueiros). En France, après l'explosion fauve, l'expressionnisme est représenté, de manière très personnelle, par Rouault*, mais aussi par Gromaire*, Edouard Goerg (1893-1969), sarcastique et parfois morbide, Amédée de La Patellière (1890-1932), rustique et grave, Francis Gruber (1912-1948), dont l'univers désolé traduit l'angoisse, ou encore par Pascin*, Chagall* et surtout Soutine*, Juifs exilés de l'école de Paris.

À la fin de la Seconde Guerre mondiale, l'abstraction* connaît un courant qui mêle la violence expressionniste à la spontanéité du geste apprise des surréalistes : ce sont les peintres nordiques du groupe Cobra* (Jorn, Appel) et les « expressionnistes abstraits » américains (Pollock*, De* Kooning).

● *L'expressionnisme cinématographique.* Issu de certaines recherches picturales (Kokoschka, Kubin) et théâtrales (Max Reinhardt), ce mouvement, qui apparut en Allemagne à la fin de la Première Guerre mondiale, s'attacha essentiellement à exprimer les états d'âme des personnages par le symbolisme des formes, d'où l'importance des décors (contrastes heurtés, déformation volontaire du monde réel) et des jeux de lumière. Parmi les représentants de cette tendance, on citera : Robert Wiene (*le Cabinet du Dr Caligari,* 1919), Paul Wegener (*le Golem,* 1920), Fritz Lang (*le Docteur Mabuse,* 1922), F. W. Murnau (*Nosferatu le vampire,* 1922), Paul Leni (*le Cabinet des figures de cire,* 1924). On retrouve des traces de l'expressionnisme chez des réalisateurs comme J. von Sternberg, M. Carné, O. Welles, C. Reed, I. Bergman.

● *L'expressionnisme dans la danse.* V. MODERN DANCE.

EXPRESSIONNISTE adj. et n. Qui se rapporte, se rattache à l'expressionnisme.

EXPRESSIVEMENT adv. De façon expressive.

EXPRESSIVITÉ n. f. Caractère de ce qui est expressif.

EXPRIMABLE adj. Qui peut être exprimé, énoncé, traduit.

EXPRIMER v. t. (lat. *exprimere*). Faire sortir un liquide par pression. ‖ Manifester sa pensée, ses impressions par le geste, la parole, le visage : *exprimer sa douleur par des larmes.* ‖ Définir, en parlant d'unités. ◆ **s'exprimer** v. pr. Se faire comprendre, exprimer sa pensée.

EXPROMISSION n. f. (lat. *expromissio*). *Dr. rom.* Substitution de débiteurs dans laquelle le nouveau débiteur s'engage sans s'être préalablement entendu avec celui qu'il remplace.

EXPROPRIATEUR, TRICE n. et adj. Personne, organisme qui exproprie.

EXPROPRIATION n. f. Action d'exproprier. ● *Expropriation forcée,* saisie immobilière suivie de vente par adjudication judiciaire.

EXPROPRIER v. t. Déposséder qqn de sa propriété, dans un but d'utilité générale, suivant des formes légales et avec indemnité.

EXPULSÉ, E adj. et n. Se dit d'une personne que l'on expulse.

EXPULSER v. t. (lat. *expulsare*). Chasser qqn avec violence ou par une décision de l'autorité du lieu où il était établi. ‖ Évacuer, rejeter : *expulser le mucus des bronches.*

EXPULSIF, IVE adj. *Méd.* Qui accompagne ou favorise l'expulsion.

EXPULSION n. f. Action d'expulser, d'exclure. ‖ *Méd.* Phase terminale de l'accouchement.

EXPURGATION n. f. Action d'expurger. ‖ *Agric.* Action de couper dans une futaie les arbres qui gênent le développement des autres.

EXPURGER v. t. (lat. *expurgare,* nettoyer) [conj. **1**]. Retrancher d'un écrit ce que l'on juge contraire à la morale, aux convenances, etc.

EXQUIS, E adj. (lat. *exquisitus*). Très bon, délicieux, en particulier dans le domaine du goût : *vin exquis.* ‖ Délicat, distingué : *politesse exquise.* ● *Douleur exquise* (Méd.), douleur aiguë, localisée en un point très précis.

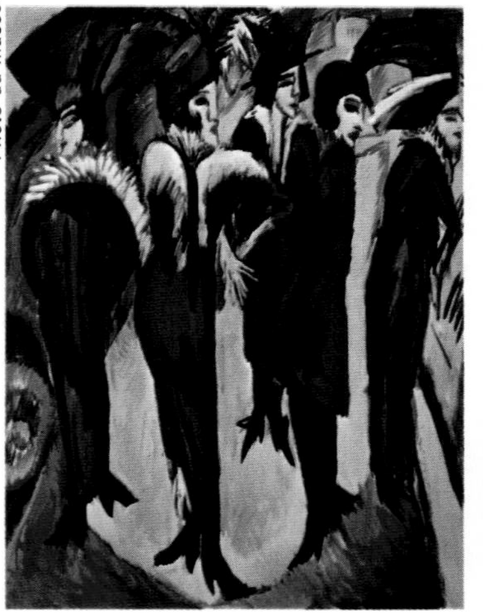

Photo du musée

Ernst Ludwig Kirchner : *Cinq Femmes dans la rue,* 1913. (Wallraf-Richartz Museum, Cologne.)

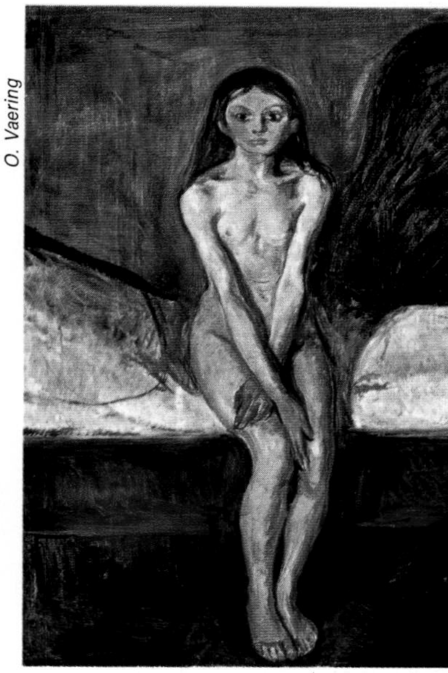

O. Vaering

Edward Munch : *Puberté,* 1894. (Nasjonalgalleriet, Oslo.)

EXPRESSIONNISME

Chaïm Soutine : *la Route folle à Cagnes,* 1924. (Galerie Pétridès, Paris.)

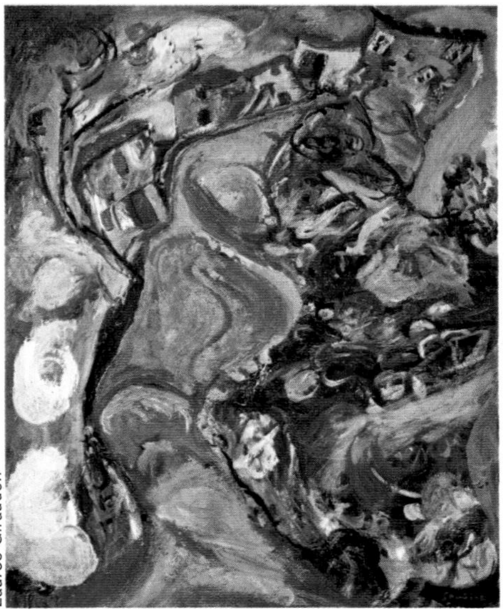

Lauros-Giraudon

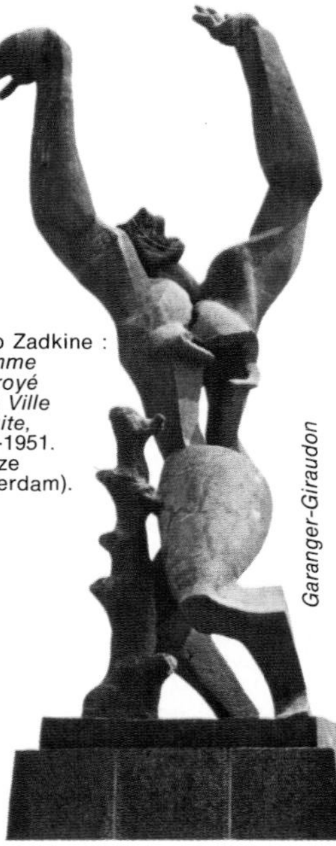

Ossip Zadkine : *l'Homme foudroyé* ou *la Ville détruite,* 1948-1951. Bronze (Rotterdam).

Garanger-Giraudon

EXSANGUE [ɛksɑ̃g] adj. (lat. *exsanguis*). Qui a perdu beaucoup de sang; très pâle.

EXSANGUINATION n. f. Soustraction du sang d'un sujet pour le remplacer par un sang étranger.

EXSANGUINO-TRANSFUSION n. f. (pl. *exsanguino-transfusions*). *Méd.* Succession de saignées et de transfusions de sang sain, permettant de changer complètement le sang dans certaines maladies. (L'exsanguino-transfusion nécessite de nombreux donneurs du même groupe que le malade.)

EXSTROPHIE n. f. *Exstrophie vésicale,* malformation des voies urinaires dans laquelle la vessie s'abouche directement à la peau de l'abdomen.

EXSUDAT [ɛksyda] n. m. *Méd.* Produit qui se trouve dans les tissus par exsudation des liquides ou du sang à travers les parois vasculaires. ‖ Liquide suintant à la surface de la peau, des muqueuses ou des séreuses, et contenant de nombreux leucocytes.

EXSUDATION n. f. *Méd.* Suintement pathologique. ‖ *Métall.* Présence anormale, en surface d'un alliage, d'un de ses constituants.

EXSUDER v. i. (lat. *exsudare*). Sortir comme la sueur. ‖ *Métall.* Présenter une exsudation. ◆ v. t. *Méd.* Produire un exsudat.

EXTASE n. f. (gr. *extasis,* égarement d'esprit). État d'une personne qui se trouve comme transportée hors du monde sensible par l'intensité d'un sentiment mystique. ‖ Vive admiration, plaisir extrême causé par une personne ou par une chose.

EXTASIÉ, E adj. Rempli d'admiration, admiratif, ravi : *regard extasié.*

EXTASIER (S') v. pr. Manifester son ravissement, son admiration : *s'extasier devant un paysage.*

EXTATIQUE adj. Causé par l'extase : *transport extatique.* ◆ n. Personne sujette à l'extase.

EXTEMPORANÉ, E adj. (lat. *extemporaneus*). *Pharm.* Préparé et administré sur-le-champ. ‖ *Chir.* Se dit d'un examen pratiqué au cours d'une opération.

EXTEMPORANÉMENT adv. De manière extemporanée.

EXTENDEUR n. m. *Industr.* Produit de charge ajouté à un matériau.

EXTENSEUR adj. et n. m. Qui sert à étendre : *muscles extenseurs.*

EXTENSEUR n. m. Appareil de gymnastique servant à développer les muscles.

EXTENSIBILITÉ n. f. Propriété qu'ont certains corps de pouvoir être étendus, allongés.

EXTENSIBLE adj. Qui a de l'extensibilité.

EXTENSIF, IVE adj. Qui produit l'extension : *force extensive.* ‖ Se dit d'une culture, d'un élevage pratiqués sur de vastes superficies, et à rendement en général faible.

EXTENSION n. f. (lat. *extensus,* étendu). Action d'étendre ou de s'étendre : *l'extension du bras.* ‖ Allongement d'un corps soumis à une traction. ‖ Fait de s'étendre, accroissement : *l'extension du commerce.* ‖ *Ling.* Action d'étendre par analogie la signification d'un mot. ‖ *Philos.* Propriété de la matière par laquelle les corps sont dans l'espace; ensemble des objets que peut désigner un concept. ● *Extension d'une théorie déductive* (Log.), possibilité pour cette théorie de comporter tous les théorèmes d'une autre théorie.

EXTENSOMÈTRE n. m. Instrument servant à mesurer les déformations produites dans un corps sous l'effet de contraintes mécaniques.

EXTÉNUANT, E adj. Qui exténue, épuise.

EXTÉNUATION n. f. Affaiblissement extrême.

EXTÉNUER v. t. (lat. *extenuare*). Causer un grand affaiblissement par épuisement des forces : *le jeûne exténue le corps.* ◆ **s'exténuer** v. pr. S'épuiser de fatigue.

EXTÉRIEUR, E adj. (lat. *exterior*). Qui est au-dehors : *quartiers extérieurs.* ‖ Visible, manifeste : *signes extérieurs de richesse.* ‖ Qui existe au-dehors de l'individu : *le monde extérieur.* ‖ Qui a rapport aux pays étrangers : *politique extérieure.* ● *Angle extérieur à un cercle,* angle ayant son sommet à l'extérieur d'un cercle et dont les côtés coupent ce cercle. ‖ *Angle extérieur d'un triangle, d'un polygone,* angle formé par un côté du triangle ou du polygone avec le prolongement du côté adjacent.

EXTÉRIEUR n. m. Ce qui est au-dehors, à la surface : *l'extérieur d'une maison.* ‖ Aspect général d'une personne (vx). ‖ Pays étrangers : *nouvelles de l'extérieur.* ◆ pl. *Cin.* Scènes filmées hors d'un studio.

EXTÉRIEUREMENT adv. À l'extérieur. ‖ En apparence.

EXTÉRIORISATION n. f. Action d'extérioriser.

EXTÉRIORISER v. t. Exprimer, manifester par son comportement : *extérioriser sa joie.* ◆ **s'extérioriser** v. pr. Manifester ses sentiments, son caractère.

EXTÉRIORITÉ n. f. *Philos.* Qualité de ce qui est en dehors de la conscience.

EXTERMINATEUR, TRICE adj. et n. Qui extermine. ● *L'ange exterminateur,* dans la Bible, ange chargé de porter la mort parmi les Égyptiens qui persécutaient les Hébreux.

EXTERMINATION n. f. Destruction très grande d'hommes ou d'animaux. ● *Camp d'extermination,* camp où étaient massacrés les détenus du régime nazi.

EXTERMINER v. t. (lat. *exterminare,* chasser). Massacrer, faire périr entièrement ou en grand nombre.

EXTERNAT n. m. Maison d'éducation qui n'admet que des élèves externes. ‖ État de celui qui est externe dans un établissement scolaire. ‖ Fonction d'externe dans un service hospitalier.

EXTERNE adj. (lat. *externus*). Qui paraît au-dehors : *maladie externe.* ‖ Qui vient du dehors. ● *Angle externe,* chacun des angles formés par deux droites coupées par une sécante, et situés à l'extérieur de ces droites.

EXTERNE n. Élève qui suit les cours d'une école sans y coucher et sans y prendre ses repas. ‖ Avant la réforme de 1968, étudiant en médecine qui assistait les internes dans le service des hôpitaux.

EXTÉROCEPTEUR n. m. Récepteur de la sensibilité extéroceptive.

EXTÉROCEPTIF, IVE adj. Se dit de la sensibilité qui reçoit ses informations de récepteurs sensoriels situés à la surface du corps et stimulés par des agents extérieurs à l'organisme (chaleur, tact, piqûre) [par oppos. à INTÉROCEPTIF et PROPRIOCEPTIF].

EXTÉROCEPTIVITÉ n. f. Caractère de la sensibilité extéroceptive.

EXTERRITORIALITÉ n. f. Fiction juridique aux termes de laquelle les diplomates accrédités auprès d'un chef d'État sont censés habiter dans leur propre pays et ne peuvent, de ce fait, être soumis aux lois du pays où ils exercent leurs fonctions. (L'exterritorialité s'applique aussi au personnel des navires de guerre séjournant dans un port.)

EXTINCTEUR, TRICE adj. et n. m. Qui sert à éteindre les incendies ou les commencements d'incendie.

EXTINCTION n. f. (lat. *extinguere,* éteindre). Action d'éteindre ce qui était allumé : *l'extinction d'un incendie.* ‖ Affaiblissement, cessation d'une fonction, d'une activité : *une extinction de voix.* ‖ Suppression, anéantissement : *l'extinction d'une dette, d'une espèce animale.* ● *Extinction des feux,* sonnerie du soir enjoignant aux militaires d'éteindre les lumières.

EXTIRPABLE adj. Qui peut être extirpé : *tumeur facilement extirpable.*

EXTIRPATEUR n. m. Instrument agricole pour arracher les mauvaises herbes et pour effectuer des labours superficiels légers.

EXTIRPATION n. f. Action d'extirper.

EXTIRPER v. t. (lat. *extirpare;* de *stirps,* racine). Arracher avec la racine, enlever complètement : *extirper du chiendent, une tumeur.* ‖ Anéantir, faire cesser : *extirper des préjugés.*

EXTORQUER v. t. (lat. *extorquere*). Obtenir par force, violence, menace, ruse : *extorquer de l'argent à qqn.*

EXTORQUEUR, EUSE n. Celui, celle qui extorque.

EXTORSION n. f. Action d'extorquer. (L'extorsion de fonds sous la menace de révélations scandaleuses constitue le chantage.)

EXTRA n. m. inv. (mot lat., *au-delà de*). Ce qui est en dehors des habitudes courantes (dépenses, repas, etc.) : *faire un extra pour des invités.* ‖ Service occasionnel supplémentaire. ‖ Personne qui fait ce service. ◆ adj. inv. De qualité supérieure : *des fruits extra.*

EXTRABUDGÉTAIRE adj. En dehors du budget.

EXTRA-COURANT n. m. (pl. *extra-courants*). *Électr.* Courant qui se produit dans l'air au moment où l'on ouvre un circuit parcouru par un courant électrique, en raison du phénomène d'auto-induction, et qui se manifeste par un arc.

EXTRACTEUR n. m. Celui qui pratique une extraction. ‖ Élément mécanique servant à retirer une pièce (étui d'un projectile) hors d'un logement ou d'une cavité. ‖ Appareil servant à séparer le miel de la cire par application de la force centrifuge. ‖ *Chim.* Appareil servant à extraire une substance. ‖ *Chir.* Instrument pour extraire des corps étrangers de l'organisme. ‖ *Techn.* Appareil accélérant la circulation d'un fluide.

EXTRACTIBLE adj. Qui peut être extrait.

EXTRACTIF, IVE adj. Qui a trait à l'extraction : *industrie extractive.*

EXTRACTION n. f. (lat. *extractus,* extrait). Action d'extraire, d'arracher : *l'extraction d'un clou.* ‖ *Litt.* Naissance, origine : *être de noble extraction.* ‖ *Math.* Opération qui a pour objet de trouver la racine d'un nombre : *extraction d'une racine carrée.*

EXTRADER v. t. Livrer par extradition.

EXTRADITION n. f. (lat. *ex,* hors de, et *traditio,* action de livrer). Action de livrer un inculpé ou un condamné à un gouvernement étranger qui le réclame.

EXTRADOS [ɛkstrado] n. m. Face extérieure d'un arc, d'une voûte, d'une aile d'avion, opposée à l'*intrados.*

EXTRA-DRY [ɛkstradraj] adj. et n. m. inv. (angl. *dry,* sec). Se dit d'un champagne très sec.

EXTRA-FIN, E adj. (pl. *extra-fins, es*). D'une qualité supérieure.

EXTRA-FORT n. m. (pl. *extra-forts*). Ruban très solide servant à border les ourlets.

EXTRAGALACTIQUE adj. Qui appartient à l'espace situé en dehors de la Galaxie.

EXTRAIRE v. t. (lat. *extrahere*) [conj. **73**]. Retirer d'un corps, d'un ensemble : *extraire une balle, une dent; extraire un passage d'un livre.* ‖ Faire sortir : *extraire un prisonnier de sa cellule.* ‖ Séparer par voie physique ou chimique une substance d'un corps. ‖ Remonter au jour les produits d'une mine souterraine. ● *Extraire la racine d'un nombre,* la calculer.

EXTRAIT n. m. Substance extraite d'une autre par une opération physique ou chimique : *extrait de quinquina.* ‖ Préparation soluble et concentrée obtenue à partir d'un aliment : *extrait de viande.* ‖ Parfum concentré. ‖ Passage tiré d'un livre, morceau choisi d'un auteur. ‖ Copie littérale de la partie d'un acte : *extrait de naissance.*

EXTRAJUDICIAIRE adj. Se dit de ce qui est fait sans l'intervention de la justice. ● *Acte extrajudiciaire,* sommation par exploit d'huissier.

EXTRAJUDICIAIREMENT adv. En dehors des formes judiciaires.

EXTRALÉGAL, E, AUX adj. Qui est en dehors de la légalité : *moyens extralégaux.*

EXTRALUCIDE adj. Qui possède le don de voir ce qui est caché au commun des hommes, par télépathie, par voyance, par divination, etc.

EXTRA-MUROS [ɛkstramyros] loc. adv. (mots lat.). Hors de la ville, à l'extérieur.

EXTRAORDINAIRE adj. En dehors de l'usage ordinaire; qui arrive rarement : *un événement extraordinaire.* ‖ Qui étonne par sa bizarrerie : *idée extraordinaire.* ‖ Qui dépasse le niveau ordinaire de beaucoup, très grand, remarquable : *une chaleur extraordinaire.* ● *Par extraordinaire,* par une éventualité peu probable.

EXTRAORDINAIREMENT adv. De façon extraordinaire; extrêmement, très.

EXTRAPARLEMENTAIRE adj. En dehors du Parlement.

EXTRAPOLATION n. f. Extension, généralisation. ‖ *Math.* Procédé consistant à prolonger une série statistique en introduisant, à la suite des termes anciens, un terme nouveau qui obéit à la loi de la série, ou à déterminer l'ordonnée d'un point situé dans le prolongement d'une courbe et qui vérifie l'équation de celle-ci.

EXTRAPOLER v. t. et i. Généraliser, déduire à partir de données partielles ou réduites. ‖ *Math.* Pratiquer l'extrapolation.

EXTRAPYRAMIDAL, E, AUX adj. *Système extrapyramidal,* ensemble de centres nerveux disséminés dans le cerveau et qui régissent les mouvements automatiques et semi-automatiques qui accompagnent la motricité volontaire. ‖ *Syndrome extrapyramidal,* ensemble des manifestations (tremblements, hypertonie, akinésie, dyskinésie) dues à une lésion du système extrapyramidal.

EXTRASENSIBLE adj. Qui n'est pas perçu directement par les sens.

EXTRASENSORIEL, ELLE adj. *Perception extrasensorielle* (Psychol.), mode de connaissance perceptive sans intervention de récepteurs sensoriels.

EXTRASYSTOLE n. f. Contraction supplémentaire du cœur, survenant entre des contractions normales.

EXTRATERRESTRE adj. et n. Extérieur à l'atmosphère terrestre. ‖ Habitant supposé d'une autre planète que la Terre.

EXTRA-UTÉRIN, E adj. (pl. *extra-utérins, es*). Qui se trouve ou qui évolue en dehors de l'utérus : *grossesse extra-utérine.*

EXTRAVAGANCE n. f. Caractère de celui ou de ce qui est extravagant, excentrique, bizarre; action, idée extravagante : *l'extravagance d'un projet; faire mille extravagances.*

EXTRAVAGANT, E [ɛkstravagɑ̃, ɑ̃t] adj. et n. (lat. *vagari,* errer). Hors du sens commun, déraisonnable : *idée extravagante.* ‖ Qui dépasse la mesure : *prix extravagants.*

EXTRAVASER (S') v. pr. Se dit du sang, de la sève, etc., qui se répandent hors de leurs canaux.

EXTRAVERSION n. f. *Psychol.* Caractéristique d'une personnalité qui s'extériorise facilement et qui est réceptive aux modifications de son environnement.

EXTRAVERTI, E adj. et n. Qui est tourné vers le monde extérieur.

EXTRÉMAL, E, AUX adj. Qui a atteint l'une de ses valeurs extrêmes (maximum ou minimum).

EXTRÊME adj. (lat. *extremus*). Qui est au degré le plus intense, au point le plus élevé : *un froid extrême.* ‖ Qui dépasse les limites normales, violent, excessif : *moyens extrêmes; être extrême en tout.* ‖ Qui est tout à fait au bout, au terme : *la limite extrême du territoire.*

EXTRÊME n. m. L'opposé, le contraire : *passer d'un extrême à l'autre.* ● *À l'extrême,* au-delà de toute mesure. ‖ *Les extrêmes* (Math.), le premier et le dernier terme d'une proportion : *dans une proportion* $\frac{a}{b}=\frac{c}{d}$, *le produit des extrêmes* (a · d) *est égal à celui des moyens* (b · c).

EXTRÊMEMENT adv. À un très haut degré.

EXTRÊME-ONCTION n. f. (pl. *extrêmes-onctions*). Dans l'Église catholique, sacrement conféré à un malade en danger de mort par des onctions d'huile sainte. (Depuis 1973, le sacrement des malades peut être reçu par des personnes — des vieillards surtout — qui ne sont pas en danger de mort immédiat.)

EXTRÊME-ORIENT, ensemble des pays de l'Asie orientale (Chine, Japon, Corée, États de l'Indochine et de l'Insulinde, extrémité est de l'U. R. S. S. [Extrême-Orient soviétique]).

EXTRÊME-ORIENTAL, E, AUX adj. (pl. *extrêmes-orientaux, extrêmes-orientales*). Relatif à l'Extrême-Orient.

EXTRÉMISME n. m. Tendance à recourir à des moyens extrêmes, violents, dans la lutte politique.

EXTRÉMISTE adj. et n. Qui fait preuve d'extrémisme; qui en est partisan.

EXTRÉMITÉ n. f. (lat. *extremitas*). Le bout, la fin : *l'extrémité d'une corde.* ‖ Attitude, décision extrême : *tomber d'une extrémité à l'autre.* ● *La dernière extrémité,* état misérable d'une personne; les derniers moments de la vie. ◆ pl. Actes de violence, d'emportement : *en venir à des extrémités.* ‖ Les pieds et les mains : *avoir les extrémités froides.*

EXTREMUM n. m. (pl. *extremums*). *Math.* Limite supérieure ou inférieure de la plage de variation d'une quantité variable.

EXTRINSÈQUE [ɛkstrɛ̃sɛk] adj. (lat. *extrinsecus,* en dehors). Qui vient du dehors : *causes extrinsèques d'une maladie.* ● *Valeur extrinsèque d'une monnaie,* valeur légale, conventionnelle. (On dit aussi VALEUR FACIALE.)

EXTRINSÈQUEMENT adv. De façon extrinsèque.

EXTRORSE adj. *Bot.* Se dit d'une étamine dont l'anthère s'ouvre vers l'extérieur de la fleur, comme chez les renonculacées.

EXTRUDER v. t. *Techn.* Pratiquer l'extrusion. ◆ v. i. *Géol.* Subir l'extrusion.

EXTRUDEUSE n. f. *Techn.* Appareil servant à l'extrusion.

EXTRUSIF, IVE adj. *Géol.* Qui se rapporte à une extrusion.

EXTRUSION n. f. *Géol.* Mise en place de matières volcaniques résultant surtout de la montée d'une masse quasi solide, sans écoulement ni projection. ‖ *Techn.* Action de donner à une matière rendue malléable la forme d'un profilé à section droite constante.

EXUBÉRANCE [ɛgzyberɑ̃s] n. f. Surabondance : *l'exubérance de la sève.* ‖ Vivacité excessive : *son exubérance me fatigue.*

EXUBÉRANT, E adj. (lat. *exuberans,* regorgeant). Surabondant : *végétation exubérante.* ‖ Qui manifeste ses sentiments par d'excessives démonstrations.

EXULCÉRATION n. f. *Méd.* Ulcération superficielle, sur un relief.

EXULTATION n. f. Très grande joie, allégresse.

EXULTER v. i. (lat. *exultare,* sauter). Éprouver une joie très vive.

EXUTOIRE n. m. (lat. *exutus,* enlevé). Moyen de se débarrasser de ce qui gêne; dérivatif.

EXUVIE n. f. (lat. *exuviae,* dépouilles). Peau abandonnée par un arthropode ou un serpent lors de sa mue.

EX VIVO loc. adv. (loc. lat.). Se dit d'une chirurgie faite sur un organe prélevé sur le sujet, réparé, puis réimplanté.

EX-VOTO n. m. inv. (lat. *ex voto,* en conséquence d'un vœu). Tableau, inscription, objet qu'on place dans un sanctuaire à la suite d'un vœu ou en remerciement d'une grâce obtenue.

EY (Henri), psychiatre et philosophe français (Banyuls-dels-Aspres 1900 - *id.* 1977). Auteur de nombreuses études de psychopathologie, il vise à rendre à la conscience une signification centrale dans la vie psychique.

EYADEMA (Étienne, puis **Gnassingbé**), officier et homme d'État togolais (Pya 1935). Il est président de la République depuis 1967.

EYBENS (38320), ch.-l. de cant. de l'Isère, banlieue sud de Grenoble; 5 853 hab.

EYE-LINER [ajlajnœr] n. m. (mots angl.) [pl. *eye-liners*]. Liquide coloré employé dans le maquillage des yeux pour souligner le bord des paupières.

EYGUIÈRES (13430), ch.-l. de cant. des Bouches-du-Rhône, à 9 km au N.-O. de Salon-de-Provence; 4 171 hab.

EYGURANDE (19340), ch.-l. de cant. de la Corrèze, à 20 km au N.-E. d'Ussel; 832 hab.

EYLAU, auj. **Bagrationovsk,** ville de l'U. R. S. S., au S. de Königsberg (auj. Kaliningrad), où, le 8 février 1807, au cours d'une sanglante bataille, Napoléon contraignit à la retraite l'armée russe de Bennigsen (v. COALITION [*quatrième*]).

EYMET (24500), ch.-l. de cant. de la Dordogne, à 25 km au S. de Bergerac; 2 943 hab. Bastide de la fin du XIIIe s.

EYMOUTIERS (87120), ch.-l. de cant. de la Haute-Vienne, sur la Vienne, à 45 km à l'E.-S.-E. de Limoges; 2 635 hab. Église des XIe-XVe s.

EYRA [ɛra] n. m. (mot d'une langue du Brésil). Petit puma de l'Amérique du Sud.

EYRE (l') ou **LEYRE** (la), fl. côtier des Landes, qui rejoint le bassin d'Arcachon; 80 km.

EYRE *(lac),* lagune salée de l'intérieur de l'Australie (Australie-Méridionale), à − 11 m d'altitude. La superficie, variant avec l'alimentation en eau, est de l'ordre de 8 000 à 10 000 km^2.

EYRE *(péninsule d'),* avancée du littoral du sud de l'Australie, entre le golfe de Spencer et la Grande Baie australienne.

EYSENCK (Hans Jürgen), psychologue britannique, d'origine allemande (Berlin 1916). Il a appliqué l'analyse factorielle au domaine de la personnalité et des motivations.

EYSINES (33320), comm. de la Gironde, à 8 km au N.-O. de Bordeaux; 15 003 hab. Vignobles.

EYSKENS (Gaston), homme politique belge (Lierre, Anvers, 1905 - Louvain 1988). Membre du parti social-chrétien et plusieurs fois Premier ministre (1949-50, 1958-1961 et 1968-1972), il accorde l'indépendance au Congo (1960) et s'efforce de régler les problèmes entre Wallons et Flamands. Son troisième ministère met au point la réforme constitutionnelle de 1970, qui fait de la Belgique un État communautaire et régional.

EYZIES-DE-TAYAC-SIREUIL (Les) [24620], comm. de la Dordogne, sur la Vézère, à 21 km au N.-O. de Sarlat-la-Canéda; 858 hab. Avec ses environs immédiats, ce lieu constitue l'un des plus importants gisements préhistoriques, au point de vue art pariétal (grottes des Combarelles et de Font-de-Gaume) et art mobilier (grottes de Laugerie-Haute, Laugerie-Basse, la Madeleine, la Mouthe...); il possède l'abri-sous-roche de Cro-Magnon.

ÉZANVILLE (95460), comm. du Val-d'Oise, à 5 km au N. de Sarcelles; 8 085 hab.

ÈZE (06360), comm. des Alpes-Maritimes, à 13 km à l'E. de Nice; 2 064 hab. Village pittoresque. Station balnéaire à *Èze-sur-Mer.*

ÉZÉCHIAS → JUDA *(royaume de).*

ÉZÉCHIEL, le troisième des grands prophètes bibliques. Prêtre exilé à Babylone lors de la première déportation, en 598, il soutient les exilés et maintient leur espérance en la restauration du peuple élu : il se révèle un poète et un visionnaire d'une extraordinaire puissance. Ses oracles, consignés dans le *livre d'Ézéchiel,* seront pour beaucoup dans l'orientation prise par le judaïsme après l'Exil.

ÉZY-SUR-EURE (27530), comm. de l'Eure, en face d'Anet; 2 463 hab. Constructions mécaniques.

F

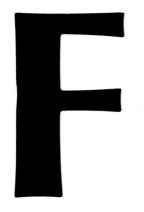

F n. m. Sixième lettre de l'alphabet et la quatrième des consonnes : *le f est une fricative sourde.* ‖ **f,** symbole de *femto.* ‖ **F** (Phys.), symbole du *farad.* ‖ **F,** symbole du *franc.* ‖ **F** (Mus.), nom de la note *fa* en anglais et en allemand. ‖ **F** (Chim.), symbole chimique du *fluor.* ‖ **°F,** symbole du degré Fahrenheit, unité de température dans les pays anglo-saxons.

FA n. m. inv. Note de musique; quatrième degré de la gamme de *do;* signe qui le représente. ● *Clef de « fa »,* clef représentée par un C retourné suivi de deux points, et qui indique que la note placée sur la ligne passant entre les deux points est un *fa.* (La clef de *fa* se place ordinairement sur la quatrième ligne.)

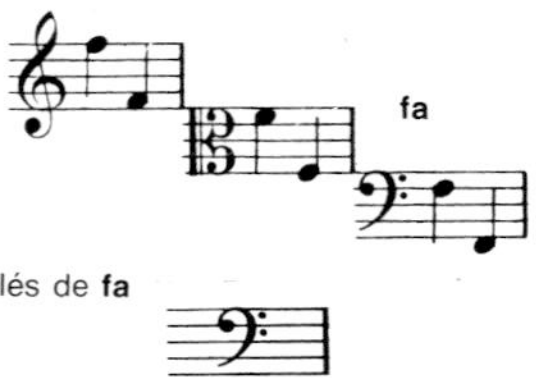

clés de **fa**

FAAA, comm. de la Polynésie française (Tahiti); 11 142 hab. Aéroport de Papeete.

Fabian Society, association socialiste anglaise, fondée en 1883-84, notamment par Sydney et Beatrice Webb*, en vue de « reconstruire la société en accord avec le plus haut idéal moral » et selon les méthodes de temporisation de Fabius* Cunctator. Les *Fabians,* en s'associant en 1900 aux trade-unionistes, contribuèrent à la naissance du *Labour Party.*

FABIEN *(saint)* [†Rome 250], pape de 236 à 250. Sous son pontificat, la Rome chrétienne fut divisée en sept régions, confiées chacune à un diacre. Il lutta contre l'origénisme.

FABIUS (Laurent), homme politique français (Paris 1946). Député socialiste de la Seine-Maritime depuis 1978, il est nommé ministre de la Recherche et de l'Industrie en 1983. Il succède à Pierre Mauroy à la tête du gouvernement en juillet 1984 mais doit démissionner au terme des élections législatives de mars 1986. Il devient en 1988 président de l'Assemblée nationale.

FABIUS MAXIMUS RULLIANUS (Quintus), consul (322, 310, 308, 297, 295 av. J.-C.) et dictateur romain (315). Il fut l'un des plus éminents hommes de guerre à l'époque où Rome étendait sa domination sur le centre et le midi de la péninsule italienne. Consul en 310, il vainquit les Étrusques près de Pérouse. Fabius joua un rôle prépondérant dans la troisième guerre samnite; consul en 295 avec P. Decius Mus, il remporta, près de Sentinum (Ombrie), une victoire décisive sur les Samnites, les Étrusques et les Gaulois coalisés.

FABIUS MAXIMUS VERRUCOSUS (Quintus), dit **Cunctator** (v. 275 - 203 av. J.-C.), consul (233, 226, 215, 214, 209) et dictateur romain (217). Il incarnait les tendances conservatrices du sénat : adversaire de C. Flaminius* Nepos, il combattit sa loi agraire (232). Nommé dictateur (217) pour réparer le désastre de Trasimène*, « il voulut user Hannibal en l'isolant dans une Italie encore solidement romaine »; son maître de la cavalerie, Minucius, fit abandonner cette politique temporisatrice, qui valut à Fabius son surnom de *Cunctator (Temporisateur),* et ce fut le désastre de Cannes*. Après Cannes, Fabius retrouva son influence et reconquit les provinces du sud de l'Italie.

FABIUS PICTOR (Quintus), le plus ancien annaliste romain (né v. 254 av. J.-C.). Il composa en grec une histoire romaine qui concerne la période comprise entre les origines de Rome et la deuxième guerre punique. Son ouvrage, traduit plus tard en latin, fut utilisé par Polybe.

FABLE n. f. (lat. *fabula*). Petit récit, le plus souvent en vers, d'où l'on tire une moralité : *fables de La Fontaine.* ‖ *Litt.* Récit mensonger imaginaire : *cette nouvelle est une fable.* ‖ Sujet de la risée publique : *être la fable du quartier.*

■ Au sens ordinaire du mot, la fable se confond avec l'apologue, illustration par un récit d'une vérité morale. Mais l'apologue, plus bref, n'a qu'une valeur démonstrative, alors que l'élément narratif de la fable est souvent développé pour lui-même. Avant d'être un genre littéraire, la fable appartient à la tradition orale de tous les peuples. Le recueil indien du *Pañcatantra,* répandu au VIIIe s. dans une version arabe sous le titre de *Fables de Bidpay* ou *Pilpay,* nourrira l'inspiration de La Fontaine. En Grèce, si l'on trouve des fables chez les plus anciens poètes, comme Hésiode ou Stésichore, c'est Ésope* qui passe pour le créateur du genre. Les récits qui lui sont attribués ont été publiés par Démétrios de Phalère (IVe s. av. J.-C.); réduits en quatrains par Ignatius Magister (IXe s.), ils furent ainsi connus tout au long du Moyen Âge. Chez les Latins, Phèdre, affranchi d'Auguste, prolonge la tradition ésopique, qui connaîtra dans la France médiévale une extraordinaire faveur à travers les *Bestiaires* et les *Ysopets.* Les humanistes de la Renaissance adaptèrent Phèdre et Ésope en prose ou en vers latins, mais les meilleures fables se trouvent chez les conteurs comme Rabelais et Bonaventure Des Périers. C'est cette veine que La Fontaine porte à la perfection, faisant oublier ses contemporains (Benserade, Perrault, Fénelon) et rendant fades les œuvres de ceux qui, après lui, osent aborder le genre, de Lessing et Florian à Jean Anouilh. Seul le Russe Krylov a réussi dans ses *Fables* (1809-1844) à traduire la sagesse et le langage savoureux du peuple de son pays.

Fables, de La Fontaine (douze livres : I à VI, 1668; VII et VIII, 1678; IX à XI, 1679; XII, 1694). Créées à partir d'un matériel connu de tous (les *Fables* d'Ésope) qui servait de thème aux écoliers et de recueil d'anecdotes morales aux orateurs, les *Fables* constituent une forme poétique originale : d'abord brefs apologues proches de la tradition (les six premiers livres avec : *la Cigale et la Fourmi, le Corbeau et le Renard, le Loup et l'Agneau, le Chêne et le Roseau,* I; *le Lion et le Moucheron,* II; *le Renard et le Bouc, le Meunier, son Fils et l'Âne,* III; *l'Alouette et ses Petits,* IV; *le Laboureur et ses Enfants, la Poule aux œufs d'or,* V; *le Lièvre et la Tortue,* VI), le genre s'assouplit et prend de l'ampleur pour accueillir toutes les inspirations — satirique (*Un animal dans la Lune,* VII, 17), pastorale (*Tircis et Amarante,* VIII, 13), élégiaque (*les Deux Pigeons,* IX, 2), politique (*le Paysan du Danube,* XI, 7) — et tous les rythmes.

Le travestissement animal y joue un double rôle : moyen de mettre à distance des comportements humains et sociaux et de faire ainsi prendre mieux conscience de leurs mécanismes; moyen d'attirer l'attention sur la sensibilité et l'intelligence des bêtes contre la thèse cartésienne des animaux-machines (*Discours à Monsieur le duc de La Rochefoucauld,* X, 14; *les Souris et le Chat-Huant,* XI, 9).

FABLIAU [fablijo] n. m. (forme picarde de l'anc. fr. *fableau,* petite fable). Conte en vers, édifiant ou satirique, du XIIe et du XIIIe s.

■ Dans la seconde moitié du XIIe s. apparaît dans les écoles urbaines du Val de Loire un genre qui appartient à la tradition des plaisanteries cléricales : savante par la forme (dialogues en hexamètres ou en distiques), gaillarde pour le fond, cette « comédie latine » est à l'origine de ce « conte » populaire dont la première manifestation serait *Richeut* (v. 1160-1170), histoire colorée d'entremetteuse. Pour désigner ce genre, qui prolifère pendant un siècle, les auteurs emploient concurremment les mots *fabliau, exemple, dit* ou même *lai.* En général, le fabliau est un récit bref (50 à 1 500 vers), en octosyllabes. La plupart des 150 fabliaux qui subsistent proviennent du nord de la France. Une vingtaine d'auteurs se nomment dans leurs textes : « clercs » ou, le plus souvent, « jongleurs », comme Gautier le Leu. Destiné à un public plus large qu'on ne l'a cru naguère, le fabliau semble lié par contraste au roman courtois. La diversité des sujets est telle qu'il n'est pas possible de les faire entrer dans une définition du genre. D'intention parodique ou satirique *(le Vilain Mire, les Dames de Paris),* les fabliaux trouvent la plupart du temps le ressort de leur action dans une duperie *(Estula, les Trois Aveugles de Compiègne).* Nombreux sont ceux qui traitent de l'amour sur un ton qui va de l'ironie à la franche obscénité. Mais il en est d'édifiants *(le Chevalier au baril, la Housse partie),* et le Normand Henri d'Andely a laissé plusieurs fabliaux exempts de familiarité (*la Bataille des vins; le Lai d'Aristote,* v. 1225; *la Bataille des sept arts,* v. 1236).

FABLIER n. m. Recueil de fables.

FABRE (François-Xavier, *baron*), peintre français (Montpellier 1766 - *id.* 1837). Élève de David, prix de Rome en 1787, il fit sa carrière à Florence (1793-1825). Revenu à Montpellier, il légua sa collection de tableaux et de dessins contemporains (provenant en partie du poète Alfieri et de la comtesse d'Albany, et incluant ses propres œuvres : sujets néoclassiques, portraits...) au musée de la ville, qui depuis porte son nom.

FABRE (Jean Henri), entomologiste français (Saint-Léons, Aveyron, 1823 - Sérignan, Vaucluse, 1915). Ses observations personnelles, consignées en un style très agréable dans les *Souvenirs entomologiques* (1879-1886), et souvent plus originales qu'on ne l'a dit, lui ont valu une immense notoriété.

FABRE (Ferdinand), romancier français (Bédarieux 1827 - Paris 1898), peintre de la vie cévenole (*l'Abbé Tigrane,* 1873).

FABRE (Henri), ingénieur français (Marseille 1882 - Le Touvet, Isère, 1984). Il fut le premier à réaliser un hydravion (1909), qui put décoller de la surface de l'eau et s'y poser facilement (1910).

FABRE (Robert), homme politique français (Villefranche-de-Rouergue 1915). Il quitte le parti radical en 1972 pour former le Mouvement des radicaux de gauche, dont il est le président (jusqu'en 1978) et qui signe un programme commun avec les partis communiste et socialiste. Il prend ensuite ses distances avec ces derniers (1977) et accepte le poste de médiateur (1980-1986). En février 1986, il est nommé au Conseil constitutionnel.

FABRE D'ÉGLANTINE (Philippe FABRE, dit), acteur, poète et homme politique français (Carcassonne 1750 - Paris 1794). Auteur de chansons sentimentales *(Il pleut, il pleut, bergère)* et de comédies politiques (*le Philinte de Molière,* 1790), il donna leurs noms aux mois du calendrier républicain. Il fut guillotiné avec les dantonistes.

FABRE D'OLIVET (Antoine), poète et érudit français (Ganges 1768 - Paris 1825). Ses poèmes en langue d'oc font de lui le précurseur du félibrige*.

FABRICANT n. m. Propriétaire d'une entreprise destinée à la fabrication d'objets, de produits, etc. ‖ Celui qui fabrique lui-même ou fait fabriquer pour vendre.

FABRICATEUR, TRICE n. *Péjor.* et *litt.* Celui, celle qui fabrique : *fabricateur de calomnies.*

FABRICATION n. f. Action ou manière de fabriquer : *défaut de fabrication.*

FABRIQUE n. f. (lat. *fabrica*). Établissement industriel de moyenne importance et peu mécanisé où sont transformés des produits semi-finis ou des matières premières en vue de la création de produits destinés à la consommation ou à la production d'autres marchandises. ‖ Petit bâtiment pittoresque décorant un parc, notamment un jardin « à l'anglaise »; en peinture, ruine ou édifice décoratifs d'un paysage « historique ». ‖ Autref., biens, revenus d'une église. ● *Conseil de fabrique,* ou *fabrique,* groupe de clercs ou de laïcs qui veillent à l'administration des biens d'une église. ‖ *Prix de fabrique,* prix auquel le fabricant vend ses produits au commerçant.

FABRIQUER v. t. (lat. *fabricare;* de *faber,* artisan). Transformer des matières en objets d'usage courant : *fabriquer des draps.* ‖ Arranger un événement; inventer, forger : *fabriquer une histoire.* ‖ *Fam.* Faire, avoir telle ou telle occupation : *qu'est-ce qu'il fabrique encore?*

FABRITIUS (Carel), peintre néerlandais (Midden-Beemster 1622 - Delft 1654). Élève de Rembrandt, il fut l'un des inspirateurs de Vermeer. — Son frère BARENT (1624-1673) était également peintre.

FABRY (Charles), physicien français (Marseille 1867 - Paris 1945). Spécialiste d'optique, il étudia les interférences à ondes multiples et créa un interféromètre, qu'il appliqua à la spectroscopie, à la métrologie et à la physique céleste. Il établit un système international de longueurs d'onde. En 1913, il découvrit l'ozone de la haute atmosphère.

FABULATEUR, TRICE adj. et n. Qui fabule, qui raconte sur son compte des histoires extraordinaires.

FABULATION n. f. Construction d'événements imaginaires, à la réalité desquels on croit et dont on fait le récit.

FABULER v. i. Élaborer des fabulations.

FABULEUSEMENT adv. De façon fabuleuse, à l'excès : *fabuleusement riche.*

FABULEUX, EUSE adj. (lat. *fabulosus*). *Litt.* Qui appartient à l'imagination; chimérique : *animal fabuleux.* ‖ Étonnant, extraordinaire : *fortune fabuleuse.*

FABULISTE n. Auteur qui compose des fables.

FABVIER (Charles, *baron*), général français (Pont-à-Mousson 1782 - Paris 1855). Il participa aux combats de l'indépendance de la Grèce contre les Turcs (1823-1827). Pair de France en 1845.

FAC n. f. Abrév. fam. de FACULTÉ.

FAÇADE n. f. (it. *facciata*). Face extérieure, importante par sa fonction ou son ordonnance, d'un bâtiment. ‖ Apparence trompeuse : *luxe tout en façade.*

FACE [fas] n. f. (lat. *facies*). Partie antérieure de la tête de l'homme, visage : *face glabre.* (La face comprend la région antérieure de la tête, dont le squelette est formé, chez l'homme, de 14 os soudés entre eux, sauf la mâchoire inférieure, et solidement fixés au crâne.) ‖ Côté d'une monnaie qui porte l'effigie du souverain ou l'image personnifiant l'autorité au nom de laquelle la pièce est émise. ‖ Chacun des côtés d'une chose : *les faces d'un diamant.* ‖ *Litt.* Aspect, tournure, état : *examiner une question sous toutes ses faces.* ‖ *Math.* Chacun des polygones qui limitent un polyèdre. ‖ Chacun des angles plans qui limitent un angle polyèdre. ‖ Chacun des demi-plans qui limitent un dièdre. • *À la face de qqn, qqch,* en sa présence, ouvertement. ‖ *Changer de face,* modifier son aspect. ‖ *De face,* du côté où l'on voit toute la face. ‖ *Face à face,* en présence l'un de l'autre. ‖ *En face,* vis-à-vis; par-devant; fixement : *regarder qqn en face;* sans crainte : *regarder la mort en face.* ‖ *Faire face à,* être tourné du côté de : *sa maison fait face à la mer;* faire front, s'opposer à : *faire face au danger;* pourvoir à : *faire face à une dépense.* ‖ *Perdre la face,* perdre son prestige. ‖ *Sauver la face,* garder sa dignité.

FACE-À-FACE n. m. inv. Débat contradictoire, le plus souvent télévisé, entre deux personnalités.

FACE-À-MAIN n. m. (pl. *faces-à-main*). Lorgnon que l'on tient à la main.

FACÉTIE [fasesi] n. f. (lat. *facetia*). Plaisanterie un peu grosse; anecdote burlesque.

FACÉTIEUSEMENT adv. De façon facétieuse.

FACÉTIEUX, EUSE adj. et n. Qui aime à faire des facéties. ‖ Qui fait rire par des plaisanteries, des blagues, cocasse, drôle : *livre facétieux.*

FACETTE n. f. Petite surface plane : *diamant taillé à facettes.* ‖ *Zool.* Chacun des éléments polygonaux dont l'ensemble forme la surface des yeux composés des arthropodes. • *À facettes,* se dit de qqn qui a plusieurs aspects.

FACETTER v. t. *Techn.* Tailler à facettes.

FÂCHÉ, E adj. En colère. ‖ Contrarié, irrité, agacé : *je suis fâché de vous quitter.*

FÂCHER v. t. (lat. *fastidiare,* dégoûter). Mécontenter, mettre en colère. ◆ **se fâcher** v. pr. S'irriter : *se fâcher contre qqn.* ‖ Se brouiller : *se fâcher avec qqn.*

FÂCHERIE n. f. Brouille, désaccord souvent passager.

FACHES-THUMESNIL (59155), comm. du Nord, dans la banlieue sud de Lille; 16 944 hab. Textile.

FÂCHEUSEMENT adv. De façon fâcheuse : *être fâcheusement impressionné.*

FÂCHEUX, EUSE adj. Qui entraîne des conséquences ennuyeuses, malencontreux : *une fâcheuse initiative.*

FÂCHEUX n. m. *Litt.* Importun, gêneur.

Fâcheux *(les),* comédie-ballet, en trois actes et en vers, de Molière, musique (à l'exception d'une courante, de Lully) et chorégraphie de Beauchamp, représentée au château de Vaux en 1661.

FACHODA, auj. **Kodok,** v. du Soudan, sur le cours supérieur du Nil. Occupée en juillet 1898 par la mission française Congo-Nil du capitaine Marchand, la ville dut, après un ultimatum du gouvernement de Londres à celui de Paris, être remise en novembre aux Anglais de Kitchener, arrivés en septembre à Fachoda. Durement ressenti en France, l'incident de Fachoda altéra sérieusement les rapports franco-anglais.

FACIAL, E, AUX adj. Qui appartient à la face. • *Angle facial,* angle formé par la rencontre de deux lignes, l'une qui passe par les incisives supérieures et par le point le plus saillant du front, l'autre qui va du conduit auditif aux mêmes dents. (Presque droit chez les sujets de race blanche, il est moins ouvert chez certains groupes ethniques.) ‖ *Nerf facial,* septième nerf crânien, qui commande les muscles peauciers de la face et du crâne, et qui provoque la mimique. ‖ *Valeur faciale,* v. EXTRINSÈQUE.

FACIÈS [fasjɛs] n. m. (lat. *facies*). Aspect général du visage, physionomie : *un faciès simiesque.* ‖ *Géol.* Ensemble des caractères d'une roche, considérés du point de vue de sa formation. ‖ *Préhist.* Ensemble de traits composant un aspect particulier d'une période culturelle.

FACILE adj. (lat. *facilis*). Qui se fait sans peine, sans difficulté, aisé : *travail facile.* ‖ Qui a peu de valeur, qui exige trop peu d'effort pour être fait : *littérature, ironie facile.* ‖ Accommodant, de rapports simples et directs : *caractère facile; il n'est pas facile tous les jours.* ‖ Se dit d'une femme dont on obtient aisément les faveurs.

FACILEMENT adv. Avec facilité; sans peine, aisément : *se laisser facilement convaincre.*

FACILITATION n. f. Action de faciliter.

FACILITÉ n. f. Qualité d'une chose facile à faire, à concevoir. ‖ Moyen de faire sans peine; occasion, possibilité : *j'ai eu toute facilité pour le rencontrer.* ‖ Aptitude à faire qqch sans peine : *avoir une grande facilité pour les mathématiques.* ◆ pl. Commodités : *des facilités de transport.* ‖ Délais accordés pour payer : *obtenir des facilités de paiement.* • *Facilités de caisse,* découvert de quelques jours accordé par le banquier à son client.

FACILITER v. t. (it. *facilitare*). Rendre facile : *faciliter un travail.*

FAÇON n. f. (lat. *factio;* de *facere,* faire). Manière d'être ou d'agir : *ce n'est pas une façon de faire.* ‖ Forme d'un vêtement. ‖ Imitation : *un châle façon Cachemire.* ‖ Main-d'œuvre; exécution d'un travail par un artisan : *payer tant pour la façon.* ‖ Labour, culture : *donner une première façon à la vigne.* • *À façon,* se dit d'un travail exécuté sans fournir les matériaux. ‖ *C'est une façon de parler,* il ne faut pas le prendre au pied de la lettre. ‖ *De toute façon,* quoi qu'il arrive. ‖ *En aucune façon,* pas du tout. ‖ *Sans façon,* sans cérémonie. ◆ pl. Manière d'agir, de se comporter, conduite : *des façons vulgaires.* ‖ Politesses affectées : *faire des façons.* ◆ loc. conj. *De façon que, de telle façon que* indiquent : 1° la conséquence (avec l'indicatif) : *il s'est conduit de telle façon qu'il a mérité l'estime de tous;* 2° le but (avec le subjonctif) : *agissez de façon que vous méritiez l'estime des gens de bien.* ◆ loc. prép. *De façon à,* de manière à.

FACONDE [fakɔ̃d] n. f. (lat. *facundia,* éloquence). *Péjor.* et *litt.* Grande facilité à parler, abondance de paroles.

FAÇONNAGE n. m. Ensemble des opérations (coupe, pliage, piqûre, brochage, reliure) qui terminent la fabrication d'un livre. ‖ Syn. de FAÇONNEMENT.

FAÇONNÉ n. m. Tissu dont le croisement produit des dessins.

FAÇONNEMENT n. m. Action, manière de façonner. (Syn. FAÇONNAGE.)

FAÇONNER v. t. Travailler une matière solide, lui donner une certaine forme : *façonner un tronc d'arbre.* ‖ Fabriquer : *façonner une pièce mécanique.* ‖ *Litt.* Former par la vie, l'expérience : *il a été façonné par son éducation.*

FAÇONNIER, ÈRE n. et adj. Ouvrier, ouvrière travaillant à façon.

FAC-SIMILÉ [faksimile] n. m. (lat. *facere,* faire, et *simile,* chose semblable) [pl. *fac-similés*]. Reproduction fidèle d'une peinture, d'un dessin, d'un objet d'art. ‖ Procédé de transmission des pages d'un journal pour son impression simultanée en plusieurs endroits.

FACTAGE n. m. Transport de marchandises au domicile ou au dépôt de consignation. ‖ Prix de ce transport. ‖ Distribution des lettres et des dépêches à domicile.

FACTEUR n. m. (lat. *factor,* celui qui fait). Fabricant d'instruments de musique : *facteur d'orgues, de pianos.* ‖ Employé des postes qui distribue les lettres. ‖ Employé d'un bureau de messageries ou d'un chemin de fer, qui livre les colis. ‖ Élément qui concourt à un résultat : *le facteur moral est un élément de la victoire.* ‖ *Math.* Chacun des nombres figurant dans un produit. (L'interversion des facteurs ne change pas la valeur d'un produit.) ‖ *Psychol.* Variable latente proposée par l'analyse factorielle pour rendre compte des corrélations entre les notes obtenues par un sujet à une série de tests psychologiques. • *Facteur aux halles,* professionnel chargé d'effectuer la vente en gros, à la criée, des denrées alimentaires dans les halles et marchés publics. ‖ *Facteur de multiplication,* nombre de neutrons libérés quand un neutron disparaît au cours d'une réaction nucléaire. ‖ *Facteurs premiers d'un nombre,* nombres premiers, distincts ou non, dont le produit est égal à ce nombre. (Un nombre admet une décomposition unique en facteurs premiers.) ‖ *Facteurs de la production,* éléments concourant à la production des biens ou des services, essentiellement le capital et le travail. ‖ *Facteur de puissance,* rapport de la puissance active dissipée dans un circuit électrique, exprimée en watts, à la puissance apparente, exprimée en voltampères. ‖ *Facteur Rhésus,* substance contenue dans le sang du macaque *(Macacus rhesus)* et de certains hommes (85 p. 100 des Européens), et qui est responsable de divers accidents lors de transfusions sanguines et de grossesses pathologiques.

FACTICE adj. (lat. *facticius*). Faux, imité : *diamant factice.* ‖ Qui n'est pas naturel, forcé, contraint : *gaieté factice.* • *Idée factice* (Philos.), selon les cartésiens, idée produite par la connaissance rationnelle ou par l'imagination, par opposition aux idées ADVENTICE et INNÉE.

FACTICEMENT adv. De manière factice.

FACTICITÉ n. f. Caractère de ce qui est factice. ‖ *Philos.* Caractère de ce qui constitue un fait.

FACTIEUX, EUSE [faksjø, øz] adj. et n. Qui exerce ou prépare une action violente contre le pouvoir établi; séditieux.

FACTION n. f. (lat. *factio*). Service de surveillance ou de garde dont est chargé un militaire. ‖ Attente, surveillance prolongée : *la police demeurait en faction devant la banque.* ‖ Groupe ou parti se livrant à une activité fractionnelle ou subversive à l'intérieur d'un groupe plus important. ‖ Dans une entreprise, l'une des tranches de la journée de travail, lorsque celle-ci est divisée en trois séries de huit heures.

FACTIONNAIRE n. m. Militaire en faction. ‖ Travailleur dont la tâche journalière est effectuée dans le cadre d'une faction.

FACTITIF, IVE adj. et n. m. *Ling.* Se dit d'un verbe qui exprime que le sujet fait faire l'action. (Syn. CAUSATIF.)

FACTORERIE n. f. Bureau d'une compagnie de commerce à l'étranger (vx).

FACTORIEL, ELLE adj. *Analyse factorielle,* méthode statistique ayant pour but de chercher les facteurs communs à un ensemble de variables qui ont entre elles de fortes corrélations. ◆ n. f. *Factorielle* n, produit des *n* premiers nombres entiers : *la factorielle de* 5 *est* 5! = 5 × 4 × 3 × 2 × 1 = 120.

FACTORING [faktɔriŋ] n. m. (mot angl.). Encaissement des factures pour des tiers, réalisé par des sociétés spécialisées.

FACTORISATION n. f. *Math.* Transformation d'une expression en produit de facteurs.

FACTOTUM [faktɔtɔm] n. m. (lat. *facere,* faire, et *totum,* tout) [pl. *factotums*]. Personnage de second plan qui s'occupe un peu de tout dans une maison.

FACTRICE n. f. *Fam.* Employée des postes qui distribue les lettres.

FACTUEL, ELLE adj. Qui se rapporte aux faits.

FACTUM [faktɔm] n. m. (mot lat., *chose faite*) [pl. *factums*]. *Litt.* Écrit polémique.

FACTURATION n. f. Action de facturer. ‖ Service où l'on fait les factures.

FACTURE n. f. (lat. *factura*). Manière dont une chose est faite, exécutée : *vers d'une bonne facture.*

FACTURE n. f. (de *facteur*). Note détaillée de marchandises vendues, de services exécutés. • *Facture pro forma,* devis établi par le vendeur, en vue de permettre à l'acheteur d'obtenir une licence d'importation ou l'octroi d'un crédit. ‖ *Prix de facture,* prix auquel le marchand a acheté qqch en fabrique.

FACTURE, écart de la comm. de Biganos (Gironde), dans les Landes. Papeterie.

FACTURER v. t. Établir la facture.

FACTURIER, ÈRE adj. et n. Employé(e) qui établit les factures : *dactylo facturière.*

FACULE n. f. (lat. *facula,* petite torche). *Astron.* Petite zone extrêmement brillante du disque du Soleil, dont l'apparition précède généralement celle d'une tache solaire.

FACULTATIF, IVE adj. Qu'on peut faire ou ne pas faire : *travail facultatif.*

FACULTATIVEMENT adv. De façon facultative.

FACULTÉ n. f. (lat. *facultas;* de *facere,* faire). *Litt.* Possibilité physique, morale ou intellectuelle : *la faculté de prévoir, de choisir.* ‖ Pouvoir, droit de faire une chose : *tout individu a la faculté de disposer de ses biens par testament.* ‖ Établissement d'enseignement supérieur. (En 1968, le terme de *faculté* est remplacé par celui d'U. E. R. [unité d'enseignement et de recherche], auquel se substitue en 1985 celui d'U. F. R. [unité de formation et de recherche].) • *La faculté de médecine,* ou absol., *la Faculté,* les médecins. ◆ pl. Dispositions, aptitudes naturelles d'une personne : *facultés intellectuelles.* ‖ *Dr.* Ressources dont une personne peut disposer. • *Ne pas avoir, ne pas jouir de toutes ses facultés,* avoir un comportement anormal ou avoir son intelligence diminuée.

FADA n. m. (mot prov.). *Fam.* Un peu fou, niais.

FADAISE n. f. (prov. *fadeza*). Niaiserie, plaisanterie stupide.

FADASSE adj. *Fam.* Très fade : *sauce fadasse.*

FADE adj. (lat. *fatuus,* fade, influencé par *sapidus,* qui a de la saveur). Qui manque de saveur : *soupe fade.* ‖ Sans caractère, sans intérêt : *beauté fade; style fade.*

FADEÏETCHEV (Nikolaï), danseur soviétique (Moscou 1933). Type du danseur de style noble, classique et romantique, il fut le partenaire de Galina Oulanova et de Maïa Plissetskaïa.

FADEÏEV (Aleksandr Aleksandrovitch), romancier soviétique (Kimry 1901 - Moscou 1956). Il célèbre la révolution soviétique à travers les épisodes de la guerre civile (*la Défaite,* 1927) et de la résistance à l'invasion allemande (*la Jeune Garde,* 1945).

FADEUR n. f. Caractère de ce qui est fade : *la fadeur d'un plat; la fadeur d'une conversation.* ◆ pl. Compliments, galanteries fades : *débiter des fadeurs.*

FADING [fadiŋ] n. m. (mot angl.). Diminution temporaire de l'intensité des signaux radioélectriques. (L'Administration préconise ÉVANOUISSEMENT.)

FADO n. m. (mot portug., *destin*). Au Portugal, chanson populaire souvent mélancolique.

FAENA [faena] n. f. (mot esp.). Dans une corrida, travail à la muleta.

FAENZA, v. d'Italie, en Émilie, au S.-E. de Bologne; 55 000 hab. Cathédrale de Giuliano da Maiano. Palais communal et du podestat. Production de faïences depuis les XVe et XVIe s. Important musée international de la céramique. Pinacothèque.

FAEROE *(îles)* → FÉROÉ.

FAGALE n. f. Plante dicotylédone, aux fleurs sans pétales et unisexuées, groupées en chatons, au fruit serti dans une cupule. (Les *fagales,* qui comprennent surtout des arbres de la forêt tempérée, comme le *chêne* et le *hêtre,* font partie du groupe des cupulifères et constituent un ordre.)

FAGE (Louis), zoologiste français (Limoges 1883 - Dijon 1964). On lui doit d'importants travaux d'océanographie biologique, portant notamment sur le cycle reproductif et sur la détermination de l'âge chez divers poissons de grande pêche, tels que le saumon, l'anchois, le sprat et la sardine.

FAGNANO DEI TOSCHI E DI SANT'ONOFRIO (Giulio Cesare), mathématicien italien (Senigallia 1682 - *id.* 1766). Ses recherches sont à la base de la théorie des fonctions elliptiques, qu'Euler* a reproduite.

FAGNE [faɲ] n. f. Dans les Ardennes, marais sur une hauteur.

FAGNES (Hautes), plateau de l'Ardenne belge, portant le point culminant du massif et de la Belgique; 692 m au *signal de Botrange.*

FAGOT n. m. (lat. pop. *facus*). Faisceau de menu bois, de branchages. • *De derrière les fagots* (Fam.), très bon, mis en réserve pour une grande occasion. ‖ *Sentir le fagot,* être soupçonné d'hérésie (parce qu'on brûlait autref. les hérétiques).

FAGOTAGE n. m. Fabrication de fagots. ‖ *Fam.* Habillement sans élégance.

FAGOTER v. t. Mettre en fagots. • *Être fagoté* (Fam.), être mal habillé, sans élégance.

FAGOTIER n. m. Ouvrier d'abattage du bois, qui fait des fagots.

FAGOTIN n. m. Petit fagot.

FAGOUE n. f. Nom du *thymus,* chez les animaux. ‖ Pancréas du porc.

Fahrenheit [farenajt] *(degré),* unité de mesure de température anglo-saxonne (symb. : °F), équivalant à la 180e partie de l'écart entre la température de fusion de la glace et la température d'ébullition de l'eau à la pression atmosphériquenormale. [Une température de *t* degrés Fahrenheit correspond à $\frac{5}{9}(t - 32)$ degrés Celsius. 32 °F correspondent à 0 °C et 212 °F correspondent à 100 °C.]

FAHRENHEIT (Daniel Gabriel), physicien allemand (Dantzig 1686 - La Haye 1736). Il construisit des aréomètres et donna au thermomètre à alcool, puis à mercure, sa forme définitive; il imagina pour celui-ci une graduation qui a conservé son nom.

FAIBLARD, E adj. *Fam.* Assez faible.

FAIBLE adj. et n. (lat. *flebilis,* digne d'être pleuré). Qui manque de vigueur, de force physique ou morale : *se sentir faible; caractère faible.* ‖ Qui manque d'intensité, d'acuité : *vue faible.* ‖ Qui manque de capacité intellectuelle, de savoir : *faible en mathématiques.* ‖ Qui manque de résistance : *une faible passerelle.* ‖ Médiocre, insuffisant, en dessous de la normale : *raisonnement faible.* ‖ Peu considérable : *faible revenu.* ‖ *Chim.* Se dit d'un acide, d'une base, d'un électrolyte peu dissocié. • *Côté, point faible de qqn, de qqch,* sa faiblesse, son défaut. ‖ *Faible d'esprit,* personne dont les facultés intellectuelles sont peu développées.

FAIBLE n. m. Penchant pour qqn ou qqch : *le jeu est son faible.* • *Avoir un faible pour,* un goût prononcé pour.

FAIBLEMENT adv. De façon faible.

FAIBLESSE n. f. État de ce qui est faible, de celui qui est faible : *faiblesse de constitution; faiblesse d'un élève en histoire; les faiblesses d'un roman.* ‖ Perte subite des forces, évanouissement. • *Avoir de la faiblesse pour,* faire preuve d'une indulgence trop grande pour.

FAIBLIR v. i. Perdre de ses forces, de sa capacité, de sa fermeté.

FAIDHERBE (Louis), général français (Lille 1818 - Paris 1889). Polytechnicien et officier du génie, gouverneur du Sénégal de 1854 à 1861, puis de 1863 à 1865, il créa la ville et le port de Dakar (1857) et s'avéra un remarquable administrateur, soucieux notamment de la formation des élites autochtones (création de l'École des otages à Saint-Louis). Sa résistance à la tête de l'armée du Nord, pendant la guerre franco-allemande, épargna l'occupation allemande aux départements du Nord et du Pas-de-Calais. Grand chancelier de la Légion d'honneur en 1880.

FAÏENÇAGE n. m. Formation d'un réseau plus ou moins serré de fissures à la surface d'une peinture.

FAÏENCE n. f. (de *Faenza,* v. d'Italie). Poterie de terre à revêtement opaque d'émail stannifère. ● *Faïence fine,* poterie à pâte blanche et fine revêtue d'une glaçure transparente.
■ La pâte de la faïence est faite habituellement d'eau, d'argile plus ou moins marneuse, de sable ou d'autres matières inertes. L'objet, tourné ou moulé, est séché, puis cuit à 800 °C. Il est alors recouvert d'un émail transparent ou opaque, suivant que la pâte est blanche ou colorée, et cuit une seconde fois à 1 000 °C. On peut alors appliquer un émail décoratif, fixé par une troisième cuisson.

C'est son revêtement d'émail stannifère, blanc et opaque, qui différencie la véritable faïence de la *poterie vernissée,* dont la glaçure, plombifère, est transparente (la *faïence fine* des XVIIIe et XIXe s. n'en est qu'une variété, à pâte très blanche). En Europe, la première production fut celle des Arabes établis en Espagne, héritiers des techniques mésopotamiennes et perses. Cette belle faïence hispano-moresque, souvent à reflets métalliques, exportée au XIVe s. de Majorque en Italie, fut appelée *majolique* dans ce pays. La production débute au XVe s. à Florence, Sienne, Orvieto, Faenza (qui lui donnera son nouveau nom), se diversifie au XVIe s. par les formes des plats et des vases, les techniques, le décor (scènes polychromes d'après les gravures du temps) à Caffagiolo, Deruta, Gubbio, Castel Durante, Urbino...

Réunion des Musées nationaux

L'Incendie de Troie. Plat de Faenza (Italie), v. 1530. (Musée du Louvre, Paris.)

Réunion des Musées nationaux

Carreaux de Delft (Pays-Bas). V. 1670. (Musée de Sèvres.)

FAÏENCE

Réunion des Musées nationaux

Fontaine de la manufacture de Marseille. Décor floral polychrome, XVIIIe s. (Musée du Louvre, Paris.)

La faïence *au grand feu* est introduite en France, au XVIe s., par des potiers italiens. Nevers est le premier grand foyer durable, qui imite l'Italie vers 1600-1630, donne ensuite des décors d'inspiration persane, puis chinoise, ou de goût populaire français, mais perd son originalité au XVIIIe s. La famille Poterat domine la production rouennaise. Une première fabrique s'ouvre au milieu du XVIIe s. et démarque soit les décors bleus et jaunes de Nevers, soit les camaïeux bleus de Delft, principal centre hollandais (qui s'était lui-même inspiré de Faenza, puis des porcelaines chinoises); au début du XVIIIe s., Rouen lance son décor rayonnant « en broderie », souvent en bleu et rouge, auquel succèdent les décors chinois vers 1720, rocaille vers 1740. Moustiers (décors adaptés de J. Berain) et Marseille rivalisent avec Rouen au XVIIIe s.

C'est à Strasbourg que les Hannong lancent, vers 1740, le système du décor fixé *au petit feu* sur émail blanc, avec plusieurs cuissons à températures dégressives en fonction de la fragilité des divers émaux, d'où la possibilité d'une riche gamme chromatique; les « fleurs des Indes » et les « fleurs naturelles » en sont le décor principal. L'exemple se transmet à Niederwiller (ou Niderviller), à Aprey et à Sceaux, qui rivalisent en éclat ou en finesse avec la porcelaine, à Marseille, qui connaît un succès considérable par sa qualité technique et la verve de ses décorateurs.

Le XIXe s. est une période de décadence : concurrence de la vaisselle en faïence fine, anglaise ou française, ainsi qu'en porcelaine*, standardisation due à la mécanisation.

FAÏENCÉ, E adj. Qui imite, rappelle la faïence.

FAÏENCERIE n. f. Fabrique ou commerce de faïence. ‖ Ensemble d'ouvrages en faïence.

FAÏENCIER, ÈRE n. Personne qui fabrique ou vend des objets en faïence.

FAIGNANT, E adj. et n. → FEIGNANT.

FAIL (Noël DU), seigneur **de La Hérissaye,** jurisconsulte et conteur français (manoir de Château-Letard, près de Rennes, v. 1520 - Rennes 1591), auteur de contes inspirés par la vie de sa province natale ou par ses lectures érudites (*les Propos rustiques,* 1547; *Contes et discours d'Eutrapel,* 1585).

FAILLE [faj] n. f. (de *faillir*). Cassure des couches géologiques, accompagnée d'une dénivellation tectonique des blocs séparés. ‖ Point faible, défaut, rupture dans un raisonnement, un sentiment, etc.
■ On appelle *regard de la faille* la direction du bloc affaissé et *plan de faille* le plan suivant lequel s'est effectué le mouvement. Ce plan est souvent souligné par des stries ou des roches broyées (mylonites) témoignant de frictions intenses.

Si le plan de faille est vertical, la faille est verticale. S'il est incliné, elle est oblique : lorsque l'inclinaison est dans le sens du bloc affaissé, la faille est *normale;* dans le cas contraire, elle est *inverse.* Quand une faille affecte des terrains inclinés, si l'inclinaison du plan de faille est dans le même sens que le pendage des couches, elle est *conforme;* elle est *contraire* dans l'autre cas. La hauteur de dénivellation entre les deux blocs est appelée *rejet.* Certaines failles ont un rejet horizontal : on les appelle alors « décrochements ». Les failles, témoignant de zones de faiblesse de l'écorce, ont tendance à rejouer au cours des temps géologiques.

Dans le paysage, une faille se traduit par un *escarpement.* L'érosion a tendance à le faire reculer, à l'aplanir, éventuellement à l'inverser si le bloc soulevé est constitué de roches tendres. Une reprise d'érosion après nivellement peut faire apparaître un *escarpement de ligne de faille.*

FAILLE n. f. Soie noire à gros grains formant des côtes.

FAILLÉ, E adj. *Géol.* Affecté par des failles.

FAILLI, E adj. et n. Qui est déclaré en faillite.

FAILLIBILITÉ n. f. Possibilité de se tromper : *la faillibilité d'un juge.*

FAILLIBLE adj. Qui peut se tromper.

FAILLIR v. i. (lat. *fallere,* tromper) [conj. **25**]. Suivi d'un inf., être sur le point de : *j'ai failli tomber.* ◆ v. t. ind. [**à**]. *Litt.* Manquer à : *faillir à une promesse, à un engagement.*

FAILLITE n. f. (it. *fallita*). État d'un débiteur qui ne peut plus payer ses créanciers : *être en faillite; faire faillite.* ‖ Échec complet d'une entreprise : *la faillite d'une politique.* ● *Faillite personnelle* (Dr.), ensemble de déchéances et d'incapacités frappant les commerçants ou dirigeants d'entreprises en état de règlement judiciaire ou de liquidation de biens, coupables d'agissements irréguliers ou imprudents.
■ On désigne communément par « faillite » la situation du débiteur qui ne satisfait pas à l'exécution de ses obligations. C'est aussi, dans une acception plus précise, la procédure d'exécution collective permettant aux créanciers de la personne en état de cessation de paiements de s'organiser pour obtenir, réalisant les biens de leur débiteur, un remboursement, au moins partiel, de leurs créances*.

La faillite, prévue en France au Code de commerce de 1807, réformée en 1838, puis en 1889, l'a été de nouveau par la loi du 13 juillet 1967, qui a établi une distinction nouvelle entre le sort de l'entreprise et celui de ses dirigeants.
● *Le sort de l'entreprise.* Le « règlement judiciaire » est prononcé à l'encontre de l'entreprise qui s'avère apte à survivre; dans le cas contraire est prononcée la « liquidation de biens ».

En cas de *règlement judiciaire,* la procédure peut se résoudre à une *clôture pour extinction du passif,* lorsque le débiteur peut intégralement payer les créanciers; le *concordat* intervient si le débiteur ne peut payer que partiellement son passif, auquel cas il formule des offres concordataires. (Le concordat doit être homologué par le tribunal. Il entraîne la clôture du règlement judiciaire et remet le débiteur à la tête de ses affaires. Généralement, le concordat accorde au débiteur des délais de paiement ou [et] des remises de dettes.) La *conversion du règlement judiciaire en liquidation de biens* intervient quand le débiteur ne formule pas de *propositions concordataires* ou n'obtient pas de concordat de la part des créanciers, ou encore si le débiteur (personne physique) ne peut matériellement continuer ses activités.

Dans le cadre de la *liquidation de biens,* deux solutions peuvent intervenir : l'*union des créanciers,* payés « au marc le franc » des créances vérifiées, grâce à la vente des biens du débiteur; la *clôture pour insuffisance d'actif du débiteur,* prononcée par le tribunal, si l'actif est insuffisant à payer les seuls frais du syndic.
● *Le sort personnel du commerçant ou des dirigeants de l'entreprise.* Des sanctions peuvent atteindre les personnes responsables de leur insuffisance d'actif, à savoir : l'action en comblement du passif social; le règlement judiciaire ou la liquidation de biens des dirigeants; la faillite personnelle; l'interdiction de diriger et de gérer des entreprises commerciales ou des personnes morales; la banqueroute, simple ou frauduleuse.

La loi du 25 janvier 1985 a substitué au *règlement judiciaire* et à la *liquidation de biens,* respectivement le *redressement judiciaire* et la *liquidation judiciaire.*

FAIM n. f. (lat. *fames*). Vif besoin de manger, rendu sensible par des contractions de l'estomac vide. ‖ Syn. de SOUS-ALIMENTATION : *la faim dans le monde.* ‖ Désir ardent de qqch, ambition : *avoir faim de richesses.* ● *Faim de loup,* très grande faim.
■ La sensation de faim assure l'équilibration de l'apport alimentaire en fonction des besoins de l'organisme. La faim excessive conduit à la boulimie. La faim insuffisante, ou anorexie, est le symptôme de nombreuses maladies somatiques ou psychiques (anorexie mentale). La faim peut être inassouvie par une sous-alimentation; en cas d'inanition, l'organisme prélève l'énergie nécessaire à son fonctionnement sur ses propres constituants tissulaires (muscles).

L'état de sous-alimentation, couramment appelé « faim » par allusion à la sensation qui l'accompagne souvent, se reconnaît aussi au simple fait qu'une alimentation plus abondante augmente les forces, améliore la croissance des jeunes, consolide la résistance aux maladies, allonge statistiquement la durée de la vie. À cette définition empirique, la diététique scientifique fait correspondre une explication : la part, pratiquement incompressible, de la dépense énergétique quotidienne, que l'alimentation doit fournir, atteint 2 400 calories chez l'homme adulte. Jusqu'à 3 500 ou 4 000 calories, une alimentation plus riche est bénéfique, en particulier pour les travailleurs manuels, au-delà commence la pléthore, nuisible. Mais un homme sur trois souffre de *faim quantitative,* c'est-à-dire qu'il ne dispose pas des calories indispensables. Il s'adapte (mal) par l'amaigrissement, l'inactivité, la diminution de la taille chez l'enfant.

Mais ce sont deux hommes sur trois qui souffrent de *faim qualitative,* par manque de protéines animales, de vitamines ou de certains ions minéraux : même en mangeant, par exemple, du riz en abondance, les populations ainsi *carencées* utilisent mal leurs aliments et peuvent présenter des maladies de carence, dont la plus redoutable est le *kwashiorkor* infantile.

Les remèdes à cette situation tragique sont d'ordres divers : démographiques (moins de bouches à nourrir), agronomiques (production accrue d'aliments), industriels (progrès des transports et de la conservation des aliments), médicaux (obtention d'une meilleure assimilation), économiques et politiques (distribution plus équitable des biens existants), etc. Leur application dépend pour beaucoup de l'attitude éthique (solidarité) adoptée ou refusée par les peuples nantis.

Faim *(la),* roman de Knut Hamsun (1890). L'errance dans une ville d'un journaliste que l'extrême misère obligera à s'expatrier : la dépression physique fait affleurer les mouvements de la vie subconsciente (associations d'idées, fantasmes, impulsions délirantes) dans un rythme d'écriture alterné (lyrisme/mélancolie, flux/explosion) qui traduit, quasi « automatiquement » au sens surréaliste, les crispations d'estomac et les mouvements de révolte intellectuelle.

FAINE [fɛn] n. f. (lat. *fagina* [*glans*], [gland] de hêtre). Fruit du hêtre.

FAINÉANT, E adj. et n. (anc. fr. *faignant;* de *feindre,* rester inactif). Qui ne veut rien faire, paresseux. ● *Rois fainéants* (Hist.), nom donné aux derniers rois mérovingiens.

FAINÉANTER v. i. Ne rien faire; se livrer à la paresse.

FAINÉANTISE n. f. Paresse.

FAIRBANKS, v. de l'intérieur de l'Alaska; 24 000 hab. Aéroport. Terminus du chemin de fer dit « de l'Alaska » (partant de Seward sur le littoral méridional).

FAIRE v. t. (lat. *facere*) [conj. **72**]. Créer, former, construire, fabriquer : *faire un poème; faire une maison, une machine.* ‖ Commettre, réaliser : *faire une erreur.* ‖ Causer, occasionner : *faire du bien; faire peur, envie.* ‖ Donner, accorder : *faire un cadeau; faire grâce.* ‖ Constituer essentiellement : *la richesse ne fait pas le bonheur.* ‖ Accomplir : *faire son devoir.* ‖ Disposer, arranger : *faire un lit.* ‖ Nettoyer : *faire les chaussures.* ‖ Représenter, jouer le rôle de : *faire un personnage; faire le mort.* ‖ Se livrer à certaines études : *faire sa philosophie.* ‖ S'occuper : *n'avoir rien à faire.* ‖ Exercer une activité, pratiquer un sport : *faire un métier.* ‖ Être atteint par une maladie, être dans tel ou tel état : *faire de la neurasthénie.* ‖ *Fam.* Vendre : *combien faites-vous ce tableau?* ‖ Égaler : *2 et 2 font 4.* ‖ *Ling.* Prendre certaine forme : *« cheval » fait « chevaux » au pluriel.* ● *Avoir fort à faire,* avoir de grandes difficultés à surmonter. ‖ *C'en est fait,* c'est fini. ‖ *Faire faire,* charger qqn de faire : *la maison que vous avez fait faire.* ‖ *Faire de son mieux,* s'efforcer. ‖ *Il ne fait que d'arriver,* il vient seulement d'arriver. ‖ *Il ne fait que crier,* il crie sans cesse. ◆ v. impers. Indique un état du ciel ou de l'atmosphère : *il fait nuit; il fait beau; il fait du vent.* ◆ v. i. Produire un certain effet : *le gris fait bien avec le bleu.* ‖ Agir : *bien faire et laisser dire.* ◆ **se faire** v. pr. Devenir : *se faire vieux.* ‖ S'améliorer : *ce vin se fera.* ‖ S'habituer : *se faire à la fatigue.* ‖ Embrasser une carrière : *se faire avocat.* ‖ Être à la mode : *ça se fait aujourd'hui.* ● *S'en faire* (Fam.), se faire du souci, s'inquiéter.

FAIRE n. m. Manière, exécution propre à un artiste.

FAIRE-PART n. m. inv. Lettre annonçant une naissance, un mariage, un décès.

FAIRE-VALOIR n. m. inv. Acteur de second plan qui sert à mettre en valeur l'acteur principal. ● *Faire-valoir direct,* mode d'exploitation agricole dans lequel l'exploitant est propriétaire des terres.

FAIRFAX (Thomas), général anglais (Denton 1612 - Nunappleton 1671). Au service du Parlement, il bat les troupes royales à Naseby (1645), mais il se montre hostile à la condamnation de Charles Ier. Plus tard, il contribue à la restauration de Charles II (1660).

FAIR-PLAY [fɛrplɛ] n. m. inv. (mots angl.). Comportement loyal. (L'Administration préconise FRANC-JEU.) ◆ adj. inv. Se dit de qqn qui accepte loyalement les règles d'un jeu, d'un sport, des affaires, qui ne triche pas.

FAISABILITÉ n. f. *Techn.* Caractère de ce qui est faisable, réalisable, dans des conditions techniques, financières et de délai définies.

FAISABLE [fəzabl] adj. Qui peut être fait.

FAISALABAD → LYALLPUR.

FAISAN [fəzɑ̃] n. m. (gr. *phasianos* [*ornis*], [oiseau] de Phase, en Colchide). Oiseau gallinacé originaire d'Asie, à plumage éclatant, surtout chez le mâle, et à chair estimée. (L'espèce acclimatée en France mesure 85 cm; certaines espèces atteignent 2 m de long.) [Cri : le faisan *criaille*.] ‖ *Pop.* Homme malhonnête, escroc.

FAISANDAGE n. m. Action de faisander.

FAISANDEAU n. m. Jeune faisan.

Visage-Jacana

faisan

FAISANDER [fəzɑ̃de] v. t. Donner au gibier un goût particulier en lui faisant subir un commencement de décomposition. ● *Viande faisandée,* proche de la décomposition. ◆ **se faisander** v. pr. Acquérir le fumet du faisan.

FAISANDERIE n. f. Lieu où l'on élève les faisans.

FAISANE [fəzan] n. f. et adj. Femelle du faisan : *poule faisane.*

FAISCEAU [fɛso] n. m. (lat. *fascis,* botte, paquet). Réunion de choses semblables liées ensemble : *faisceau de brindilles.* ‖ Ensemble d'ondes, de particules suivant des trajectoires voisines. ‖ *Anat.* Groupe de fibres nerveuses dans l'axe cérébro-spinal. ‖ *Bot.* Groupe de tubes conducteurs de la sève. ‖ *Math.* Ensemble de droites, de courbes, de surfaces dépendant d'un paramètre. ‖ *Mil.* Assemblage d'armes qui se soutiennent entre elles. ● *Colonne en faisceau* (Archit.), pilier fasciculé. ‖ *Faisceau hertzien,* faisceau d'ondes électromagnétiques servant à transmettre des signaux. ‖ *Faisceau de His,* faisceau de fibres nerveuses du cœur qui commence au nœud de Tawara, puis se divise en deux branches, droite et gauche, pour transmettre l'influx nerveux aux ventricules. ‖ *Faisceau lumineux,* ensemble de rayons lumineux. ‖ *Faisceau de tir,* ensemble des plans de tir des pièces d'une batterie d'artillerie. ‖ *Faisceau de voies,* ensemble de voies ferrées groupées de façon sensiblement parallèle et réunies par des aiguillages. ◆ pl. *Antiq.* Verges liées autour d'une hache, que portait le licteur romain. ‖ Motif décoratif, notamment à l'époque de la Révolution. ‖ Emblème du fascisme.

FAISEUR, EUSE [fəzœr, øz] n. Personne qui fait qqch sans soin, en grand nombre, etc. : *un faiseur d'embarras.* ‖ Personne qui cherche à se faire valoir, hâbleur : *passer pour un faiseur.*

Faiseur *(le),* comédie en prose de Balzac, écrite en cinq actes (1838-1840), réduite à trois pour sa représentation en 1851. Un aventurier de la finance se piège lui-même à force d'astuces et se voit tiré d'affaire par la seule solution qu'il ne pouvait envisager : le retour de Godeau, son associé, qui l'avait ruiné par sa fuite.

FAISSELLE n. f. Récipient à parois perforées dans lequel on fait égoutter les fromages.

FAIT, E adj. Fabriqué, exécuté : *travail bien fait.* ‖ Mûr : *un homme fait.* ‖ Fermenté : *fromage trop fait.* ● *Caractère mal fait,* trop susceptible. ‖ *Être fait,* être pris, enfermé dans une nécessité inéluctable. ‖ *Fait pour,* destiné à, apte à : *ce garçon est fait pour l'enseignement.* ‖ *Tout fait,* préparé à l'avance; sans originalité : *idée toute faite.*

FAIT n. m. (lat. *factum*). Action de faire, chose faite, événement : *le fait de parler; nier un fait; un fait singulier.* ‖ Ce qui est vrai, réel : *souvent, les faits détruisent les théories.* ● *Aller au fait,* à l'essentiel. ‖ *Au fait,* à propos, à ce sujet. ‖ *C'est un fait,* cela existe réellement. ‖ *De fait,* en réalité, véritablement. ‖ *Dire à qqn son fait,* lui dire ce qu'on pense de lui. ‖ *État de fait,* réalité. ‖ *Être le fait de qqn,* constituer ce qui lui appartient en propre. ‖ *Être sûr de son fait,* être sûr de ce qu'on avance. ‖ *Fait divers,* événement sans portée générale qui appartient à la vie quotidienne. ‖ *Le fait du prince,* une décision arbitraire. ‖ *Le fait est que...,* la vérité est que... ‖ *Faits et gestes,* actions de qqn. ‖ *Fait scientifique* (Épistémol.), objet que construit une science. ‖ *Hauts faits,* exploits. ‖ *Mettre au fait,* instruire. ‖ *Par le fait, en fait,* en réalité, effectivement. ‖ *Prendre sur le fait,* surprendre qqn au moment où il commet une action qu'il voulait cacher. ◆ loc. adv. *Tout à fait,* entièrement. ◆ loc. prép. *Du fait de,* par suite de. ‖ *En fait de,* en matière de.

Falconet : statue équestre de Pierre le Grand à Leningrad.

PETRO PRIMO
CATHARINA

Lauros-Giraudon

FAÎTAGE n. m. Pièce maîtresse de charpente reliant horizontalement l'angle supérieur des fermes et sur laquelle s'appuient les chevrons.

FAÎTE n. m. (lat. *fastigium*). Partie la plus élevée d'une construction, d'un arbre, d'une montagne; sommet : *le faîte d'une toiture; le faîte d'un arbre.* ‖ *Litt.* Le plus haut degré : *le faîte de la gloire.* ● *Ligne de faîte,* ligne qui suit les points les plus élevés déterminés par l'intersection de deux versants.

FAÎTIÈRE adj. f. *Tuile faîtière,* ou *faîtière* n. f. tuile courbe dont on recouvre l'arête supérieure d'un toit. ‖ *Lucarne faîtière,* lucarne placée sur le versant d'un toit, en arrière du plan du mur gouttereau.

FAIT-TOUT n. m. inv., ou **FAITOUT** n. m. Marmite basse en métal ou en terre vernissée.

FAIVRE (Abel), dessinateur humoriste et peintre français (Lyon 1867 - Nice 1945), caricaturiste de la bourgeoisie dans de nombreux journaux. Une de ses affiches de guerre, *On les aura!,* est célèbre.

FAIX [fɛ] n. m. (lat. *fascis*). *Litt.* Charge, fardeau : *ployer sous le faix.* ‖ *Techn.* Affaissement dans une maison récemment construite.

FAIZĀBĀD, v. de l'Inde (Uttar Pradesh); 142 000 hab.

FAJON (Étienne), homme politique français (Jonquières, Hérault, 1906). Député communiste à partir de 1936, il succède à Marcel Cachin à la direction de *l'Humanité* (1958-1974). Membre du bureau politique du parti communiste de 1945 à 1979, il a été secrétaire du Comité central de 1969 à 1976.

FAKHR AL-DĪN II (v. 1572 - Constantinople 1635), émir druze (1593-1633). Il s'allie aux maronites et se fait confirmer par les Ottomans la possession de Saïda, Beyrouth et du massif du Kesrouan. En 1608, il conclut un traité avec les Médicis, à la cour desquels il se réfugie de 1614 à 1618. En 1631, il est le maître d'un vaste domaine englobant la totalité du Liban* actuel. Mais, en 1633, il est battu par les Ottomans, qui le font prisonnier et l'exécutent.

FAKIR n. m. (mot ar.). Ascète musulman ou hindou. ‖ Personne qui exécute en public des tours de diverses sortes (voyance, hypnose, insensibilité, etc.).

FAKIRISME n. m. Exercices des fakirs.

FALACHAS ou **FALASHAS,** juifs noirs d'Éthiopie, dont l'origine est controversée. À la fin de 1984 est organisé leur retour massif en Israël.

FALAISE [falɛz] n. f. (mot francique). *Géogr.* Haut talus et, en particulier, sur les côtes, talus raide façonné par l'érosion marine : *les falaises du pays de Caux.* ● *Falaise morte,* dans une région côtière, talus autref. façonné par l'érosion marine.

FALAISE (14700), ch.-l. de cant. du Calvados; 8 820 hab. *(Falaisiens).* Restes (XIIe-XVe s.) du château où naquit Guillaume le Conquérant. Églises. Constructions mécaniques. La ville fut libérée par les Canadiens le 17 août 1944 après de violents combats (v. NORMANDIE *[bataille de]*).

FALARIQUE n. f. (lat. *falarica*). Arme de jet incendiaire, en usage jusqu'au XVIe s.

FALASHAS → FALACHAS.

FALBALA n. m. (prov. *farbella,* dentelle). Volant, ornement de tissu froncé d'un effet voyant.

FALCON (Marie-Cornélie), cantatrice française (Paris 1814 - *id.* 1897).

FALCONET (Étienne), sculpteur et théoricien français (Paris 1716 - *id.* 1791). Élève de J.-B. Lemoyne, soutenu par Mme de Pompadour, il devint directeur de l'atelier de sculpture à la manufacture de Sèvres (1758-1766; nombreux modèles de petits groupes en biscuit). Son art, baroque au début, se fit aimable et sensuel (*Baigneuse,* Salon de 1757, Louvre). Appelé par Catherine II à Saint-Pétersbourg (1766-1778), il y donna la majestueuse statue équestre de bronze de Pierre le Grand. Autodidacte, il s'oppose dans ses écrits au culte de l'antique (*Réflexions sur la sculpture,* 1761; articles « Sculpture » et « Relief » de l'*Encyclopédie* de Diderot).

FALCONIDÉ n. m. (lat. *falco,* faucon). Oiseau rapace diurne, tels l'*aigle,* le *milan,* le *faucon,* etc. (Les *falconidés* forment une famille.)

FALÉMÉ (la), affl. du Sénégal (r. g.), séparant la république du Sénégal et le Mali; 650 km.

FALÉRIES, anc. ville d'Italie (Étrurie), près de Véies, à 40 km de Rome. Capitale des Falisques, peuple qui avait subi des influences sabelliennes et étrusques, *Falerii Veteres* (auj. *Civita Castellana*) fut prise par le dictateur M. Furius Camillus en 395 av. J.-C.; en 241, la ville se révolta contre Rome, qui la détruisit et transféra la population en un lieu voisin, *Falerii Novi* (auj. *Falleri*). Plusieurs temples et nécropoles de la ville ancienne y ont été dégagés, ainsi que l'enceinte de Falerii Novi.

FALERNE n. m. Vin estimé dans l'Antiquité, que l'on récoltait en Campanie.

FALIER ou **FALIERO,** ancienne famille de Venise, qui donna trois doges à cette ville : VITALE, doge en 1084 († 1096), qui fut vainqueur des Normands de Robert Guiscard; ORDELAFO, doge de 1102 à 1118 († 1118), qui reprit Zara à la Hongrie; MARINO (1274-1355), victorieux des troupes de Louis de Hongrie, à Zara (1348), qui devint doge en 1354 et fut décapité en 1355 pour avoir conspiré.

FALKENHAYN (Erich VON), général allemand (Burg Belchau 1861 - près de Potsdam 1922). Remplaçant Moltke après la défaite de la Marne (14 sept. 1914), il fut le chef du grand état-major allemand, dont il dirigea les opérations jusqu'au 29 août 1916. À cette date, l'échec allemand devant Verdun et l'entrée en guerre de la Roumanie amenèrent son remplacement par Hindenburg. Falkenhayn commanda ensuite en Roumanie et en Palestine (1916-1918).

FALKLAND *(îles),* anc. **Malouines,** groupe d'îles de l'Atlantique austral, colonie de la Grande-Bretagne revendiquée par l'Argentine; 2 100 hab. Ch.-l. *Stanley.*

Découvertes par les Anglais au XVIIe s., ces îles furent colonisées au XVIIIe s. par les Malouins, qui furent expulsés par les Espagnols (1766). Finalement, les Anglais les occupèrent en 1832, malgré les Argentins qui les réclament toujours. Le 8 décembre 1914, les Anglais y remportèrent une victoire navale sur l'escadre allemande de l'amiral Maximilien von Spee (1861-1914), qui coula avec le croiseur *Scharnhorst.* Les forces de l'Argentine envahissent l'archipel le 2 avril 1982. Elles seront défaites par un corps expéditionnaire britannique le 15 juin.

FALLA (Manuel de), compositeur espagnol (Cadix 1876 - Alta Gracia, Argentine, 1946). Après son opéra *la Vie brève* (1905), il résida à Paris de 1907 à 1914 et y rencontra Debussy. Les fruits de ce séjour furent les *Sept Chants populaires espagnols* (1914-15), *Nuits dans les jardins d'Espagne* (1911-1916) et le ballet *l'Amour sorcier* (1914-15). À la luxuriante Andalousie succéda

Manuel de **Falla**, par I. Zuloaga.

Giraudon

alors chez lui, comme source d'inspiration, l'aride Castille (ballet *le Tricorne*,* 1919). Sa carrière prit fin sous le signe de l'austérité avec l'opéra de chambre *le Retable de Maître Pierre* (1923), d'après Cervantès, et le *Concerto* pour clavecin et cinq instruments (1926). Le grand oratorio *l'Atlantide,* l'ouvrage de ses vingt dernières années, fut terminé par E. Halffter.

FALLACIEUSEMENT adv. De façon fallacieuse.

FALLACIEUX, EUSE adj. (lat. *fallaciosus*). Destiné à tromper, trompeur, spécieux : *argument fallacieux.*

FALLADA (Rudolf DITZEN, dit **Hans**), écrivain allemand (Greifswald 1893 - Berlin 1947). Ses romans peignent la vie des petites gens aux prises avec les difficultés quotidiennes (*Paysans, bonzes et bombes,* 1931; *Seul dans Berlin,* 1942).

FALLIÈRES (Armand), homme d'État français (Mézin, Lot-et-Garonne, 1841 - *id.* 1931). Vice-président de la gauche républicaine, plusieurs fois ministre de 1882 à 1892, et président du Conseil en 1883, il est élu président de la République (1906-1913) comme candidat des gauches.

FALLOIR v. impers. (lat. *fallere*) [conj. **42**]. Être nécessaire, obligatoire : *il faut manger pour vivre.* ‖ Être un besoin pour, être nécessaire à : *il lui faut du repos.* ● *Comme il faut,* qui est bien, convenable : *personne, toilette comme il faut.* ‖ *Il s'en faut de beaucoup, de peu, que...,* beaucoup, peu de choses manquent pour que... ‖ *S'en falloir,* être en moins : *il s'en faut de deux francs que le compte soit bon.* ‖ *Tant s'en faut que,* bien loin de.

FALLOPE ou **FALLOPPIO** (Gabriele), anatomiste et chirurgien italien (Modène 1523 - Padoue 1562), qui décrivit le premier le développement de l'os et les trompes de l'utérus (trompes de Fallope).

FALLOUX (Alfred Frédéric, *comte* DE), homme politique français (Angers 1811 - *id.* 1886) légitimiste mais catholique libéral, il est élu à la constituante (1848) puis à la législative (1849). Il est à l'origine de la fermeture des Ateliers nationaux (juin 1848). Ministre de l'Instruction publique du 20 décembre 1848 au 30 octobre 1849, il élabore la loi scolaire qui, votée le 15 mars 1850, porte son nom, Falloux ayant beaucoup contribué à la rendre favorable à l'Église. En effet, la loi Falloux, sur le plan de l'enseignement primaire, fait du curé le garant du bon esprit de l'instituteur; sur le plan de l'enseignement secondaire, elle contribue au développement des institutions et des collèges ecclésiastiques.

FALL RIVER, v. des États-Unis, dans le sud du Massachusetts; 97 000 hab. Textile. Caoutchouc.

Fall River Legend, ballet en un acte, argument et chorégraphie d'Agnes De Mille (musique de Morton Gould), créé au Metropolitan Opera de New York en 1948. Œuvre maîtresse d'A. De Mille, ce ballet, dont l'argument repose sur un fait divers (meurtre de son père et de sa belle-mère par une jeune fille), a mis en lumière les personnalités dramatiques de Nora Kaye (1948) et Sallie Wilson (1966).

FALMOUTH, port de Grande-Bretagne, en Cornouailles, sur la Manche; 18 000 hab. Station balnéaire.

FALOT n. m. (it. *falo*). Sorte de lanterne. ‖ *Arg.* Tribunal militaire.

FALOT, E adj. (angl. *fellow,* compagnon). Terne, effacé : *personnage falot.*

FALOURDE n. f. Fagot de grosses branches liées ensemble (vx).

FALSIFIABILITÉ n. f. *Épistémol.* Possibilité, pour un énoncé scientifique, d'être réfuté par une expérimentation.

FALSIFIABLE adj. Qui peut être falsifié. ‖ *Épistémol.* Susceptible de falsifiabilité.

FALSIFICATEUR, TRICE n. Personne qui falsifie.

FALSIFICATION n. f. Action de falsifier.

FALSIFIER v. t. (lat. *falsus,* faux). Altérer, dénaturer, modifier volontairement en vue de tromper : *falsifier du vin, une signature.*

Falstaff, comédie lyrique en trois actes, livret d'A. Boito tiré des *Joyeuses Commères de Windsor,* de Shakespeare, musique de G. Verdi (1893). Le vieux compositeur a fait preuve, dans cette partition au récitatif preste, d'un esprit bouffe, en campant avec pittoresque son personnage principal.

FALSTER, île danoise de la Baltique, au S. de Sjaelland. V. princ. *Nykøbing.*

FALUCHE n. f. Autref., béret traditionnel des étudiants.

FALUN n. m. (mot prov.). Dépôt calcaire riche en débris coquilliers fossiles, datant du tertiaire, abondant en Anjou et en Touraine, et utilisé comme engrais.

FALUNER v. t. *Agr.* Amender avec du falun.

FALZAR n. m. (mot turc). *Arg.* Pantalon.

FAMAGOUSTE, port de la côte orientale de Chypre; 44 000 hab. Fondée à l'époque hellénistique, Famagouste devint, à la fin du XIIe s., la capitale du royaume chypriote des Lusignan. Conquise par les Génois en 1374, la ville passa à Venise en 1489; le 1er août 1571, elle tomba aux mains des Ottomans. Derrière ses remparts, Famagouste conserve d'importants monuments médiévaux, dont sa cathédrale Saint-Nicolas (autour de 1300), en gothique français.

FAMÉ, E adj. (lat. *fama,* renommée). *Mal famé,* autre graphie de MALFAMÉ.

FAMECK (57290), ch.-l. de cant. de la Moselle, à 4 km au S.-E. d'Hayange; 14 942 hab.

FAMÉLIQUE adj. (lat. *famelicus;* de *fames,* faim). *Litt.* Tourmenté par la faim.

FAMENNE (la), région de la Belgique, entre la Lesse et l'Ourthe, sur la bordure nord-ouest de l'Ardenne.

FAMEUSEMENT adv. *Fam.* De façon remarquable, très : *un repas fameusement bon.*

FAMEUX, EUSE adj. (lat. *famosus;* de *fama,* renommée). Dont on a parlé en bien ou en mal, célèbre : *le fameux village de Waterloo.* ‖ *Fam.* Supérieur, remarquable en son genre : *un vin fameux.* ● *Pas fameux,* médiocre.

FAMILIAL, E, AUX adj. Qui concerne la famille : *réunion familiale; allocations familiales.* ● *Maladie familiale,* maladie héréditaire qui touche plusieurs membres d'une même famille.

FAMILIALE n. f. Voiture automobile de tourisme, carrossée de manière à admettre le maximum de personnes pour une puissance déterminée.

FAMILIARISER v. t. Rendre familier, accoutumer, habituer : *familiariser qqn avec la montagne.* ◆ **se familiariser** v. pr. [**avec**]. Se rendre une chose familière par la pratique, s'accoutumer : *se familiariser avec le bruit de la rue.*

FAMILIARITÉ n. f. Grande intimité. ‖ Manière familière de se comporter. ◆ pl. Manières trop libres, privautés : *prendre des familiarités avec qqn.*

FAMILIER, ÈRE adj. (lat. *familiaris*). Qui a des manières libres : *être familier avec les femmes.* ‖ Que l'on sait, que l'on connaît bien, que l'on fait bien par habitude : *cette question lui est familière, une voix familière.* ‖ Se dit d'un mot ou d'une construction propres à la langue de la conversation courante.

FAMILIER n. m. Celui qui vit dans l'intimité d'une personne, qui fréquente habituellement un lieu, habitué : *les familiers d'une maison.*

FAMILIÈREMENT adv. De façon familière.

FAMILISTÈRE n. m. Dans le système de Fourier, nom donné à un établissement coopératif. ‖ Coopérative ouvrière de production.

FAMILLE n. f. (lat. *familia*). Le père, la mère et les enfants : *famille nombreuse.* ‖ Les enfants seulement : *être chargé de famille.* ‖ Toutes les personnes d'un même sang, comme enfants, frères, neveux, etc. ‖ Groupe d'êtres ou de choses présentant des caractères communs : *famille spirituelle, politique.* ‖ *Hist. nat.* Chacune des divisions d'un ordre d'êtres vivants. ● *Air de famille,* ressemblance marquée entre des personnes. ‖ *Famille de courbes* (Math.), ensemble de courbes dépendant d'un ou de plusieurs paramètres. ‖ *Famille indexée* (Math.), suite d'éléments pris dans un ensemble, auxquels on fait correspondre de façon biunivoque la suite des entiers naturels. ‖ *Famille de langues,* groupe de langues ayant une origine commune ou des liens de parenté structurels étroits. ‖ *Famille de mots,* groupe de mots issus d'une racine commune. ‖ *Famille de vecteurs* (Math.), ensemble constitué par un certain nombre de vecteurs. ‖ *Fils de famille,* fils d'une famille aisée.

Famille *(pacte de),* traité signé à Paris, le 15 août 1761, par les Bourbons de Paris, de Madrid, de Parme et de Naples, désireux de combattre l'Angleterre.

FAMINE n. f. (lat. *fames,* faim). Manque total d'aliments dans une région. ● *Salaire de famine,* salaire trop bas.

Famine *(pacte de),* nom donné par le peuple, dans les dernières années du règne de Louis XV, aux manœuvres attribuées au gouvernement pour faciliter la spéculation sur les blés.

FAN [fan] n. (angl. *fanatic*). *Fam.* Admirateur enthousiaste de qqn ou de qqch.

FANA adj. et n. (abrév. de *fanatique*). *Fam.* Enthousiaste, passionné.

FANAGE n. m. Action de faner.

FANAL n. m. (it. *fanale;* gr. *phanos*). [pl. *fanaux*]. Lanterne ou feu employés à bord des navires et pour le balisage des côtes. ‖ Falot de locomotive. ‖ Lanterne quelconque.

FANATIQUE [fanatik] adj. et n. (lat. *fanaticus,* inspiré). Qui manifeste une passion ou une admiration passionnée pour qqn ou pour une opinion, un parti, etc. : *un fanatique du jazz.*

FANATIQUEMENT adv. Avec fanatisme.

FANATISER v. t. Rendre fanatique : *fanatiser les foules.*

FANATISME n. m. Zèle passionné pour une religion, une doctrine, un parti.

FANDANGO [fɑ̃dɑ̃go] n. m. (mot esp.). Danse et air de danse espagnole de rythme assez vif, avec accompagnement de guitare et de castagnettes.

FANE n. f. Feuille sèche tombée d'un arbre. ‖ Tiges et feuilles de certaines plantes herbacées : *des fanes de radis, de carottes.*

FANER [fane] v. t. (lat. pop. *fenare;* de *fenum,* foin). Tourner et retourner l'herbe fauchée d'un pré, pour la faire sécher. ‖ Faire perdre sa fraîcheur, ternir, décolorer : *le soleil fane les étoffes.* ◆ **se faner** v. pr. Perdre son éclat, se flétrir.

FANEUR, EUSE n. Personne qui fane l'herbe fauchée.

FANEUSE n. f. Machine à faner.

FANFANI (Amintore), homme politique italien (Pieve Santo Stefano, Arezzo, 1908). Député démocrate-chrétien en 1946, il est plusieurs fois ministre de 1947 à 1953 et devient secrétaire général de la démocratie chrétienne (1954-1959), dont il représente l'aile gauche, favorable à une alliance parlementaire avec les socialistes. Il est président du Conseil en 1954, puis pratiquement sans interruption de 1958 à 1963. Ministre des Affaires étrangères de 1965 à 1968, puis président du Sénat, Fanfani accède une nouvelle fois au secrétariat général (1973-1975) et à la présidence de son parti (1976); il s'oppose alors au « compromis historique » avec le parti communiste. Il est à nouveau président du Conseil de novembre 1982 à juillet 1983 et d'avril à juillet 1987, avant d'être nommé ministre de l'Intérieur (1987-88) puis ministre du Budget.

FANFARE n. f. Concert de trompettes, de clairons, etc. ‖ *Véner.* Air pour lancer le cerf. ‖ Orchestre composé de cuivres. ‖ Musique militaire à base d'instruments de cuivre.

FANFARON, ONNE adj. et n. (esp. *fanfarrón*). Qui se vante de vertus qu'il n'a pas; hâbleur, vantard.

FANFARONNADE n. f. Action, parole de fanfaron.

FANFARONNER v. i. Faire, dire des fanfaronnades.

FANFRELUCHE n. f. (gr. *pompholux,* bulle d'air). Ornement de peu de prix pour la toilette féminine.

FANGATAUFA, atoll des Tuamotu (Polynésie française), à 40 km au S.-E. de Mururoa. Site de la première explosion thermonucléaire française, en 1968, aménagé après 1970 pour les expérimentations nucléaires souterraines, dont les premières eurent lieu en 1975.

FANGE n. f. (germ. *fanga*). *Litt.* Boue épaisse. ‖ *Litt.* Condition abjecte, vie de débauche.

FANGEUX, EUSE adj. *Litt.* Plein de fange : *eau fangeuse.* ‖ *Litt.* Abject.

FANGIO (Juan Manuel), coureur automobile argentin (Balcarce, Argentine, 1911). Il a dominé le sport automobile dans les années 50, totalisant, au cours d'une carrière échelonnée sur près de vingt ans (jusqu'en 1958), plus de 60 victoires et remportant cinq fois le titre de champion du monde des conducteurs (en 1951 et, sans interruption, de 1954 à 1957 inclus).

FANGOTHÉRAPIE n. f. Traitement par les bains de boue.

FANGS ou **PAHOUINS,** ethnie du Gabon, du Cameroun et de la Guinée.

FANION n. m. (mot francique). Petit drapeau.

FANJEAUX (11270), ch.-l. de cant. de l'Aude, à 19 km au S.-E. de Castelnaudary; 917 hab. Église du XIIIe s.

FAN K'OUAN ou **FAN KUAN,** peintre chinois (milieu Xe s. - début XIe s.). Il est le représentant par excellence du style des Song du Nord, caractérisé par une austère grandeur (*les Voyageurs dans les gorges d'un torrent,* musée de T'ai-pei). Vivant en ascète dans la montagne, il a puisé son inspiration dans le taoïsme. Il obtient les volumes par des traits et des hachures (complètement maîtrisés plus tard par Li T'ang*) et, en accentuant les contrastes, crée de puissants jeux de lumière.

FANON n. m. (mot francique). Région de la peau qui pend sous le cou de certains animaux (bœufs, dindons, etc.). ‖ Touffe de crins derrière le boulet du cheval. ‖ Lame de corne atteignant 2 m de long, effilochée sur son bord interne et fixée à la mâchoire supérieure de la baleine, qui en possède plusieurs centaines. ‖ Chacun des deux pendants de la mitre d'un évêque.

FANON (Frantz), psychiatre et sociologue français (Fort-de-France 1925 - Washington 1961). Dans son œuvre (*Peau noire et masques blancs,* 1952; *l'An V de la révolution algérienne,* 1959; *les Damnés de la terre,* 1961), il dénonce, à l'usage du tiers monde, le colonialisme et les pièges de la décolonisation.

FANTAISIE n. f. (gr. *phantasia,* apparition). Créativité libre et imprévisible : *donner libre cours à sa fantaisie.* ‖ Caprice; goût bizarre et passager : *se plier aux fantaisies de qqn.* ‖ Goût particulier à qqn : *vivre à sa fantaisie.* ‖ Œuvre d'imagination : *une fantaisie littéraire.* ‖ *Mus.* Jusqu'au XVIIIe s., œuvre instrumentale de structure assez libre et parfois encore contrapuntique, devenant, au XIXe s., une juxtaposition d'épisodes de caractère improvisé; paraphrase d'un air. ● *Bijou (de) fantaisie,* bijou qui n'est pas en matière précieuse. ‖ *De fantaisie,* où l'imagination personnelle joue le rôle principal : *œuvre de fantaisie;* qui n'est pas selon la règle : *costume de fantaisie.* ‖ *Kirsch fantaisie,* eau-de-vie imitant le kirsch. ‖ *Pain (de) fantaisie,* pain qui se vend à la pièce, non au poids.

FANTAISISTE adj. et n. Qui n'obéit qu'aux caprices de son imagination. ◆ n. Artiste de music-hall qui chante ou raconte des histoires.

FANTASIA [fɑ̃tazja] n. f. (pl. *fantasias*). Démonstration équestre de cavaliers arabes.

Fantasio, comédie en prose d'Alfred de Musset (composée en 1834, représentée en 1866).

FANTASMAGORIE n. f. (gr. *phantasma,* apparition, et *agoreuein,* parler en public, avec influence d'*allégorie*). Art de faire apparaître des fantômes dans une salle obscure à l'aide d'illusions d'optique. ‖ Spectacle fantastique. ‖ Abus des effets produits par des moyens surnaturels ou extraordinaires, en littérature et dans les arts.

FANTASMAGORIQUE adj. Qui appartient à la fantasmagorie.

FANTASMATIQUE adj. Relatif au fantasme.

FANTASME n. m. (gr. *phantasma*). Production de l'imagination. ‖ *Psychanal.* Situation imaginaire où le sujet est présent et qui accomplit un de ses désirs en le déformant plus ou moins. (Les fantasmes peuvent être conscients [rêveries diurnes, projets, réalisations artistiques] ou inconscients [rêves, symptômes névrotiques]; ils animent toute l'activité mentale.) [On écrit parfois PHANTASME.]

FANTASMER v. i. Faire des fantasmes.

FANTASQUE adj. (abrév. et altér. de *fantastique*). Sujet à des caprices, à des fantaisies bizarres.

FANTASSIN n. m. Militaire de l'infanterie.

FANTASTIQUE adj. (gr. *phantastikos,* qui concerne l'imagination). Chimérique, créé par l'imagination : *vision fantastique.* ‖ Incroyable, extravagant : *des projets fantastiques.* ‖ Où domine le surnaturel : *art fantastique.* ● *Délire fantastique* (Psychiatr.), syn. de PARAPHRÉNIE.

FANTASTIQUE n. m. Forme artistique et littéraire qui reprend, en les laïcisant, les éléments traditionnels du merveilleux, et qui met en évidence l'irruption de l'irrationnel dans la vie individuelle ou collective.

■ La littérature fantastique apparaît avec le siècle des Lumières, le triomphe de la raison, l'affirmation de l'individu (*le Château d'Otrante,* 1764, d'Horace Walpole; *le Diable amoureux,* 1772, de Cazotte; *Vathek,* 1782, de William Beckford; *le Manuscrit trouvé à Saragosse,* 1805, de Potocki) : elle laïcise le rapport entre l'homme et les puissances surnaturelles (par là elle se distingue du *merveilleux**); elle fait de la lutte entre Dieu et Satan pour la possession de l'Homme un conflit intérieur entre des forces psychiques et morales (le Malin devient le Mal), et du pacte diabolique un artifice littéraire. Pour que les puissances obscures envahissent la littérature, il faut qu'elles aient déserté le réel. Né d'une rupture entre l'univers du sacré et le domaine quotidien, le fantastique survit grâce à deux autres brisures décisives : 1) celle qu'inaugure le romantisme, à l'intérieur de l'individu, entre la conscience et le rêve (et qui va des superstitions populaires des *Ballades* de Goethe et des terreurs du « roman noir » anglais à la fantaisie de Nodier, aux « effets de réel » d'Hoffmann ou d'Edgar Poe, aux hallucinations de Nerval et de Maupassant), et que le surréalisme se donnera pour tâche de réduire (« tout porte à croire qu'il existe un certain point de l'esprit d'où la vie et la mort, le réel et l'imaginaire, le passé et le futur, le communicable et l'incommunicable, le haut et le bas cessent d'être perçus contradictoirement », *Second Manifeste*); 2) celle qui marque le monde contemporain entre le réseau complexe des rapports scientifiques, économiques et politiques et l'isolement de l'individu muni de stéréotypes culturels élémentaires sans prise sur le réel. D'où une double attitude : faire de la littérature le lieu d'une mystification ironique, d'un exercice lucide (Borges, Cortazar), qui établit non pas les contradictions de la logique, mais son développement systématique avec toutes ses conséquences théoriques; réintroduire dans le réel les terreurs et les monstres (*Dracula,* 1897, de Bram Stoker; *la Lumière intérieure,* 1895, d'A. Machen; *le Cauchemar d'Innsmouth,* 1936, de Lovecraft), grâce à une littérature qui prétend signaler toutes les fissures de la science : celle-ci n'est plus instrument de lucidité, mais, dans son progrès même, elle nourrit sa propre dénonciation (la biologie et la physique nucléaire, qui popularisent les notions de tératologie, de mutation, d'antimatière, relaient l'électromagnétisme et le spiritisme essoufflés), réel et imaginaire se fondent et se confondent dans la *science-fiction**.

Le genre cinématographique fantastique s'efforce de transgresser le réel en se référant au rêve, à la légende, à la magie, à l'épouvante, à la psychanalyse, à la science-fiction. Si Georges Méliès est certainement le pionnier du cinéma fantastique, d'autres réalisateurs, tel Paul Leni, Tod Browning, James Whale, E. B. Schoedsack, Terence Fisher, Roger Corman, en suivant des voies imaginatives très diverses, ont donné ses lettres de noblesse à un genre que n'ont pas dédaigné certains grands noms du cinéma, comme D. W. Griffith, F. W. Murnau, Carl Dreyer, Jean Cocteau, Ingmar Bergman, Stanley Kubrick, Roman Polanski, Shindō Kaneto.

FANTASTIQUEMENT adv. De façon fantastique.

FANTIN-LATOUR (Henri), peintre et lithographe français (Grenoble 1836 - Buré, Orne, 1904). Il est l'auteur de portraits individuels ou collectifs, comme *l'Atelier des Batignolles* (hommage à Manet, 1870, Louvre), de natures mortes, de tableaux de fleurs ou inspirés par la musique, d'allégories à personnages féminins. Son art participe à la fois du romantisme et de l'impressionnisme.

Lorenzo

Fan k'ouan : *Voyageurs dans les gorges d'un torrent.* Encre sur soie. (Musée de T'ai-pei, T'ai-wan.)

FANTOCHE n. m. (it. *fantoccio*). Marionnette mue à l'aide d'un fil. ‖ Individu sans consistance, qui ne mérite pas d'être pris au sérieux. ● *Gouvernement fantoche,* gouvernement qui se maintient au pouvoir grâce au soutien d'une puissance étrangère.

FANTOMATIQUE adj. Qui tient du fantôme.

FANTÔME n. m. (gr. *phantasma*). Être fantastique, qu'on croit être la manifestation d'une personne décédée. ‖ Apparence sans réalité : *un fantôme de roi.* ◆ adj. Inexistant : *gouvernement fantôme.* ● *Membre fantôme,* membre que certains amputés ont l'illusion de posséder encore.

FANZINE n. m. (de *fanatique* et de *magazine*). Publication de faible diffusion élaborée par des amateurs de science-fiction, de bandes dessinées, de cinéma, etc.

FAO, sigle de *Food and Agriculture Organization,* en franç. ORGANISATION* DES NATIONS UNIES POUR L'ALIMENTATION ET L'AGRICULTURE.

FAON [fɑ̃] n. m. (lat. *fetus,* petit d'animal). Petit de la biche et du cerf, ou d'espèces voisines. (Cri : le faon *râle.*)

G. Vienne-Pitch

faon

FAOU (Le) [29142], ch.-l. de cant. du Finistère, au fond de la rade de Brest, sur la *rivière du Faou;* 1 574 hab. Maisons des XVe-XVIe s.

FAOUËT (Le) [56320], ch.-l. de cant. du Morbihan, à 21 km au N. de Quimperlé; 3 185 hab. Halle et église du XVIe s. Aux environs, chapelles Saint-Fiacre (beau jubé flamboyant en bois) et Sainte-Barbe, de la fin du XVe s.

FAQUIN n. m. (anc. fr. *facque,* sac, mot néerl.). *Litt.* Homme méprisable et impertinent.

FAR n. m. Flan breton à base de farine, de lait ou de crème, et d'œufs.

FĀRĀBĪ (Abū Naṣr Muḥammad ibn Ṭarkhān **al-**), philosophe iranien (Wasīdj, Turkestan, v. 870 - Damas 950). Très jeune, il part pour Bagdad, centre culturel important, où sont notamment discutées les sciences et la philosophie grecques. Élevé, par ailleurs, dans la religion islamique, il s'efforce de montrer comment la pensée grecque est à même de résoudre les problèmes que se posent ses contemporains, comme al-Kindī. Son œuvre est considérable. Assimilant vérité de la révélation du Coran et vérité philosophique, il rédige de nombreux traités sur la métaphysique, l'intelligence, la mesure et la musique, où se marque l'influence d'Aristote*. Ses ouvrages de morale et de politique sont d'inspiration plus platonicienne. Dans son commentaire des *Lois* de Platon, *le Gouvernement de la cité* et *Sur les principes des opinions des habitants de l'État parfait,* il conçoit le meilleur régime politique possible pour une cité de confession islamique, mais n'en fait que le moyen d'acheminer les hommes vers une félicité supraterrestre.

FARAD n. m. (de *Faraday,* n. pr.). Unité de mesure de capacité électrique (symb. : F), équivalant à la capacité d'un condensateur électrique entre les armatures duquel apparaît une différence de potentiel de 1 volt lorsqu'il est chargé d'une quantité d'électricité de 1 coulomb.

FARADAY [faradɛ] n. m. (de *Faraday,* n. pr.). Quantité d'électricité, égale à 96 490 coulombs, qui dissocie une valence-gramme d'un électrolyte.

FARADAY (Michael), physicien britannique (Newington, Surrey, 1791 - Hampton Court 1867). Il découvrit le benzène dans le goudron de houille et réalisa la liquéfaction de presque tous les gaz. Il observa l'action exercée par un aimant sur un courant, donnant le principe du moteur électrique. En 1831, il découvrit l'induction électromagnétique et, en 1833, il établit la théorie de l'électrolyse. Puis, en électrostatique, il vérifia, en 1843, la conservation de l'électricité, donna la théorie de l'électrisation par influence et montra qu'un conducteur creux *(cage de Faraday)* forme écran pour les actions électriques.

Larousse

Michael **Faraday**

FARADIQUE adj. Se dit d'un courant d'induction employé en thérapeutique.

FARADISATION n. f. Utilisation médicale de courants de haute tension.

FARAMINEUX, EUSE adj. *Fam.* Étonnant, extraordinaire : *des prix faramineux.* (On écrit parfois PHARAMINEUX.)

FARANDOLE n. f. (prov. *farandoulo*). Danse provençale à 6/8, exécutée par une chaîne alternée de danseurs et de danseuses, avec accompagnement de galoubets et de tambourins.

FARAS, site archéologique en Nubie* soudanaise, ancienne capitale du royaume de Nobatia. Grâce à des fouilles polonaises, l'ancienne cathédrale, fondée au début du VIIIe s., a été dégagée et d'importantes peintures murales, bien conservées, ont été découvertes (musée de Khartoum et Musée national de Varsovie). D'autres recherches effectuées en Nubie prouvent l'influence de ce grand centre artistique chrétien entre le VIIIe et le XIIIe s.

FARAUD, E adj. et n. (anc. prov. *faraute,* héraut). *Fam.* Fanfaron, prétentieux.

FARAZDAQ (al-), poète arabe (v. 640 - Bassora v. 730). Représentant typique de la poésie des nomades d'Arabie orientale sous la dynastie omeyyade, il fut le rival de Djarīr*.

FARCE n. f. (lat. *farcire,* remplir). Hachis d'herbes, de légumes et de viande, qu'on met dans l'intérieur d'une volaille, d'un poisson, d'un légume. ‖ Bon tour joué à qqn pour se divertir; blague : *faire une farce à qqn.* ‖ *Littér.* Au Moyen Âge, intermède comique dans la représentation d'un mystère; à partir du XIIIe s., petite pièce comique qui présente une peinture satirique des mœurs et de la vie quotidienne. ◆ adj. inv. Drôle, comique (vx).

FARCEUR, EUSE n. Personne qui fait rire par ses propos, ses bouffonneries. ‖ Personne qui n'agit pas sérieusement.

FARCI, E adj. Se dit d'un mets préparé avec une farce.

FARCIENNES, comm. de Belgique (Hainaut), à l'E. de Charleroi; 12 000 hab.

FARCIN n. m. (lat. *farcimen,* farce). *Vétér.* Forme cutanée de la morve, chez le cheval.

FARCIR v. t. (lat. *farcire*). Remplir de farce un mets : *farcir un poulet.* ‖ Bourrer, surcharger : *farcir un discours de citations.* ◆ **se farcir** v. pr. *Pop.* Faire une chose désagréable; supporter qqn.

FARCOT (Joseph), ingénieur français (Paris 1823 - Saint-Ouen 1906). Il contribua aux progrès des machines à vapeur par nombre d'inventions, notamment par un générateur de vapeur à faisceau de tubes et foyer mobiles, réunissant à la fois les systèmes tubulaires et cylindriques (1854), et surtout le servomoteur ou moteur asservi (1868).

FARD n. m. (mot francique). Produit coloré dont on se sert pour donner plus d'éclat au visage. ● *Parler sans fard* (vx), sans feinte, directement. ‖ *Piquer un fard* (Fam.), rougir.

FARDAGE n. m. *Comm.* Action de farder.

FARDE n. f. En Belgique, cahier de copies; chemise, dossier.

FARDEAU n. m. (mot ar.). Ce qui pèse lourdement : *porter un fardeau sur ses épaules.* ‖ Charge difficile à supporter, poids : *le fardeau des impôts.* ● *Le fardeau des ans* (Litt.), la vieillesse.

FARDER v. t. Mettre du fard : *farder le visage d'un acteur.* ‖ *Comm.* Couvrir des produits défectueux par des produits de choix, pour flatter l'œil de l'acheteur. ● *Farder la vérité,* cacher ce qui peut déplaire. ◆ **se farder** v. pr. Se mettre du fard sur le visage.

FARDIER n. m. Voiture à roues très basses, qui sert au transport de charges très lourdes.

FARÉBERSVILLER (57450), comm. de la Moselle, à 10 km au S. de Forbach; 7 122 hab.

FAREL (Guillaume), réformateur français (Les Fareaux, comm. de Gap, 1489 - Neuchâtel 1565). Il introduisit Calvin à Genève en 1536; après l'échec de leur apostolat, en 1538, il s'établit à Neuchâtel, dont il dirigea l'Église jusqu'à sa mort.

FARET (Nicolas), écrivain français (Bourg-en-Bresse 1596 ou 1600 - Paris 1646), qui contribua à fixer les règles de la politesse mondaine et courtisane (*l'Honnête Homme ou l'Art de plaire à la cour,* 1630).

FAREWELL, cap au S. du Groenland.

FARFADET n. m. (mot prov.). Lutin, esprit follet.

FARFELU, E adj. *Fam.* Bizarre, extravagant, fantasque : *projet farfelu.*

FARFOUILLER v. i. *Fam.* Fouiller en mettant tout sens dessus dessous.

FARGUES n. f. pl. Bordage supérieur d'une embarcation dans lequel sont pratiquées les dames de nage. ‖ Pavois de protection au-dessus du pont découvert, à l'extrémité avant d'un navire.

FARGUE (Léon-Paul), poète français (Paris 1876 - *id.* 1947). Fondateur, en 1923, avec Paul Valéry et Valery Larbaud, de la revue *Commerce,* il se fit le chantre de sa ville natale (*le Piéton de Paris,* 1939).

FARIBOLE n. f. (mot dialect.; anc. fr. *falourde,* tromperie). *Fam.* Propos sans valeur, frivole.

FARINA (Jean-Marie ou Giovanni Maria), chimiste italien (Santa Maria Maggiore, prov. de Novare, 1685 - Cologne 1766). Négociant en denrées exotiques, il fabriqua l'*eau de Cologne.*

FARINACÉ, E adj. Qui a la nature ou l'apparence de la farine.

FARINAGE n. m. Altération d'une peinture qui, sous l'action d'agents atmosphériques, se recouvre de fine poussière peu adhérente.

FARINE n. f. (lat. *farina*). Poudre provenant de la mouture des grains de céréales et de certaines légumineuses. ● *Farine de bois,* produit obtenu par la fragmentation de copeaux et de sciures, utilisé comme abrasif, comme produit de nettoyage, etc.

FARINELLI (Carlo BROSCHI, dit), chanteur italien (Andria, Apulie, 1705 - Bologne 1782). L'un des plus célèbres castrats du XVIIIe s., cet ami du poète Métastase remporta des triomphes sur les scènes européennes (Vienne, Londres, Paris, Madrid), avant de se fixer dans son palais de Bologne.

FARINER v. t. Saupoudrer de farine.

FARINEUX, EUSE adj. Qui contient de la farine ou de la fécule. ‖ Qui est ou semble couvert de farine. ‖ Qui a l'aspect ou le goût de la farine.

E. Duscher-Pitch

farlouse

FARINEUX n. m. Végétal alimentaire pouvant fournir une farine (graines des céréales, des légumineuses, etc.).

FARLOUSE n. f. Oiseau passereau commun dans les prés, à plumage jaunâtre rayé de brun. (La farlouse appartient au genre *pipit.* Long. 15 cm.)

FARMAN, aviateurs et industriels français. — HENRI (Paris 1874 - *id.* 1958) réussit en 1908 le premier kilomètre en avion en circuit fermé et le premier vol de ville à ville (de Bouy à Reims). Il créa en 1911, à Toussus-le-Noble, la première école de pilotage sans visibilité et, en 1919, une des premières compagnies aériennes ouvertes au public. — Son frère MAURICE (Paris 1877 - *id.* 1964) créa, avec lui, une entreprise de construction aéronautique qui produisit de nombreux avions et hydravions militaires et commerciaux.

FARNBOROUGH, v. de Grande-Bretagne, au S.-O. de Londres; 41 000 hab. Exposition aéronautique bisannuelle.

FARNÈSE, famille romaine qui tire son nom du Castrum Farneti (Latium), siège de ses possessions (XIIe-XIVe s.). On compte parmi ses membres : ALESSANDRO (Canino 1468 - Rome 1549), pape sous le nom de Paul III (1534-1549), qui donna à son fils, PIER LUIGI (1490-1547), l'investiture des duchés de Parme et de Plaisance (1545); ALESSANDRO (Valentano 1545 - Rome 1592), fils de Marguerite d'Autriche et petit-fils de Charles Quint, qui fut duc de Parme et de Plaisance (1586-1592) et gouverneur des Pays-Bas (1578-1592); il s'illustra au service de Philippe II d'Espagne, dans sa lutte contre les Turcs, les Pays-Bas et la France; ELISABETTA (1692-1766), nièce d'ANTONIO, dernier duc de Parme (1727-1731), qui épousa Philippe V d'Espagne en 1714 et transmit le duché à son fils Philippe (1748).

Farnèse *(palais).* Deux palais de la famille Farnèse retiennent particulièrement l'attention : celui de Rome, entrepris en 1515 pour Alessandro, futur Paul III, par A. da Sangallo* le Jeune, achevé par Michel-Ange (étage supérieur) et Della Porta (loggia arrière, 1589), décoré par les Carrache de scènes mythologiques sur le thème de l'amour (voûte de la galerie), et aujourd'hui siège de l'ambassade de France et de l'École française de Rome; celui de Caprarola (près de Viterbe), construit de 1559 à 1573, par Vignole, pour un autre cardinal Alessandro Farnèse, pentagone inscrit dans une scénographie ascensionnelle, avec cortile circulaire et salles décorées de fresques par Federico Zuccari (1529-1566) et d'autres artistes, aujourd'hui résidence d'été du président de la République italienne.

FARNIENTE [farnjɛnte *ou* farnjɛ̃t] n. m. (it. *fare,* faire, et *niente,* rien). *Fam.* Douce oisiveté.

FARON *(mont),* sommet calcaire de Provence (542 m), au N. de Toulon. Un musée du débarquement franco-américain en Provence, en 1944, y a été érigé en 1964.

FAROUCH n. m. (mot prov.). Autre nom du TRÈFLE INCARNAT.

FAROUCHE adj. (lat. *forasticus,* étranger). Qui fuit quand on l'approche; sauvage : *un animal farouche.* ‖ Se dit de qqn peu sociable, dont l'abord est difficile : *enfant farouche.* ‖ Violent ou qui exprime la violence : *haine, air farouche.*

FAROUCHEMENT adv. D'une manière farouche.

FAROUK (Le Caire 1920 - Rome 1965), roi d'Égypte (1936-1952) et roi du Soudan (1951-1952). La révolution de 1952 le contraignit à abdiquer.

FARQUHAR (George), acteur et auteur dramatique anglais (Londonderry, Irlande, 1678 - Londres 1707). Ses comédies valent surtout par l'habileté de l'intrigue (*le Sergent recruteur,* 1706; *le Stratagème des petits-maîtres,* 1707).

Henri **Farman**

Monde et Camera

FARRAGUT (David Glasgow) → SÉCESSION *(guerre de).*

FARRELL (James Thomas), écrivain américain (Chicago 1904 - New York 1979), disciple de Dreiser et adepte du réalisme, dans un cycle romanesque qui peint les aventures de son héros, Studs Lonigan (*Young Lonigan,* 1932; *le Jugement dernier,* 1935), et dans ses récits autobiographiques qui évoquent les quartiers pauvres de Chicago (*Un monde que je n'ai jamais fait,* 1936).

FARRELL (Roberta Sue FICKER, dite **Suzanne**), danseuse américaine (Cincinnati 1945). Devenue, au sein du New York City Ballet et sous la direction de George Balanchine, une des plus grandes danseuses classiques contemporaines (*Jewels,* 1967; *Concerto en « sol »,* 1975), elle a pu démontrer toute l'étendue de son talent dans sa collaboration avec Béjart (*Golestan,* 1974).

FARRUKHĀBĀD, v. de l'Inde (Uttar Pradesh), près du Gange; 161 000 hab.

FĀRS ou **FĀRSISTĀN,** ancienne province de l'Iran, pays d'origine des Perses, dont le souvenir est perpétué par les ruines de Pasargades et de Persépolis.

le palais **Farnèse** à Rome

Lauros

FART [fart] n. m. (mot scandin.). Corps gras dont on enduit les semelles de skis pour les rendre plus glissantes.

FARTAGE n. m. Action de farter.

FARTER v. t. Enduire de fart.

FAR WEST (« Ouest lointain »), nom donné par les Américains, pendant le XIXe s., aux territoires de l'ouest des États-Unis situés au-delà du Mississippi.

FASCE [fas] n. f. (lat. *fascia,* bande). *Archit.* Sorte de bandeau plat. ‖ *Hérald.* Pièce honorable constituée par une bande horizontale occupant le milieu de l'écu.

FASCIA [fasja] n. m. (mot lat., *bande*). *Anat.* Formation aponévrotique qui recouvre des muscles ou des organes.

FASCIATION [fasjasjɔ̃] n. f. *Bot.* Anomalie des plantes chez lesquelles certains organes s'aplatissent et se groupent en faisceaux.

FASCICULE [fasikyl] n. m. (lat. *fasciculus,* petit paquet). Chacune des livraisons d'un ouvrage publié par parties successives. ● *Fascicule de mobilisation,* document indiquant à un réserviste ce qu'il doit faire en cas de mobilisation.

FASCICULÉ, E adj. Réuni en faisceau. ‖ *Archit.* Se dit d'un pilier composé d'au moins cinq colonnes jointives. ● *Racine fasciculée* (Bot.), celle où l'on ne peut distinguer l'axe principal, ou pivot.

FASCIÉ, E [fasje] adj. (lat. *fascia,* bandelette). *Hist. nat.* Marqué de bandes : *élytres fasciés.*

FASCINAGE n. m. Action d'établir des fascines; ouvrage ainsi réalisé.

FASCINANT, E adj., ou **FASCINATEUR, TRICE** adj. et n. Qui subjugue : *regard fascinateur.*

FASCINATION n. f. Action de fasciner. ‖ Attrait irrésistible : *la fascination du pouvoir.*

FASCINE [fasin] n. f. (lat. *fascina*). Fagot. ‖ Assemblage de branchages pour combler les fossés, empêcher l'éboulement des terres, etc.

FASCINER [fasine] v. t. Garnir de fascines.

FASCINER [fasine] v. t. (lat. *fascinare;* de *fascinum,* enchantement). Attirer irrésistiblement l'attention par sa beauté, son charme, etc.; séduire, charmer : *fasciner ses auditeurs.*

FASCISANT, E [faʃizɑ̃, ɑ̃t] adj. Qui tend vers le fascisme : *une idéologie fascisante.*

FASCISATION n. f. Introduction de méthodes fascistes dans un pays.

FASCISER v. t. Rendre fasciste.

FASCISME [faʃism] n. m. (it. *fascismo*). Régime établi en Italie de 1922 à 1945, fondé par Mussolini sur la dictature d'un parti unique, l'exaltation nationaliste et le corporatisme. ‖ Doctrine et pratiques visant à établir un régime hiérarchisé et totalitaire.

■ Issu de la crise économique, politique et sociale qui suit, en Italie, la Première Guerre mondiale, le fascisme apparaît dès 1919 avec la création par Mussolini* des *Faisceaux italiens de combats.* Les membres de ces milices fascistes, les « Chemises noires », appartiennent à la moyenne bourgeoisie et se regroupent d'abord autour d'un programme socialisant assez vague, mais déjà essentiellement nationaliste. Face à la montée des troubles sociaux (émeutes, grèves) et aux progrès du socialisme, l'orientation du mouvement se modifie rapidement et rejoint les thèmes traditionnels de l'extrême droite nationaliste, antiparlementaire et anticommuniste. Les fascistes se posent en défenseurs de l'ordre, brisent les grèves et se livrent à de violentes mesures de représailles contre les dirigeants de gauche. Bénéficiant de l'appui des banquiers et des industriels, et de la caution de l'armée, le mouvement s'implante solidement dans le pays, en particulier dans les classes moyennes. Constitué en parti, il remporte un succès électoral important en 1921, puis parvient au pouvoir à la faveur d'une crise ministérielle, à laquelle le roi Victor-Emmanuel III met fin en nommant Mussolini Premier ministre (oct. 1922). La « marche sur Rome », organisée par les Faisceaux, consacre la victoire du fascisme, qui établit progressivement une véritable dictature. La réforme électorale mise en place par Mussolini assure une large majorité aux fascistes à partir de 1924 et brise pratiquement l'opposition. Après l'assassinat du dirigeant socialiste Giacomo Matteotti, les partis politiques sont dissous, la presse totalement censurée et les chefs politiques exilés. Le nouveau régime repose sur une idéologie sommaire (culte du chef [le Duce], de l'obéissance et de l'État) et s'appuie sur le parti unique, chargé de la propagande et de l'encadrement des citoyens (en particulier de la jeunesse) dans diverses organisations hiérarchisées, de style militaire. Des manifestations spectaculaires renforcent l'impact idéologique du régime. Le contrôle de l'État, omniprésent, se manifeste sur le plan économique par l'organisation corporative des métiers, à laquelle sont soumis patrons et ouvriers. Les réalisations intérieures du régime (bonification des marais Pontins, industrialisation accélérée, autostrades) ne suffisent pas à résoudre les problèmes économiques et sociaux, qui s'aggravent avec la crise de 1929 (chômage, inflation). A l'extérieur, Mussolini engage le pays dans une politique d'expansion (colonisation de la Libye, 1922-1933; conquête de l'Éthiopie, 1935-36), dans le but de créer un domaine colonial qui restaurerait l'ancien Empire romain. Allié de l'Espagne franquiste et de l'Allemagne (« pacte d'acier », 1939), il s'engage dans la guerre aux côtés de Hitler dès 1940, malgré une grande opposition intérieure. Les échecs militaires successifs discréditent le régime, qui perd progressivement le soutien des principaux chefs fascistes. Ceux-ci s'opposent à la poursuite des opérations militaires et à la prolongation de la dictature (juill. 1943). Arrêté, après sa démission, puis libéré par les Allemands, Mussolini tente de reconstituer en Italie du Nord un fascisme « régénéré » et proclame une « République sociale italienne », contrôlée par l'Allemagne. Mais la défaite allemande, en 1945, provoque l'effondrement définitif du fascisme italien.

FASCISTE [faʃist] adj. et n. Qui appartient au fascisme. ‖ Partisan d'un régime dictatorial.

FASEYER (conj. 2) v. i. (néerl. *faselen,* agiter). *Mar.* En parlant d'une voile, flotter, battre au vent.

FASSBINDER (Rainer Werner), cinéaste allemand (Bad Wörishofen 1945 - Munich 1982). Il fut l'un des principaux chefs de file du renouveau du cinéma allemand : *le Mariage de Maria Braun* (1979), *Lili Marleen* (1980), *Querelle* (1982).

FASTE n. m. (lat. *fastus,* orgueil). Déploiement de magnificence, de luxe : *le faste d'une cérémonie.*

FASTE adj. (lat. *fastus;* de *fas,* ce qui est permis). Se disait, chez les Romains, d'un jour où il était permis de vaquer aux affaires publiques. ● *Jour faste,* jour heureux.

FASTES n. m. pl. Tables chronologiques des anciens Romains : *les fastes consulaires.* ‖ *Litt.* Histoire d'actions mémorables.

Fastes *(les),* poème inachevé d'Ovide (3 - 8 apr. J.-C.), qui, pour chaque jour de l'année, décrit les phénomènes célestes et les fêtes, dont il relate l'origine et le cérémonial.

FAST FOOD [fastfud] n. m. (mot amér., *nourriture rapide*) [pl. *fast foods*]. Restauration rapide. ‖ Établissement fonctionnant selon ce système. (L'Administration préconise PRÊT-À-MANGER.)

FASTIDIEUSEMENT adv. De façon fastidieuse.

FASTIDIEUX, EUSE adj. (lat. *fastidiosus;* de *fastidium,* ennui). Qui cause de l'ennui, du dégoût par sa monotonie : *travail fastidieux.*

FASTIGIÉ, E [fastiʒje] adj. (lat. *fastigium,* faîte). *Bot.* Se dit des arbres dont les rameaux s'élèvent vers le ciel, comme chez les cyprès.

FASTNET, îlot de la côte sud-ouest de l'Irlande. Il a donné son nom à une compétition de yachting qui part de Cowes et rejoint Plymouth.

FASTOLF (*sir* John), capitaine anglais (v. 1378-Caister 1459). Il se distingua à Azincourt (1415). Gouverneur du Maine et de l'Anjou (1423-1426), il fut victorieux à Verneuil (1424), mais fut vaincu par Jeanne d'Arc à Patay (juin 1429). Il inspira le Falstaff de Shakespeare.

FASTUEUSEMENT adv. Avec faste.

FASTUEUX, EUSE adj. Qui étale un grand faste : *mener une vie fastueuse.*

FAT [fat *ou* fa] n. et adj. m. (mot prov.; du lat. *fatuus,* sot). *Litt.* Personnage vaniteux, satisfait de lui-même.

FATAL, E, ALS adj. (lat. *fatalis;* de *fatum,* destin). Fixé d'avance, qui doit arriver inévitablement : *le terme fatal de notre vie; conséquence fatale.* ‖ Qui entraîne inévitablement la ruine, la mort : *erreur fatale; coup fatal.* ● *Femme fatale,* qui attire irrésistiblement.

FATALEMENT adv. De façon fatale; inévitablement : *cela devait fatalement arriver.*

FATALISME n. m. Doctrine considérant tous les événements comme irrévocablement fixés d'avance par une cause unique et surnaturelle.

FATALISTE adj. et n. Qui s'abandonne sans réaction aux événements : *mentalité fataliste.*

FATALITÉ n. f. Force surnaturelle qui déterminerait les événements. ‖ Caractère fatal : *la fatalité de la mort.* ‖ Coïncidence fâcheuse, hasard malencontreux.

Fath *(al-)* → PALESTINIENNE *(résistance).*

FATHPUR-SIKRI, ville morte de l'Inde à 38 km d'Āgrā. V. ĀGRĀ.

FATIDIQUE adj. (lat. *fatidicus*). Marqué par le destin : *date, jour fatidique.*

FATIGABILITÉ n. f. Propension plus ou moins grande à être fatigué.

FATIGABLE adj. Sujet à la fatigue.

FATIGANT, E adj. Qui cause de la fatigue, épuisant : *marche fatigante.* ‖ Assommant, ennuyeux : *homme fatigant.*

FATIGUE n. f. (de *fatiguer*). Sensation pénible causée par l'effort, l'excès de dépense physique ou intellectuelle : *accablé par la fatigue.* ‖ Détérioration interne d'un matériau soumis à des efforts répétés supérieurs à la limite d'endurance, inférieurs à la limite d'élasticité.

FATIGUÉ, E adj. Qui marque la fatigue : *traits fatigués.* ‖ *Fam.* Défraîchi, usé : *vêtement fatigué.*

FATIGUER v. t. (lat. *fatigare*). Causer de la fatigue, de la lassitude. ‖ Affecter désagréablement : *le soleil fatigue la vue.* ‖ Ennuyer, importuner : *fatiguer qqn par ses questions.* ● *Fatiguer la salade,* la remuer après l'avoir assaisonnée. ◆ v. i. Donner des signes de fatigue. ‖ Supporter un effort : *poutre qui fatigue.* ◆ **se fatiguer** v. pr. Éprouver ou se donner de la fatigue. ‖ Se lasser de qqn, de qqch.

FÁTIMA, ville du centre ouest du Portugal (Estrémadure), au N.-E. de Lisbonne. C'est un lieu de pèlerinage, trois jeunes bergers ayant déclaré, en 1917, y avoir été témoins de six apparitions de la Vierge. La rédaction des révélations de Fátima, faite quelque vingt ans après les événements, pose de délicats problèmes critiques.

FĀṬIMA, fille de Mahomet* et de Khadīdja (La Mecque entre 605 et 611 - Médine 633). Épouse de 'Alī* et mère de Ḥasan et de Ḥusayn, elle n'a pas joué un rôle important dans l'islām naissant. Cependant, tous les musulmans la vénèrent et le chī'isme* l'a enveloppée d'un halo de croyances.

FĀṬIMIDES, dynastie musulmane qui régna en Afrique du Nord au Xe s., puis en Égypte de 973 à 1171. La dynastie est fondée par 'Ubayd Allāh (v. 862-934), qui prend le titre de *mahdī* en 910 à Raqqāda (d'où il chasse le dernier souverain arhlabide*); il instaure en Ifrīqiya le chī'isme* ismaélien*. Pour étendre leur domination en Afrique du Nord, les califes fāṭimides se heurtent à l'opposition des khāridjites* et des sunnites, qui, unis pendant la révolte de 943-947, faillirent renverser leur dynastie. Les Idrīsides* de Fès reconnaissent leur suzeraineté en 917. Mais ce n'est que sous le règne de al-Mu'izz Li-Dīn-Allāh (de 952 à 975) que l'Ouest est soumis jusqu'à l'Atlantique. Djawhar (†992) conquiert l'Égypte en 969 et fonde Le Caire*, où le calife s'installe en 973; à partir de l'Égypte, les Fāṭimides étendent leur domination sur La Mecque, Médine, et sur le Yémen; par contre, ils ne parviennent pas à s'établir solidement en Syrie et en Palestine; en Afrique du Nord, les Zīrides* rejettent leur suzeraineté en 1048. Les Fāṭimides instaurent une administration centralisée et une organisation fiscale stable; l'Égypte connaît alors une grande prospérité, mais elle n'est pas à l'abri des famines (1054-55; 1065-1072), dues à l'insuffisance des crues du Nil. L'époque est remarquable par sa tolérance religieuse (chrétiens et juifs accèdent à de hautes fonctions et même au vizirat). À partir du début du XIIe s., les problèmes de succession des califes — imāms de la communauté — créent des troubles graves. L'Égypte, affaiblie par les révoltes intérieures, ne peut résister aux attaques des croisés. Les vizirs ont acquis, depuis les années 1050, les pleins pouvoirs, et le dernier d'entre eux, Saladin*, renverse le calife en 1171.

FATRAS [fatra] n. m. (lat. *farsura,* remplissage). Amas confus de choses, ensemble incohérent : *un fatras de livres, d'idées.*

FATRASIE n. f. Genre littéraire du Moyen Âge, qui consiste en un assemblage de pièces satiriques.

FATTORI (Giovanni) → MACCHIAIOLI.

FATUITÉ n. f. Caractère du fat; sotte suffisance.

FATUM [fatɔm] n. m. (mot lat.). Fatalité, destin.

FAUBERT n. m. (néerl. *zwabber*). *Mar.* Balai de vieux cordages, pour sécher le pont des navires.

FAUBOURG n. m. (lat. *foris,* en dehors, et *bourg*). Quartier périphérique d'une ville (qui était, autref., hors de l'enceinte de celle-ci). ‖ Population, surtout ouvrière, qui habitait ces quartiers : *la révolte des faubourgs.*

FAUBOURIEN, ENNE adj. et n. Qui habite un faubourg populaire. ◆ adj. Relatif aux faubourgs : *accent faubourien.*

FAUCARD n. m. Faux à long manche, pour couper les herbes des rivières ou des étangs.

FAUCARDER v. t. (picard *fauquer,* faucher). Couper avec le faucard.

FAUCHAGE n. m. ou **FAUCHAISON** n. f. Action de faucher; temps où l'on fauche.

FAUCHARD n. m. Serpe à deux tranchants, que l'on utilise pour couper les branches d'un arbre. ‖ Arme d'hast dérivée de la faux (XIIIe-XVe s.).

FAUCHE n. f. Syn. de FAUCHAGE. ‖ *Pop.* Vol.

FAUCHÉ, E adj. et n. *Fam.* Sans argent.

FAUCHER v. t. Couper avec une faux : *faucher l'herbe d'un champ.* ‖ Abattre, détruire : *la grêle a fauché les blés.* ‖ *Pop.* Voler, dérober : *on lui a fauché sa montre.*

FAUCHET n. m. Râteau à dents de bois, pour amasser l'herbe fauchée.

FAUCHEUR, EUSE n. Personne qui fauche, qui coupe les foins, les céréales.

FAUCHEUSE n. f. Machine qui sert à faucher.

J. Six

faucheux

FAUCHEUX ou **FAUCHEUR** n. m. Animal voisin des araignées, à longues pattes fragiles, très commun dans les champs et les bois. (Sous-classe des opilions.)

FAUCIGNY, région des Préalpes du Nord, dans la Haute-Savoie, au N. de la vallée de l'Arve.

FAUCILLE n. f. (dimin. de *faux*). Instrument pour couper les herbes, qui consiste en une lame d'acier courbée en demi-cercle et montée sur un petit manche.

FAUCILLE *(col de la),* col du Jura, au N. de Gex; 1 320 m.

FAUCILLON n. m. Petite faucille.

FAUCOGNEY-ET-LA-MER (70310), ch.-l. de cant. de la Haute-Saône, à 13,5 km au N.-E. de Luxeuil-les-Bains; 750 hab. Anc. ville forte.

FAUCON n. m. (lat. *falco*). Oiseau rapace diurne, atteignant au plus 50 cm de long, adroit, puissant et rapide. (On dressait autref. les faucons pour la chasse.) ‖ Canon des XVIe-XVIIe s. ‖ Dans un gouvernement, une organisation politique, partisan d'une politique dure, allant jusqu'à la guerre. (Contr. COLOMBE.)

FAUCONNEAU n. m. Jeune faucon.

FAUCONNERIE n. f. Art de dresser les oiseaux de proie destinés à la chasse. ‖ Lieu où on les élève.

FAUCONNIER n. m. Celui qui dresse les oiseaux de proie pour la chasse.

faucons

Maes-Jacana

FAUCRE n. m. Support fixé sur le côté droit d'une armure, et qui servait à soutenir la lance.

FAUFIL n. m. Fil passé en faufilant.

FAUFILAGE n. m. Action de faufiler.

FAUFILER v. t. (anc. fr. *forfiler;* lat. *foris,* en dehors, et *filer*). Coudre provisoirement à longs points. ◆ **se faufiler** v. pr. Se glisser adroitement : *se faufiler dans une réunion.*

FAULKNER (William), écrivain américain (New Albany, Mississippi, 1897 - Oxford, Mississippi, 1962). « Vous êtes un gars de la campagne », lui avait dit Sherwood Anderson, en 1926, lors de longues promenades vespérales à La Nouvelle-Orléans, « tout ce que vous connaissez, c'est ce petit bout de terre, là-bas, dans le Mississippi, d'où vous êtes parti ». Faulkner suivra le conseil, abandonnant les thèmes chers à la génération artiste et désenchantée de l'après-guerre (*Monnaie de singe,* 1926; *Moustiques,* 1927) pour faire du « timbre-poste de son sol natal » la matière d'une épopée : le comté imaginaire de Yoknapatawpha, sublimation du Sud névrosé et poussiéreux, constituera le véritable cadre de sa vie recluse, et la chronique minutieuse de quelque 15 611 personnages (6 298 Blancs et 9 313 Noirs) aura pour lui plus de consistance que l'histoire réelle des États-Unis (*Sartoris,* 1927; *le Bruit* et la Fureur,* 1929; *Tandis* que j'agonise,* 1930; *Sanctuaire*,* 1931; *Lumière d'août,* 1932; *Pylône,* 1935; *Absalon*! Absalon!,* 1936; *l'Invaincu,* 1938; *le Hameau,* 1940; *Descends, Moïse,* 1942; *l'Intrus,* 1948; *la Ville,* 1957; *le Domaine,* 1959; *les Larrons,* 1962). Romancier du Sud, Faulkner n'est pas à proprement parler un romancier « sudiste » : il est à la fois fasciné et horrifié par la décadence de son pays, cette malédiction qui enchaîne les Noirs et les Blancs, et chaque aventure individuelle n'est que le symbole du drame collectif. On comprend que le temps de son récit soit dépourvu de dynamique et qu'il soit orienté vers un âge d'or perdu (la nature sauvage, antérieure à l'homme) : jaillissant de la faute originelle — traduisible en termes historiques (la spoliation des Indiens, l'esclavage des Noirs, la destruction de la nature par les Blancs) et transmissible comme une tare, de génération en génération —, le temps se perd dans les méandres d'une conscience trouble. D'où sa redécouverte dans un mouvement qui reproduit plus la démarche aléatoire de la psychanalyse que la causalité nécessaire du roman réaliste; d'où les plis et les replis de la phrase faulknérienne (proche de celle de Proust ou de Virginia Woolf), qui voile plutôt qu'elle décrit, et fonde une « rhétorique de l'opacité »; d'où la tonalité profonde de l'œuvre, plus proche de la cosmogonie que de la comédie humaine. (Prix Nobel 1949.)

William **Faulkner**

Harlingue-Roger-Viollet

FAULQUEMONT (57380), ch.-l. de cant. de la Moselle, à 13 km au S.-O. de Saint-Avold; 5 873 hab. Métallurgie.

FAUNE n. m., **FAUNESSE** n. f. (lat. *faunus*). Divinité champêtre, chez les Romains.

FAUNE n. f. Ensemble des espèces animales que renferme une région, un milieu : *la faune alpestre.* ‖ Ouvrage décrivant les animaux d'un pays. ‖ *Péjor.* Groupe de personnes très caractéristiques qui fréquentent les mêmes endroits : *la faune de Saint-Germain-des-Prés.*

FAUNESQUE adj. Relatif, ressemblant aux faunes.

FAUNIQUE adj. Relatif à la faune.

FAUQUEMBERGUES (62560), ch.-l. de cant. du Pas-de-Calais, sur l'Aa, à 22 km au S.-O. de Saint-Omer; 884 hab.

FAURE (Félix), homme politique français (Paris 1841 - *id.* 1899). Républicain modéré, il est plusieurs fois ministre avant d'être élu président de la République (1895); il contribue au renforcement de l'alliance franco-russe. Lors de ses obsèques (23 févr. 1899), Déroulède tente vainement de provoquer un coup d'État nationaliste.

FAURE (Élie), essayiste et historien d'art français (Sainte-Foy-la-Grande 1873 - Paris 1937), frère du précédent. Il a publié de nombreux ouvrages, dont les principaux demeurent son *Histoire de l'art* (1909-1921) et *l'Esprit des formes* (1927), qui ne se contentent pas d'étudier l'œuvre d'art en soi, mais la replacent dans les courants de civilisation qui l'ont vue naître.

FAURE (Edgar), juriste et homme politique français (Béziers 1908 - Paris 1988). Député radical-socialiste, plusieurs fois ministre à partir de 1948, président du Conseil (en 1952 et 1955), il fut élu sénateur en 1959. Il se rapprocha ensuite du général de Gaulle, devint ministre de l'Agriculture (1966), puis de l'Éducation nationale (1968) et prépara une réforme de l'enseignement supérieur (loi d'orientation). Il présida l'Assemblée nationale de 1973 à 1978. Député au Parlement européen (juin 1979, réélu en juin 1984), sénateur du Doubs (à partir de 1980), il fut, de 1974 à 1981, puis de 1982 à sa mort, président du Conseil régional de Franche-Comté. (Acad. fr., 1978.)

FAURÉ (Gabriel), compositeur français (Pamiers 1845 - Paris 1924). Élève de l'école Niedermeyer, il deviendra, en 1905, directeur du Conservatoire de Paris. Atteint de surdité précoce, il demeure pourtant le grand spécialiste du piano et de la voix. Son style évolue du charme à l'austérité contrapuntique. En marge de quelques partitions de musique de scène *(Pelléas et Mélisande),* d'un célèbre *Requiem* (1888), de l'oratorio profane *Prométhée* (1900) et de l'opéra *Pénélope* (1913), Fauré enrichit la littérature de piano de nocturnes, barcarolles, valses-caprices, impromptus, préludes et d'un *Thème et variations* qui, issus de Mendelssohn et de Schumann, évoluent vers un art dépouillé et raffiné. Outre une centaine de mélodies, il a confié à la voix plusieurs cycles *(la Bonne Chanson, la Chanson d'Ève, l'Horizon chimérique)* qui, prenant pour point de départ la romance, aboutissent à un poème lyrique tout de tendresse. On lui doit encore de la musique de chambre (sonates, trio, quatuors).

FAUSSAIRE n. Personne qui commet, fabrique un faux.

FAUSSEMENT adv. Contre la vérité.

FAUSSER v. t. (de *faux*). Déformer un corps solide par une pression excessive : *fausser une clef.* ‖ Donner une fausse interprétation, déformer, altérer : *fausser un résultat.* ‖ Rendre faux; détruire la justesse, l'exactitude de : *fausser le jugement, le sens d'une loi.* ● *Fausser compagnie à qqn* (Fam.), le quitter sans prendre congé. ‖ *Fausser l'esprit de qqn,* lui inculquer des raisonnements faux.

FAUSSE-ROUTE n. f. (pl. *fausses-routes*). *Méd.* Passage d'aliments dans la trachée.

Fausses Confidences *(les),* comédie en trois actes, en prose, de Marivaux (1737).

FAUSSET n. m. (de *faux*). Voix aiguë, dite aussi *voix de tête.*

FAUSSET n. m. (anc. fr. *fausser,* percer). Cheville bouchant le trou fait à un tonneau avec un foret en vue de goûter le vin.

FAUSSETÉ n. f. Caractère de ce qui est faux.

Faust, héros d'innombrables œuvres littéraires, musicales et plastiques. Il serait issu d'un humaniste allemand vivant à Knittlingen, au début du XVIe s., et qui passait pour sorcier. L'imagination populaire (*Historia von D. Johann Fausten,* 1587) donna très vite au personnage une dimension mythique, mais ambiguë (Faust ne croit pas en Dieu, mais suffisamment au diable pour lui vendre son âme en échange du savoir et des biens terrestres), bientôt fixée par la pièce de Christopher Marlowe (composée entre 1588 et 1593) et le théâtre forain allemand. Faust devient alors pour les écrivains un merveilleux test projectif, qu'ils en fassent le symbole de la connaissance dévoyée, le héros ambitieux de la conquête du savoir contre les puissances obscures (Lessing, Klinger) ou le porte-parole de leurs angoisses et de leurs fantasmes (Chamisso, Lenau) — le *Faust** de Goethe donnant une vision panoramique de la légende, qui la consacre comme le grand mythe national allemand jusqu'au *Doktor Faustus* (1947) de Thomas Mann. Vu à travers l'opposition essentielle des séductions de la vie et du dégoût de l'être (Valéry, *Mon Faust,* 1941-1945) ou les parcours multipliés d'une œuvre « mobile » (Michel Butor et Henri Pousseur, *Votre Faust,* 1964), le personnage de Faust apparaît surtout, comme celui de Don* Juan, un matériau malléable dans lequel chacun peut façonner son mythe personnel.

Faust, drame de Goethe, qui travailla à cette œuvre de 1773 à 1832. Les quelques scènes écrites en 1773-74 forment le « Faust originel » *(Urfaust),* publié en 1887. En 1790, Goethe fit paraître un *Fragment,* complété en 1797 et qui, achevé en 1808, forme la première partie du drame *(Faust, eine Tragödie).* La seconde partie commence avec l'épisode d'*Hélène* (1826); la version publiée en 1832 n'était pas, dans l'esprit de Goethe, définitive. Le nœud de l'action est un pari engagé entre Méphistophélès, qui se fait fort de ravaler Faust au niveau de la brute, et le Seigneur, qui affirme que Faust résistera à la tentation. La première partie du drame peint essentiellement la séduction et l'abandon de Marguerite, qui sera sauvée par son repentir. Dans la seconde partie, Faust, introduit dans le monde de l'Hellade mythique, prend Hélène comme épouse et obtient son salut, car il « n'a jamais cessé de tendre vers un idéal ».

Le drame de Goethe a inspiré de nombreux musiciens. Berlioz, sous le titre de *Huit Scènes de Faust* (1828), puis de *la Damnation de Faust* (1846), a écrit une légende dramatique en quatre parties, sur un livret de sa composition. Il a animé une succession de tableaux pittoresques ou poétiques, avec le soutien d'un orchestre coloré. F. Liszt a dépeint les trois principaux personnages de l'ouvrage littéraire dans sa *Faust-Symphonie* (1853), tandis qu'à la même époque Schumann tirait du sujet un oratorio. Quant à Gounod, il réalisa, sur un livret de J. Barbier et M. Carré, un opéra de demi-caractère (1859), insistant sur l'aspect sentimental du drame à travers une série d'airs qui restent célèbres.

Gabriel **Fauré,** par J. S. Sargent.
(Coll. Fauré-Frémiet.)

Larousse

FAUSTIN Ier → SOULOUQUE.

FAUTE n. f. (bas lat. *fallita;* de *fallere,* tromper). Manquement au devoir, à une règle, à la morale. ‖ Manquement aux règles d'une science, d'un art, d'un sport, etc.; maladresse : *faute de grammaire; faute de frappe.* ‖ *Dr.* Acte ou omission constituant un manquement à une obligation contractuelle ou légale. ● *Double faute,* au tennis, le fait de manquer deux services consécutifs. ‖ *Faire faute,* manquer. ‖ *Faute lourde* (Dr. adm.), celle qui, dans certains domaines de l'action administrative, se caractérise notamment par sa gravité et son caractère inexcusable. ‖ *Ne pas se faire faute de,* ne pas manquer de. ‖ *Sans faute,* à coup sûr. ◆ loc. prép. *Faute de,* par l'absence de.

FAUTER v. i. *Fam.* et *vx.* Se laisser séduire, en parlant d'une jeune fille, d'une femme.

FAUTE-SUR-MER (La) [85460 L'Aiguillon sur Mer], comm. de la Vendée; 695 hab. Station balnéaire.

FAUTEUIL n. m. (mot francique). Siège à bras et à dossier. ‖ Place à l'Académie française. ● *Arriver dans un fauteuil* (Fam.), arriver facilement premier dans une compétition.

FAUTEUR, TRICE n. (lat. *fautor,* qui favorise). *Fauteur de troubles, de guerre* (Péjor.), celui qui provoque des troubles, une guerre.

FAUTIF, IVE adj. et n. Qui est en faute, coupable. ◆ adj. Qui contient des fautes : *liste fautive.*

FAUTIVEMENT adv. Par erreur, par faute.

FAUTRIER (Jean), peintre français (Paris 1898-Châtenay-Malabry 1964). Il se fait connaître, vers 1925, par des tableaux de tonalité sombre et triste, mais d'un métier subtil (nus, animaux...), et évolue plus tard vers une abstraction « matiériste » ou « informelle » dans ses séries d'*Otages* (exposés en 1945), d'*Objets* (1955), de *Nus* (1956), d'une pâte et d'un coloris raffinés. Il a également donné des modelages et des gravures.

FAUVE adj. (mot germ.). D'une couleur qui tire sur le roux. ● *Bête fauve,* quadrupède dont le pelage tire sur le roux et qui vit à l'état sauvage dans les bois (cerf, daim, etc.). ‖ *Odeur fauve,* forte et animale.

FAUVE n. m. Couleur fauve. ‖ Animal sauvage de grande taille, comme le lion, le tigre, etc. ‖ Peintre appartenant au courant du fauvisme.

Varin-Visage-Jacana

fauvettes

FAUVERIE n. f. Endroit d'une ménagerie où se trouvent les fauves.

FAUVETTE n. f. (de *fauve*). Oiseau passereau de plumage fauve, au chant agréable, insectivore, commun dans les buissons. (Long. 15 cm; famille des sylvidés.)

FAUVILLE-EN-CAUX (76640), ch.-l. de cant. de la Seine-Maritime, à 14 km au N.-O. d'Yvetot; 1 751 hab.

FAUVISME n. m. Courant pictural français du début du XXe s.

■ Les peintres exposant en 1905, au Salon d'automne, dans une salle qui connaît le scandale sous l'appellation ironique de « cage aux fauves », se signalent par les couleurs hautes et pures qu'ils emploient ainsi que par des formes énergiques et simplifiées. Par l'irréalisme de la couleur et les déformations, ils se rapprochent de l'expressionnisme* allemand sans en avoir le ton dramatique. Ils poursuivent ce qu'ils ont appris des toiles de Van Gogh et de Gauguin, et aussi du néo-impressionnisme*, mettant en œuvre l'enseignement de Gustave Moreau* aux Beaux-Arts (Matisse*, Marquet*, Valtat, Camoin, Manguin), ou se livrant à leur instinct sans souci de style (Vlaminck* et, de manière plus raisonnée, Derain*). Leur projet est d'exprimer les sensations de l'artiste et de remuer « le fond sensuel des hommes ». Loin d'être monolithique, le fauvisme est fait de tempéraments variés, qui auront chacun leur évolution propre. Entre Matisse et Vlaminck, Marquet et Derain, Dufy* et Friesz*, Van Dongen* et, passagèrement, Braque* et Rouault*, il y a un précurseur, Louis Valtat (1869-1952), ainsi que des coloristes méditerranéens, Henri Manguin (1874-1949), dont les paysages, les natures mortes et les fleurs se veulent bonheur de vivre, Charles Camoin (1879-1965), influencé par Cézanne puis par Renoir, Auguste Chabaud (1882-1955), au style énergique et contrasté. Mais, pour les plus importants d'entre eux, un mouvement de décantation, un effort de rigueur se font jour dès 1908-1910. (V. ill. p. 543.)

FAUX n. f. (lat. *falx, falcis*). Lame d'acier recourbée, fixée à un manche, et dont on se sert pour faucher. ● *Faux du cerveau* (Anat.), repli courbe de la dure-mère qui sépare les deux hémisphères du cerveau.

FAUX, FAUSSE adj. (lat. *falsus,* trompé). Contraire à la vérité, à l'exactitude : *un faux témoignage.* ‖ Qui n'est pas ce qu'il devrait être; feint, simulé, contrefait, imité : *fausse douceur; fausse monnaie; fausses dents, faux cils.* ‖ Contre la bonne foi : *fausse promesse.* ‖ Qui n'a que l'apparence : *fausse porte.* ‖ Qui manque de justesse, de rectitude : *voix fausse; esprit faux.* ‖ Qui trompe ou dissimule ses sentiments : *homme faux; regard faux.* ‖ Qui détourne du but : *fausse route.* ● *Fausse reconnaissance* (Psychol.), illusion qui consiste à assimiler des personnes, des objets ou des lieux inconnus à d'autres déjà connus par suite de ressemblances superficielles. ‖ *Faux titre,* premier titre abrégé, imprimé sur le feuillet qui précède le titre complet d'un ouvrage. ◆ adv. De façon fausse : *jouer, chanter faux.*

FAUX n. m. Ce qui est contraire à la vérité. ‖ Imitation frauduleuse d'un tableau, d'un objet d'art, d'un acte, d'un timbre, d'une signature, etc. ● *À faux,* injustement. ‖ *Faux en écriture,* altération frauduleuse et intentionnelle de la vérité dans un écrit, pouvant causer un préjudice. ‖ *Faux incident,* rejet, au cours d'un procès, d'une pièce fausse ou falsifiée. ‖ *Faux principal,* procédure criminelle tendant à punir le faux.

FAUX-BORD n. m. (pl. *faux-bords*). Inclinaison d'un navire sur un bord, résultant d'une répartition dissymétrique des poids à bord.

FAUX-BOURDON n. m. (pl. *faux-bourdons*). Au XIIIe s., procédé d'écriture musicale, originaire d'Angleterre (contrepoint à trois voix note contre note). ‖ Chant d'église, plus spécialement harmonisation de psaumes.

FAUX-FUYANT n. m. (pl. *faux-fuyants*). Moyen détourné pour se tirer d'embarras, pour éviter de répondre.

FAUX-MONNAYEUR n. m. (pl. *faux-monnayeurs*). Personne qui fabrique de la fausse monnaie, de faux billets de banque.

Faux-Monnayeurs *(les),* roman de Gide (1926). Gide donna, pour la première fois dans son œuvre, le nom de roman à ce récit qui met en cause la structure romanesque traditionnelle, puisqu'il mêle à un roman d'aventures inspiré d'un fait divers une méditation morale et philosophique et le « journal de bord » du roman en train de se faire.

FAUX-PONT n. m. (pl. *faux-ponts*). Pont ou plancher mobile sur les anciens navires, au-dessous du pont supérieur.

FAUX-SEMBLANT n. m. (pl. *faux-semblants*). Ruse, prétexte mensonger.

FAUX-SENS n. m. inv. Erreur consistant à interpréter d'une manière erronée le sens précis d'un mot dans un texte.

FAVART (Charles Simon), auteur dramatique français (Paris 1710 - Belleville 1792). Auteur de comédies (*la Chercheuse d'esprit,* 1741) sentimentales ou « villageoises », il fut directeur de l'Opéra-Comique. — Sa femme, MARIE-JUSTINE **Duronceray** (Avignon 1727 - Belleville 1772), fut aussi célèbre par son aventure amoureuse avec le maréchal de Saxe que par ses talents de cantatrice et d'actrice. — Leur fils, CHARLES NICOLAS **Favart** (Paris 1749 - *id.* 1806), écrivit des comédies.

FAVELA n. f. (mot portug. du Brésil). Au Brésil, syn. de BIDONVILLE.

FAVERGES (74210), ch.-l. de cant. de la Haute-Savoie, à 19 km au N.-O. d'Albertville; 6 330 hab. Mécanique de précision.

FAVEUR n. f. (lat. *favor*). Bienfait qui avantage qqn : *implorer la faveur de qqn.* ‖ *Litt.* Crédit, pouvoir que l'on a auprès de qqn, auprès du public : *sa faveur diminue.* ‖ Ruban de soie étroit. ● *À la faveur de qqch,* en profitant de qqch. ‖ *En faveur de qqn, qqch,* au profit de qqn, qqch. ◆ pl. Marques d'amour qu'une femme donne à un homme.

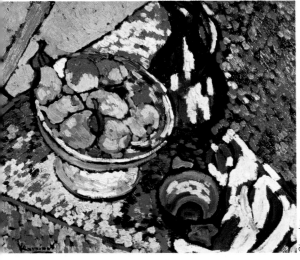

Maurice de Vlaminck : *Nature morte au compotier*, 1905. (Coll. priv.)

André Derain : *les Barques*, 1904. (Coll. priv., Paris.)

FAUVISME

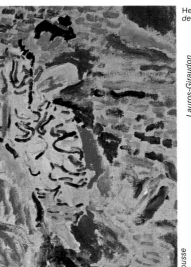

Henri Matisse : *la Japonaise au bord de l'eau*, 1905. (Coll. priv.)

Othon Friesz : *l'Estaque*, 1905. (Musée national d'Art moderne, Paris.)

Henri Manguin : *la Gitane à l'atelier*, 1906. (Galerie de Paris, Paris.)

FAVORABLE adj. Qui est à l'avantage de qqn, propice : *occasion favorable.* ‖ Animé de dispositions bienveillantes, indulgentes : *être favorable à un projet.*

FAVORABLEMENT adv. De façon favorable.

FAVORI, ITE adj. et n. (it. *favorito*). Qui tient le premier rang dans les bonnes grâces de qqn; qui est préféré. ‖ Se dit d'un concurrent qui a le plus de chances de gagner une compétition.

FAVORIS n. m. pl. Touffe de barbe sur chaque côté du visage.

FAVORISER v. t. Traiter de façon à avantager : *favoriser un débutant.* ‖ Contribuer au développement de : *favoriser le commerce.* ‖ *Litt.* Seconder les desseins, les désirs : *l'obscurité favorisa sa fuite.*

FAVORITE n. f. Maîtresse préférée d'un roi.

FAVORITISME n. m. Tendance à accorder des faveurs injustes ou illégales.

FAVRE (Jules), homme politique français (Lyon 1809 - Versailles 1880). Avocat, député républicain de Paris (1848-1851), il combat la politique de Louis-Napoléon. Élu parmi les « cinq » opposants en 1857, il est l'avocat d'Orsini. Le 4 septembre 1870, J. Favre assume le ministère des Affaires étrangères dans le gouvernement de la Défense nationale; son optimisme subit un rude coup lors de l'entrevue qu'il a avec Bismarck, à Ferrières, les 19 et 20 septembre; il prêche, dès lors, la résistance aux Allemands. Mais, pressé par les défaites, il doit accepter de lier la capitulation de Paris à l'armistice (28 janv. 1871) et de négocier la paix de Francfort (10 mai); il démissionne le 2 août 1871.

FAVUS [favys] n. m. (mot lat., rayon de miel). *Méd.* Dermatose due à un champignon microscopique.

FAWLEY, localité du sud de l'Angleterre, près de Southampton. Raffinage du pétrole et pétrochimie.

FAYARD n. m. Nom méridional du *hêtre.*

FAYDHERBE ou **FAYD'HERBE** (Lucas), sculpteur et architecte flamand (Malines 1617-id. 1697). Disciple de Rubens, il a décoré dans le goût baroque diverses églises de Malines (monument de l'archevêque A. Cruesen, à Saint-Rombaut) et y a construit Notre-Dame-de-Hanswijk. On lui doit aussi des ivoires.

FAYE (Hervé), astronome français (Saint-Benoît-du-Sault 1814 - Paris 1902). On lui doit une théorie de la formation du système solaire, dans laquelle il s'oppose à la théorie de Laplace*. Son nom est resté attaché à une comète qu'il découvrit et étudia en 1843.

FAYENCE (83440), ch.-l. de cant. du Var, à 26 km au S.-O. de Grasse; 2 652 hab.

FAYET (Le) [74190], écart de la comm. de Saint-Gervais-les-Bains (Haute-Savoie). Station thermale. Installation hydroélectrique sur l'Arve.

FAYL-LA-FORÊT (52500), ch.-l. de cant. de la Haute-Marne, à 24 km au S.-E. de Langres; 1 754 hab. Meubles en rotin.

FAYOL (Henri), ingénieur français (Constantinople 1841 - Paris 1925). Il élabora une doctrine administrative, ou *fayolisme*, qui a pour objet le gouvernement de l'entreprise dans son ensemble. Il fut le premier à insister sur la nécessité d'un enseignement administratif pour préparer les futurs chefs à leur fonction.

FAYOLLE (Émile), maréchal de France (Le Puy 1852 - Paris 1928). Polytechnicien et artilleur, il se distingue à la tête de la VIᵉ armée, sur la Somme (1916), puis du corps français envoyé en Italie après Caporetto (1917). Commandant le groupe d'armées de réserve de 1918, il prit une part décisive à la victoire et fut promu maréchal en 1921.

FAYOT [fajo] n. m. (prov. *faïou*). *Pop.* Haricot sec. ‖ *Arg.* Personne qui fait du zèle auprès de ses chefs.

FAYOTER v. i. *Arg.* Chercher à se faire bien voir de ses chefs, faire du zèle.

FAYOUM, prov. de la Haute-Égypte, à l'O. de la vallée du Nil, où, dans l'Antiquité, abondaient lacs et marécages et où Sobek, le dieu-crocodile, était vénéré dès les temps les plus reculés. Les pharaons y effectuèrent d'importants travaux d'irrigation et certains y construisirent leur temple funéraire (celui d'Amenemhat III, à Hawara, est le fameux Labyrinthe célébré par les Grecs). L'époque ptolémaïque a laissé les ruines de nombreuses villes élevées par des vétérans grecs, ainsi que d'innombrables papyrus littéraires et administratifs. La région reste surtout célèbre par les portraits dits « du Fayoum ». Portraits funéraires réalisés entre le Iᵉʳ et le IVᵉ s. — le défunt y est représenté en buste —, ils

étaient placés à la tête du sarcophage, remplaçant l'ancien masque des momies. Tous frappent par l'intensité et l'angoisse de leur regard largement ouvert sur l'au-delà. De facture proche des peintures romaines de Pompéi*, ils annoncent néanmoins les futures icônes byzantines.

Fayoum : *Portrait féminin.* (Musée du Louvre, Paris.)

FAYSAL Iᵉʳ, FAYSAL II → HACHÉMITES.

FAYSAL IBN 'ABD AL-'AZIZ (Riyad 1905 - id. 1975), roi d'Arabie Saoudite (1964-1975). Détenteur de la majorité des portefeuilles du gouvernement pendant le règne de son frère Sa'ūd (de 1953 à 1964), il obtient les pleins pouvoirs de 1958 à 1960 et est associé au trône en 1962. Faysal se fait le champion du panislamisme et

s'oppose à Nasser en soutenant, de 1962 à 1967, les royalistes du Yémen; il abolit l'esclavage en 1962. Il meurt assassiné.

FAY-SUR-LIGNON (43430), ch.-l. de cant. de la Haute-Loire, à 42 km à l'E.-S.-E. du Puy; 480 hab.

FAZENDA [fazenda] n. f. (mot portug.). Au Brésil, grande propriété de culture ou d'élevage.

FBI, sigle de *Federal Bureau of Investigation,* service chargé, aux États-Unis, de la police fédérale.

f. c. é. m., abrév. de FORCE CONTRE-ÉLECTROMOTRICE.

F'DERICK, anc. **Fort-Gouraud,** localité de Mauritanie. À proximité, extraction du minerai de fer de la Kedia d'Idjil.

Fe, symbole chimique du *fer.*

FÉAL, E, AUX adj. *Litt.* Loyal, fidèle.

FÉBRIFUGE adj. et n. m. Qui fait tomber la fièvre.

FÉBRILE adj. (lat. *febrilis;* de *febris,* fièvre). Qui accuse ou a de la fièvre : *malade fébrile.* ‖ Qui est le signe d'une nervosité excessive : *impatience fébrile.* ‖ Nerveux, excité : *se montrer fébrile.* ● *Capitaux fébriles* (Écon.), capitaux qui passent rapidement d'une place à une autre pour profiter des variations des taux d'intérêt. (On emploie aussi l'anglais HOT MONEY.)

FÉBRILEMENT adv. De façon fébrile.

FÉBRILITÉ n. f. État fébrile; agitation.

FEBVRE (Lucien), historien français (Nancy 1878 - Saint-Amour 1956). Sa thèse sur *Philippe II et la Franche-Comté* (1911) révèle ses préoccupations : écrire l'histoire non des faits, mais des hommes et des sociétés, en utilisant même les données des autres sciences. Ces préoccupations se retrouvent dans ses principaux ouvrages — en particulier, le *Problème de l'incroyance au XVIᵉ siècle, la religion de Rabelais* (1942) — et dans la fondation, en 1929, avec Marc Bloch, des *Annales d'histoire économique et sociale.*

FÉCAL, E, AUX adj. (lat. *faex, faecis,* résidu). Relatif aux fèces. ● *Matières fécales,* résidus de la digestion éliminés par l'anus.

FÉCALOME n. m. Masse de matières fécales durcies obstruant le rectum ou le côlon et pouvant faire croire à une tumeur.

FÉCAMP (76400), ch.-l. de cant. de la Seine-Maritime, sur la Manche, à 42 km au N.-E. du Havre; 26 696 hab. *(Fécampois).* Importante église de la Trinité, anc. abbatiale, reconstruite à partir de la fin du XIIe s. (sculptures, vitraux). Musées. Pêche (morue). Station balnéaire.

FÈCES [fɛs] n. f. pl. Matières fécales.

FECHNER (Gustav Theodor), physicien et psychologue allemand (Gross-Särchen 1801 - Leipzig 1887). Il s'attacha à démontrer scientifiquement l'identité de l'esprit et de la matière. Il est surtout connu pour avoir formulé, en 1850, une loi, dite *loi de Fechner,* mettant en relation numérique des variables physiques (stimulations) et des variables psychologiques (sensations). Partant de la constance des seuils* différentiels (plus petite variation discernable de l'intensité d'un stimulus) déjà affirmée par Bouguer et Weber, il démontra que la sensation croît comme le logarithme de la stimulation, choisissant de prendre comme unité de sensation le seuil différentiel. Ses *Éléments de psychophysique* (1860) sont l'une des premières contributions à la psychologie expérimentale.

FÉCLAZ (la), sommet du massif des Bauges (Savoie). Station de sports d'hiver (alt. 1350-1600 m).

FÉCOND, E adj. (lat. *fecundus*). Propre à la reproduction. ‖ Qui produit beaucoup : *écrivain fécond.* ‖ Riche : *journée féconde en événements.*

FÉCONDABILITÉ n. f. Aptitude des femmes à être fécondées.

FÉCONDABLE adj. Se dit d'une femelle susceptible d'être fécondée.

FÉCONDANT, E adj. Qui féconde, rend fécond.

FÉCONDATEUR, TRICE adj. et n. Qui a la puissance de féconder.

FÉCONDATION n. f. Action de féconder. ‖ *Biol.* Union de deux cellules sexuelles, mâle et femelle (les gamètes), contenant chacune *n* chromosomes. (Cette union forme l'*œuf* [ou zygote], qui contient 2 *n* chromosomes et dont le développement donne un nouvel individu.)

■ En règle générale, deux cellules vivantes de même espèce, mais provenant d'individus différents, peuvent parfois coexister (greffe) mais jamais fusionner en une seule. La seule exception universelle concerne les *gamètes**, ou *cellules reproductrices,* tant mâles que femelles, qui ne sont, du point de vue de leur garniture chromosomique, que des demi-cellules. Leur fusion, ou *fécondation,* non seulement leur évite la mort, mais fait du *zygote* ainsi obtenu, avec sa garniture chromosomique complète, le point de départ d'un nouvel individu, animal ou végétal.

FÉCONDER v. t. *Litt.* Rendre fécond : *les pluies fécondent la terre.* ‖ Réaliser la fécondation.

FÉCONDITÉ n. f. Aptitude à la reproduction. ‖ Fertilité, abondance : *la fécondité d'un terrain, d'un auteur.*

FÉCULE n. f. (lat. *faecula*). Substance pulvérulente, composée de grains d'amidon, abondante dans certains tubercules, comme la pomme de terre, le manioc, etc.

FÉCULENCE n. f. État d'une substance féculente. ‖ État d'un liquide qui dépose des sédiments.

FÉCULENT, E adj. et n. m. Qui contient de la fécule.

FÉCULER v. t. Réduire en fécule.

FÉCULERIE n. f. Fabrique de fécule.

FÉDALA → MOHAMMEDIA.

FEDAYIN ou **FEDDAYIN** [fedajin] n. m. inv. (mot ar., *ceux qui ont fait le sacrifice de leur vie*). Résistant palestinien menant une action de guérilla.

FÉDÉRAL, E, AUX adj. (lat. *foedus, foederis,* alliance). Relatif à une fédération. ‖ Se dit, en Suisse, de ce qui est relatif à la Confédération helvétique.

FÉDÉRALISER v. t. Constituer un pays à l'état de fédération.

FÉDÉRALISME n. m. Système politique dans lequel plusieurs États indépendants abandonnent chacun une part de leur souveraineté au profit d'une autorité supérieure.

FÉDÉRALISTE adj. et n. Relatif au fédéralisme; qui en est partisan. ● *Insurrections fédéralistes,* soulèvements fomentés en province (Normandie, Bretagne, Sud-Est, Sud-Ouest), après le 2 juin 1793, par les députés girondins poursuivis par les Jacobins dont ils contestaient la conception centraliste de la République. ‖ *Parti fédéraliste,* premier parti politique ayant existé aux États-Unis, considéré comme l'expression du capitalisme américain à ses débuts.

FÉDÉRATEUR, TRICE adj. et n. Qui organise ou favorise une fédération.

FÉDÉRATIF, IVE adj. Constitué en fédération.

FÉDÉRATION n. f. Groupement d'États — succédant souvent à une confédération — qui constitue une unité internationale distincte, superposée aux États membres, et à qui appartient exclusivement la souveraineté externe. ‖ Association de personnes pratiquant le même sport. ‖ Ensemble de plusieurs syndicats ou groupements corporatifs. ‖ Groupement de partis, mouvements ou clubs politiques. ‖ *Hist.* Sous la Révolution, association formée pour lutter contre les ennemis de la nation. (Le 14 juillet 1790, une fête de la Fédération, à Paris, rassembla les délégués des fédérations provinciales.)

Fédération de l'Éducation nationale (F. E. N.), organisation groupant plusieurs syndicats des personnels de l'enseignement (Syndicat national des instituteurs [S. N. I.], Syndicat national de l'enseignement du second degré [S. N. E. S.], Syndicat national de l'enseignement supérieur [S. N. E. Sup.], etc.).

FÉDÉRAUX n. m. pl. Nom donné par les États du Nord à leurs soldats, pendant la guerre américaine de Sécession (1861-1865).

FÉDÉRÉ, E adj. Qui fait partie d'une fédération.

FÉDÉRÉ n. m. Délégué à la fête de la Fédération en 1790. ‖ Soldat au service de la Commune de Paris en 1871.

FÉDÉRER v. t. (conj. **5**). Former en fédération.

FEDINE (Konstantine Aleksandrovitch), écrivain soviétique (Saratov 1892 - Moscou 1977). Ses romans peignent les transformations sociales nées de la révolution (*les Villes et les Années,* 1924; *le Bûcher,* 1961-1967).

FÉDOR Ier ou **FIODOR Ier** (Moscou 1557 - *id.* 1598), tsar de Russie (1584-1598). Fils d'Ivan IV*, il fut le dernier souverain riourikide*. Malade et faible d'esprit, il laissa Boris* Godounov gouverner.

FÉDOR II ou **FIODOR II** → TROUBLES *(temps des).*

FÉE n. f. (lat. *fatum,* destin). Être imaginaire que l'on représente comme une femme douée d'un pouvoir magique. ‖ *Litt.* Femme remarquable par sa grâce, son esprit, sa bonté, son adresse. ● *Conte de fées,* conte dans lequel les fées interviennent; récit imaginaire, aventure extraordinaire. ‖ *Travail, ouvrage de fée,* travail d'une perfection extrême.

FEED-BACK [fidbak] n. m. inv. (mots angl.). En cybernétique, action en retour des corrections et des régulations d'un système d'informations sur le centre de commande du système. (Syn. RÉACTION, RÉTROACTION.) ‖ *Physiol.* Mécanisme par lequel les variations du taux sanguin d'une hormone entraînent, au niveau de l'hypophyse, des variations inverses de la stimuline qui règle la sécrétion de la glande correspondante. (L'Administration préconise le mot RÉTROCONTRÔLE.)

FEEDER [fidœr] n. m. (mot angl., *nourrisseur*). Canalisation, électrique ou autre, reliant directement l'usine génératrice ou une sous-station à un point du réseau de distribution, sans aucune dérivation sur son parcours.

FÉERIE [feri *ou* feeri] n. f. Ce qui est d'une merveilleuse beauté : *paysage de féerie.* ‖ Pièce de théâtre, spectacle fondés sur le merveilleux.

FÉERIQUE [ferik *ou* feerik] adj. Qui tient de la féerie.

FEGERSHEIM (67640), comm. du Bas-Rhin, à 15 km au S. de Strasbourg; 3 646 hab. Industrie chimique.

FEHLING (Hermann), chimiste allemand (Lübeck 1811 - Stuttgart 1885). Il a découvert le réactif des aldéhydes, dit *liqueur de Fehling.* (C'est un mélange de sulfate de cuivre, de carbonate de sodium et de tartrates alcalins.)

FEIGNANT, E ou **FAIGNANT, E** [fɛɲɑ̃ *ou* fɛɲɑ̃, ɑ̃t] adj. et n. *Pop.* Fainéant.

FEIGNIES (59750), comm. du Nord, à l'O. de Maubeuge; 6 910 hab. Métallurgie.

FEINDRE v. t. (lat. *fingere*) [conj. **55**]. Simuler pour tromper : *feindre la colère.* ● *Feindre de,* faire semblant de. ◆ v. i. Boiter légèrement, en parlant d'un cheval.

FEININGER (Lyonel), peintre américain d'origine allemande (New York 1871 - *id.* 1956). Installé en Allemagne dès 1887, il fréquente les milieux d'avant-garde (cubistes, expressionnistes, Blaue Reiter...), devient professeur au Bauhaus (1919-1932), puis rentre aux États-Unis en 1936. Ses tableaux sont des épures aux rythmes syncopés, transparentes et lumineuses, qui transposent le visible avec une poésie subtile.

FEINTE n. f. Acte destiné à tromper. ‖ *Sports.* Coup, geste simulé, qui trompe l'adversaire.

FEINTER v. i. *Sports.* Faire une feinte. ◆ v. t. *Fam.* Surprendre par une ruse soudaine.

FEIRA DE SANTANA, v. du Brésil (Bahia), au N.-O. de Salvador; 290 000 hab.

FEJÓS (Pál ou Paul), cinéaste hongrois (Budapest 1898 - New York 1963). Après avoir été l'un des meilleurs représentants du cinéma muet hongrois, il émigra aux États-Unis, où il tourna *le Dernier Moment* (1927), *Solitude* (1928), sa plus grande œuvre, et *Broadway* (1929), puis il partagea ses activités entre la France (*Fantomas* 1932), la Hongrie (*Marie, légende hongroise,* 1932; *Tempêtes,* 1933), l'Allemagne, le Danemark, Madagascar, l'Inde, la Thaïlande et le Pérou.

FELDBERG, point culminant du massif de la Forêt-Noire (Allemagne fédérale); 1 493 m. Sports d'hiver.

FELD-MARÉCHAL n. m. (pl. *feld-maréchaux*). Grade le plus élevé de la hiérarchie militaire en Allemagne, en Angleterre, etc.

FELDSPATH [fɛldspat] n. m. (mot all.). Nom donné à un groupe d'aluminosilicates naturels de potassium, de sodium et de calcium, fréquents dans les roches éruptives.

FELDSPATHIQUE adj. Qui contient un feldspath.

FELDSPATHOÏDE n. m. Silicate naturel présent dans les roches sous-saturées.

FELDWEBEL [fɛltvebəl] n. m. (mot all.). Adjudant, dans l'armée allemande.

FÊLÉ, E adj. Qui présente une fêlure. ● *Avoir le cerveau fêlé* (Fam.), être un peu fou.

FÊLER v. t. Fendre légèrement un objet sans que les parties se séparent par le choc.

FÉLIBIEN (André), architecte et historiographe français (Chartres 1619 - Paris 1695). Chargé de fonctions officielles, mais aussi théoricien, il a publié les *Entretiens sur les vies et sur les ouvrages des plus excellents peintres anciens et modernes* (1666-1688). Il défend les principes de l'Académie, prônant l'étude de l'antique, affirmant que la nature doit être idéalisée.

FÉLIBRE n. m. (mot prov. traduit, par Mistral, par « docteur de la loi »). Poète ou prosateur de langue d'oc.

FÉLIBRIGE n. m. École littéraire fondée en 1854 pour restituer à la langue provençale son rang de langue littéraire.

■ Constitué pour le maintien et l'épuration de la langue provençale et des autres dialectes occitans, ainsi que pour la renaissance d'une littérature qui conserve le caractère original des civilisations du midi de la France, le félibrige a été précédé par l'anthologie de Raynouard (*Choix de poésies originales des troubadours,* 1816-1821) et les poèmes « occitaniques » de Fabre d'Olivet. Après l'édition par Joseph Roumanille*, en 1851, du recueil collectif *li Prouvençalo,* la réunion, le 21 mai 1854, au château de Fontségugne, de sept jeunes poètes (Aubanel, Brunet, Giera, Mathieu, Mistral*, Roumanille, Tavan), qui prennent le nom de *félibres,* voit la création de la nouvelle école littéraire.

Celle-ci se fait connaître, dès 1855, par l'*Armana Prouvençau,* à la fois organe annuel de propagande et recueil de textes, et s'étend aux autres provinces de langue d'oc (rencontre, en 1869, de Mistral et du Catalan Balaguer), avant de se donner, en 1876, par son succès même, un statut plus souple : division en quatre *maintenances* (Provence, Languedoc, Aquitaine, Catalogne), gouvernées par cinquante *majoraux,* qui élisent un *capoulié,* grand maître du félibrige. Malgré ses dissensions et ses scissions, nées de querelles d'orthographe et de conflits politiques, le félibrige rassemble encore aujourd'hui de nombreux poètes soucieux de préserver leurs traditions régionales face à l'uniformisation de la vie moderne.

FÉLICITATIONS n. f. pl. Compliments.

FÉLICITÉ n. f. *Litt.* Bonheur suprême.

FÉLICITÉ *(sainte)* → PERPÉTUE ET FÉLICITÉ *(saintes).*

FÉLICITER v. t. (lat. *felicitare*). Complimenter qqn sur un succès, sur un événement heureux, sur sa conduite. ◆ **se féliciter** v. pr. [**de**]. Éprouver une grande satisfaction de : *se féliciter d'un succès.*

FÉLIDÉ ou **FÉLIN** n. m. (lat. *felis,* chat). Mammifère carnivore digitigrade à griffes rétractiles et à molaires coupantes et peu nombreuses. (Les *félidés* forment une famille comprenant le *chat,* le *lion,* le *serval,* etc.). [Ordre des carnassiers.]

■ La plus spécialisée de toutes les familles de carnassiers, celle des félidés est aussi la plus célèbre à cause des grands « fauves » qui y sont classés : lion, tigre, panthères diverses (léopard, jaguar, ocelot, once), puma, guépard, serval, lynx, etc. Mais son type est le chat domestique. Tous les félidés (ou *félins*), sauf le guépard, ont des griffes rétractiles, engainées au repos dans un étui protecteur qui leur évite toute usure. Tous ont des crocs pointus et des molaires presque toutes tranchantes, une langue râpeuse, des mâchoires plutôt courtes (et d'autant plus puissantes), un très beau pelage (qui leur vaut parfois d'être chassés à l'excès), une longue queue, une aptitude remarquable au saut et à la course.

FÉLIN, E adj. Qui tient du chat, qui en a la souplesse et la grâce : *allure féline.*

FÉLIX Ier, III, IV → PAPE.

FÉLIX V, antipape → AMÉDÉE VIII DE SAVOIE.

FELLAGA ou **FELLAGHA** n. m. (mot ar.). Partisan algérien ou tunisien soulevé contre l'autorité française pour obtenir l'indépendance de son pays.

FELLAH n. m. (mot ar.). Paysan d'Égypte et de divers pays arabes.

FELLATION n. f. (lat. *fellare,* sucer). Excitation buccale du sexe de l'homme.

FELLETIN (23500), ch.-l. de cant. de la Creuse, à 10 km au S. d'Aubusson, près de la Creuse; 3 130 hab. Deux églises médiévales. Maisons du XVIe s. À Felletin s'établirent, au début du XVe s., les premiers ateliers de tapisserie de la Marche.

FELLINI (Federico), cinéaste italien (Rimini 1920). Scénariste, collaborateur de R. Rossellini et d'A. Lattuada, il subit dans ses premières réalisations l'influence du néoréalisme (*Feux du music-hall,* 1951 [en collab. avec Lattuada]; *Courrier du cœur,* 1952; *les Vitelloni,* 1953) et connaît un grand succès avec *La Strada* (1954). Ses films suivants : *Il Bidone* (1955) et *les Nuits de Cabiria* (1956), le placent déjà parmi les meilleurs réalisateurs de son pays, mais c'est à partir de *La Dolce Vita* (1960) qu'il obtient la consécration mondiale. Désormais, ce poète visionnaire, insolite, ironique se détache de plus en plus de la vision profondément humaniste, voire chrétienne, du monde qu'il avait au cours des années 50, pour se lancer dans de vastes fresques baroques et tumultueuses, où il se fait l'analyste lucide, parfois cynique et pessimiste, parfois aussi nostalgique, d'une société en décadence (*Huit et demi,* 1963; *le Satyricon,* 1969; *Roma,* 1971; *Amarcord,* 1973; *Casanova,* 1976; *la Cité des femmes,* 1980; *Et vogue le navire,* 1983; *Ginger et Fred,* 1985; *Intervista,* 1987; *La Voce della luna,* 1990).

FÉLON, ONNE adj. et n. (mot francique). *Litt.* Déloyal, traître à son seigneur.

FÉLONIE n. f. *Litt.* Trahison.

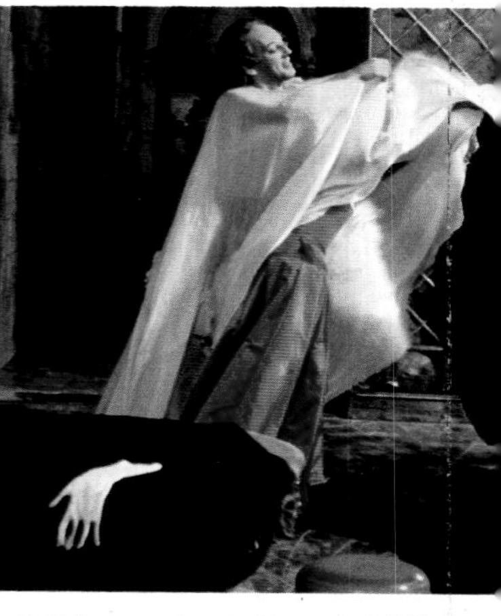

Gaumont (coll. J.-L. Passek)

Fellini : une scène de *Casanova* (1976).

FELOUQUE n. f. (esp. *faluca;* mot ar.). *Mar.* Petit bâtiment long, léger et étroit, à voiles et à rames.

FELTRE, v. d'Italie, en Vénétie, entre la Brenta et la Piave; 22 000 hab. Prise par les Français, en 1797, elle est érigée en duché par Napoléon Ier pour le général Clarke. Cathédrale du XVIe s.

FÊLURE n. f. Fente d'une chose fêlée.

FELUY, anc. comm. de Belgique (Hainaut) auj. intégrée à Seneffe. Raffinerie de pétrole.

f. é. m., abrév. de FORCE ÉLECTROMOTRICE.

FEMELLE n. f. (lat. *femina,* femme). Animal de sexe femelle. ◆ adj. Se dit d'un individu ou d'un organe animal ou végétal apte à produire des cellules fécondables (« œufs vierges ») et souvent à abriter le développement du produit de la fécondation (œuf fécondé, graine). ‖ Se dit d'un outil ou d'un instrument qui est creusé pour en recevoir un autre, appelé *mâle.*

■ Aux yeux des biologistes, un seul caractère est proprement « femelle » : celui du gamète, ou

felouques sur le Nil

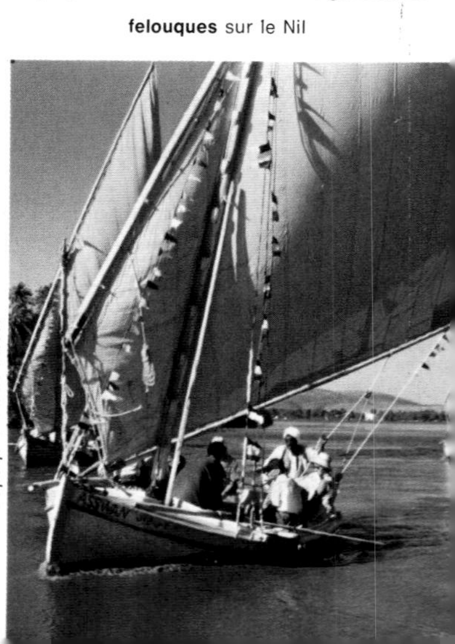

Dupaquier-Atlas-Photo

cellule reproductrice (*ovule* des animaux, *oosphère* des plantes), lorsque celui-ci est notablement plus volumineux et moins mobile que le gamète mâle. À cause de la différence de volume des deux gamètes, on considère l'œuf, ou zygote, comme la continuation pure et simple du gamète femelle, simplement activé et enrichi (c'est-à-dire *fécondé*) par l'apport du gamète mâle. À cause de la différence de mobilité des deux gamètes, on parle de la cellule mâle en termes actifs, de la cellule femelle en termes passifs. D'où la définition classique, le mâle est le sexe fécondant, la femelle le sexe fécondé.

Chez certaines algues (fucus), chez les oursins et chez divers poissons, les différences s'arrêtent là. Mais, chez la plupart des animaux et des plantes, surtout dans les espèces évoluées, la fonction femelle s'élargit et s'accompagne d'autres différences. Le cas extrême est celui où l'ovule peut se développer sans fécondation (parthénogenèse*) et où les mâles sont inexistants, rares (abeille, phasme) ou nains (quelques géphyriens, crustacés et poissons). C'est aussi, mais à l'opposé, celui des espèces où la femelle, pouvant se reproduire à l'état larvaire, n'atteint jamais l'état adulte (papillon *psyché*) ou plus simplement n'acquiert pas d'ailes (ver luisant).

Dans les autres espèces animales, le dimorphisme* sexuel est moins général. Parfois un peu plus petite que le mâle, la femelle peut présenter des « caractères sexuels secondaires » portant sur le pelage ou le plumage (chattes tricolores, faisanes au plumage terne) ou se reconnaître seulement à l'absence de certains attributs du mâle (les biches n'ont pas de cornes, les femmes pas de barbe, etc.).

Mais la différence sexuelle la plus importante ne porte ni sur un gamète microscopique ni sur la totalité de l'organisme. Elle affecte l'*appareil génital** (ou appareil reproducteur), qui ajoute souvent à sa fonction ovarienne d'élaboration et de libération des ovules bien d'autres fonctions, avec les organes qui leur correspondent : *tarière* pour pondre les œufs dans le sol (criquet), *vagin* pour recevoir l'organe mâle en cas de fécondation interne, *spermathèque* (abeille) pour conserver durablement le sperme vivant, *utérus* pour héberger et nourrir l'embryon, *mamelles* pour nourrir le jeune après sa naissance, sans parler des glandes endocrines, des centres nerveux, des comportements, des conduites de cour, des phénomènes cycliques (propres aux mammifères) et de toutes ces modalités si diverses qui assurent une évidente « division du travail » entre la femelle et le mâle.

Chez les plantes, rien de semblable : les fleurs femelles sont simplement des fleurs sans étamines, de même que les fleurs mâles sont sans pistil. L'appareil génital femelle, chez les plantes à graines, porte en effet le nom de *pistil*, et comprend un *stigmate* récepteur de pollen, un *style* conducteur du tube pollinique, enfin un *ovaire* (très mal nommé, puisqu'il exerce les fonctions d'un utérus), au sein duquel les divers *ovules* (eux aussi très mal nommés : ce sont les futures graines, tandis que les gamètes femelles sont les *oosphères*) sont fécondés. Le fruit, la graine sont l'aboutissement de la fonction femelle chez ces plantes.

FÉMELOT n. m. *Mar.* Ferrure faisant corps avec l'étambot et comportant des logements dans lesquels pivotent les aiguillots du gouvernail.

Fémina *(prix)*, prix littéraire, fondé en 1904, décerné en fin d'année, par un groupe de femmes de lettres, à une œuvre d'imagination.

FÉMININ, E adj. (lat. *femininus;* de *femina*, femme). Propre à la femme : *revendication féminine.* ‖ Qui évoque la femme : *allure féminine.* ● *Rime féminine*, rime que termine une syllabe muette, comme *chimère*.

FÉMININ n. m. Un des genres grammaticaux, s'appliquant en principe aux êtres femelles, mais le plus souvent arbitrairement à certaines catégories de mots.

FÉMINISATION n. f. Action de féminiser, de se féminiser.

FÉMINISER v. t. Donner un caractère féminin. ‖ Rendre efféminé. ‖ Donner à un mot les marques du genre féminin : *féminiser les noms de métier.* ◆ **se féminiser** v. pr. Comprendre un plus grand nombre de femmes qu'auparavant : *le corps enseignant se féminise de plus en plus.*

FÉMINISME n. m. Doctrine qui a pour but d'améliorer la situation de la femme dans la société, d'étendre ses droits, etc.

■ Après la longue lutte des mouvements féministes de la fin du XIXe s., en particulier en Grande-Bretagne, les droits de vote et d'éligibilité sont accordés aux femmes, en France, en 1944. Le débat sur la condition des femmes dans la société est relancé par les mouvements de libération des femmes : création en 1968 du *Women's Lib* aux États-Unis et du M. L. F. (Mouvement de libération des femmes) en France. De nombreux mouvements et associations se créent alors avec pour objectif de sensibiliser l'opinion publique et les pouvoirs publics à leurs revendications et à certains problèmes : droit à l'avortement (interruption volontaire de grossesse), contraception libre et gratuite, égalité des salaires à travail égal, dénonciation sous toutes ses formes de la discrimination de sexe, défense et information des femmes sur leurs droits, lutte contre l'oppression familiale, qui enferme la femme dans les rôles d'épouse et de mère, etc.

Longtemps attachée à l'image d'une femme-objet adulée ou d'une mère au foyer exemplaire, la société s'est brusquement trouvée affrontée à une nouvelle génération se dressant contre les tabous et les institutions.

FÉMINISTE adj. et n. Partisan du féminisme.

FÉMINITÉ n. f. Caractère féminin.

FEMME n. f. (lat. *femina*). Être humain du sexe féminin. ‖ Adulte du sexe féminin. ‖ Épouse. ● *Bonne femme*, v. BONHOMME. ‖ *Femme au foyer*, femme sans profession qui s'occupe du ménage, de ses enfants. ‖ *Femme de ménage*, femme employée à faire le ménage dans des appartements, des bureaux.

■ Les rédacteurs du Code civil avaient érigé en dogme l'autorité du mari et l'incapacité, dans la vie juridique, de la femme mariée. En 1907, on conféra cependant à celle-ci le droit de disposer de ses « biens réservés », c'est-à-dire acquis par son travail. En 1938 et en 1942 une certaine capacité fut donnée à la femme. La loi du 13 juillet 1965, modifiant les régimes matrimoniaux, a accru considérablement la capacité de la femme mariée. Celle du 4 juin 1970, instaurant l'autorité parentale, a supprimé la qualité de chef de famille reconnue exclusivement au mari et consacré le fait que la direction de la famille est assurée conjointement par les deux époux. La loi du 11 juillet 1975 a reconnu que la contribution aux charges du ménage n'incombait plus exclusivement au mari et a aboli la prépondérance maritale en ce qui concerne le choix de la résidence de la famille. Enfin, l'adultère commis par la femme n'est plus un délit depuis la réforme de 1975 sur le divorce. Par ailleurs, la loi du 31 décembre 1979 (reprenant celle de 1975) sur l'avortement a légalisé définitivement l'interruption volontaire de grossesse. Enfin, la loi du 23 décembre 1985, qui établit l'égalité des époux dans l'administration des biens de la communauté, rend caduque la notion de « biens réservés ».

Les femmes représentent un peu plus d'un tiers des salariés, et le législateur a aménagé pour elles un statut spécial dans l'entreprise, qui répond à deux préoccupations : l'absence de discrimination et la protection. L'absence de discrimination a été consacrée par le préambule de la Constitution de 1946, repris en 1958. Mais ce principe a été réaffirmé par : la loi du 22 décembre 1972 et le décret du 15 novembre 1973, qui disposent que, pour un même travail ou un travail d'égale valeur, l'employeur est tenu d'assurer une égalité de rémunération entre les hommes et les femmes; la loi du 11 juillet 1975 qui, renforcée par celle du 13 juillet 1983, consacre l'égalité des hommes et des femmes devant l'embauche et le licenciement.

Dans les armées françaises, le nombre et l'importance des fonctions confiées aux personnels féminins n'a cessé de grandir. Les dispositions du statut général des militaires (1972) sont applicables à ces personnels et le code du service national (1971-1972) a été modifié en 1983 pour réserver aux jeunes Françaises un accès normal aux différentes formes du service.

En 1984, la France ratifie la *Convention sur l'élimination de toutes les formes de discrimination à l'égard des femmes* (O. N. U., 1980).

FEMMELETTE n. f. Petite femme. ‖ Homme faible, sans énergie.

Femmes savantes *(les)*, comédie de Molière, en cinq actes et en vers (1672). Satire des salons où les maîtresses de maison s'entichent de littérature, de sciences ou de philosophie.

FÉMORAL, E, AUX adj. Relatif au fémur ou aux régions voisines.

FÉMORO-CUTANÉ, E adj. (pl. *fémoro-cutanés, es*). Se dit d'un important nerf sensitif de la partie externe de la cuisse, et des névralgies dont il peut être le siège. (Ces névralgies ont un mécanisme analogue à celui des sciatiques.)

FEMTO-, préfixe (symb. : f) qui, placé devant une unité, la multiplie par 10^{-15}.

FÉMUR n. m. (lat. *femur*, cuisse). Os de la cuisse, le plus fort de tous les os du corps. (Les parties du fémur sont : la *tête*, le *col*, le *grand trochanter*, la *diaphyse*, les *condyles*.)

F. E. N., sigle de la FÉDÉRATION* DE L'ÉDUCATION NATIONALE.

FENAIN (59179), comm. du Nord, à 11 km au N.-O. de Denain; 5 755 hab.

FENAISON n. f. (lat. *fenum*, foin). Récolte des foins; époque où elle se fait.

FENDAGE n. m. Action de fendre.

FENDANT n. m. Coup donné avec le tranchant de l'épée.

FENDANT n. m. Vin blanc du Valais.

FENDEUR n. m. Ouvrier qui travaille à fendre le bois, l'ardoise, etc.

FENDILLÉ, E adj. Où l'on remarque de petites fentes, des gerçures.

FENDILLEMENT n. m. Action de fendiller ou de se fendiller.

FENDILLER v. t. Produire de petites fentes. ◆ **se fendiller** v. pr. Se couvrir de fentes.

FENDOIR n. m. Outil qui sert à fendre.

FENDRE v. t. (lat. *findere*) [conj. **46**]. Couper dans le sens de la longueur : *fendre du bois.* ‖ Faire des ouvertures, des crevasses : *la sécheresse fend la terre.* ‖ *Litt.* Traverser les parties d'une masse, d'un fluide : *fendre les flots, la foule.* ● *Fendre l'air*, avancer rapidement. ‖ *Fendre le cœur*, causer une vive affliction. ‖ *Geler à pierre fendre*, geler très fort. ◆ **se fendre** v. pr. S'entrouvrir. ‖ *Pop.* Donner, débourser : *se fendre d'un gros pourboire.* ‖ *Escr.* Porter un pied vivement en avant.

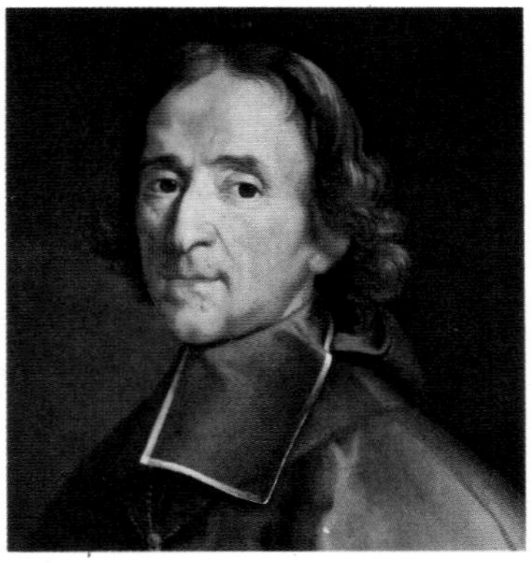

Lauros-Giraudon

Fénelon. Portrait du XVIIIe s. (Séminaire Saint-Sulpice, Paris.)

FÉNELON (François DE SALIGNAC DE **La Mothe-**), prélat et écrivain français (château de Fénelon, Périgord, 1651 - Cambrai 1715). Après une carrière apostolique (il dirige notamment une institution consacrée aux jeunes filles protestantes converties au catholicisme), il subit l'influence de Bossuet, qui lui confie la critique (qui ne paraîtra qu'en 1820) du *Traité de la nature et de la grâce* de Malebranche et le met en contact avec les ducs de Chevreuse et de Beauvillier, pour qui il compose le *Traité de l'éducation des filles* (1687). Nommé précepteur du fils du Grand Dauphin (1689), il parvient à dompter le caractère violent et sensuel du prince, pour qui il écrit *les Aventures de Télémaque** (1699), des *Fables* et les *Dialogues des morts* (1700). Il a fait cependant la connaissance d'une femme, Mme Guyon, qui s'est vouée à une sorte d'apostolat mystique et qui professe une doctrine proche du quiétisme de Molinos. Conquis à ses vues, Fénelon les introduit à la maison royale de Saint-Cyr, dont Mme de Maintenon lui a confié la direction spirituelle. Le succès de son enseignement, dont l'orthodoxie est suspecte, finit par inquiéter Mme de Maintenon et Bossuet : Fénelon est nommé à l'archevêché de Cambrai (1695) et Mme Guyon est condamnée par le protocole des entretiens d'Issy. C'est le début d'une querelle extrêmement violente qui oppose Bossuet à Fénelon. Celui-ci publie pour sa défense une *Explication des Maximes des saints* (1697); sous la pression de Louis XIV et la vigueur des attaques de Bossuet, le pape condamne l'ouvrage (1699). Fénelon, que la publication, sans son aveu, du *Télémaque*, dans lequel on veut voir une critique du règne, a perdu dans l'esprit du roi, est alors exilé dans son diocèse et privé de ses titres et pensions. Il achève sa vie, se refusant, pour rentrer en grâce, aux excuses avilissantes, célébré cependant par tous pour sa générosité à l'égard des victimes des guerres et gardant, jusqu'à la mort de son élève le duc de Bourgogne, l'espoir de voir réformer l'État (*l'Examen de conscience d'un roi*, 1711). Ses derniers écrits sont consacrés à développer ses idées sur la littérature, qu'il avait ébauchées dans son discours de réception à l'Académie en 1693 (*Lettre sur les occupations de l'Académie française*, 1716). Son imagination poétique, sa sensibilité, la souplesse de son style laissent déjà entrevoir l'esprit du XVIIIe s.

FÉNÉON (Félix), écrivain français (Turin 1861-Châtenay-Malabry 1944). Fondateur de *la Revue indépendante* (1883), directeur de *la Revue blanche* (1893-1905), il soutint les poètes symbolistes et les peintres impressionnistes.

FENESTRAGE ou **FENÊTRAGE** n. m. Ensemble, disposition des fenêtres d'un bâtiment.

FENESTRON n. m. Petit rotor encastré dans la paroi de la dérive verticale d'un hélicoptère et destiné à annuler le couple de rotation du fuselage.

FÉNÉTRANGE (57930), ch.-l. de cant. de la Moselle, à 15 km au N. de Sarrebourg; 1 102 hab.

FENÊTRE n. f. (lat. *fenestra*). Baie dans un plan vertical pratiquée dans un mur, munie d'une fermeture vitrée et donnant du jour et de l'air à l'intérieur d'un bâtiment; cette fermeture vitrée. ‖ *Géol.* Ouverture creusée par l'érosion dans une nappe de charriage, faisant apparaître les terrains sous-jacents. ‖ *Inform.* Zone rectangulaire d'un écran de visualisation dans laquelle s'inscrivent des informations graphiques ou alphanumériques. ● *Fenêtre haute* (Archit.), fenêtre pratiquée dans la partie supérieure du vaisseau central d'une église, lui assurant un éclairage direct. ‖ *Fenêtre de lancement*, période pendant laquelle le lancement d'un engin spatial est possible ou favorable. ‖ *Fenêtre ronde, fenêtre ovale* (Anat.), deux ouvertures placées à la paroi interne de l'oreille moyenne. ‖ *Jeter son argent par les fenêtres*, le dépenser follement.

FENÊTRER v. t. Ménager des fenêtres et les munir de châssis avec la vitrerie nécessaire.

FEN-HO ou **FENHE**, riv. de la Chine du Nord, qui passe à T'ai-yuan, affl. du Houang-ho (r. g.); 800 km.

FENIAN, E adj. et n. Relatif au mouvement de libération de l'Irlande, dirigé contre la domination britannique.

■ Les fenians constituent, en 1858, aux États-Unis, une société secrète révolutionnaire, qui regroupe des émigrés irlandais et dont le but est de libérer l'Irlande de la domination britannique. Cette société s'implante dans d'autres pays et en Irlande même, où elle prend le nom de *Fraternité républicaine irlandaise*. Les fenians multiplient les attentats (notamment en 1866-67) et tentent sans résultat un soulèvement en Irlande. Affaibli par l'arrestation de ses principaux chefs, le mouvement conserve cependant une grande influence en Irlande, où son esprit anime le développement du nationalisme et inspire le programme du Sinn* Féin.

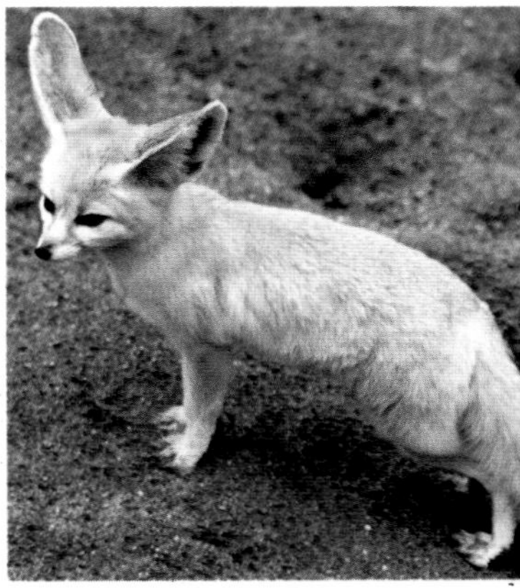

J. Six

fennec

FENNEC [fenɛk] n. m. (mot ar.). Petit renard du Sahara, à longues oreilles. (Long. 60 cm.)

FENNOSCANDIE, ensemble formé par le massif ancien de Finlande, de Suède et de Norvège.

FENIL [fənil *ou* fəni] n. m. (lat. *fenile;* de *fenum*, foin). Lieu où l'on emmagasine le foin.

FENOGLIO (Beppe), écrivain italien (Alba 1922 - *id.* 1963). Sa participation à la Résistance lui inspira les récits les plus caractéristiques d'une œuvre marquée par l'influence de la littérature anglaise et une sensibilité particulière au langage quotidien et dialectal (*La Malora*, 1954; *Primavera di bellezza*, 1959; *Un Giorno di fuoco*, 1963; *Il Partigiano Johnny*, 1968).

FENOUIL n. m. (lat. *feniculum*, petit foin). Plante aromatique, à feuilles divisées en fines lanières et dont on consomme la base des pétioles charnus. (Famille des ombellifères.)

fenouil

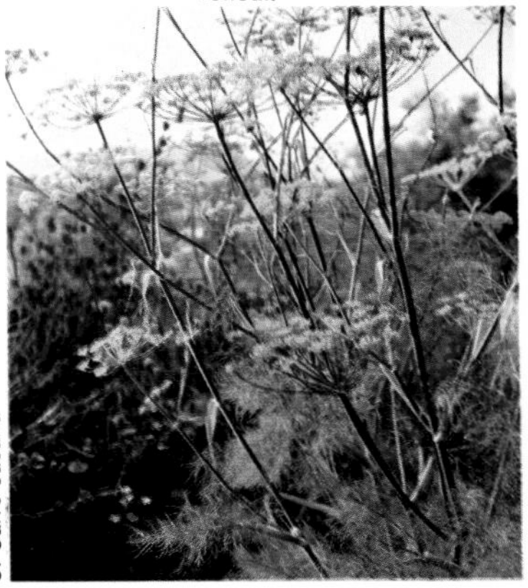

C. Carré-Jacana

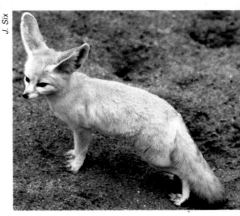

FENOUILLET (31150), comm. de la Haute-Garonne, à 11 km au N.-O. de Toulouse; 2 978 hab. Industries alimentaires.

FENS, plaines de l'Angleterre, sur la mer du Nord (golfe du Wash), marécageuses avant le drainage, permettant les cultures maraîchères.

FENSCH (la), riv. du nord de la Lorraine, affl. de la Moselle (r. g.); 42 km. Industries sidérurgiques et métallurgiques implantées dans sa vallée.

FENTE n. f. Ouverture étroite et longue à la surface de qqch. ‖ *Dr.* En l'absence de descendants, partage d'une succession en deux parts, l'une attribuée à la ligne paternelle, l'autre à la ligne maternelle.

FENUGREC n. m. (lat. *fenugraecum,* foin grec). Plante à odeur forte. (Famille des papilionacées.)

FÉODAL, E, AUX adj. (bas lat. *feodalis*). Qui concerne les fiefs, la féodalité. ● *Mode de production féodal,* celui qui est caractérisé par la domination du groupe familial propriétaire, et par la suprématie des campagnes sur les villes.

FÉODAL n. m. Grand propriétaire terrien.

FÉODALEMENT adv. En vertu du droit féodal.

FÉODALISME n. m. Système féodal.

FÉODALITÉ n. f. Ensemble des lois et coutumes qui régirent l'ordre politique et social dans une partie de l'Europe, de la fin de l'époque carolingienne à la fin du Moyen Âge, et qui impliquaient d'une part la prédominance d'une classe de guerriers, d'autre part des liens de dépendance d'homme à homme. ‖ *Péjor.* Puissance économique ou sociale qui rappelle l'organisation féodale : *féodalité financière.*

■ La société féodale présente deux caractères fondamentaux. Le premier réside dans un émiettement de l'autorité publique. Au cours des Xe et XIe s., celle-ci est tombée du niveau du roi à celui des princes territoriaux qui, en règle générale (sauf en Normandie), n'ont pas su, eux-mêmes, la conserver : en Île-de-France, en Bourgogne et en Aquitaine, les droits régaliens sont souvent aux mains des personnages chargés de la garde des forteresses, voire aux mains de simples propriétaires fonciers. Cette évolution a donné naissance à la seigneurie banale, territoire de taille très variable sur lequel le seigneur exerce pour son compte, et sans contrôle, le pouvoir autrefois détenu par le roi *(bannum).* C'est de lui que désormais dépendent vilains et roturiers.

Le second caractère de la féodalité apparaît dans la généralisation du lien vassalique que connaissait déjà le haut Moyen Âge. Tel seigneur territorial s'est forgé une clientèle de guerriers moins puissants, qui lui ont prêté hommage en échange d'une protection et d'un bénéfice (fief*). Mais ces vassaux peuvent avoir eux-mêmes des vassaux, tout comme le seigneur peut être le vassal d'un autre seigneur. Ainsi se forme une hiérarchie des personnes et des fiefs aboutissant, au sommet, au roi, qui, bien qu'ayant perdu son autorité directe sur les hommes vivant dans le ressort des grands fiefs, se voit ainsi reconnaître une supériorité féodale. Celle-ci, d'abord illusoire, faute de moyens, pour le roi, de contraindre ses vassaux à respecter leurs obligations, devient source d'autorité lorsque l'accroissement du domaine royal permet le renversement du rapport de force en sa faveur (début XIIIe s.). Dès lors, les institutions féodo-vassaliques, bien que persistantes, cessent de dominer le système politique du royaume, car se développent les institutions monarchiques qui favoriseront le retour de l'autorité vers le sommet.

FER n. m. (lat. *ferrum*). Métal (Fe) no 26, de masse atomique 55,847, tenace et malléable, le plus important pour son utilisation industrielle et technologique, surtout sous forme d'alliages, d'aciers et de fontes. ‖ Objet en fer ou en acier. ‖ Épée, fleuret : *croiser le fer.* ‖ Semelle de fer en forme d'arc outrepassé dont on garnit la corne des pieds des chevaux, des ânes, etc. ‖ Barre d'acier doux présentant une section particulière : *fer à T, en U.* ‖ Barre d'acier servant d'armature au béton armé. ‖ Lame d'acier constituant la partie coupante d'un outil ou d'une arme blanche. ● *Âge du fer,* période protohistorique pendant laquelle se généralisa la métallurgie du fer (à partir du VIIIe s. av. J.-C. en Europe occidentale, où les stations éponymes de Hallstatt et de La Tène désignent le premier et le second âge du fer). ‖ *Coup de fer,* repassage rapide au fer chaud. ‖ *De fer,* robuste : *santé de fer;* inébranlable, inflexible : *discipline de fer.* ‖ *Fer battu,* fer travaillé par martelage, sous forme de tôle ou de feuille. ‖ *Fer à dorer,* outil en métal gravé utilisé pour décorer à la main ou au balancier la couverture des livres reliés. ‖ *Fer doux,* acier extradoux recuit, utilisé pour les noyaux de circuits magnétiques. ‖ *Fer électrolytique,* fer très pur obtenu par électrolyse d'un sel de fer. ‖ *Fer à friser,* instrument de métal ayant la forme de longs ciseaux et dont les branches une fois chauffées servent à rouler les cheveux pour les boucler. ‖ *Fer de lance,* pointe en fer placée au bout d'une lance; élément jugé le plus efficace d'une force militaire, le plus combatif d'un groupe. ‖ *Fer à repasser,* appareil ménager formé d'une semelle de métal qui, une fois chaude, sert à repasser. ‖ *Fer à souder,* outil utilisé pour les soudures avec apport de plomb ou d'étain. ‖ *Fer à vapeur,* fer à repasser électrique muni d'un réservoir à eau permettant d'humidifier les tissus par projection de vapeur ou d'eau pendant le repassage. ‖ *Fil de fer,* fil obtenu par le passage de barres cylindriques de fer ou d'acier doux dans les trous d'une filière. ‖ *Tomber les quatre fers en l'air,* tomber à la renverse. ◆ pl. Chaînes. ‖ *Litt.* Esclavage : *gémir dans les fers.*

■ Le fer est un solide blanc-gris, de densité 7,8, fondant vers 1 530 °C en passant par l'état pâteux. C'est le principal corps ferromagnétique. Il est profondément corrodé par l'air humide, qui le transforme en rouille, oxyde ferrique hydraté; aussi est-il indispensable de le protéger. Il brûle dans l'oxygène au rouge, ainsi que dans le chlore et décompose la vapeur d'eau en donnant de l'hydrogène.

Il existe deux séries principales de composés du fer : les composés *ferreux,* où le fer est bivalent, et les composés *ferriques,* où il est trivalent. Parmi les premiers, citons l'oxyde FeO noir, le sulfate $FeSO_4$, qui se présente hydraté en beaux cristaux verts; ces composés sont réducteurs. L'oxyde ferrique Fe_2O_3, rouge, ou colcotar, qui sert à polir le verre, le chlorure $FeCl_3$ et le sulfate $Fe_2(SO_4)_3$, qui servent à coaguler le sang, appartiennent à la seconde série. Citons encore l'oxyde salin ou oxyde magnétique Fe_3O_4, ou pierre d'aimant naturelle.

L'élaboration du fer pur dérive directement de celle de l'acier* par un affinage particulier au four à sole ou au four électrique en présence de laitiers spécifiques (fer Armco). Des procédés spéciaux de traitement par un réducteur solide ou gazeux, de décomposition de carbonyle ou d'électrolyse permettent d'obtenir, en quantité réduite, des qualités de fer sous forme d'éponge ou de poudre. Utilisé pour sa malléabilité, sa faible dureté, sa grande résilience ou son ferromagnétisme doux (perméabilité, faible champ coercitif), le fer pur industriel est difficile à distinguer, dans ses applications, de l'acier extra-doux (fer à 0,10 p. 100 de carbone). On l'emploie, par exemple, pour des applications électromagnétiques (fer doux pour pièces polaires d'électroaimants, tôles d'induits de moteurs).

Le fer est, de loin, le premier minéral métallique extrait, avec une production mondiale — à la croissance ralentie — de l'ordre de 500 millions de tonnes (métal contenu). L'U.R.S.S. fournit environ 30 p. 100 de ce total, précédant nettement l'Australie, à l'apport rapidement croissant (60 millions de tonnes), qui a dépassé les États-Unis et le Brésil (40 millions de tonnes). Loin derrière vient un groupe hétérogène de producteurs moyens, extrayant chacun de 20 à 40 millions de tonnes de métal contenu (Canada, Chine, Liberia, Inde). Base de la sidérurgie, le fer est l'objet d'un commerce international important, dirigé notamment vers l'Europe du Marché commun, dont la France est le seul producteur notable (6 millions de tonnes).

● *Architecture du fer.* Depuis le XVIe s., on rêvait de construire un pont en métal; mais le premier, réalisé à Coalbrookdale, en Angleterre, ne date que de 1779 (en fonte, par l'industriel Abraham III Darby). Bientôt, dans le même pays, le métal sera substitué au bois dans la charpente des usines textiles. Le XIXe s., avec l'essor et la diversification de la métallurgie, avec l'action (freinée par l'académisme) de la tradition rationaliste au sein de l'architecture française, voit se multiplier les réalisations : ponts, serres, halls de gare ou galeries d'exposition qui, en général, conservent une enveloppe de maçonnerie, mais révèlent peu à peu les possibilités expressives propres au fer, à la fonte, puis à l'acier, associés au verre. On citera la coupole de la halle aux blés de Paris (1809, détruite) par Bélanger*, le Royal Pavilion de J. Nash*, l'architecture éclectique, en éléments préfabriqués, de l'industriel américain James Bogardus (1800-1874), les systèmes de fermes de l'ingénieur Camille Polonceau (1813-1859), le Crystal Palace (1851) du jardinier anglais Joseph Paxton, les édifices parisiens de Hittorff* (gare du Nord), Labrouste* (bibliothèques), Baltard* (halles), Louis-Charles Boileau (1837-1910) [magasins du Bon Marché], sans oublier, à l'Exposition universelle de 1889, la galerie des Machines de l'ingénieur Victor Contamin (1840-1893) et de l'architecte Ferdinand Dutert (1845-1906), avec ses 115 m de portée, et, bien sûr, la tour Eiffel.

L'emploi du fer par l'école de Chicago* et, au sein de l'Art nouveau, par Horta* ou par Frantz Jourdain*, n'empêche pas le triomphe du béton* au début du XXe s. Après la Seconde Guerre mondiale, on voit une poussée de l'acier — le matériau est disponible — avec Mies van der Rohe et les nouveaux gratte-ciel américains à enveloppe de verre, puis un retour en force du béton durant la guerre du Viêt-nam. De nouveaux modes de couverture sont apparus : structures tendues faites de nappes de câbles associées ou non au béton, structures tridimensionnelles, telles les coupoles géodésiques de R. B. Fuller*.

fer *(Croix de),* ordre militaire prussien, puis allemand, fondé en 1813. Décernée pendant les deux guerres mondiales, elle fut reconnue en 1956 par le gouvernement de l'Allemagne fédérale.

FER *(île de),* en esp. **Hierro,** la plus occidentale des îles Canaries; 6 000 hab.

FÉRA n. f. Poisson des lacs alpins, apprécié pour sa chair. (Long de 50 cm, il appartient au genre *corégone.*)

FÉRALIES n. f. pl. (lat. *feralis*). Fêtes en l'honneur des morts, chez les Romains.

FER-BLANC n. m. (pl. *fers-blancs*). Tôle fine en acier doux, recouverte d'étain.

FERBLANTERIE n. f. Métier, commerce, boutique du ferblantier. ‖ Ustensiles en fer-blanc.

FERBLANTIER n. m. Celui qui fabrique, vend toutes sortes d'objets en fer-blanc.

FERDINAND Ier DE HABSBOURG (Alcalá de Henares 1503 - Vienne 1564), empereur germanique (1558-1564). Fils de Philippe le Beau et de Jeanne la Folle, il est le frère cadet de Charles Quint, qui, à la suite de son mariage avec Anne de Hongrie (1521), lui cède la souveraineté des cinq États Habsbourg (Haute- et Basse-Autriche, Styrie, Carinthie, Carniole). À la mort de son beau-frère Louis II Jagellon (Mohács 1526), il est élu roi de Bohême et de Hongrie. Nommé roi des Romains en 1531, il gouverne l'Empire après l'abdication de Charles Quint (1556), mais ne devient empereur qu'en 1558. Il s'efforce de résoudre le problème religieux (paix d'Augsbourg, 1555). À l'extérieur, il lutte contre les Turcs et doit signer la trêve de huit ans (1562) contre le versement d'un tribut annuel au Sultan.

FERDINAND II DE HABSBOURG (Graz 1578 - Vienne 1637), empereur germanique (1619-1637). Roi de Bohême (1617) et de Hongrie (1618), il est couronné empereur en 1619. Élevé dans un catholicisme rigoureux, il s'affirme comme le champion de la Contre-Réforme. Son autoritarisme et son intolérance (défenestration de Prague, mai 1619) provoquent la révolte des Tchèques, qui le destituent et le remplacent sur le trône de Bohême par l'Électeur palatin. Mais les Tchèques sont vaincus à la Montagne Blanche (1620) et subissent une terrible répression. Ferdinand II ne réussit cependant pas à imposer l'édit de Restitution, pas plus qu'il n'arrive à faire élire son fils roi de Rome par la Diète de Ratisbonne (1630). L'intervention de la Suède (1631) et de la France (1635), les intrigues de son conseiller Wallenstein, qu'il fera assassiner (1634), l'empêchent, malgré le soutien de l'Espagne, de terminer victorieusement la guerre.

Roger-Viollet

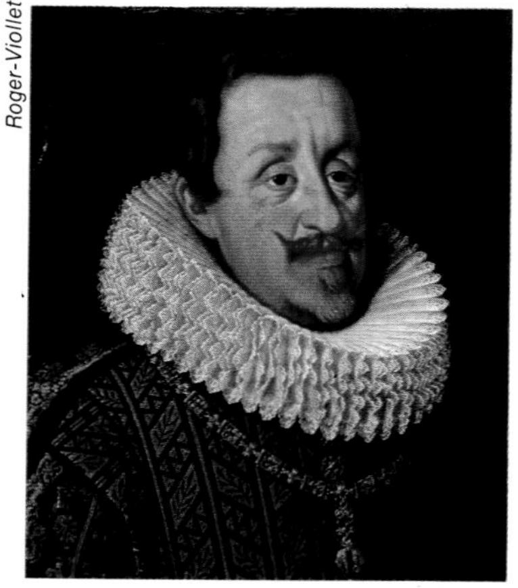

Ferdinand II de Habsbourg, par Justus Sustermans. (Galerie Pitti, Florence.)

FERDINAND III DE HABSBOURG (Graz 1608 - Vienne 1657), fils du précédent, roi de Hongrie (1625) et de Bohême (1627). À la tête des troupes impériales, il est vainqueur des Suédois en 1634. Élu roi des Romains en 1636, il devient empereur en 1637. Continuateur de la politique paternelle, il subit plusieurs défaites et doit accepter les traités de Westphalie* (1648), qui mettent fin à la guerre de Trente Ans.

FERDINAND II le Catholique (Sos, Aragon, 1452 - Madrigalejo 1516), roi d'Aragon (1479-1516) et de Sicile (1468-1516). Fils de Jean d'Aragon, il épouse en 1469 l'infante Isabelle*, qui, en 1474, succède à son frère sur le trône de Castille. La même année, son accession au trône d'Aragon scelle l'unité espagnole, qu'il renforcera en achevant la Reconquista (prise de Grenade, 1492), en marquant sa prépondérance sur la haute noblesse, en expulsant les Juifs et en persécutant les Maures. À l'extérieur, Ferdinand met la main sur le royaume de Naples (1504) et s'empare de la Navarre (1512) et du Milanais (1513). À sa mort, il laisse le royaume d'Aragon à son petit-fils Charles (Quint).

FERDINAND Ier (Vienne 1793 - Prague 1875), empereur d'Autriche (1835-1848). Fils et successeur de François Ier, il est surpris par la révolution de 1848, à l'issue de laquelle il abdique en faveur de son neveu François-Joseph (2 déc.).

FERDINAND Ier, II, III, rois de Bohême → FERDINAND Ier, II, III, empereurs.

FERDINAND (Vienne 1861 - Cobourg 1948), prince (1887-1908), puis roi ou tsar de Bulgarie (1908-1918). En 1887, Stamboulov* fait proclamer prince de Bulgarie Ferdinand de Saxe-Cobourg-Gotha. Celui-ci procède à l'unification de la Bulgarie et à sa modernisation, rejetant en 1908 la suzeraineté des Ottomans. Il engage la Bulgarie dans les deux guerres balkaniques (1912-13), puis dans la Première Guerre mondiale au côté des Empires centraux. Il doit abdiquer en 1918.

FERDINAND Ier le Grand, FERDINAND III, rois de Castille et de León → CASTILLE et LEÓN.

FERDINAND V, roi de Castille → FERDINAND II LE CATHOLIQUE.

FERDINAND VII (Escorial 1784 - Madrid 1833), roi d'Espagne (1814-1833). Fils aîné de Charles IV*, il est fait roi lors de l'émeute d'Aranjuez (1808), mais il doit abdiquer sous la pression de Napoléon Ier. Rentré de son exil français en 1814, il prend des dispositions tellement arbitraires et anachroniques qu'il provoque la révolte des colonies d'Amérique et, en Espagne même, une révolution, que seule l'intervention française permet de réduire (1823). En laissant, malgré la « loi salique », le trône à sa fille Isabelle II, il provoque, *post mortem,* les guerres carlistes (v. CARLISME).

FERDINAND Ier DE BOURBON (Naples 1751 - *id.* 1825), roi de Sicile (1759-1816) et de Naples (1759-1799, 1799-1806, 1815-16), fils de Charles III, roi d'Espagne. Il est, à deux reprises (1799-1806), chassé de Naples par les Français et se réfugie dans son royaume de Sicile. En 1815, le congrès de Vienne lui restitue Naples. Ferdinand règne alors sous le nom de FERDINAND Ier, roi des Deux-Siciles.

FERDINAND II DE BOURBON (Palerme 1810 - Caserte 1859), roi des Deux-Siciles de 1830 à 1859.

FERDINAND DE PORTUGAL, dit **Ferrand** (1186-1233), comte de Flandre et de Hainaut (1211-1233). Fils de Sanche Ier de Portugal, il épouse Jeanne de Flandre (1212). D'abord allié à Philippe Auguste, il rallie Jean sans Terre, à qui il prête hommage en juin 1214. Fait prisonnier à Bouvines, il n'obtiendra sa liberté qu'en 1226.

FERDINAND Ier, roi de Portugal → BOURGOGNE *(dynastie de).*

FERDINAND Ier, roi de Roumanie → HOHENZOLLERN DE ROUMANIE.

FERDINAND Ier ou **FERRANTE** (v. 1431-1494), roi de Sicile péninsulaire (1458-1494). Fils naturel d'Alphonse V, roi d'Aragon, il dut lutter contre le pape Calixte III, qui conteste ses droits au trône (1458), et contre la maison d'Anjou (1459-1462).

FERDOWSI' → FIRDŪSĪ.

Ferdydurke, roman de Gombrowicz (1937). Un homme de trente ans redevient un adolescent de quinze et refait les multiples épreuves de tous les conformismes et de toutes les « grimaces » que l'homme, volontairement puéril, subit et implore de la société.

FÈRE (La) [02800], ch.-l. de cant. de l'Aisne, au confluent de la Serre et de l'Oise, à 22 km au S. de Saint-Quentin; 3 925 hab. Église (XIIe-XVIe s.). Restes de l'ancien château (salles gothiques). Musée (histoire; peintures des écoles flamande, hollandaise et française).

FÈRE-CHAMPENOISE (51230), ch.-l. de cant. de la Marne, à 20 km à l'E. de Sézanne; 2 518 hab.

FÈRE-EN-TARDENOIS (02130), ch.-l. de cant. de l'Aisne, à 22 km au N.-E. de Château-Thierry, sur l'Ourcq; 3 295 hab. Église (XVe-XVIe s.). Halle (XVIe s.). Ruines d'un important château féodal.

FERENCZI (Sándor), médecin et psychanalyste hongrois (Miskolc 1873 - Budapest 1933). Analysé par S. Freud, il en devient le disciple favori et l'un des rares amis. Cependant, à partir de 1923, des divergences portant surtout sur la technique de la cure commencent à apparaître entre les deux hommes. Ferenczi propose l'« analyse active », plus centrée sur l'analyse des conflits actuels que la psychanalyse freudienne. Sur le plan théorique, il propose l'extension des théories analytiques à la biologie et appelle cette nouvelle science « bio-analyse ». Dans *Thalassa. Psychanalyse des origines de la vie sexuelle* (1924), il formule l'hypothèse selon laquelle l'existence intra-utérine répéterait des formes antérieures de la vie, dont l'origine serait marine. La naissance est une perte de cet état originaire, auquel tous les êtres aspirent à retourner.

FERGANA ou **FERGHANA** (la), dépression de l'Asie moyenne soviétique dans le bassin du Syr-Daria, partagée entre les républiques de l'Ouzbékistan, du Kirghizistan et du Tadjikistan. Encadrée de hautes chaînes (notamment le T'ien-chan), c'est un bassin fertilisé par l'irrigation, qui y a étendu notamment les cultures (coton surtout), autrefois limitées dans les oasis, principaux sites des villes, dont les plus importantes sont Leninabad, Namagan, Kokand, *Fergana* et Andijan. Le sous-sol fournit du pétrole.

FÉRIAL, E, AUX adj. Relatif à la férie.

FÉRIE n. f. (lat. *feria,* jour de fête). *Hist. rom.* Jour pendant lequel la religion prescrivait la cessation du travail. ‖ *Liturg.* Jour ordinaire qui ne comporte aucune fête particulière.

FÉRIÉ, E adj. (lat. *feriatus*). Se dit d'un jour de repos prescrit par la loi ou par la religion.

■ Les *jours fériés* reconnus par la loi sont au nombre de onze : ce sont le jour de l'An, le lundi de Pâques, le 1er mai (fête du Travail), le 8 mai (victoire de 1945), l'Ascension, le lundi de Pentecôte, le 14 juillet (fête nationale), l'Assomption, la Toussaint, le 11 novembre (armistice 1918) et Noël. Les jours fériés — autres que le 1er mai — doivent obligatoirement être chômés par les femmes et les enfants de moins de dix-huit ans. Le 1er mai est un jour chômé pour tous et payé. Il n'est pas permis, en principe, durant ces jours, de signifier ou exécuter un acte ou jugement.

FÉRIR v. t. (lat. *ferire,* frapper). *Sans coup férir* (Litt.), sans difficulté.

FERLAND (Albert), écrivain canadien d'expression française (Montréal 1872 - *id.* 1943). Poète, il fut l'un des représentants de l'« école du terroir » (*le Canada chanté,* 1908-1910).

FERLER v. t. (anc. fr. *fresler*). *Mar.* Serrer étroitement contre une vergue tous les plis d'une voile carguée.

FERMAGE n. m. Mode de faire-valoir d'une exploitation agricole ou d'une parcelle de terrain dans lequel l'exploitant, n'ayant pas la propriété du sol, verse un loyer au propriétaire; ce loyer lui-même.

FERMAIL n. m. (de *fermer*) [pl. *fermaux*]. Agrafe de manteau, boucle de ceinture, fermoir de livre, etc. (vx).

FERMAT (Pierre DE), mathématicien français (Beaumont-de-Lomagne 1601 - Castres 1665). Il fonda en même temps que Descartes la géométrie analytique. Précurseur du calcul différentiel, il apporta une contribution essentielle à la théorie des nombres. Enfin, il fut avec Pascal* à l'origine du calcul des probabilités.

FERME adj. (lat. *firmus*). Solide, stable, qui offre une certaine résistance : *terrain ferme; être ferme sur ses jambes.* ‖ Assuré : *ton ferme.* ‖ Qui ne faiblit pas, qui ne fléchit pas; constant, inébranlable : *ferme dans ses résolutions.* ‖ Se dit des opérations commerciales qui ont un

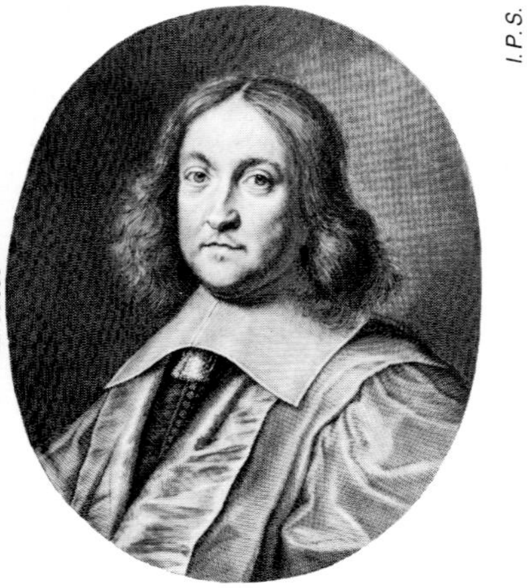

Pierre de **Fermat**, par Poilly.

caractère définitif : *achat, vente ferme.* ‖ Se dit d'une valeur dont le cours est stable : *les pétroles sont fermes.* ● *Terre ferme,* continent. ◆ adv. Avec assurance : *parler ferme.* ‖ Beaucoup : *travailler ferme.* ‖ Définitivement : *vendre ferme.*

FERME n. f. (de *fermer*). *Constr.* Assemblage de pièces de bois ou de métal triangulées, placées de distance en distance pour supporter le faîte d'un comble. ‖ Décor de théâtre monté sur châssis qui s'élève des dessous.

FERME n. f. Contrat par lequel un propriétaire abandonne à qqn l'exploitation d'un domaine ou d'un terrain moyennant le paiement d'un loyer; ce domaine. ‖ Exploitation agricole. ‖ *Hist.* Perception de divers impôts, affermés jadis à des compagnies ou à des individus.

FERMÉ, E adj. Insensible, inaccessible à : *fermé à la poésie.* ‖ Où il est difficile de s'introduire : *société fermée.* ‖ *Phon.* Se dit d'une voyelle prononcée avec une fermeture partielle ou totale du canal vocal : *é fermé* [e]. ‖ *Math.* Se dit d'un intervalle dans lequel on englobe les valeurs qui le limitent.

FERMEMENT adv. Avec force et fermeté.

FERMENT n. m. (lat. *fermentum*). Agent produisant la fermentation d'une substance. ‖ *Litt.* Ce qui fait naître ou entretient les passions, les haines : *ferment de discorde.*

FERMENTATIF, IVE adj. Qui produit une fermentation.

FERMENTATION n. f. Dégradation de substances organiques par des enzymes microbiennes, souvent accompagnée de dégagements gazeux. (La *fermentation alcoolique* transforme les jus sucrés des fruits en boissons alcoolisées; la *fermentation acétique* transforme le vin en vinaigre; la *fermentation lactique* entraîne la coagulation du lait.) ‖ Agitation sourde.

FERMENTÉ, E adj. Qui a subi une fermentation.

FERMENTER v. i. Être en fermentation. ‖ *Litt.* Être dans un état d'agitation latent.

FERMENTESCIBLE ou, rare, **FERMENTABLE** adj. Qui peut fermenter.

FERMER v. t. (lat. *firmare*). Appliquer une partie mobile de manière à boucher une ouverture : *fermer une porte, un robinet.* ‖ Empêcher ou interdire l'accès d'un local, d'un lieu, d'un passage : *fermer les frontières.* ‖ Isoler l'intérieur d'un lieu en rabattant la porte, le couvercle : *fermer son appartement, une lettre, un sac.* ‖ Faire cesser le fonctionnement de : *fermer le gaz, la radio.* ● *Fermer la marche,* marcher le dernier. ‖ *La fermer* (Pop.), se taire. ◆ v. i. Être, rester fermé : *cette porte ferme mal.*

FERMETÉ n. f. (lat. *firmitas*). État de ce qui est ferme, solide : *la fermeté d'un pont; fermeté du jugement.* ‖ Qualité de celui que rien n'ébranle, énergie morale : *répondre avec fermeté.* ‖ Autorité, rigueur : *montrer de la fermeté.*

FERMETTE n. f. Petite maison rurale.

FERMETURE n. f. Action, manière, moment de fermer : *la fermeture des théâtres.* ‖ Ce qui sert à fermer : *fermeture automatique.* ● *Fermeture à glissière* ou *fermeture Éclair* (n. déposé), fermeture souple constituée de deux chaînes à mailles qui se joignent au moyen d'un curseur.

FERMI n. m. (de *Fermi,* n. pr.). Unité de mesure de longueur utilisée en microphysique et valant 10^{-15} m. (Cette unité n'est pas légale en France.)

FERMI (Enrico), physicien italien (Rome 1901 - Chicago 1954). Il créa en 1927, avec Dirac, une statistique applicable aux électrons et émit, en même temps que Pauli, l'hypothèse du neutrino. Il préconisa les neutrons lents pour la désintégration des noyaux atomiques et réalisa en 1942 la première pile nucléaire, à uranium et graphite. (Prix Nobel de physique, 1938.)

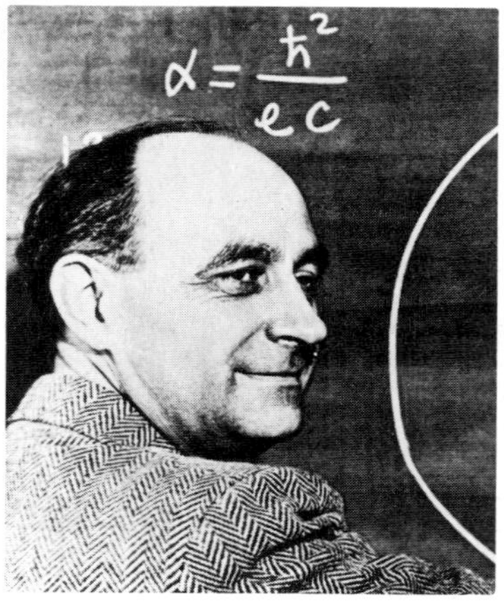

I.P.S.

Enrico **Fermi**

FERMIER, ÈRE n. Personne qui loue les terres qu'elle exploite. ‖ Agriculteur, propriétaire ou non des terres qu'il exploite. ● *Fermier général* (Hist.), financier qui, sous l'Ancien Régime, prenait à ferme le droit de percevoir l'impôt. ◆ adj. Qui tient à ferme une exploitation : *société fermière.* ‖ De ferme : *beurre fermier.*

FERMION n. m. (de *Fermi,* n. pr.). Nom donné à toute particule obéissant à la statistique de *Fermi-Dirac* (électrons, nucléons, etc.).

FERMIUM [fɛrmjɔm] n. m. Élément chimique artificiel (Fm), n° 100.

FERMOIR n. m. Attache ou dispositif pour tenir fermé un livre, un collier, etc.

FERNANDEL (Fernand CONTANDIN, dit), acteur français (Marseille 1903 - Paris 1971). Il débuta au café-concert comme comique troupier, tâta de l'opérette et mena une carrière de chanteur fantaisiste, mais il dut l'essentiel de sa popularité au cinéma, où, pendant quarante années, il interpréta de très nombreux films, comiques pour la plupart. Cependant, il sut se montrer émouvant dans certaines œuvres dramatiques. Il a joué en particulier dans *Angèle* (1934), *François Ier* (1936), *Regain* (1937), *le Schpountz* (1938), *la Fille du puisatier* (1940), *l'Auberge rouge* (1951), *le Petit Monde de Don Camillo* (1951), *la Vache et le prisonnier* (1959).

FERNÁNDEZ (Gregorio) → HERNÁNDEZ.

FERNANDO POO, auj. **Bioco,** île de la Guinée équatoriale, au fond du golfe de Guinée; 2 017 km^2; 61 200 hab. V. princ. *Malabo.*

FERNEY-VOLTAIRE (01210), ch.-l. de cant. de l'Ain, sur la frontière suisse, près de Genève; 6 400 hab. Voltaire y résida de 1758 à 1778.

FÉROCE adj. (lat. *ferox;* de *ferus,* bête sauvage). Très cruel : *une bête féroce.* ‖ Impitoyable; qui manifeste ce sentiment : *examinateur féroce; regard féroce.* ‖ D'une grande violence : *envie féroce.*

FÉROCEMENT adv. De façon féroce.

FÉROCITÉ n. f. Caractère féroce.

FÉROÉ ou **FAEROE,** archipel danois, au N. de l'Écosse; 43 600 hab. Ch.-l. *Thorshavn.* Pêche et conserveries. Élevage ovin. — Rattaché au Danemark après l'Union de Kalmar (1397), l'archipel a obtenu, en 1948, son autonomie pour la gestion des affaires d'intérêt local.

FERRADE n. f. (prov. *ferrado*). Action de marquer les bestiaux au fer rouge.

FERRAGE n. m. Action de ferrer.

FERRAILLAGE n. m. Ensemble des fers d'un ouvrage en béton armé.

FERRAILLE n. f. Débris de pièces en fer, fonte ou acier; vieux fers hors d'usage. ‖ *Fam.* Pièces de monnaie.

FERRAILLEMENT n. m. Action de ferrailler.

FERRAILLER v. i. Se battre au sabre ou à l'épée. ‖ Disposer un ferraillage.

FERRAILLEUR n. m. Commerçant en ferraille. ‖ *Constr.* Ouvrier effectuant le ferraillage. ‖ Homme qui aimait à se battre à l'épée (vx).

FERRALITIQUE adj. Se dit d'un sol présentant une concentration en alumine et en fer.

FERRARA (Francesco), économiste italien (Palerme 1810 - Venise 1901). Présentant une conception d'ensemble de la vie économique, il a mis notamment en lumière le « coût de reproduction », base de l'explication de la valeur*.

FERRARE, v. d'Italie, en Émilie, ch.-l. de prov.; 155 000 hab. Industrie chimique.

HISTOIRE. Créée en 450, Ferrare appartint d'abord à l'exarchat de Ravenne, puis fut dotée d'une organisation communale, avant d'être placée sous la suzeraineté du pape (début du XIIe s.). Elle devint aussitôt l'enjeu des luttes que se livrèrent les Adelardi et les Salinguerra. En 1240, la famille d'Este*, alliée aux Adelardi, s'en empara et en fit un centre de la Renaissance italienne. Ville pontificale de 1598 à 1796, Ferrare fut rattachée à l'Italie en 1860.

BEAUX-ARTS. Cathédrale, commencée en 1135, à large façade romano-gothique. Château d'Este, commencé en 1385. Palais Schifanoia (musée civique), de Ludovic le More (riche musée archéologique national) et des Diamants (pinacothèque), les deux derniers par Biagio Rossetti (v. 1447-1516). Le grand maître de l'école ferraraise de peinture est Cosme Tura*, qui transmet l'acuité hallucinatoire de son style à Francesco del Cossa (v. 1436-1478), auteur, avec Ercole de' Roberti (v. 1450-1496), à la manière moins âpre, des célèbres fresques du salon des Mois au palais Schifanoia. Lorenzo Costa (v. 1460-1535), actif à Bologne et surtout à Mantoue (collaboration au *studiolo* d'Isabelle d'Este), passe à un style léger et délicat, qui évolue vers une suavité maniériste avec Dosso Dossi (v. 1480-1542) [*Circé,* inspiré de l'Arioste, galerie Borghèse, Rome]. Les grandes compositions du Garofalo (1481-1559) complètent ce panorama.

Ferrare *(concile de)* → BÂLE *(concile de).*

FERRARI (Luc), compositeur français (Paris 1929). Il utilise la musique comme moyen de communication, en abolissant les frontières entre artiste et public *(Société V).*

FERRARIS (Galileo), physicien italien (Livorno Vercellese 1847 - Turin 1897). Il a découvert en 1885 le champ magnétique tournant, qui fut à l'origine des moteurs asynchrones à courants polyphasés.

FERRASSIE (la), site de la comm. du Bugue (Dordogne, arrond. de Sarlat), près des Eyzies-de-Tayac-Sireuil. Gisement paléolithique dont la séquence stratigraphique a joué un rôle fondamental dans l'établissement de la chronologie du paléolithique moyen et supérieur français.

FERRAT (Jean TENENBAUM, dit **Jean**), auteur-compositeur et interprète de chansons français (Vaucresson 1930). Il débuta en 1954 dans divers petits cabarets parisiens et s'affirma à partir de 1960 *(Ma môme)* comme l'un des meilleurs interprètes de chansons poétiques (il s'inspire notamment des poèmes de L. Aragon) et « engagées » (*Potemkine,* 1965; *la Montagne,* 1966).

FERRÉ, E adj. Garni de fer. ● *Être ferré sur une matière* (Fam.), la connaître à fond. ‖ *Voie ferrée,* voie de chemin de fer.

FERRÉ (Léo), auteur-compositeur et interprète de chansons français (Monte-Carlo 1916). Dans la lignée des chansonniers anarchistes *(Graine d'ananar),* il a su railler avec esprit la société moderne dans des textes grinçants, amers et révoltés, politiquement engagés *(Franco la Muerte, la Gueuse, les Temps difficiles).* Il a également mis en musique de nombreux poèmes de Baudelaire, de Verlaine, de Rimbaud, d'Aragon. Auteur d'un opéra (*la Vie d'artiste,* 1950) et d'un oratorio sur « la Chanson du Mal-Aimé » d'Apollinaire (1954), il a écrit également deux concertos, une symphonie et publié des poèmes et un roman.

FERRÉDOXINE n. f. Protéine très simple, contenant du fer et du soufre, et qui joue depuis l'origine de la vie un rôle fondamental dans les oxydations et réductions de tous les êtres vivants, en particulier dans la photosynthèse des plantes vertes.

FERREMENT n. m. Objet ou garniture en fer.

FERRER v. t. Garnir un objet avec du fer. ‖ Clouer des fers aux pieds d'un cheval, d'un bœuf, etc. ● *Ferrer à glace,* avec des fers cramponnés, qui ne glissent pas sur la glace. ‖ *Ferrer un poisson,* donner une légère secousse à l'hameçon pour accrocher le poisson.

FERRERI (Marco), cinéaste italien (Milan 1928). Il réalisa notamment en Espagne *El cochecito* (1960), puis dans son pays natal *le Lit conjugal* (1963), *Dillinger est mort* (1969), *la Semence de l'homme* (1969), *Liza* (1972), *la Grande Bouffe* (1973), *la Dernière Femme* (1976), *Rêve de singe* (1978), *Histoire de Pierra* (1983), *Le futur est femme* (1984), *I Love you* (1986), *Y'a bon les Blancs* (1987).

FERRET n. m. Bout métallique d'une aiguillette, d'un lacet.

FERRET, nom de deux vallées de Suisse et d'Italie, au pied du massif du Mont-Blanc.

FERRETTE (68480), ch.-l. de cant. du Haut-Rhin, à 28 km au S.-E. d'Altkirch; 727 hab.

FERREUX adj. m. Qui contient du fer : *minerais ferreux.* ‖ *Chim.* Se dit des composés du fer bivalent.

FERRI (Enrico), criminaliste italien (San Benedetto Po 1856 - Rome 1929). Représentant de l'école positiviste en sociologie, il fut l'un des créateurs de la criminologie moderne. Marxiste, directeur de l'*Avanti!,* il évolua vers le fascisme.

FERRICYANURE n. m. *Chim.* Sel complexe formé par l'union de cyanure ferrique et d'un cyanure alcalin.

FERRIÉ (Gustave), général et savant français (Saint-Michel-de-Maurienne 1868 - Paris 1932). Il dota la France d'un puissant réseau de télégraphie sans fil en créant dès 1903 une liaison entre Paris (dont la portée de l'émetteur de la tour Eiffel passe de 400 à 6 000 km en 1908) et les places fortes de l'Est. Directeur de la radiotélégraphie pendant la Première Guerre mondiale, il mit au point les systèmes d'écoute, la télégraphie par le sol, la liaison avec les avions et le repérage par le son.

FERRIÈRE (Adolphe), pédagogue suisse (Genève 1879 - *id.* 1960), pionnier de l'éducation nouvelle et des méthodes actives.

FERRIÈRE-LA-GRANDE (59680), comm. du Nord, à 3,5 km au S. de Maubeuge; 5 611 hab.

FERRIÈRES (45210), ch.-l. de cant. du Loiret, à 12 km au N. de Montargis; 2 417 hab. Église des XIIe-XVe s., avec rotonde de chœur du XIIIe s.

FERRIMAGNÉTISME n. m. Magnétisme particulier présenté par les ferrites.

FERRIQUE adj. *Chim.* Se dit des composés du fer trivalent : *chlorure ferrique* $FeCl_3$.

FERRITE n. m. Céramique magnétique composée d'oxydes binaires de la forme MFe_2O_4, dans laquelle M représente un ou plusieurs métaux tels que le nickel, le manganèse, le zinc, le magnésium ou le cuivre. (Le ferrite constitue le circuit magnétique des bobines de self-induction à haute fréquence.)

FERRITE n. f. *Métall.* Variété allotropique de fer pur présente dans des alliages ferreux.

FERRO-ALLIAGE n. m. (pl. *ferro-alliages*). Nom générique des alliages contenant du fer.

FERROCÉRIUM [fɛrɔserjɔm] n. m. Alliage de fer et de cérium.

FERROCHROME n. m. Alliage de fer de chrome pour la fabrication des aciers inoxydables et spéciaux.

FERROCYANURE n. m. *Chim.* Sel complexe formé par l'union de cyanure ferreux et d'un cyanure alcalin.

FERROÉLECTRICITÉ n. f. Propriété que présentent certains cristaux de posséder une polarisation électrique spontanée, permanente et réversible sous l'action d'un champ électrique extérieur.

FERROÉLECTRIQUE adj. Relatif à la ferroélectricité.

FERROL (Le), en esp. **El Ferrol del Caudillo,** port du nord-ouest de l'Espagne, en Galice, près de La Corogne; 88 000 hab. Chantiers navals.

FERROMAGNÉTIQUE adj. Se dit des substances douées de ferromagnétisme.

FERROMAGNÉTISME n. m. Propriété de certaines substances (fer, cobalt, nickel) qui peuvent prendre une forte aimantation.

FERROMANGANÈSE n. m. Alliage de fer à haute teneur en manganèse (jusqu'à 80 p. 100).

FERROMOLYBDÈNE n. m. Alliage de fer et de molybdène (de 40 à 80 p. 100).

FERRONICKEL n. m. Alliage de fer et de nickel.

FERRONNERIE n. f. Travail artistique du fer; ouvrages qui en résultent; atelier, commerce du ferronnier.
■ Les Celtes ont excellé, plus que les peuples méditerranéens, dans le travail de la forge. En France, les premiers ouvrages conservés datent du XIe s. et révèlent une technique aboutie, sûrement fondée sur une tradition (ex. : pentures de la cathédrale du Puy, fin du XIe s.; grille de son cloître, XIIe s.). Comme tous les métiers d'art, la ferronnerie évoluera vers la commodité, abandonnant un peu de ses caractères originaires de franchise, de parfaite cohérence des formes et de la technique de base. Ainsi, les ornements de tôle repoussée, fixés à l'aide de rivets, apparaissent au XVe s. pour remplacer les ornements étampés.

Une éclipse se produit en France au XVIe s., alors que la ferronnerie continue de s'épanouir avec exubérance en Italie, en Allemagne du Sud (grille du tombeau de Maximilien à Innsbruck [1568], animée de motifs floraux, de cartouches, d'angelots) et en Espagne (riches clôtures d'églises à balustres, grilles de fenêtres). Le XVIIe s. français donne des rampes d'escalier et des garde-corps de balcons, passe de la pauvreté à une simplicité majestueuse, avec l'exception des deux somptueuses portes du château de Maisons (v. 1645, Louvre), où des pièces fondues côtoient les éléments forgés.

Le chef-d'œuvre du style rocaille est l'ensemble de la place Stanislas à Nancy (1750-1758), par Jean Lamour, aux gracieux ornements de cuivre doré sur une trame d'une élégance beaucoup plus classique et retenue que les œuvres contemporaines du rococo allemand (grilles du château de Würtzburg, ou celles, simulant une perspective, de l'église S. Ulrich d'Augsbourg). Le style Louis XVI donne de remarquables compositions aux fers polis (grilles du Palais de Justice de Paris, 1785), avec lesquelles contraste la décadence du XIXe s., due à la préférence des architectes néoclassiques pour les balustrades de pierre, puis à la généralisation des éléments de série en fonte.

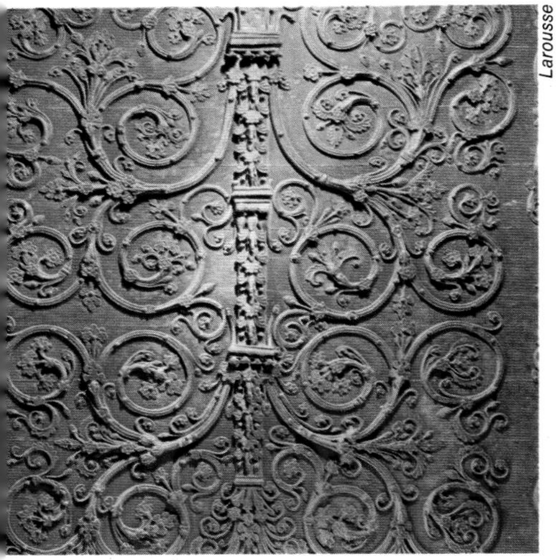

Larousse

ferronnerie : penture en fer forgé du portail de Sainte-Anne à Notre-Dame de Paris, XIIIe s.

Une renaissance, à laquelle a prélude l'action de Viollet-le-Duc, se produit à l'époque de l'Art nouveau grâce au goût pour le métal — toujours docile aux caprices de la ligne — de Gaudí (maison Vicens, v. 1880; balcons aux formes d'algues emmêlées de la maison Milá, 1905), de Guimard, d'Horta ou de Majorelle.

FERRONNIER, ÈRE n. Spécialiste de la ferronnerie.

FERRONNIÈRE n. f. Joyau porté par les femmes au milieu du front, à la Renaissance.

FERROPRUSSIATE n. m. Syn. anc. de FERROCYANURE.

FERROVIAIRE adj. (it. *ferroviario*). Qui concerne le transport par chemin de fer.

FERRUGINEUX, EUSE adj. (lat. *ferrugo -ginis*, rouille du fer). Qui contient du fer ou l'un de ses composés.

FERRURE n. f. Garniture de fer d'une porte, d'une croisée, etc. ‖ Action ou manière de ferrer un cheval, un bœuf, etc.

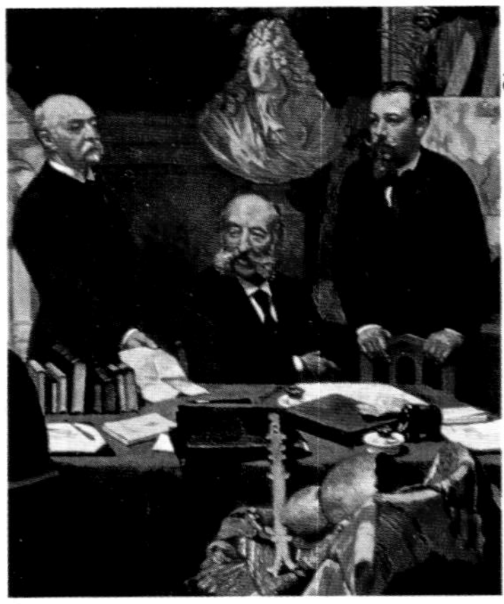

Lauros-Giraudon

Jules **Ferry** (au centre, assis). Détail d'un tableau de Frédéric Régamey. (Musée des Arts africains et océaniens, Paris.)

FERRY (Jules), homme d'État français (Saint-Dié 1832 - Paris 1893). Jeune avocat, député républicain de Paris (1869), il s'oppose à l'Empire déclinant. Membre du gouvernement de la Défense nationale (4 sept. 1870), maire de Paris (16 nov.), préfet de la Seine (mai-juin 1871), il est élu en 1876 député des Vosges. Président de la gauche républicaine, il est au pouvoir presque sans discontinuité de 1879 à 1885, soit comme ministre de l'Instruction publique (1879-1883), soit comme président du Conseil (1880-81, 1883-1885), avec le portefeuille de l'Instruction publique ou celui des Affaires étrangères (1883-1885). Il joue un rôle essentiel dans la mise en place de la République. Car non seulement il dote la France d'un enseignement primaire à la fois gratuit, obligatoire et laïque (1881-82), mais encore il crée l'enseignement secondaire féminin (1880) et fait voter un important train de lois fondamentales relatives aux applications de la liberté (presse, réunion, divorce) et à la démocratisation des communes (loi du 5 avril 1884). Sa politique coloniale est beaucoup plus controversée. Les radicaux finissent par abattre le second ministère Ferry le 29 mars 1885. J. Ferry est élu sénateur des Vosges en 1891.

FERRY [fɛri] n. m. (mot angl., *passage*) [pl. *ferries*]. Abrév. usuelle de FERRY-BOAT, de CAR-FERRY, et de TRAIN-FERRY.

FERRY-BOAT [fɛribot] n. m. (mot angl.) [pl. *ferry-boats*]. Navire aménagé pour le transport des voitures ou des trains. (L'Administration préconise [NAVIRE] TRANSBORDEUR.)

FERTÉ n. f. (lat. *firmitas*, fermeté). Anc. mot signif. *place forte, forteresse*, conservé dans plusieurs noms de villes autref. fortifiées.

FERTÉ-ALAIS (La) [91590], ch.-l. de cant. de l'Essonne, sur l'Essonne, à 17 km au N.-E. d'Étampes; 2002 hab. Église romane.

FERTÉ-BERNARD (La) [72400], ch.-l. de cant. de la Sarthe, sur l'Huisne, à 21 km au S.-O. de Nogent-le-Rotrou; 10053 hab. Église des XVe-XVIe s. (vitraux). Halle. Vieilles maisons. Constructions mécaniques et électriques.

FERTÉ-FRÊNEL (La) [61550], ch.-l. de cant. de l'Orne, à 14 km au N.-O. de L'Aigle; 640 hab.

FERTÉ-GAUCHER (La) [77320], ch.-l. de cant. de Seine-et-Marne, sur le Grand Morin, à 18 km à l'E. de Coulommiers; 3872 hab. Église des XIIIe et XVIe s. Faïence industrielle.

FERTÉ-MACÉ (La) [61600], ch.-l. de cant. de l'Orne, à 26 km au S.-E. de Flers; 7391 hab. Confection.

FERTÉ-MILON (La) [02460], comm. de l'Aisne, à 10 km au S. de Villers-Cotterêts; 2218 hab. Églises. Restes d'un château de Louis d'Orléans.

FERTÉ-SAINT-AUBIN (La) [45240], ch.-l. de cant. du Loiret, en Sologne, à 21 km au S. d'Orléans; 5498 hab. Église (XIIe-XVIe s.). Château (XVIIe s.). Constructions mécaniques.

FERTÉ-SOUS-JOUARRE (La) [77260], ch.-l. de cant. de Seine-et-Marne, sur la Marne, à 20 km à l'E. de Meaux; 7020 hab.

FERTÉ-VIDAME (La) [28340], ch.-l. de cant. d'Eure-et-Loir, à 14 km au S. de Verneuil-sur-Avre; 786 hab.

FERTILE adj. (lat. *fertilis*). Fécond, qui produit beaucoup : *la Beauce est très fertile; esprit fertile.* ‖ Qui abonde en : *année fertile en événements.* ‖ *Biol.* Se dit d'une femelle qui est capable de procréer. ‖ *Phys.* Se dit d'un élément chimique qui peut devenir fissile sous l'action de neutrons.

FERTILISABLE adj. Qui peut être fertilisé.

FERTILISANT, E adj. Qui fertilise.

FERTILISATION n. f. Action de fertiliser.

FERTILISER v. t. Rendre fertile.

FERTILITÉ n. f. Qualité de ce qui est fertile.
■ La fertilité naturelle varie en fonction de facteurs climatiques (relief, insolation, humidité) et de facteurs géologiques (composition chimique, état physique des sols). De mauvaises pratiques agricoles peuvent la réduire ou même l'anéantir (désertification). Par contre, la fertilité peut être améliorée par divers procédés :

• *Procédés physiques.* Parmi les façons culturales, les labours, les hersages, en divisant le sol plus ou moins finement, favorisent l'ameublissement et l'aération; les roulages permettent les contacts entre les racines et les éléments nutritifs; l'irrigation et le drainage régularisent l'alimentation en eau des végétaux.

• *Procédés chimiques.* Les récoltes enlèvent aux sols des quantités importantes d'éléments minéraux. Pour maintenir la fertilité, il faut restituer aux sols les éléments ainsi exportés. D'abord limitées à l'azote, au phosphore et à la potasse, ces restitutions, effectuées au moyen des engrais azotés, phosphatés ou potassiques, se sont transformées par l'addition aux éléments principaux d'éléments mineurs, ou oligoéléments (fer, zinc, brome, etc.), qui, bien qu'à très faibles doses, sont indispensables à la croissance des végétaux. Cette fertilisation chimique peut être complétée par l'apport d'amendements naturels (chaux, marne, argile, etc.), dont le rôle principal est de concourir à l'amélioration de la structure des propriétés physiques des sols.

• *Procédés microbiologiques.* On a mis en évidence depuis quelques décennies le rôle très important de la flore microbienne dans la nutrition des végétaux; certaines espèces microbiennes agissent par les enzymes qu'elles sécrètent à la fois pour solubiliser les matières minérales et pour synthétiser des vitamines indispensables au développement des plantes.

FERTŐ, nom hongrois du lac NEUSIEDL.

FÉRU, E adj. (part. pass. de *férir*). Très épris, passionné : *féru de grammaire.*

FÉRULE n. f. (lat. *ferula*). Palette de cuir ou de bois avec laquelle on frappait sur les doigts les écoliers en faute. ● *Sous la férule de qqn*, sous son autorité.

FÉRULE n. f. Plante odorante des régions méditerranéennes. (Famille des ombellifères.)

FERVENT, E adj. (lat. *fervens*, qui bout). Rempli de ferveur, ardent : *prière fervente; disciple fervent.* ◆ adj. et n. Passionné pour qqch : *les fervents du football.*

FERVEUR n. f. (lat. *fervor*). Zèle, ardeur, enthousiasme.

FÉRY (Charles), physicien français (Paris 1865-*id.* 1935). Il a créé une pile électrique dans laquelle l'air joue le rôle dépolarisant.

FÈS ou **FEZ**, v. du Maroc, ch.-l. de prov. entre le Moyen Atlas et le Rif; 450000 hab. Industrie textile. Travail du cuir.
HISTOIRE. La ville est fondée par les Idrīsides* à la charnière des VIIIe et IXe s. Les Marīnides* en font leur capitale. En 1276, ils font construire en face de Fās al-Bālī (Fès l'Ancienne) une nouvelle ville : Fās al-Djadīd, ou Fès la Neuve. À partir du milieu du XVIe s., Fès perd son rôle de capitale, qu'elle reprend à la fin du XVIIIe s., le partageant avec Marrakech jusqu'en 1912.
BEAUX-ARTS. Les vestiges de la ville idrīside ont été plusieurs fois modifiés : mosquée des Andalous, mosquée Qarawiyyīn (857), réaménagée entre 1135 et 1142 par les Almoravides. Fās al-Djadīd, enfermée dans sa double enceinte, conserve quelques-unes des plus parfaites réussites de l'art hispano-mauresque, dont plusieurs madrasa du XIVe s., la plus monumentale étant la Bū 'Ināniyya (1350-1357), avec ses deux coupoles, sa cour centrale et un très beau minbar (chaire à prêcher). Très belles mosquées, dont la Grande Mosquée, caractérisée par la simplicité et la logique de son plan. Belles demeures privées agrémentées de jardins intérieurs, les plus anciennes remontant aux XIIIe et XIVe s.

Vue générale de **Fès**.

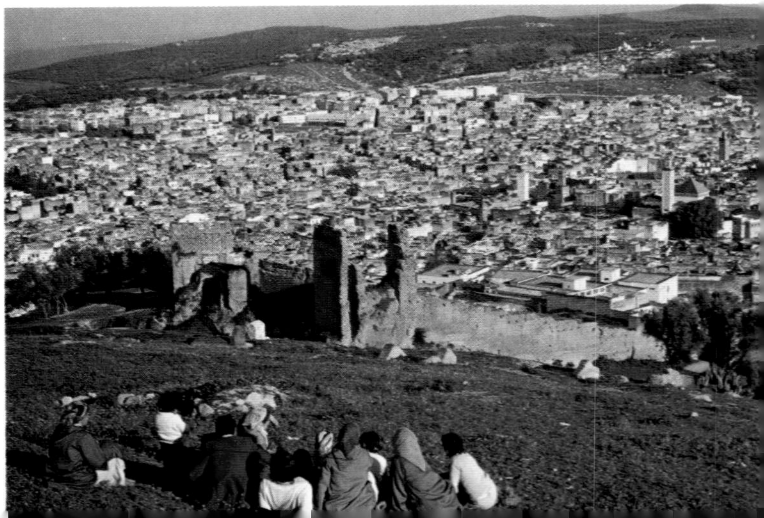

Chr. Sappa

FESCH (Joseph), prélat français (Ajaccio 1763-Rome 1839). Oncle de Napoléon Ier, il renonça un moment à l'état ecclésiastique. Rentré dans les ordres (1800), il devint archevêque de Lyon (1802), puis cardinal (1803). Ambassadeur à Rome, il obtint que Pie VII vînt à Paris sacrer l'Empereur. Grand aumônier, comte et sénateur, il présida avec indépendance le Concile national de 1811. En 1814, il se réfugia à Rome.

FESSE n. f. (lat. *fissum*, fente). Chacune des deux parties charnues qui forment le derrière de l'homme et de certains animaux. ‖ *Mar.* Partie arrondie de la voûte d'un navire en bois. ● *Histoire de fesses* (Pop.), histoire pornographique. ‖ *Serrer les fesses* (Fam.), avoir peur.

FESSÉE n. f. Correction appliquée sur les fesses. ‖ *Fam.* Défaite humiliante.

FESSE-MATHIEU n. m. (pl. *fesse-mathieux*). Usurier, avare (vx).

FESSENHEIM (68740), comm. du Haut-Rhin, près du Rhin, à 21,5 km au N. de Mulhouse; 2002 hab. Centrales hydroélectrique et nucléaire, en bordure du grand canal d'Alsace.

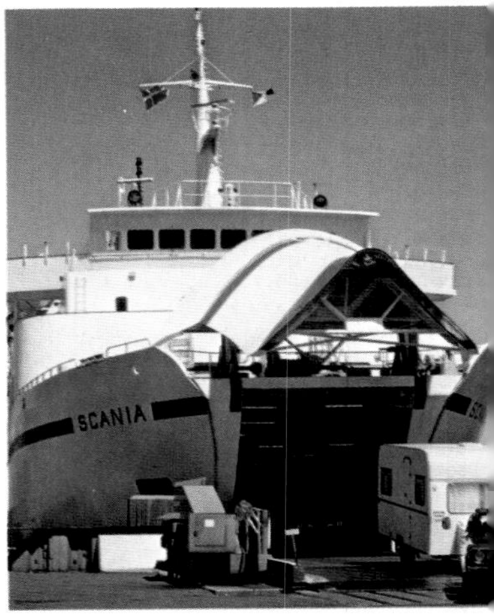

Martin-Guillou-C. D. Tétrel

ferry-boat

FESSER v. t. Frapper sur les fesses.

FESSIER, ÈRE adj. Qui appartient aux fesses.

FESSIER n. m. Les deux fesses.

FESSU, E adj. Qui a de grosses fesses.

FESTIN n. m. (it. *festino*). Repas d'apparat, banquet somptueux.

FESTINGER (Leon), psychologue américain (New York 1919). Ses travaux sur la dissonance cognitive ont un large impact sur la psychologie sociale contemporaine.

FESTIVAL n. m. (pl. *festivals*). Série de représentations artistiques consacrées à un genre donné.

FESTIVALIER, ÈRE adj. Relatif à un festival. ◆ n. Participant à un festival.

FESTIVITÉ n. f. Fête, réjouissances. (Surtout au pl.)

FEST-NOZ n. m. (mot. celt.) [pl. *festoù-noz*]. En Bretagne, fête nocturne autour d'un feu, caractérisée par des danses accompagnées au bagad.

FESTOIEMENT n. m. Action de festoyer.

FESTON n. m. (it. *festone*). Tresse souple, guirlande de fleurs et de feuillage. ‖ Point de broderie dont le dessin forme des dents arrondies. ‖ *Archit.* Ornement en forme de guirlande ou de petits lobes répétés.

FESTONNER v. t. Orner de festons. ‖ Dessiner, découper en festons.

FESTOYER v. i. (conj. **2**). Faire un festin.

FÊTARD n. m. *Fam.* Celui qui fait la fête.

FÊTE n. f. (lat. *festa dies,* jour de fête). Solennité religieuse ou civile, en commémoration d'un fait important. (En France, les jours de *fêtes nationales* sont le 8 mai [armistice 1945], le 14 juillet [prise de la Bastille] et le 11 novembre [armistice 1918].) ‖ Réjouissances organisées par un particulier ou une collectivité. ‖ Jour de la fête du saint dont on porte le nom : *souhaiter une fête.* ● *Air de fête,* air gai. ‖ *Ça va être sa fête* (Pop.), il va être malmené. ‖ *Être à la fête,* éprouver une grande satisfaction. ‖ *Faire fête à qqn,* l'accueillir avec empressement. ‖ *Faire la fête,* se divertir en buvant, en mangeant, en dansant; mener une vie de désordre. ‖ *Ne pas être à la fête,* être dans une situation désagréable.

FÊTE-DIEU n. f. Fête de l'Eucharistie, instituée en 1264 par Urbain IV, fixée au deuxième jeudi après la Pentecôte.

FÊTER v. t. Célébrer, honorer par une fête. ‖ Accueillir qqn avec joie.

Fêtes galantes, recueil poétique de Verlaine (1869). Un adieu à l'influence du Parnasse et une transposition lyrique de la mode de Watteau.

FÉTICHE n. m. (portug. *feitiço,* sortilège). Objet ou animal auquel sont attribuées des propriétés magiques, bénéfiques pour leur possesseur. ‖ *Psychanal.* Objet inanimé ou partie du corps non sexuelle, capables de devenir à eux seuls objets de la sexualité.

FÉTICHEUR n. m. Sorcier du culte des fétiches.

FÉTICHISME n. m. Culte des fétiches. ‖ Vénération outrée, superstitieuse pour qqch, qqn. ‖ *Psychanal.* Remplacement de l'objet sexuel par un fétiche. ● *Fétichisme de la marchandise,* selon les marxistes, illusion qui fait apparaître la valeur d'échange des marchandises comme le résultat de leur rapport entre elles, alors qu'elle résulte d'un rapport des hommes entre eux.

FÉTICHISTE adj. et n. Qui appartient au fétichisme; qui pratique le fétichisme.

FÉTIDE adj. (lat. *foetidus*). Se dit d'une odeur forte et répugnante.

FÉTIDITÉ n. f. État de ce qui est fétide.

fétuque

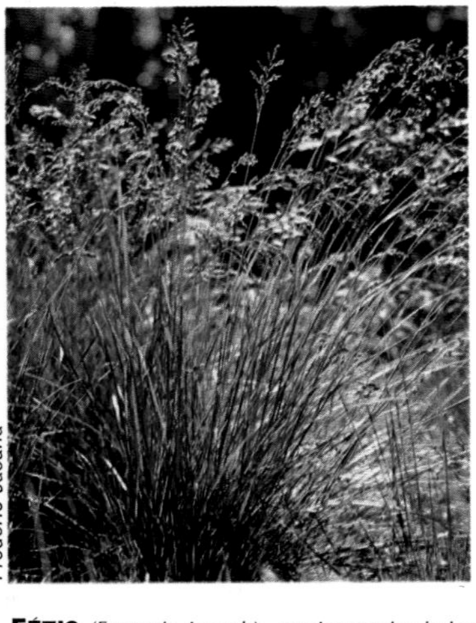

Frederic-Jacana

FÉTIS (François Joseph), musicographe belge (Mons 1784 - Bruxelles 1871). L'un des premiers maîtres de la musicologie, il est l'auteur d'une *Biographie universelle des musiciens* (8 vol., 1837-1844) et d'une *Histoire de la musique* (5 vol., 1869-1876). Il a été directeur du Conservatoire de Bruxelles.

FETTI ou **FETI** (Domenico), peintre italien (Rome v. 1589 - Venise 1623). Surtout actif à Mantoue, c'est une personnalité originale et novatrice au carrefour du caravagisme, de la peinture de genre, de l'esthétique des grands Vénitiens du XVIe s. et du baroque. (Nombreux tableaux sur les *Paraboles* de l'Évangile.)

FÉTU n. m. (lat. *festuca*). Brin de paille.

FÉTUQUE n. f. (lat. *festuca*). Graminée fourragère vivace des prairies naturelles ou cultivées. (Famille des graminacées.)

FEU n. m. (lat. *focus*). Dégagement simultané de chaleur, de lumière et de flamme, produit par la combustion vive de certains corps, tels que le bois, le charbon, etc.; incendie; matières en combustion : *faire un bon feu.* ‖ Lieu où l'on fait le feu : *causerie au coin du feu.* ‖ Ce qui est nécessaire pour faire du feu, pour allumer une cigarette : *avez-vous du feu sur vous?* ‖ Foyer, famille (vx) : *village de quarante feux.* ‖ Sensation de chaleur, de brûlure : *avoir la bouche en feu.* ‖ Lumière, éclairage : *les feux de la rampe.* ‖ Signal lumineux conventionnel : *feu réglementaire d'un navire.* ‖ Tir : *le feu de l'ennemi.* ‖ Ardeur, véhémence, fougue : *le feu de la colère.* ‖ Imagination vive : *auteur plein de feu.* ‖ Éclat : *les feux d'un diamant.* ‖ *Pop.* Pistolet. ● *Aller au feu,* au combat. ‖ *Cercle de feu,* immense ceinture de volcans, souvent encore actifs, qui fait le tour de l'océan Pacifique. ‖ *Coup de feu,* décharge d'une arme à feu; moment de presse. ‖ *École à feu,* exercice de tir réel d'artillerie. ‖ *En feu,* en train de brûler; très chaud. ‖ *Épreuve du feu,* autref., épreuve consistant à faire porter au prévenu une barre de fer rouge et à le condamner selon l'évolution de la plaie. ‖ *Être entre deux feux,* attaqué de deux côtés. ‖ *Être tout feu tout flamme,* être rempli d'ardeur, de zèle. ‖ *Faire feu,* tirer. ‖ *Faire feu de tout bois,* utiliser toutes les possibilités. ‖ *Faire long feu,* se dit d'une cartouche qui part avec un retard non voulu; *fam.,* ne pas réussir : *projet qui fait long feu.* ‖ *Feu!,* ordre de tirer. ‖ *Feu de Bengale,* artifice brûlant avec une flamme vive, blanche ou colorée. ‖ *Feu de cheminée,* embrasement de la suie accumulée dans une cheminée. ‖ *Feux de croisement* ou *codes,* dispositif d'éclairage que tout conducteur de véhicule routier doit allumer en substitution aux feux de route lorsqu'il croise un autre véhicule. ‖ *Feux de détresse,* dispositif lumineux permettant le clignotement simultané des quatre feux indicateurs de direction d'un véhicule routier. ‖ *Feux de gabarit,* dispositif lumineux particulier dont doit être muni tout véhicule routier de grandes dimensions. ‖ *Feu orange,* signal de circulation précédant le feu rouge et indiquant que l'on doit s'apprêter à stopper. ‖ *Feu de paille,* ardeur passagère. ‖ *Feu de position,* lumière qu'arbore tout navire en stationnement pour signaler sa présence; dispositif d'éclairage dont tout véhicule routier doit être muni à l'avant gauche et à l'avant droit. ‖ *Feu rouge,* signal d'arrêt; dispositif lumineux dont doit être muni, à l'arrière, tout véhicule routier. ‖ *Feu roulant,* série ininterrompue (de décharges, de questions). ‖ *Feu de route* ou *de navigation,* dispositif lumineux que tout navire ou avion en marche doit présenter pour signaler sa position et sa route. ‖ *Feux de route,* dispositif lumineux dont doit être muni tout véhicule routier pour éclairer sa route sur une distance minimale de 100 m lorsqu'il circule de nuit hors des agglomérations. ‖ *Feu sacré,* zèle ardent. ‖ *Feu Saint-Elme,* phénomène électrique lumineux qui se manifeste quelquefois à l'extrémité des vergues et des mâts. ‖ *Feux de stationnement,* dispositif lumineux disposé à gauche et à droite d'un véhicule routier pour signaler sa position pendant un stationnement nocturne. ‖ *Feu vert,* signal de libre passage; autorisation de faire qqch : *donner, obtenir le feu vert.* ‖ *Jouer avec le feu,* traiter légèrement de choses dangereuses. ‖ *Mourir à petit feu,* lentement. ‖ *Ne pas faire long feu,* ne pas durer longtemps. ‖ *N'y voir que du feu,* n'y rien comprendre. ‖ *Ouvrir le feu,* commencer à tirer. ‖ *Prendre feu,* s'enflammer; s'irriter; s'enthousiasmer.

FEU, E adj. (lat. *fatum,* destin) [pl. *feus, feues*]. *Litt.* Défunt depuis peu : *ma feue tante; feu ma tante.* (Invariable quand il précède l'art. ou le possessif.)

Feu *(le), journal d'une escouade,* roman d'H. Barbusse (1916). Un témoignage vécu sur la vie des tranchées, qui rompt avec les peintures conventionnelles et nationalistes de la guerre.

FEU (Terre de) → TERRE DE FEU.

FEUDATAIRE n. (lat. médiéval *feudum,* fief). Possesseur d'un fief. ‖ Vassal qui devait foi et hommage à son suzerain.

FEUDISTE n. Spécialiste du droit féodal.

FEUERBACH (Paul Johann Anselm VON), criminaliste allemand (Hainichen, près d'Iéna, 1775 - Francfort-sur-le-Main 1833). L'un des représentants de l'école de la relativité, il est l'auteur de la théorie de la contrainte psychologique.

FEUERBACH (Ludwig), philosophe allemand (Landshut 1804 - Rechenberg, près de Nuremberg, 1872), fils du précédent. Élève de Hegel, Feuerbach subit l'influence de son maître et celle de la tradition mystique allemande quand il publie *Pensées sur la mort et l'immortalité* (1830), mais s'en détache dans sa *Critique de la philosophie hégélienne* (1839). Confronté au pouvoir de l'État féodal prussien, qui se renforce par le contrôle qu'il exerce sur l'Église de Prusse, il s'engage dans la double critique du christianisme et de cet État. Il écrit alors *l'Essence du christianisme* (1841), qui marque profondément les cercles hégéliens (v. HÉGÉLIANISME). Dans cette œuvre, il s'efforce de fonder un nouveau matérialisme à partir de la critique de l'idée de Dieu. Son originalité consiste à ramener le fait de la religion à un fait humain : l'homme s'aliène par la religion. Feuerbach a également publié *l'Essence de la religion* (1845).

FEUERBACH (Anselm VON), peintre allemand (Spire 1829 - Venise 1880), petit-fils du juriste Paul Johann Anselm. Nostalgique de la culture classique, élève de Couture, travaillant beaucoup en Italie, il a peint des scènes antiques et de bons portraits. Il fut professeur à l'Académie de Vienne (1873-1876).

FEUIL n. m. (de *feuille*). *Techn.* Pellicule, couche très mince recouvrant qqch. (Syn. FILM.)

FEUILLADE (Louis), cinéaste français (Lunel 1873 - Nice 1925). Principal artisan de l'essor de la société Gaumont, dont il fut longtemps directeur artistique, il tourna d'innombrables films : films à trucs, films d'art, films réalistes et mélodramatiques (série *la Vie telle qu'elle est,* 1911-1913), séries comiques enfantines (séries des *Bébé* et des *Bout-de-Zan,* 1910-1915), mais s'illustra surtout dans les films à épisodes (ou sérials) : *Fantomas* (1913-14), *les Vampires* (1915), *Judex* (1916-17).

FEUILLAGE n. m. Ensemble des feuilles d'un arbre, persistant chez certaines formes (pin, sapin, laurier), annuellement caduc chez d'autres (chêne, hêtre, etc.). ‖ Branches coupées, chargées de feuilles.

FEUILLAISON n. f. Renouvellement annuel des feuilles.

coupe d'une feuille

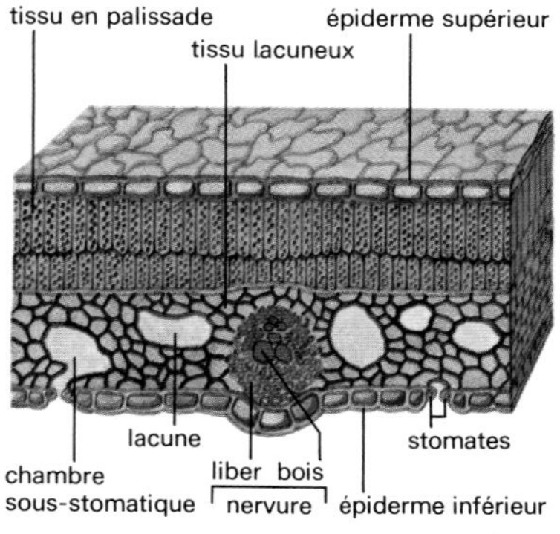
tissu en palissade
épiderme supérieur
tissu lacuneux
lacune
stomates
chambre sous-stomatique
liber bois
nervure
épiderme inférieur

différentes formes de feuilles

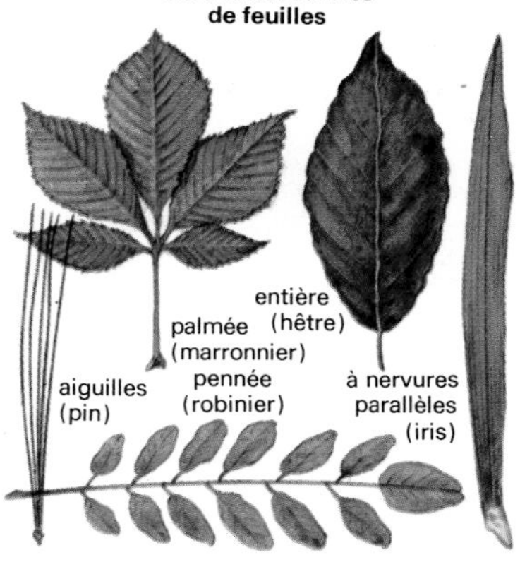
entière (hêtre)
palmée (marronnier)
aiguilles (pin)
pennée (robinier)
à nervures parallèles (iris)

FEUILLE

FEUILLANT, ANTINE n. Religieux, religieuse appartenant à une branche de l'ordre cistercien réformée en 1577 et disparue en 1789.

FEUILLANTINE n. f. (de *feuilleter*). Pâtisserie feuilletée.

FEUILLANTS n. m. pl. *Hist.* Nom donné, en 1791-1792, aux royalistes « constitutionnels », dont le club siégeait dans l'ancien couvent des Feuillants, près des Tuileries.

FEUILLARD n. m. Branche de saule ou de châtaignier qui, fendue en deux, sert à faire des cercles de tonneaux. ‖ Bande de métal ou de plastique large et très mince, servant à différents usages.

FEUILLE n. f. (lat. *folium*). Organe végétal chlorophyllien fixé le long d'une tige ou d'un rameau, et dont la partie plate et large (limbe) contient de nombreux vaisseaux, groupés en nervures. ‖ Pétale : *des feuilles de rose.* ‖ Écaille de l'artichaut. ‖ Plaque extrêmement mince d'un métal ou d'un solide quelconque : *feuille de carton, de bois, d'or,* etc. ‖ Morceau de papier d'une certaine grandeur. ‖ Journal de caractère polémique : *cette feuille a cessé de paraître.* ● *Bonne feuille,* feuille du tirage définitif d'un livre. ‖ *Feuille de chêne,* espèce de laitue aux feuilles profondément découpées et dont le cœur ne pomme pas. ‖ *Feuille de chou* (Fam.), petit journal sans intérêt. ‖ *Feuille d'impôts,* document adressé au contribuable et indiquant le montant et la date du versement à effectuer au titre des contributions directes. ‖ *Feuille de maladie,* imprimé sur lequel sont portés les soins dispensés aux assurés sociaux. ‖ *Feuille morte,* feuille qui se détache à l'automne. ‖ *Feuille de route* (auj. *feuille de déplacement*), document indiquant les différentes étapes d'une troupe ou d'un militaire en voyage.

■ Toutes les plantes terrestres supérieures portent des feuilles. Il s'agit toujours d'organes portés latéralement par une tige, chlorophylliens, aplatis, s'exposant à la lumière solaire et au sein desquels se réalise la nutrition carbonée de la plante (photosynthèse*). Les feuilles vivantes sont vertes, sauf au cas exceptionnel où la chlorophylle est masquée par un autre pigment (vigne vierge, certains prunus, etc.).

Les feuilles des mousses, portées par le gamétophyte, n'ont ni nervures ni vaisseaux.

Les feuilles des fougères, souvent issues d'un rhizome, sont presque toujours découpées en nombreuses *pinnules,* et leur face inférieure, à maturité, porte les sporanges, de sorte qu'on les nomme aussi des *frondes.*

Les feuilles des gymnospermes (pin, sapin) sont souvent réduites à des *aiguilles.* Les feuilles des monocotylédones (blé, iris, palmiers) sont des lames à nervures parallèles ou des ensembles pennés ou palmés de telles lames. Souvent verticales, elles ont alors la même structure sur les deux faces. Les feuilles des dicotylédones ont généralement des nervures ramifiées, un port horizontal, et surtout une différence très marquée entre les deux faces : la face supérieure, pauvre en orifices, riche en chlorophylle (donc très verte), capture la lumière solaire, tandis que la face inférieure, pauvre en chlorophylle, souvent velue, percée de nombreux *stomates,* assure les échanges gazeux.

Il est fréquent que la nervure principale, ou *rachis,* soit beaucoup plus forte que les autres. C'est en effet le rachis qui prolonge le *pétiole* (« queue » de la feuille), attaché à la tige par une *gaine.* La partie étalée, ou *limbe,* peut être fractionnée en plages séparées; on a alors affaire à une *feuille composée* (palmée ou pennée), dont chaque élément est une *foliole.*

Par réduction ou transformation, une feuille ou une simple foliole peut devenir une écaille, une vrille, une ventouse, une épine, une urne ou tout autre organe spécialisé. Les bractées et même les pièces florales sont tenues pour des feuilles modifiées.

La base d'une feuille peut porter deux lames, ou *stipules,* généralement minimes.

Dans les espèces vivaces arborescentes, sous nos climats, les feuilles meurent et tombent à l'automne : on parle alors d'arbres à feuilles *caduques.*

Ludwig **Feuerbach**

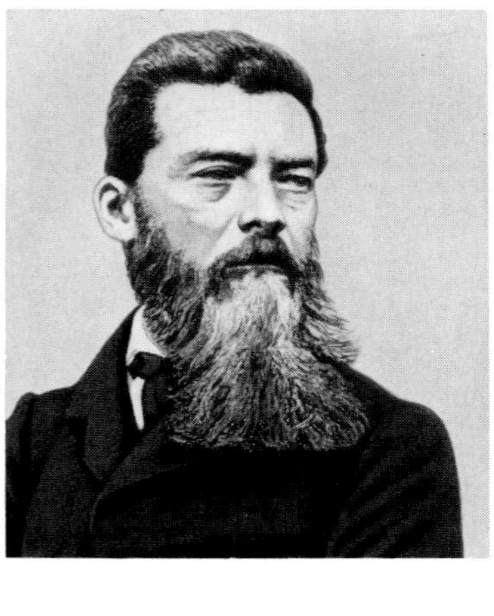

Larousse

FEUILLÉE n. f. *Litt.* Abri formé de branches garnies de feuilles. ◆ pl. Fosse servant de latrines aux troupes en campagne.

FEUILLE-MORTE adj. inv. De la couleur des feuilles sèches, jaune-brun.

FEUILLER v. i. *Litt.* Se garnir de feuilles.

FEUILLÈRE (Edwige CUNATI, dite **Edwige**), actrice de théâtre et de cinéma française (Vesoul 1907). Elle régna sur les scènes françaises pendant de longues années avec une aisance et un talent qui trouvèrent moins à s'employer au cinéma malgré quelques rôles mémorables (*De Mayerling à Sarajevo,* 1940; *la Duchesse de Langeais,* 1942).

FEUILLERET n. m. Rabot servant à faire les feuillures.

Feuilles d'automne *(les),* recueil de poèmes de Victor Hugo (1831).

Feuilles d'herbe, recueil poétique de Walt Whitman (première édition en 1855 : 12 poèmes; dernière édition en 1892 : 411 poèmes). Une autobiographie lyrique qui fait de l'humanité l'hyperbole du Moi.

FEUILLET n. m. Ensemble de deux pages recto et verso d'un livre ou d'un cahier. ‖ Planche mince pour les panneaux de menuiserie. || Troisième poche de l'estomac des ruminants, aux parois feuilletées. || *Biol.* Couche de cellules embryonnaires.

FEUILLET (Raoul Auger), maître de ballet et chorégraphe français (v. 1660/1675 - v. 1730). Sa *Chorégraphie ou l'Art d'écrire la danse par caractères, figures et signes démonstratifs* (1700) définit, en s'appuyant sur les premières indications de Beauchamp*, les cinq positions essentielles de la danse classique et le principe fondamental de l'en-dehors.

FEUILLETAGE n. m. Action de feuilleter de la pâte. || Pâtisserie feuilletée.

FEUILLETÉ, E adj. Constitué de lames minces superposées. • *Pâte feuilletée,* se dit d'une pâte à base de farine et de beurre et qui se gonfle à la cuisson en se séparant en feuilles.

FEUILLETÉ n. m. Gâteau à base de pâte feuilletée.

FEUILLETER v. t. (conj. **4**). Tourner rapidement les pages d'un livre, le parcourir rapidement. || Préparer la pâte de manière qu'elle présente un feuilletage.

FEUILLETIS n. m. Angle d'un diamant ou d'une autre pierre fine taillée.

FEUILLETON n. m. Œuvre romanesque présentée en plusieurs fragments dans un journal. || Article de critique, de science, etc., inséré dans un journal. || Film présenté à la télévision en plusieurs épisodes de courte durée. || Histoire pleine de rebondissements et qui paraît souvent invraisemblable.

FEUILLETONESQUE adj. Qui a les caractères du roman-feuilleton.

FEUILLETONISTE n. Auteur de feuilletons.

FEUILLETTE n. f. Tonneau dont la contenance varie, suivant les régions, de 114 à 136 litres.

FEUILLU, E adj. et n. m. Se dit des arbres qui ont des feuilles, par opposition aux *résineux.*

FEUILLURE n. f. Angle rentrant le plus souvent d'équerre, ménagé le long d'un élément de construction pour recevoir une partie de menuiserie fixe ou mobile. || Entaille ou ressaut pratiqués dans l'embrasure d'une baie pour y loger un bâti dormant ou un vantail.

FEULEMENT n. m. Action de feuler.

FEULER v. i. Crier, en parlant du tigre. || Grogner, en parlant du chat.

FEUQUIÈRES-EN-VIMEU (80210), comm. de la Somme, à 19 km à l'O.-S.-O. d'Abbeville; 2 499 hab. Métallurgie.

FEURS (42110), ch.-l. de cant. de la Loire, sur la Loire, à 38 km au N. de Saint-Étienne; 8 103 hab. *(Foréziens).* Métallurgie.

FEUTRAGE n. m. Action de feutrer, de se feutrer.

FEUTRE n. m. (mot francique). Étoffe de laine ou de poils foulés et agglutinés. || Chapeau fait de feutre. || Abrév. de CRAYON-FEUTRE.

FEUTRÉ, E adj. Qui a l'aspect du feutre. || Dont le bruit est étouffé : *pas feutrés.* || Sans contact avec l'extérieur : *atmosphère feutrée.* || Qui se manifeste discrètement, sans faire d'éclat.

FEUTRER v. t. Mettre en feutre du poil, de la laine. || Garnir de feutre. ◆ v. i. ou **se feutrer** v. pr. Prendre l'apparence du feutre.

FEUTRINE n. f. Feutre léger, mais très serré.

FÉVAL (Paul), écrivain français (Rennes 1811 - Paris 1887), auteur de mélodrames et de romans d'aventures (*le Bossu ou le Petit Parisien,* 1857).

FÈVE n. f. (lat. *faba*). Légumineuse annuelle cultivée pour sa graine destinée à l'alimentation humaine ou animale. (Famille des papilionacées.) || Graine de cette plante.

FÉVEROLE n. f. Variété de fève à petite graine cultivée pour l'alimentation du bétail.

FÉVIER n. m. Arbre ornemental à belles fleurs, à longues gousses plates. (Famille des césalpiniacées; syn. GLEDITSCHIA.)

FÉVRIER n. m. (lat. *februarius*). Deuxième mois de l'année qui a 28 jours (29 dans les années bissextiles).

février 1848 *(journées des 22, 23)* → JUILLET *(monarchie de)* et RÉVOLUTIONS DE 1848.

février 1934 *(6),* journée de manifestation, organisée par les ligues de droite (Action française, Croix-de-Feu, Union nationale des combattants, Jeunesses patriotes) contre le ministère Daladier, que soutenait la gauche. Elle avait pour but de protester contre le scandale Stavisky et la mutation du préfet de police Chiappe. La manifestation donna lieu à des heurts sanglants (20 morts et de nombreux blessés) avec la police, chargée de défendre la Chambre des députés, et provoqua la démission de Daladier. Elle contribua à unir la gauche qui organisa, le 9, une contre-manifestation au cours de laquelle eurent lieu avec la police des bagarres qui firent 8 morts et 300 blessés.

FEYDEAU (Georges), écrivain français (Paris 1862 - Rueil 1921). Usant de tous les procédés qui font naître le rire, sachant puiser dans la vie quotidienne les traits d'un comique de situation, il triompha dans le vaudeville (*Un fil à la patte,* 1894; *le Dindon,* 1896; *la Dame de chez Maxim,* 1899; *Occupe-toi d'Amélie,* 1908; *Mais n'te promène donc pas toute nue,* 1912).

FEYDER (Jacques FRÉDÉRIX, dit **Jacques**), cinéaste français (Ixelles, Belgique, 1888 - Rives-de-Prangins, Suisse, 1948). Il fut l'un des précurseurs de l'école réaliste poétique française des années 30. Parmi ses films muets, on citera : *l'Atlantide* (1921), *Crainquebille* (1922), *Visages d'enfants* (1923), *l'Image* (1924), *Thérèse Raquin* (1928), *les Nouveaux Messieurs* (1929). Il tourna à Hollywood *le Baiser,* avec Greta Garbo, puis, de retour en France : *le Grand Jeu* (1934), *Pension Mimosas* (1935), *la Kermesse héroïque* (1935), *les Gens du voyage* (1937), *la Loi du Nord* (1939).

FEYNMAN (Richard P.), physicien américain (New York 1918 - Los Angeles 1988). Il a reçu, en 1965, le prix Nobel de physique pour sa contribution à la théorie des interactions entre le champ électromagnétique et l'électron.

FEYZIN (69320), comm. du Rhône, près du Rhône, dans la banlieue sud de Lyon; 7 753 hab. Raffinage du pétrole. Pétrochimie.

FEZ [fɛz] n. m. (de *Fez,* n. de ville). Calotte tronconique en laine.

FEZ → FÈS.

FEZZAN, région désertique, parsemée d'oasis, du sud-ouest de la Libye. Le Fezzan fait partie du territoire des Garamantes et est conquis par les Romains en 19 av. J.-C. Aux mains des Arabes depuis 666, il est gouverné par des dynasties locales jusqu'à son annexion par les Ottomans (1842). Conquis par les Italiens en 1913-14, reconquis par eux en 1929-30, il est occupé en 1941-42 par les Français libres de Leclerc. En 1955, la France évacue le Fezzan, qui devient une province autonome de la Libye jusqu'à la transformation de ce pays en un État unitaire (1963).

F.F.C., F.F.I., F.F.L. → FORCES FRANÇAISES COMBATTANTES, DE L'INTÉRIEUR, LIBRES.

fg, symbole de la *frigorie.*

FI! interj. (onomat.). *Litt.* Marque le dédain, le mépris. • *Faire fi de qqn, qqch,* les mépriser, ne pas en tenir compte.

FIABILITÉ n. f. Probabilité de fonctionnement sans défaillance d'un dispositif dans des conditions spécifiées et pendant une période de temps déterminée.

FIABLE adj. (de *[se] fier*). Se dit d'une machine, d'un dispositif doué de fiabilité. || À qui on peut se fier.

FIACRE n. m. (de *saint Fiacre,* dont l'effigie ornait une enseigne). Voiture hippomobile de place et de louage.

FIANARANTSOA, v. de Madagascar, dans le sud-est de l'île; 73 000 hab.

FIANÇAILLES n. f. pl. Promesse mutuelle de mariage. || Temps qui s'écoule entre cette promesse et le mariage.

FIANCÉ, E n. Personne qui s'est fiancée.

FIANCER v. t. (anc. fr. *fiance,* engagement) [conj. **1**]. Promettre solennellement en mariage. ◆ **se fiancer** v. pr. S'engager à épouser qqn.

Fiancés *(les),* roman historique de Manzoni (1825-1827).

Fianna Fáil, parti politique irlandais nationaliste et républicain, fondé en 1927 par De* Valera. Il regroupe alors les anciens sinn féiner hostiles au traité de Londres mais désireux de participer à la vie parlementaire. Devenu le principal parti irlandais, le Fianna Fáil est au pouvoir de 1932 à 1948, de 1951 à 1954, de 1957 à 1973, de 1977 à 1982 et à partir de 1987.

FIASCO n. m. (mot it.). *Fam.* Échec complet. || Impuissance au moment de l'acte sexuel.

FIASQUE n. f. (it. *fiasco*). Bouteille à col long et à large panse clissée, employée en Italie.

FIBRANNE n. f. (nom déposé). Fibre textile artificielle à base de cellulose régénérée obtenue par le procédé viscose.

FIBRE n. f. (lat. *fibra*). Filament ou cellule allongée, constituant certains tissus animaux et végétaux ou certaines substances minérales : *fibre musculaire; fibre ligneuse.* || Élément naturel ou chimique de courte longueur caractérisé par sa flexibilité et sa finesse qui le rendent apte à des applications textiles. || Sensibilité intime : *avoir la fibre paternelle.* • *Fibre optique,* conducteur souple en verre ou en plastique transmettant des informations lumineuses suivant un chemin non rectiligne. || *Fibre de verre,* fil de verre très mince et très souple constituant de la laine et des tissus de verre ou servant à renforcer les plastiques.

FIBREUX, EUSE adj. Qui contient des fibres.

FIBRILLAIRE adj. *Histol.* Relatif aux fibrilles.

FIBRILLATION n. f. Série de contractions violentes et désordonnées des fibres du muscle cardiaque.

FIBRILLE n. f. Petite fibre. || *Histol.* Élément allongé, lisse ou strié, des fibres musculaires, siège de la contractilité.

FIBRILLÉ n. m. Produit qui résulte du clivage longitudinal d'un matériau se présentant sous la forme d'un film et qui comporte des fissures se décomposant en fibrilles.

FIBRINE n. f. Substance protéique filamenteuse provenant du fibrinogène, qui emprisonne les globules du sang et de la lymphe au cours de la coagulation et qui contribue à la formation du caillot.

FIBRINEUX, EUSE adj. Relatif à la fibrine.

FIBRINOGÈNE n. m. Protéine du plasma sanguin, qui se transforme en fibrine lors de la coagulation.

FIBRINOLYSE n. f. Phénomène de dégradation de la fibrine.

FIBROBLASTE n. m. Cellule conjonctive jeune, génératrice des cellules du tissu fibreux.

FIBROCIMENT n. m. (nom déposé). *Constr.* Matériau en amiante-ciment.

FIBROÏNE n. f. L'un des constituants protéiques de la soie, conférant à celle-ci sa solidité et son élasticité.

FIBROMATEUX, EUSE adj. Relatif au fibrome.

FIBROMATOSE n. f. *Méd.* Affection caractérisée par l'existence de plusieurs fibromes.

FIBROME n. m. Tumeur faite de tissu fibreux.

FIBROMYOME n. m. Tumeur bénigne formée de noyaux fibreux envahissant un muscle lisse. (C'est le nom scientifique des « fibromes » de l'utérus.)

FIBROSCOPE n. m. Endoscope flexible dans lequel la lumière est canalisée par un réseau de fibres de quartz.

FIBROSE n. f. *Méd.* Transformation fibreuse d'un tissu.

FIBULE n. f. (lat. *fibula*). *Antiq.* Épingle de sûreté en métal servant à fixer les vêtements.

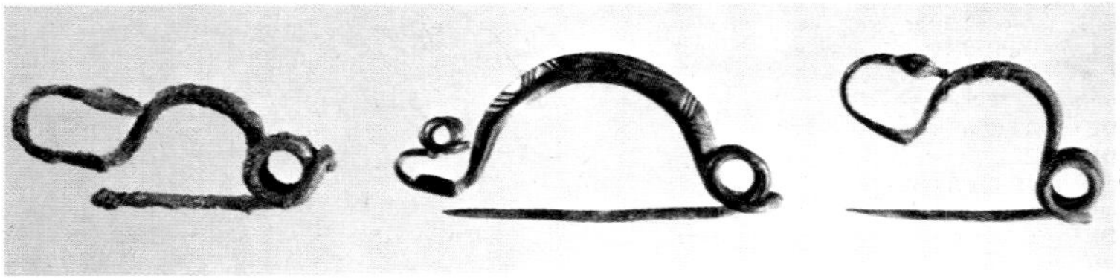

Lauros-Giraudon

fibules en bronze. Art gaulois, époque de La Tène I.
(Musée des Antiquités nationales, Saint-Germain-en-Laye.)

FIC n. m. (lat. *ficus,* figue). Grosse verrue du cheval, de la vache, etc.

FICAIRE n. f. Petite plante qui épanouit ses fleurs jaunes au début du printemps. (Famille des renonculacées.)

FICELAGE n. m. Action de ficeler.

FICELÉ, E adj. *Fam.* et *péjor.* Arrangé, habillé. • *Histoire, intrigue, etc., bien ficelée* (Fam.), bien élaborée.

FICELER v. t. (conj. **3**). Attacher avec de la ficelle.

FICELLE n. f. (lat. pop. *funicella;* de *funis,* corde). Corde très mince. || Pain de fantaisie mince. • *Connaître les ficelles,* connaître qqch par expérience. || *Tenir, tirer les ficelles,* faire agir les autres sans être vu, comme celui qui fait mouvoir les marionnettes.

FICELLERIE n. f. Fabrique, magasin de ficelle.

FICHAGE n. m. Action de ficher qqn.

FICHANT, E adj. *Tir fichant,* tir qui frappe presque verticalement un objectif.

FICHE n. f. (de *ficher*). Pièce rigide de bois ou de métal destinée à être enfoncée, fichée. || Ferrure de rotation : *fiches de portes, de fenêtres.* || Petite feuille de papier ou de carton sur laquelle on inscrit un renseignement susceptible d'être utilisé ultérieurement. || *Électr.* Pièce qui, engagée dans une alvéole de forme appropriée, permet d'établir un ou plusieurs contacts. || *Jeux.* Plaque d'os, d'ivoire, etc., servant de marque ou de monnaie d'échange. • *Fiche de consolation,* petit dédommagement qu'on reçoit à la suite d'un échec, d'une perte.

FICHER v. t. (lat. *figere,* attacher). Enfoncer par la pointe : *ficher un pieu en terre.* || Inscrire sur une fiche (un renseignement). || Inscrire qqn sur une liste de suspects.

FICHER ou **FICHE** v. t. (part. pass. *fichu*). *Fam.* Mettre, jeter : *ficher qqn à la porte.* || *Fam.* Donner, appliquer : *ficher une gifle.* || *Fam.* Faire : *Qu'est-ce que tu fiches ici?* ◆ **se ficher** ou **se fiche** v. pr. [**de**] *Fam.* Se moquer. || Ne prêter aucune attention à qqn, qqch.

Fiches *(affaire des),* système d'avancement abusif, établi dans l'armée par le général Louis André (1838-1913), ministre de la Guerre de 1901 à 1904 dans le cabinet Waldeck-Rousseau. Il était fondé sur des fiches transmises au ministre en dehors de toute voie hiérarchique et consignant les opinions religieuses et politiques des officiers. Le scandale qui en résulta provoqua la démission du général André.

FICHET (Guillaume), humaniste français (Le Petit-Bornand 1433 - Rome v. 1480). Recteur de l'Université de Paris (1467), il installa à la Sorbonne le premier atelier typographique français (1471).

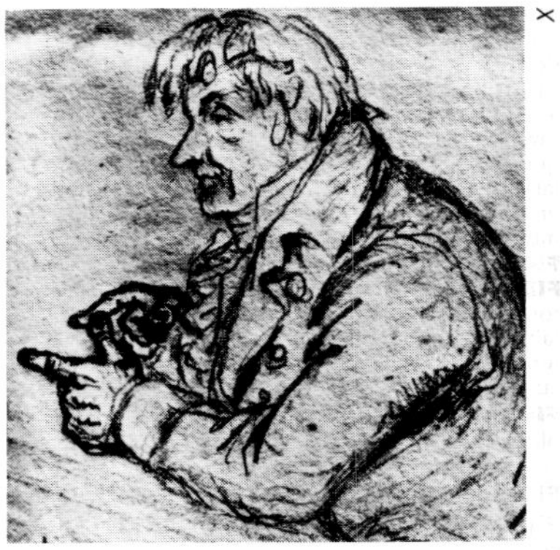

Johann Gottlieb **Fichte**

FICHIER n. m. Collection de fiches. || Boîte, meuble à fiches. || *Fam.* Service d'études et de documentation de la Cour de cassation. || *Inform.* Collection organisée d'informations de même nature, pouvant être utilisées dans un même traitement; support matériel de ces informations.

FICHISTE n. Personne qui fait des fiches de documentation.

FICHTE (Johann Gottlieb), philosophe allemand (Rammenau, Saxe, 1762 - Berlin 1814). Sa *Critique de toute révélation,* qu'il écrit à trente ans, lui assure un succès considérable que renforcent ses *Contributions destinées à rectifier les jugements du public sur la Révolution française* (1793). En 1794, Fichte est appelé à l'université d'Iéna, où il occupe, jusqu'en 1799, la chaire de philosophie. C'est là qu'il conçoit la première version de sa *Théorie de la science.* Dans cette œuvre, il tente de fonder l'intersubjectivité, c'est-à-dire les relations qu'une conscience instaure avec une autre conscience, rendant possible la détermination du monde à partir du Moi. L'existence du monde et son sens sont donc justifiés par la conscience humaine. Ainsi, Fichte est légitimement fondé à développer, à partir de cette philosophie de la conscience, une politique dans son double sens d'éthique et de philosophie du droit. La *Fondation du droit naturel* (1796), le *Système de l'éthique* (1798) et *l'État commercial fermé* (1800) conçoivent l'éthique comme un progrès vers l'unité spirituelle des consciences et l'État comme la réalisation de la liberté que Fichte ne cesse de revendiquer.

Accusé d'athéisme en 1799, il quitte Iéna pour Berlin, où il prononcera, en 1807-08, deux retentissants *Discours à la nation allemande.* Entre-temps, il publie deux essais de vulgarisation de sa pensée (*la Destination de l'homme,* 1800; *Initiation à la vie bienheureuse,* 1806) et s'attache à reformuler la problématique du savoir dans un *Exposé de la doctrine de la science* (1804) qui débouche sur la théologie.

FICHTELGEBIRGE, massif montagneux de l'Allemagne fédérale, en Bavière, au N.-E. de Bayreuth; 1 051 m.

FICHTRE! interj. (de *ficher*). *Fam.* Marque l'étonnement, l'admiration, le mécontentement.

FICHTREMENT adv. *Fam.* Extrêmement.

FICHU n. m. (de *ficher*). Triangle d'étoffe, dont les femmes se couvrent les épaules ou la tête.

FICHU, E adj. (de *ficher*). *Fam.* Mal fait, ridicule : *un fichu nez.* || Pénible, mauvais : *un fichu caractère; un fichu temps.* || Ruiné, perdu : *santé fichue; une voiture fichue.* • *Bien, mal fichu,* bien, mal fait; en bonne, mauvaise santé. || *Fichu de* (Fam.), capable de : *il n'est pas fichu de gagner sa vie.*

FICIN (Marsile), en it. **Marsilio Ficino,** humaniste italien (Figline Valdarno 1433 - Careggi, Florence, 1499), traducteur de Platon, dont il propagea les doctrines en Italie.

FICTIF, IVE adj. (lat. *fictus,* inventé). Imaginaire; qui n'a rien de réel : *personnage fictif.* || Qui n'existe que par convention : *les billets de banque n'ont qu'une valeur fictive.*

FICTION n. f. Création de l'imagination.

Fictions, recueil d'« histoires courtes » de J.-L. Borges (1941-1944) : une série d'exercices de style, qui proposent chacun une énigme à la fois policière et métaphysique, et traversés par les deux obsessions du labyrinthe et du jardin mystérieux; une définition du rôle de l'écrivain, qui culmine dans l'épisode des « Ruines circulaires » : un homme qui veut donner à ses rêves une puissance créatrice découvre qu'il n'est lui-même que le rêve d'un autre.

FICTIVEMENT adv. De façon fictive.

FIDÉICOMMIS [fideikɔmi] n. m. (lat. *fidei,* à la foi, et *commissum,* confié). *Dr.* Legs testamentaire fait au nom d'une personne chargée secrètement ou expressément de le restituer à une autre.

FIDÉISME n. m. (lat. *fides,* foi). Doctrine qui place la foi (et non la raison) à la base de toute connaissance religieuse.

FIDÉISTE adj. et n. Qui appartient au fidéisme.

FIDÈLE adj. (lat. *fidelis*). Qui remplit ses engagements : *fidèle à ses promesses.* ‖ Qui manifeste un attachement constant : *ami fidèle.* ‖ Exact : *historien fidèle.* ‖ Conforme : *copie fidèle.* ‖ Sûr : *guide fidèle.* ‖ Qui retient bien ce qui lui a été confié : *mémoire fidèle.* ‖ Qui n'a de relations sexuelles qu'avec son conjoint. ‖ *Métrol.* Se dit d'un instrument de mesure, d'un test qui donne toujours la même indication quand il est placé dans les mêmes conditions.

FIDÈLE n. m. Personne qui adhère à une religion et la pratique.

FIDÈLEMENT adv. De façon fidèle.

Fidelio, primitivement appelé *Léonore ou l'Amour conjugal,* opéra en deux actes, livret de J. von Sonnleitner et F. Treitschke, d'après un mélodrame français de Bouilly, musique de Beethoven (1805, remanié en 1806 et 1814). La troisième ouverture porte le nom de *Léonore III.* Pour évoquer l'amour conjugal et exalter la liberté, Beethoven passe du style de l'opéra-comique au récitatif et au grand air dramatiques.

FIDÉLISATION n. f. Action de fidéliser.

FIDÉLISER v. t. Rendre fidèle, s'attacher une clientèle par divers moyens (informations publicitaires, prix préférentiels, etc.).

FIDÉLITÉ n. f. Qualité d'une personne ou d'une chose fidèle.

FIDÈNES, anc. ville d'Italie, dans le pays des Sabins. Elle fut l'une des plus anciennes colonies de Rome dans le Latium : selon la tradition, Rome l'aurait conquise vers 426.

FIDENZA, v. d'Italie (Émilie-Romagne), au N.-O. de Parme; 20 000 hab. Cathédrale romane et gothique, avec sculptures de Benedetto Antelami sur la façade (fin XIIe - début XIIIe s.).

FIDJI ou **FIJI** *(îles),* État insulaire de l'Océanie; 18 272 km^2; 658 000 hab. Capit. *Suva.* Explorées, à partir de 1774, par les Anglais, puis par les Français, ces îles furent annexées en 1874 par l'Angleterre et accédèrent à l'indépendance en 1970. Après la proclamation de la République (1987), les îles Fidji ont été exclues du Commonwealth. C'est un archipel volcanique de la Mélanésie, comprenant deux îles principales : Viti Levu et Vanua Levu. Jouissant d'un climat tropical, il vit surtout de la culture de la canne à sucre et de la banane, qui sont, avec l'or, les principaux produits d'exportation. L'aéroport de Nandi est une importante escale aérienne du Pacifique.

FIDUCIAIRE adj. (lat. *fiduciarius;* de *fiducia,* confiance). Se dit de valeurs fictives, fondées sur la confiance accordée à qui les émet : *le billet de banque est une monnaie fiduciaire.* ● *Société fiduciaire,* société ayant pour objet d'effectuer des travaux comptables, juridiques, fiscaux, d'organisation, d'expertise, etc., pour le compte des entreprises privées.

FIDUCIAIREMENT adv. À titre fiduciaire.

FIDUCIE n. f. Acquisition d'un bien par un créancier, qui le restitue au débiteur à l'extinction de la dette.

FIEF [fjɛf] n. m. (mot francique). Zone d'influence prépondérante, secteur réservé : *fief électoral.* ‖ *Hist.* Domaine noble qu'un vassal tenait d'un seigneur, à charge de redevance et en prêtant foi et hommage.

FIEFFÉ, E adj. *Fam.* Qui a atteint le dernier degré d'un défaut, d'un vice : *fieffé menteur.*

FIEL n. m. (lat. *fel*). Bile des animaux. ‖ *Litt.* Amertume, méchanceté.

FIELD (John), compositeur irlandais (Dublin 1782 - Moscou 1837). Il connut, comme pianiste, de grands succès en Angleterre, en France, en Italie et en Russie, où il se fixa. Il a écrit des pièces pour piano.

FIELD (Cyrus West), industriel américain (Stockbridge, Massachusetts, 1819 - New York 1892). Il établit le premier câble sous-marin reliant l'Amérique à l'Ancien Continent (1858-1866) et organisa la pose du câble reliant San Francisco aux îles Hawaii (1871).

FIELDING (Henry), écrivain anglais (Sharpham Park, près de Glastonbury, 1707 - Lisbonne 1754). De famille noble, il fait des études de droit à Eton, puis se consacre au théâtre, où son esprit satirique se donne libre cours contre les vices de ses contemporains (*l'Amour sous plusieurs masques,* 1728; *Tom Pouce,* 1730; *Don Quichotte en Angleterre,* 1734). Mais les réactions violentes du gouvernement anglais à ses *Annales historiques de 1736,* qui critiquent le ministre Walpole, le détournent du théâtre. Il devient avocat, puis journaliste. La sentimentalité de la *Paméla* de Richardson lui étant insupportable, il en fait la caricature dans *les Aventures de Joseph Andrews* (1742). S'il crée encore deux journaux et publie trois volumes de *Mélanges* (1743), il revient au roman et donne avec *l'Histoire de Tom* Jones, enfant trouvé* (1749) un des grands récits réalistes modernes.

Larousse

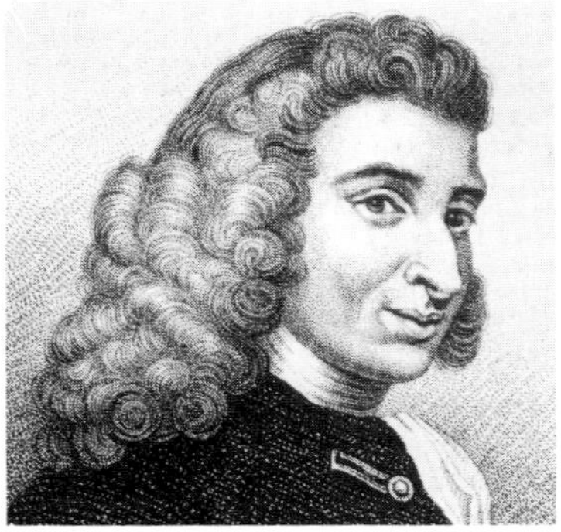

Henry **Fielding.** Gravure de Hopwood.

FIELDS (John Charles), mathématicien canadien (Hamilton 1863 - Toronto 1932). Il étudia les fonctions d'une variable complexe et a laissé son nom à la « médaille Fields ».

FIELDS (William Claude DUCKINFIELD, dit **W. C.**), acteur de cinéma américain (Philadelphie 1879 - Pasadena 1946). Vedette de music-hall, il s'imposa comme l'un des rois de la comédie burlesque américaine (*Si j'avais un million,* 1932; *Tillie and Gus,* 1933; *David Copperfield,* 1935; *Passez muscade,* 1941).

Fields *(médaille),* la plus haute récompense internationale destinée à couronner des travaux de qualité exceptionnelle dans le domaine des mathématiques. Elle est décernée depuis 1936, tous les quatre ans, lors du congrès de l'Union internationale de mathématiques à des mathématiciens âgés de moins de quarante ans.

FIELLEUX, EUSE adj. *Litt.* Plein d'acrimonie, d'animosité.

FIENTE n. f. (lat. pop. *femita*). Excrément de certains animaux : *fiente de poule, de pigeon.*

FIENTER v. i. Faire de la fiente.

FIER, FIÈRE [fjɛr] adj. (lat. *ferus,* sauvage). Qui s'enorgueillit, qui tire vanité de : *être fier de sa fortune.* ‖ *Litt.* Qui affecte un air hautain, arrogant : *il n'était pas fier avec ses fermiers.* ‖ *Litt.* Qui a des sentiments nobles, élevés : *âme fière.* ‖ *Fam.* Remarquable en son genre : *un fier imbécile.*

FIER (SE) v. pr. [**à**] (lat. pop. *fidare,* confier). Mettre sa confiance en : *ne vous fiez pas à lui.*

FIER (le), riv. de Haute-Savoie, affl. du Rhône (r. g.); 66 km.

FIER-À-BRAS n. m. (pl. *fiers-à-bras* ou *fier-à-bras*). Fanfaron, matamore.

Fierabras, chanson de geste de la fin du XIIe s. Elle célèbre la reconquête des reliques de la Passion, dont Fierabras, géant sarrasin, s'était emparé lors de la prise de Rome.

FIÈREMENT adv. De façon fière, hautaine.

FIÉROT, E adj. et n. *Fam.* et *vx.* Ridiculement fat et orgueilleux.

FIERTÉ n. f. Caractère d'une personne fière.

FIESCHI (Giuseppe), conspirateur corse (Murato 1790 - Paris 1836). Le 28 juillet 1835, au passage de Louis-Philippe, il fit éclater une « machine infernale » qui fit de nombreuses victimes, mais laissa le roi indemne. Il fut décapité avec ses complices.

FIESOLE, v. d'Italie (Toscane), près de Florence; 12 500 hab. Vestiges étrusques (enceinte) et romains (théâtre). Cathédrale romane et autres monuments. Musées. Aux environs, abbatiales de S. Domenico et Badia Fiesolana, reconstruites au XVe s.

FIESQUE, en it. **Fieschi,** famille féodale de Gênes, dont un des membres, JEAN-LOUIS *(Gian Luigi),* comte **de Lavagna,** conspira contre Andrea Doria. Cette conjuration, racontée par le cardinal de Retz*, inspira un drame à Schiller (1783).

FIESTA [fjɛsta] n. f. (mot esp.). *Fam.* Fête.

FIÈVRE n. f. (lat. *febris*). Élévation pathologique de la température centrale du corps des animaux supérieurs et de l'homme, chez qui elle est normalement constante; ensemble des troubles qui accompagnent cet état (sudation, accélération du pouls et de la respiration, sensation de chaleur et de malaise). ‖ État de tension ou d'agitation d'un individu ou d'un groupe : *fièvre politique.* ‖ Désir ardent : *fièvre de collectionner.* ● *Fièvre de cheval* (Fam.), fièvre violente. ‖ *Fièvre de Malte,* syn. de BRUCELLOSE. ‖ *Fièvre quarte, tierce,* deux formes du paludisme, où les accès de fièvre ont lieu toutes les 72 heures ou toutes les 48 heures.

FIÉVREUSEMENT adv. De façon agitée.

FIÉVREUX, EUSE adj. Qui a ou qui dénote la fièvre : *yeux fiévreux.* ‖ Inquiet, agité : *attente fiévreuse.*

FIFRE n. m. (suisse all. *Pfifer,* qui joue du fifre). Petite flûte en bois, d'un son aigu. ‖ Celui qui en joue.

FIFRELIN n. m. (all. *Pfifferling*). *Fam.* et *vx.* Chose sans valeur.

FIFTY-FIFTY n. m. (pl. *fifty-fifties*). Yacht de croisière où l'on a donné la même importance à la propulsion mécanique et à la voilure.

FIFTY-FIFTY loc. adv. *Fam.* Par moitié : *partager les bénéfices fifty-fifty.*

FIGARI (20114), ch.-l. de cant. de la Corse-du-Sud, à 18 km au N. de Bonifacio; 1 022 hab.

FIGARO n. m. (de *Figaro,* personnage de Beaumarchais). *Fam.* et *vx.* Coiffeur.

Figaro, personnage du *Barbier de Séville,* du *Mariage de Figaro* et de *la Mère coupable* de Beaumarchais. Barbier passé au service du comte Almaviva, il est spirituel et intrigant, grand frondeur des abus de l'Ancien Régime. Il symbolisa le tiers état, luttant contre les privilèges de la noblesse.

Figaro *(le),* périodique fondé en 1854 par Henri de Villemessant, qui fut d'abord un hebdomadaire satirique. Devenu quotidien en 1866, il évolua, après 1871, vers un républicanisme modéré.

FIGÉ, E adj. Fixé, stéréotypé : *expression figée.*

FIGEAC (46100), ch.-l. d'arr. du Lot, sur le Célé, à 28 km au N.-O. de Decazeville; 10 511 hab. *(Figeacois).* Au Moyen Âge remontent deux églises, des maisons et l'hôtel de la Monnaie (fin XIIIe s., musée). Constructions aéronautiques.

FIGEMENT n. m. Action d'un corps gras qui se fige. ‖ État de ce qui est figé.

FIGER v. t. (lat. pop. *feticare;* de *feticum,* foie) [conj. **1**]. Épaissir, solidifier par un abaissement de la température : *le froid fige la graisse.* ‖ Causer un grand saisissement qui immobilise : *l'épouvante le figea sur place.*

FIGL (Leopold), homme politique autrichien (Rust 1902 - Vienne 1965). Il fut chancelier de la République autrichienne de 1945 à 1953.

FIGNOLAGE n. m. Action de fignoler.

FIGNOLER v. t. et i. (de *fin*). *Fam.* Exécuter un travail avec un soin minutieux.

FIGNOLEUR, EUSE adj. et n. Qui fignole.

FIGUE n. f. (lat. *ficus*). Fruit comestible du figuier, formé par toute l'inflorescence, qui devient charnue après la fécondation. ● *Figue de Barbarie,* fruit charnu et sucré de l'opuntia. ‖ *Figue caque,* syn. de KAKI. ‖ *Figue de mer* (Zool.), nom usuel d'une espèce méditerranéenne d'ascidie, le *microcosme,* que l'on consomme crue. ‖ *Mi-figue, mi-raisin,* moitié bien, moitié mal; mitigé.

FIGUEIREDO (João Baptista DE), homme d'État et officier brésilien (Rio de Janeiro 1918). Promu général d'armée en 1978, il est président de la République de 1978 à 1985.

FIGUIER n. m. Arbre des pays chauds, dont le fruit est la figue. (Une espèce, le *figuier élastique,* peut fournir un caoutchouc; une autre, le *figuier banian,* a une frondaison étalée, soutenue par de nombreuses racines semblables à des troncs. [Famille des moracées.]) ● *Figuier de Barbarie,* nom usuel de l'*opuntia.*

FIGUIG, oasis du Sahara marocain.

FIGULINE n. f. Objet de terre cuite (vx).

FIGURANT, E n. Personnage accessoire, généralement muet, dans une pièce de théâtre, dans un ballet, au cinéma. ‖ Personne qui ne joue aucun rôle déterminant.

FIGURATIF, IVE adj. Qui représente la forme réelle des choses : *plan figuratif.* ● *Art figuratif,* celui qui représente les choses de la nature plutôt telles que l'œil les voit (par oppos. à l'art ABSTRAIT ou NON FIGURATIF).

FIGURATIF n. m. Peintre ou sculpteur qui pratique l'art figuratif.

FIGURATION n. f. Action de figurer. ‖ Ensemble des figurants d'un théâtre, d'un film; métier ou rôle de figurant. ‖ *Psychanal.* Traduction des pensées en images visuelles qui constitue l'un des aspects du travail du rêve. ● *Figuration libre* (Bx-Arts), ensemble de nouveaux courants figuratifs apparus vers la fin des années 70. ‖ *Nouvelle figuration,* dans l'art contemporain, courant figuratif, aux techniques nouvelles et à l'esprit souvent contestataire, apparu en Europe dans les années 60.

■ *Nouvelle figuration.* Née sur le déclin de l'art abstrait, cette tendance marque un renouveau de la peinture figurative qui, au-delà des courants qui la fondent (expressionnisme, surréalisme, réalisme*), comporte une volonté critique plus ou moins affirmée. Le pop* art anglais et américain constitue une des premières manifestations du besoin de constat et de description du monde moderne sous sa forme industrialisée et urbaine, mais seules quelques individualités (Peter Saul) y introduisent un ton séditieux. En Europe se développe, ponctuée de nombreuses expositions collectives (ainsi, à Paris, *Mythologies quotidiennes,* 1964, et la *Figuration narrative,* 1965), une figuration qui critique la neutralité du pop art, analyse la structure de l'image (l'Italien Adami, le Suisse Stämpfli, les Français Raysse et Rancillac...) et culmine, dans le refus de la seule réussite esthétique, avec la peinture politique (l'Italien Recalcati, les Espagnols Arroyo, Genovés, Canogar, ainsi que l'« Equipo Cronica », le Français Aillaud et les membres de

figuier

Atlas-Photo

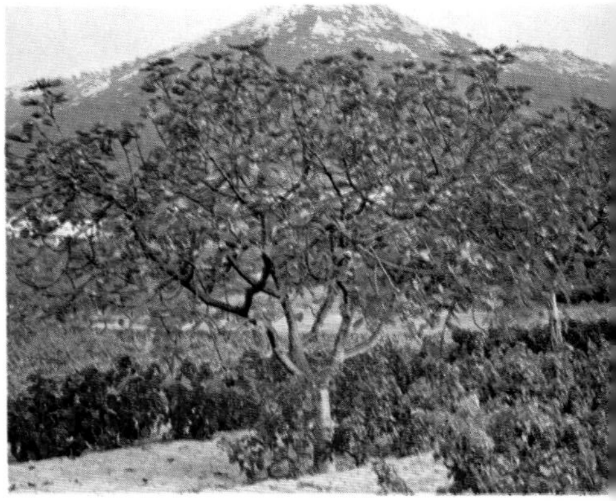

Nouvelle **figuration** : *la Vitrine* (v. 1968), de Valerio Adami.

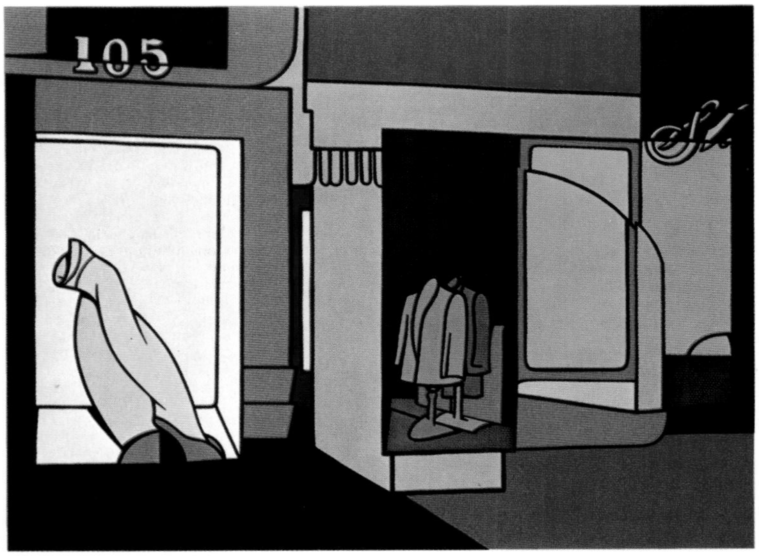

la « coopérative des Malassis* »). À l'intérieur de ce courant multiforme, les recherches sont aussi diverses que les techniques (esprit du collage*, sources photographiques...), allant de l'onirisme froid du Français Monory* à la quasi-abstraction formelle de l'Allemand Peter Brüning (1929-1970), en passant par les rébus du Haïtien Télémaque ou du Suédois Öyvind Fahlström (1928-1976), les chocs d'images de l'Islandais Erró ou des Italiens Spadari et De Filippi. Plus récemment s'est développée une tout autre forme de figuration, sorte de néo-expressionnisme subjectif et gestuel (en Allemagne notamment, avec A. R. Penk [né en 1939], G. Baselitz [né en 1938], Salome [né en 1954]).

FIGURE n. f. (lat. *figura*). Visage de l'homme; air, mine : *figure aimable*. ‖ Personnalité marquante : *les grandes figures du passé*. ‖ Symbole : *l'agneau pascal est une figure de l'eucharistie*. ‖ Dessin servant à la représentation d'êtres mathématiques. ‖ *Bx-arts*. Dessin, gravure, représentation, peinte ou sculptée, d'un être humain, d'un animal. ‖ *Chorégr*. Enchaînement de pas constituant une des différentes parties d'une danse. ‖ *Ling*. Modification de l'emploi des mots, visant à un certain effet. ‖ *Psychol*. Tendance d'une forme perceptive à se détacher du fond et à se constituer en structure autonome. ‖ *Sports*. Exercice de patinage, de ski, de carrousel équestre, de plongeon, qui est au programme de certaines compétitions. ● *Faire bonne figure*, se montrer digne de ce qu'on attend de vous. ‖ *Faire figure de*, apparaître comme. ‖ *Faire triste figure*, avoir l'air triste; ne pas se montrer à la hauteur. ‖ *Prendre figure*, commencer à se réaliser.

FIGURÉ, E adj. *Bx-arts*. Qui comporte des représentations de figures : *chapiteau figuré*. ● *Sens figuré* (Ling.), signification d'un mot passée du concret à l'abstrait (sentiment, idée, etc.), par opposition au SENS PROPRE.

FIGURER v. t. Représenter par la peinture, la sculpture, le dessin, etc. : *figurer une Minerve en cire*. ‖ Représenter par un signe quelconque, symboliser. ◆ v. i. Se trouver dans un ensemble : *figurer sur une liste*. ‖ Jouer le rôle d'un figurant : *figurer dans une pièce*. ◆ **se figurer** v. pr. S'imaginer, croire, se représenter : *elle s'était figuré qu'elle réussirait facilement*.

FIGURINE n. f. (it. *figurina*). Très petite représentation, surtout sculptée en ronde bosse, d'un être animé.

FIGURISTE n. m. Mouleur de figures en plâtre.

FIL n. m. (lat. *filum*). Brin long et fin formé par l'assemblage de fibres textiles ou de filaments directement utilisables pour les fabrications textiles. ‖ Direction des fibres du bois. ‖ Métal finement étiré : *fil de fer, de cuivre*. ‖ Matière sécrétée par les araignées, certaines chenilles. ‖ Conducteur électrique fait de fil métallique entouré d'une gaine isolante. ‖ Tranchant d'un instrument : *le fil d'un rasoir*. ‖ Suite, liaison, enchaînement logique : *le fil d'un discours*. ‖ Courant : *suivre le fil de l'eau*. ‖ Série, succession continue : *le fil de la vie, des jours*. ● *Au fil de*, au long de. ‖ *Au fil de l'eau*, se dit d'une centrale hydroélectrique ne possédant pas de barrage, et dont le canal d'amenée, à faible pente, ne comporte aucune réserve d'eau. ‖ *Bois de fil*, bois utilisé par les graveurs sous forme de planche découpée dans le sens des fibres (pratique traditionnelle, et plus fréquente que celle du *bois de bout*). ‖ *Coup de fil*, coup de téléphone. ‖ *Être au bout du fil*, être en communication téléphonique avec qqn. ‖ *Fil à plomb*, fil muni d'un morceau de plomb ou de fer, pour matérialiser la verticale. ‖ *Fil de la Vierge*, syn. de FILANDRE. ‖ *Ne pas avoir inventé le fil à couper le beurre*, n'être pas très malin. ‖ *Ne tenir qu'à un fil*, dépendre de la moindre chose.

FIL-À-FIL n. m. inv. Tissu à effet chiné, obtenu en ourdissant et en tramant successivement un fil clair, un fil foncé, etc.

FILAGE n. m. Transformation des fibres textiles en fils; ouvrage du fileur. ‖ Procédé de mise en forme des métaux par déformation plastique à chaud.

FILAIRE adj. (de *fil*). Se dit des appareils de transmission fonctionnant par fil (par oppos. aux appareils de radio).

FILAIRE n. f. Ver parasite des régions chaudes, mince comme un fil, vivant sous la peau de divers vertébrés. (Classe des nématodes.) [Certaines filaires sont pathogènes pour l'homme.]

FILAMENT n. m. (lat. *filamentum*). Élément fin et allongé d'un organe animal ou végétal; fil très mince. ‖ Dans une lampe électrique, fil conducteur, rendu incandescent par le passage du courant. ‖ Fibre textile de très grande longueur.

FILAMENTEUX, EUSE adj. Qui a des filaments.

FILANDIÈRE n. et adj. f. *Litt*. Qui fait métier de filer. ● *Les sœurs filandières* (Poét.), les Parques.

FILANDRE n. f. Fil qui flotte en l'air et qu'on appelle usuellement *fil de la Vierge*. (Il est produit par diverses araignées.) ‖ Fibre de certains légumes, de certaines viandes.

FILANDREUX, EUSE adj. Rempli de fibres longues et coriaces : *viande filandreuse*. ‖ Enchevêtré, confus et long : *explications filandreuses*.

FILANT, E adj. Qui file, sans se diviser en gouttes : *liquide filant*. ● *Pouls filant*, pouls très faible.

FILANZANE n. m. (mot malgache). Chaise à porteurs employée autref. à Madagascar.

FILARETE (Antonio AVERLINO, dit **il**), architecte et sculpteur italien (Florence 1400 - Rome v. 1469). Auteur, à Rome, de la porte de bronze de Saint-Pierre (1433-1445), il est appelé à Milan, où il entreprend l'hôpital Majeur selon une conception grandiose (1456-1465). Il a composé un *Traité d'architecture*, aux dessins d'une invention très libre (projets d'une cité idéale, la « Sforzinda »).

FILARIOSE n. f. Affection parasitaire causée par une filaire.

FILASSE n. f. (lat. *filum*, fil). Amas de filaments extraits de la tige du chanvre, du lin, etc., que l'on soumet au rouissage avant de les filer. ◆ adj. inv. *Cheveux filasse*, cheveux d'un blond pâle.

FILATEUR n. m. Exploitant d'une filature.

FILATURE n. f. Ensemble des opérations que subissent les fibres textiles pour être transformées en fil. ‖ Établissement industriel où l'on file les matières textiles : coton, laine, lin, etc. ‖ Action de filer qqn pour le surveiller.

■ Selon les caractéristiques particulières des fibres (propreté, finesse, longueur), variables en fonction de leur origine (animale, végétale, chimique, etc.), le travail en filature et le matériel utilisé peuvent être différents; il existe donc divers types de filatures, mais que l'on peut, cependant, classer en deux grandes catégories : la *filature des fibres courtes* (type coton) et la *filature des fibres longues* (type laine). La filature comporte presque toujours les opérations essentielles suivantes : mélange, épuration, cardage, régularisation et affinage, puis filature proprement dite.

● *Mélange*. Par nature, les fibres textiles sont hétérogènes; il est donc indispensable de procéder à un mélange de fibres ayant des caractéristiques voisines afin que, pour une même fabrication, les propriétés physiques et chimiques du fil restent aussi constantes que possible. D'autre part, pour produire une qualité suivie, il faut que, d'une fabrication de fil à l'autre, les caractéristiques moyennes restent pratiquement les mêmes. Le mélange de fibres se poursuivra au cours du processus de filature, permettant ainsi d'améliorer la qualité.

● *Épuration*. Les impuretés, contenues surtout dans les fibres naturelles et dans les fibres de récupération, sont nuisibles à un travail en filature et à la qualité du fil; elles doivent donc être éliminées. On distingue deux grandes catégories d'impuretés : les particules étrangères et les souillures. Les *particules étrangères* peuvent être par exemple les débris de feuilles du cotonnier, le sable ou les pailles dans la laine, etc.; elles sont séparées des fibres par des procédés combinant des actions mécaniques et aérodynamiques produites par des machines telles qu'ouvreuses, batteuses, etc. L'élimination se poursuit lors du cardage et du peignage. Les *souillures* concernent principalement la laine; ce sont les produits des glandes (suint), la poussière terreuse, l'urine, etc. Pour les retirer, on procède au lavage.

● *Cardage*. Après l'épuration, les fibres sont encore en désordre et en masse plus ou moins volumineuse. La carde va parfaire l'épuration en démêlant et en individualisant les fibres. À sa sortie, les fibres restent liées entre elles et forment un « voile » ténu et fragile, qui sera condensé en un ruban.

● *Régularisation et affinage*. Les rubans venant de la carde sont irréguliers. Pour les régulariser et paralléliser les fibres, on procède à des doublages et à des étirages successifs de ces rubans. L'étirage est obtenu par passage entre deux paires de cylindres dotés de vitesses périphériques différentes. À cet effet, on utilise dans la filature des fibres courtes des bancs d'étirage, dans la filature des fibres longues des intersectings. Les rubans, déjà plus réguliers, vont subir un nouvel étirage en vue de les affiner, c'est-à-dire de les transformer en mèches soit sur un banc à broches, soit sur un finisseur. La mèche se distingue du ruban par une masse linéique plus faible. La cohésion des fibres entre elles est obtenue soit par une légère torsion, soit par frottage.

● *Filature proprement dite*. Elle s'effectue le plus souvent sur le continu à filer. La mèche va subir un dernier affinage en vue de sa transformation en un fil ayant une masse linéique déterminée (masse en grammes de 1 000 m de fil). Ce fil subira en même temps une torsion qui lui donnera la ténacité recherchée, puis il sera enroulé sur un support. En vue d'obtenir des fils bien fins et particulièrement réguliers, on doit procéder au *peignage*. Cette opération supplémentaire a pour objet d'éliminer tout ou partie des fibres courtes. En revanche, les filatures qui ne travaillent que des fibres très courtes, provenant soit de matières de basse qualité, soit des effilochés, soit encore des déchets, ont un cycle de fabrication beaucoup plus court et font appel à un nombre de machines très réduit. En filature, on emploie de plus en plus des fibres* chimiques, utilisées soit en pur, soit en mélange entre elles ou avec les fibres naturelles. Pour pouvoir être filées, ces fibres doivent être d'une longueur et d'une grosseur comparables à celles des fibres naturelles, ce qui permet d'adopter le même cycle de fabrication; cependant, comme les fibres chimiques sont moins emmêlées et ne contiennent pas d'impuretés végétales, le cardage peut être simplifié.

FILDEFÉRISTE n. Équilibriste qui fait des exercices sur un fil métallique.

FILE n. f. (de *fil*). Rangée de personnes ou de choses placées à la suite les unes des autres. ● *À la file, en file, en file indienne*, l'un derrière l'autre. ‖ *Chef de file*, celui qui dirige un groupe, une entreprise. ‖ *Ligne de file*, ordre tactique que prennent les navires de guerre les uns derrière les autres. ‖ *Prendre la file*, se mettre à la suite.

FILÉ n. m. Fil destiné au tissage.

FILER v. t. Mettre en fil : *filer la laine*. ‖ Sécréter un fil de soie, en parlant d'invertébrés comme les araignées et de nombreuses chenilles. ‖ Suivre secrètement pour surveiller : *filer un suspect*. ‖ *Pop*. Donner, prêter, passer. ● *Filer un câble, une amarre*, etc. (Mar.), les laisser glisser. ‖ *Filer le parfait amour*, être dans une période de grand bonheur (avec qqn). ‖ *Filer un son* (Mus.), tenir longuement une note, à la voix ou à l'instrument. ◆ v. i. Couler lentement comme de l'huile : *ce sirop file*. ‖ Se disait d'une lampe à huile qui avait une flamme qui s'allongeait et fumait. ‖ *Fam*. Aller, partir vite. ‖ Se dérouler, se dévider : *maille qui file*. ● *Filer à l'anglaise*, s'en aller sans prendre congé ou sans permission. ‖ *Filer doux*, se montrer docile; céder par crainte. ‖ *Filer n nœuds*, en parlant d'un navire, parcourir *n* milles marins en une heure. ‖ *L'argent lui file entre les doigts*, il le dépense très vite.

FILET n. m. (dim. de *fil*). Tissu à larges mailles, destiné à prendre les poissons, les oiseaux. ‖ Réseau de mailles servant à divers usages : *filet d'acrobate*. ‖ Sac à provisions fait de mailles. ‖ Résille à fils très fins pour maintenir la coiffure en place. ‖ Très petite quantité qui s'écoule : *filet d'eau*. ‖ Réseau de fils tendus au milieu du terrain de tennis, de volley-ball, etc., ou fixé derrière le poteau de but (football, handball). ‖ *Anat*. Très petite membrane sous la langue. ‖ *Arts graph*. Trait d'épaisseur variable utilisé pour séparer ou encadrer des textes ou des illustrations. ‖ *Bot*. Partie fine qui supporte l'anthère d'une étamine. ‖ *Bouch*. Partie charnue qui se lève le long de l'épine dorsale. ‖ *Techn*. Saillie en spirale d'une vis. ‖ Ornement fin et délié, en architecture, en menuiserie, etc. ‖ *Text*. Dentelle de lin composée d'une broderie sur un réseau de mailles carrées. ● *Coup de filet*, opération de police au cours de laquelle on procède à des vérifications d'identité ou à des arrestations. ‖ *Faux filet* (Bouch.), partie moins estimée que le filet, située le long de l'échine. ‖ *Filet de poisson*, bande de chair prélevée parallèlement à l'arête dorsale. ‖ *Filet de voix*, voix très faible. ‖ *Travailler sans filet*, pour un équilibriste, exécuter son numéro sans filet de protection; affronter des risques, sans avoir la possibilité de se rattraper, de se protéger.

FILETAGE n. m. Opération consistant à creuser une rainure hélicoïdale le long d'une surface cylindrique. ‖ Ensemble des filets d'une vis.

FILETÉ n. m. Étoffe de coton dont un fil de chaîne est plus gros que les autres et forme de fines rayures en relief.

FILETER v. t. (conj. **4**). Faire un filetage.

FILEUR, EUSE n. Ouvrier, ouvrière conduisant un métier à filer.

FILIAL, E, AUX adj. Qui est du devoir d'un enfant vis-à-vis de ses parents.

FILIALE n. f. Société dont une société mère détient plus de la moitié du capital social.

FILIALEMENT adv. De façon filiale.

FILIATION n. f. Lien qui unit un individu à son père ou à sa mère. ‖ Suite d'individus directement issus les uns des autres. ‖ Suite, liaison logique de choses : *filiation des idées, des mots*.

■ Transmission de la parenté, la filiation se distingue de l'héritage (transmission des biens) et de la succession (transmission des fonctions). Convention sociale, elle se distingue également de la consanguinité, qui renvoie à des notions biologiques. Ainsi, dans la filiation patrilinéaire, il y a lien de filiation entre un individu et le groupe social de son père, et lien de consanguinité entre l'individu et le groupe de chacun de ses parents. La filiation peut être unilinéaire (ou unilatérale), c'est-à-dire qu'elle est transmission de la parenté aux enfants d'un couple uniquement par l'un des deux parents; elle peut être indifférenciée, cognatique ou bilatérale si la transmission se fait indifféremment par l'un et l'autre parent; enfin, elle peut être double ou bilinéaire, certains droits se transmettant par le père, d'autres par la mère.

La loi française du 3 janvier 1972 porte réforme du droit de la filiation. Le principe de la réforme a été de réaliser l'égalité des enfants entre eux, l'enfant naturel ayant en général les mêmes droits et les mêmes devoirs que l'enfant légitime dans ses rapports avec ses père et mère, et entrant réellement dans la famille* de son auteur, à la condition essentielle que *sa filiation ait été établie légalement*. Les enfants « adultérins » perdent désormais cette qualification pour être dénommés « enfants naturels dont le père ou la mère était, au temps de leur conception, engagé dans les liens du mariage avec une autre personne »; ces enfants ne sont guère traités différemment des enfants naturels simples, excepté, cependant, en matière successorale, en matière de libéralités et en ce qui concerne l'accueil au foyer. L'établissement d'une filiation est désormais possible pour ces enfants (celui-ci n'est, dorénavant, interdit que pour les enfants incestueux), les enfants adultérins pouvant même être *légitimés* (par autorité de justice), à condition que l'auteur de l'enfant obtienne, sur ce point, le consentement de son conjoint.

● *La filiation légitime*. La preuve de la filiation légitime résulte de l'acte de naissance ou, à défaut, de la possession d'état d'enfant légitime, rattachant l'enfant à ses père et mère. Il existe une *présomption de paternité* attachée à la qualité de mari de la mère lorsque l'enfant a été conçu pendant le mariage. La preuve contraire peut être fournie, et le jeu de la présomption peut être paralysé par des situations particulières (séparation des époux en cas de jugement [ou de demande] de divorce ou de séparation de corps). Il existe des *actions en contestation de la présomption de paternité*, permettant de renverser celle-ci :

— l'*action en désaveu*, ouverte dorénavant au mari pendant six mois, à dater de la naissance de l'enfant ou à dater du retour du mari en cas d'absence ou du jour de la fraude (si la naissance a été cachée au mari) [le désaveu peut être exercé en défense à une action (exercée par l'enfant) en réclamation d'état, le mari pouvant, à l'encontre d'une telle procédure, exercer aussi un désaveu préventif];

— l'*action en contestation de paternité du mari*, exercée par la mère de l'enfant et son conjoint nouveau dans les six mois d'un nouveau mariage et avant que l'enfant n'ait sept ans, simultanément à une demande de légitimation (la mère devra démontrer au tribunal la paternité du second époux et non pas du premier; la preuve se fera par tous moyens; le juge devra trancher dans le sens de la filiation la plus vraisemblable, et, à défaut d'éléments de conviction suffisants, avoir égard à la possession d'état).

● *La filiation naturelle*. Le droit nouveau reconnaît la filiation naturelle comme un fait, l'enfant entrant dorénavant « dans la famille de son auteur », famille légitime ou naturelle. L'établissement de la filiation naturelle est, en principe, toujours permis, sauf le cas d'« inceste absolu », en ligne directe ou collatérale privilégiée (frère et sœur). La filiation naturelle peut être également établie soit par la reconnaissance volontaire, soit, depuis 1982, par la possession d'état.

La reconnaissance volontaire des enfants naturels se fait par acte authentique, la reconnaissance étant reçue par l'officier de l'état civil au moment de l'acte de naissance, ou, à tout moment, par un notaire, un officier public ou un officier de l'état civil. La reconnaissance du père n'a d'effet que pour la filiation à l'égard du père. La reconnaissance d'enfant naturel peut être contestée, notamment par le propre auteur de la reconnaissance, par le ministère public dans certains cas, par l'autre parent, par l'enfant, par ceux qui se disent parents véritables.

L'établissement judiciaire de la filiation naturelle s'effectue suivant plusieurs modalités. L'*action en recherche de paternité naturelle* est ouverte notamment lorsqu'il y a eu enlèvement ou viol, séduction dolosive, aveu non équivoque de paternité, entretien, éducation ou établissement de l'enfant en qualité de père, ou, enfin, lorsque, à l'époque de la conception présumée, les parents prétendus étaient en état de concubinage stable. L'action peut être jugée irrecevable, notamment en cas d'inconduite notoire de la mère pendant la période de la conception et l'impossibilité pour le père prétendu d'être le père. Les *actions en recherche de maternité naturelle* sont rares, la mère reconnaissant beaucoup plus souvent son enfant que le père.

« L'enfant naturel », dit le nouvel article 334 du Code civil, « a les mêmes droits et les mêmes devoirs que l'enfant légitime, dans ses rapports avec les père et mère. Il entre dans la famille de son auteur. » Mais il porte le nom de celui de ses deux parents naturels à l'égard de qui sa filiation a été en premier lieu établie.

Le mariage de ses auteurs confère à l'enfant naturel la condition d'enfant légitime; la légitimation par autorité de justice peut être demandée à la requête de l'un des parents lorsque le mariage est impossible entre ceux-ci et lorsque l'enfant a la possession d'état d'enfant naturel à l'égard du parent qui la requiert.

FILICALE n. f. (lat. *filix, filicis,* fougère). Syn. de FOUGÈRE en langage scientifique. (Les *filicales* forment un ordre.)

FILIÈRE n. f. Suite de formalités, d'emplois à remplir avant d'arriver à un certain résultat : *la filière administrative; passer par la filière.* ‖ Pièce d'acier pour étirer le métal et le transformer en fil d'une section déterminée. ‖ Plaque finement perforée utilisée pour la fabrication des textiles chimiques. ‖ Pièce pour fileter une vis. ‖ Orifice par lequel une araignée émet ses fils de soie. ‖ Dans les Bourses de commerce, titre à ordre endossable portant offre de livraison d'une marchandise. ‖ *Industr.* Ensemble des activités des industries relatives à un produit de base, à une technique : *filière bois, filière économique;* ensemble des trois éléments constitutifs d'un réacteur nucléaire, c'est-à-dire le combustible, le modérateur (pour les réacteurs à neutrons lents) et le fluide caloporteur. ‖ *Mar.* Tringle horizontale d'un garde-corps.

■ *(Industr.)* Dans un réacteur nucléaire, le *combustible,* qui, en subissant le phénomène de fission, est la source du dégagement de l'énergie sous forme de chaleur, peut être de l'uranium naturel (ou de l'oxyde d'uranium), de l'uranium enrichi ou du plutonium. Le *modérateur,* dont le rôle est de ralentir les neutrons, est soit du graphite, soit de l'eau lourde, soit encore de l'eau ordinaire. Le *fluide caloporteur,* qui emporte les calories, est un gaz (bioxyde de carbone), un liquide (eau ordinaire) ou un métal fondu (sodium). Si le nombre des combinaisons entre les trois éléments fondamentaux est élevé, il n'existe, actuellement, que cinq filières en compétition sur le plan industriel :
— uranium naturel-graphite-gaz;
— uranium naturel-eau lourde-gaz ou eau ordinaire ou eau lourde;
— uranium faiblement enrichi-eau ordinaire (réacteur à eau sous pression ou à eau bouillante);
— uranium très enrichi-hélium (filière dite « à hautes températures »);
— filière à neutrons rapides ou surrégénérateur.

FILIFORME adj. Mince, délié comme un fil.

FILIGRANE n. m. (it. *filigrana*). Marque, dessin ou ligne se trouvant dans le corps d'un papier et que l'on peut voir par transparence. ‖ Ouvrage d'orfèvrerie ajouré, fait de fils entrelacés et soudés. ‖ Entrelacs décoratif utilisé en verrerie. ● *En filigrane,* dont on devine la présence, à l'arrière-plan; qui n'est pas explicite.

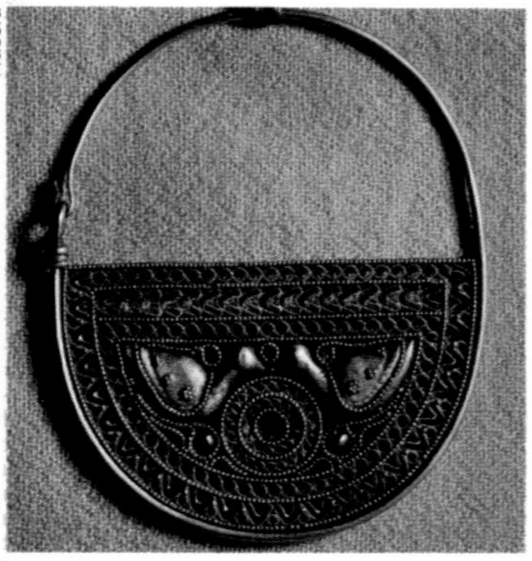

filigrane : boucle d'oreille filigranée.
Art byzantin, XIe s. (Coll. Benaki, Athènes.)

FILIGRANER v. t. Façonner en filigrane.

FILIN n. m. (de *fil*). *Mar.* Nom générique de tous les cordages employés à bord.

FILIPENDULE n. f. *Bot.* Espèce de spirée aux racines tubérisées. (Famille des rosacées.)

FILITOSA, localité de Corse-du-Sud, au N. du golfe de Valinco. Un vaste ensemble de monuments mégalithiques atteste l'épanouissement d'une culture remontant au IIIe millénaire et détruite vers 1400 par des incursions étrangères.

FILLASTRE (Guillaume), prélat et humaniste français (La Suze-sur-Sarthe v. 1348 - Rome 1428), docteur de l'Université de Paris, cardinal (1411), évêque de Saint-Pons (1422). Il joua un rôle considérable dans la disparition du Grand Schisme en contribuant à l'élection du pape Martin V*. En France, il fut l'artisan de la réconciliation entre Armagnacs et Bourguignons.

FILLE n. f. (lat. *filia*). Personne du sexe féminin, considérée par rapport à son père ou à sa mère. ‖ Enfant ou jeune du sexe féminin. ‖ Personne du sexe féminin non mariée (vx). ‖ Servante : *fille de salle.* ‖ Nom des membres de certaines communautés de femmes. ● *Fille de joie,* prostituée. ‖ *Fille mère,* syn. péjor. de MÈRE CÉLIBATAIRE. ‖ *Jeune fille,* femme ou fille jeune non mariée. ‖ *Jouer la fille de l'air* (Fam.), partir sans avertir. ‖ *Vieille fille,* femme célibataire d'un certain âge.

Fille de Madame Angot *(la),* opérette en trois actes, livret de Clairville, Siraudin et Koning, musique de C. Lecocq (Bruxelles 1872, Paris 1873).

Fille mal gardée *(la),* ballet en deux actes, musique d'un compositeur inconnu plusieurs fois arrangée (Hérold, Hertel), chorégraphie de Jean Dauberval, créé à Bordeaux en 1789. Un des plus anciens ballets, il connut de nombreuses reconstitutions.

FILLER n. m. (mot angl.). Roche finement broyée, ajoutée au bitume pour les revêtements routiers ou pour modifier les propriétés de certains matériaux (bétons, matières plastiques, etc.). [L'Administration préconise FINES.]

Filles du feu *(les),* recueil de nouvelles de Nerval (1854), auxquelles s'ajoutent les *Chansons et légendes du Valois* et les sonnets des *Chimères**. Ces portraits de femmes nées de l'imagination et du souvenir du poète sont dominés par les deux figures d'Angélique (aventurière du XVIIe s.) et de Sylvie*.

FILLETTE n. f. Petite fille (jusqu'à l'adolescence). ‖ Demi-bouteille utilisée surtout pour les vins d'Anjou et de la région nantaise.

FILLEUL, E n. (lat. *filiolus,* jeune fils). Celui, celle dont on est le parrain, la marraine. ● *Filleul de guerre,* soldat dont s'occupe une dame en temps de guerre.

FILM n. m. (mot angl.). Bande pelliculaire perforée d'acétylcellulose, chargée d'une couche de gélatino-bromure d'argent, qu'on emploie en photographie et en cinématographie. ‖ Œuvre cinématographique : *un film d'aventures.* ‖ Déroulement continu : *le film des événements.* ‖ *Techn.* Feuille de plastique d'une épaisseur inférieure à 0,5 mm. ‖ Mince pellicule d'un corps gras. ‖ Pellicule qui subsiste, sur un subjectile, du produit de revêtement dont on l'a recouvert. (Syn. FEUIL.)

FILMER v. t. Enregistrer sur un film cinématographique, prendre un film.

FILMIQUE adj. Relatif aux films de cinéma ou de télévision.

FILMOGRAPHIE n. f. Liste des films réalisés par un metteur en scène, un technicien du cinéma ou interprétés par un acteur.

FILMOLOGIE n. f. Science du cinéma, de son esthétique et de ses influences sur la vie sociale.

FILMOTHÈQUE n. f. Collection de microfilms.

FILOGUIDÉ, E adj. *Arm.* Se dit d'un missile relié à son poste de tir par un fil qui sert à transmettre les ordres du tireur à son système de guidage.

FILON n. m. (it. *filone*). *Minér.* Suite ininterrompue d'une même matière (minéral, roche), recoupant des couches de nature différente. ‖ *Fam.* Situation lucrative et peu fatigante.

FILONIEN, ENNE adj. *Min.* Se dit d'un gisement en filon. ‖ *Géol.* Se dit d'un groupe de roches résultant de l'injection de magma le long de cassures à proximité de la surface.

FILOSELLE n. f. (it. *filosello*). Fil irrégulier obtenu en filant la bourre des cocons de soie (vx).

FILOU n. m. (forme dialect. de *fileur*). *Fam.* Personne malhonnête, voleur, tricheur.

FILOUTAGE n. m. *Fam.* Action de filouter.

FILOUTER v. t. *Fam.* Voler avec adresse. ◆ v. i. Tricher au jeu.

FILOUTERIE n. f. *Fam.* Petite escroquerie. ● *Filouterie d'aliments, d'hôtel, de carburant, de taxi,* etc., syn. de GRIVÈLERIE.

FILS [fis] n. m. (lat. *filius*). Personne du sexe masculin, considérée par rapport à son père ou à sa mère. ‖ *Litt.* Descendant : *les fils des Gaulois.* ‖ *Litt.* Homme considéré par rapport à son pays. ● *Être fils de ses œuvres,* ne devoir qu'à soi-même sa situation. ‖ *Fils à papa* (Fam.), fils d'un père riche ou influent et de conduite égoïste ou prodigue. ‖ *Le Fils de l'homme,* Jésus-Christ.

Fils naturel *(le),* drame de Diderot (1757-1771), prototype du « drame* bourgeois ».

Fils prodigue *(le),* ballet en trois tableaux inspiré de la Bible, musique de Prokofiev, chorégraphie de G. Balanchine, créé par les Ballets russes (avec S. Lifar) à Paris en 1929. Par la liberté de sa composition chorégraphique et par les innovations qu'elle contenait, cette œuvre annonçait le ballet contemporain. La version de J. Lazzini (1966) a été créée par J. Babilée.

FILTRAGE n. m. Action de filtrer. ● *Filtrage optique,* technique permettant la recherche et l'amélioration des informations contenues dans un objet lumineux.

FILTRANT, E adj. Qui sert à filtrer.

FILTRAT n. m. Liquide filtré dans lequel ne subsiste aucune matière en suspension.

FILTRATION n. f. Passage d'un liquide à travers un filtre qui arrête les particules solides.

FILTRE n. m. (bas lat. *filtrum*). Étoffe, cornet de papier non collé, pierre poreuse, appareil, embout en matière absorbante, à travers lesquels on fait passer un liquide, un gaz dont on veut séparer les particules solides en suspension. ‖ Café obtenu en faisant passer l'eau à travers une plaque à trous qui retient le marc. ‖ *Phot.* Corps transparent coloré placé devant un objectif pour intercepter certains rayons du spectre. ‖ *Techn.* Dispositif transmettant l'énergie d'un signal sonore ou lumineux dont la fréquence est comprise dans certaines bandes et s'opposant à son passage dans le cas contraire.

FILTRE-PRESSE n. m. (pl. *filtres-presses*). Appareil filtrant les liquides sous pression.

FILTRER v. t. Faire passer à travers un filtre. ‖ Soumettre à un contrôle de passage : *filtrer des passants.* ◆ v. i. Pénétrer : *l'eau filtre à travers les terres.* ‖ Passer subrepticement, en dépit des obstacles : *laisser filtrer une information.*

FIN n. f. (lat. *finis*). Ce qui termine; extrémité dans le temps et dans l'espace : *la fin de l'année; la fin d'un livre.* ‖ Cessation, interruption : *la fin d'une maladie.* ‖ Mort, disparition : *sentir sa fin approcher.* ● *À la fin,* en définitive. ‖ *À toutes fins utiles,* pour servir quand cela deviendra utile. ‖ *Faire une fin,* changer de vie; se marier. ‖ *Fin en soi,* résultat recherché pour lui-même. ‖ *Mener à bonne fin,* bien terminer. ‖ *Mot de la fin,* mot qui clôt un débat, un problème. ‖ *Prendre fin, tirer, toucher à sa fin,* s'achever. ‖ *Sans fin,* sans cesse, continuellement. ◆ pl. Objectif, but auquel on tend; intention : *en venir à ses fins.* ‖ *Dr.* Objet d'une demande exprimé dans une requête ou dans des conclusions.

FIN, FINE adj. (de *fin* n. f.). Très petit ou dont les éléments sont très petits : *écriture fine.* ‖ Étroit, effilé, mince et considéré comme beau : *taille fine; tissu fin.* ‖ Très aigu : *pointe fine.* ‖ D'une qualité supérieure : *vin fin.* ‖ Précis, exact : *une observation fine.* ‖ Pur : *or fin.* ‖ Qui perçoit les moindres nuances : *oreille fine; goût fin.* ‖ Qui fait preuve de pénétration, du sens des nuances : *plaisanterie fine; en fin connaisseur.* ● *Le fin fond,* l'endroit le plus reculé. ‖ *Le fin mot,* le motif secret. ◆ adv. Complètement : *elle est fin prête.*

FIN n. m. Linge fin (vx). ● *Le fin du fin,* ce qu'il y a de plus subtil, de plus accompli.

FINAGE n. m. Circonscription sur laquelle un seigneur ou une ville avait droit de juridiction.

FINAL, E, ALS ou **AUX** adj. Qui finit, termine : *un point final.* ‖ *Ling.* Qui indique le but. (Les propositions finales sont introduites par les conjonctions *afin que, pour que,* etc.) ● *Cause finale,* principe d'explication d'un phénomène par le but qu'il est censé atteindre.

FINAL ou **FINALE** n. m. (pl. *finals* ou *finales*). Morceau qui termine une symphonie, un acte d'opéra, etc.

FINALE n. f. Dernière syllabe ou dernière lettre d'un mot. ‖ Dernière épreuve d'une compétition par élimination.

FINALEMENT adv. À la fin, pour en finir.

FINALISER v. t. Orienter vers un objectif précis, donner une finalité : *finaliser une recherche.* ‖ Achever, mettre au point dans les derniers détails : *un projet finalisé.*

FINALISME n. m. *Philos.* Système qui fait des causes finales le principe explicatif de toute chose.

FINALISTE adj. et n. Qui est qualifié pour disputer une finale. ‖ *Philos.* Qui concerne ou qui soutient le finalisme.

FINALITÉ n. f. Caractère de ce qui a un but, une fin; fait d'être organisé selon un plan ou un dessein.

FINANCE n. f. (anc. fr. *finer,* mener à bien, payer). Profession de financier; ensemble de financiers : *la haute finance.* ● *Moyennant finance,* en échange d'argent comptant. ◆ pl. État de fortune, ressources pécuniaires : *quel est l'état de vos finances?* ● *Finances publiques,* ensemble des dépenses et des recettes de l'État et des autres collectivités publiques; les règles qui les concernent. ‖ *Loi de finances,* loi par laquelle le gouvernement est autorisé à engager les dépenses et doit recouvrer les recettes.

FINANCEMENT n. m. Action de financer.

FINANCER v. t. (conj. 1). Fournir des capitaux à : *financer une entreprise.*

FINANCIER, ÈRE adj. Relatif aux finances.

FINANCIER n. m. Spécialiste en matière d'opérations financières et de gestion de patrimoines privés ou publics.

FINANCIÈRE adj. et n. f. Se dit d'une garniture à base de champignons, de truffes, de ris de veau, etc.

FINANCIÈREMENT adv. En matière de finances.

FINASSER v. i. *Fam.* User de subterfuges, de finesses plus ou moins bien intentionnées.

FINASSERIE n. f. *Fam.* Finesse mêlée de ruse.

FINASSEUR, EUSE ou **FINASSIER, ÈRE** n. *Fam.* et *vx.* Personne qui finasse.

FINAUD, E adj. et n. Rusé, sous un air de simplicité.

FINAUDERIE n. f. Caractère du finaud.

FINDEL, aéroport de Luxembourg, à l'E. de la ville.

Fin de partie, pièce de Beckett (1957). Un maître, aveugle et paralytique, Hamm; un valet méticuleux mais sans mémoire, Clov; les parents de Hamm, Nagg et Nell, nichés dans deux poubelles : l'espace tragique des rapports humains dans le monde moderne.

Fin de Saint-Pétersbourg *(la)* [1927], film soviétique de Vsevolod Poudovkine. Un des grands films révolutionnaires soviétiques des années 20. Un jeune paysan venu rendre visite en ville à son oncle ouvrier est témoin de l'écroulement de l'autoritarisme tsariste, des horreurs de la guerre civile et du triomphe final de la révolution d'Octobre. Une suite de séquences à la fois réalistes et symboliques qui, grâce à un montage rapide et recherché, apparaissent comme les éléments d'une démonstration idéologique.

FINE n. f. (de *eau-de-vie fine*). Eau-de-vie naturelle de qualité supérieure.

Fine Gael (« Famille gaélique »), parti politique irlandais de tendance conservatrice, fondé en 1923 par W. T. Cosgrave. Il dirige l'Irlande de 1948 à 1951, de 1954 à 1957, de 1973 à 1977, de 1981 à février 1982 et de décembre 1982 à 1987.

FINEMENT adv. De façon fine.

FINES n. f. pl. Houille menue, dans les houillères du nord de la France. ‖ V. FILLER.

FINESSE n. f. Qualité de ce qui est fin : *finesse des cheveux, d'une étoffe, des traits, d'un parfum, du jeu.* ‖ Rapport entre les coefficients de portance et de traînée d'une aile ou d'un avion. ‖ Étroitesse des lignes d'eau de l'avant et de l'arrière d'un navire.

FINETTE n. f. Tissu de coton rendu pelucheux à l'envers au moyen d'un grattage.

FINI, E adj. Limité; qui a des bornes. ‖ Achevé, parfait en son genre : *un ivrogne fini.* ‖ Usé : *un homme fini, une voiture finie.* ● *Produit fini,* produit industriel propre à l'utilisation.

FINI n. m. Perfection : *le fini d'un ouvrage.* ‖ Ce qui a des bornes : *le fini et l'infini.*

FINIR v. t. (lat. *finire*). Mener à son terme, mener à épuisement, cesser : *finir une tâche, finir de parler.* ‖ Être au terme de : *le verbe, en latin, finit la phrase.* ◆ v. i. Être terminé en forme de : *finir en pointe.* ‖ Arriver à son terme : *son bail finit à Pâques.* ‖ Mourir, expirer : *il a fini dans la misère.* ● *En finir,* mettre fin à une chose longue, arriver à une solution. ‖ *Finir par,* en venir à : *finir par trouver.*

FINISH [finiʃ] n. m. inv. (mot angl.). Dernier effort d'un concurrent à la fin d'une épreuve.

FINISSAGE n. m. Dernière opération destinée à rendre un travail parfait.

FINISSANT, E adj. En train de finir.

FINISSEUR, EUSE n. Personne qui effectue la dernière opération d'un travail. ‖ Athlète qui termine très bien les compétitions.

FINISSEUR n. m. Engin utilisé pour la construction des chaussées, qui répand, nivelle, dame et lisse les matériaux qu'il reçoit.

FINISSURE n. f. Ensemble des opérations terminant la fabrication d'un livre relié.

FINISTÈRE (29), départ. de la Région Bretagne; 6733 km²; 828364 hab. *(Finistériens).* Ch.-l. *Quimper.* S.-préf. *Brest, Châteaulin* et *Morlaix.*

Le plus peuplé des départements de la Région, le Finistère, à l'extrémité occidentale de la France, est fortement pénétré par la mer. La majeure partie des habitants et les principales agglomérations se concentrent sur le littoral ou à sa proximité immédiate. Dans l'intérieur, deux lignes de modestes hauteurs (monts d'Arrée au N., montagne Noire au S.) encadrent le bassin de Châteaulin (où domine aujourd'hui l'élevage). Au N., le pays de Léon est un plateau réputé pour les cultures de primeurs; au S., la Cornouaille associe élevage (bovins et porcs) et cultures (céréales). La pêche anime surtout le littoral méridional d'Audierne à Concarneau, où le tourisme estival est aussi très développé, car il bénéficie d'un climat plus doux et plus ensoleillé que la côte de la Manche, fréquemment, comme l'ouest, battue par le vent.

L'agriculture et la pêche emploient encore environ 20 p. 100 des actifs, moins, aujourd'hui, que l'industrie, qui leur est partiellement liée (conserveries) et qui est implantée notamment à Quimper, la préfecture, et surtout à Brest*, de loin la première agglomération de la Bretagne occidentale. La croissance de Brest explique d'ailleurs pour une bonne part la progression démographique récente du département, relativement modeste à l'échelle nationale, mais qui permet au Finistère de constituer l'un des rares départements de la façade atlantique de la France à posséder une densité de peuplement légèrement supérieure à la moyenne nationale. (V. carte p. 554.)

FINISTERRE *(cap),* promontoire d'Espagne formant l'extrémité nord-occidentale de la péninsule Ibérique.

FINITION n. f. Action de finir avec soin; caractère de ce qui est bien fini. ‖ Phase d'achèvement d'un travail.

FINITISME n. m. Doctrine métamathématique selon laquelle n'existent que les êtres mathématiques qui peuvent être construits par des processus finis.

FINITUDE n. f. *Philos.* Caractère fini de l'existence humaine.

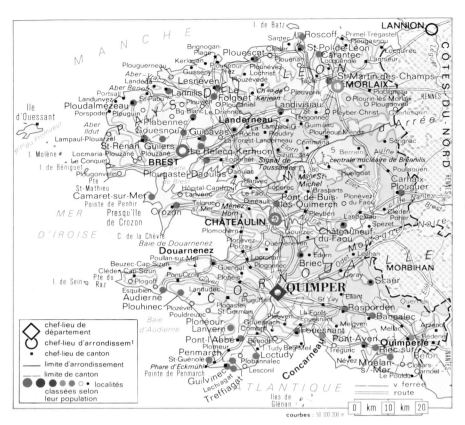

FINISTÈRE

FINLANDE ▷

Finlande.
Paysage de Laponie,
dans la région de Sodankylä.

FION n. m. *Pop.* Dernière main, achèvement. ‖ En Suisse, moquerie.

FIONIE, en danois **Fyn**, île du Danemark, entre le Jylland et l'île de Sjaelland. V. princ. *Odense.*

FIORAVANTI (Leonardo), médecin et alchimiste italien (Bologne v. 1518 - *id.* 1588), inventeur de l'alcoolat de térébenthine.

FIORITURES n. f. pl. (it. *fioritura*). Ornements en nombre excessif : *parler sans fioritures.* ‖ *Mus.* Ornements ajoutés à la ligne mélodique.

FIOUL n. m. Forme francisée de FUEL.

FIRDŪSĪ ou **FERDOWSĪ**, poète épique persan (près de Ṭūs, Khurāsān, v. 930 - *id.* 1020). Il mit trente-cinq ans à composer l'épopée héroïque et nationale du *Chāh-nāmè* (Livre des rois), que les souverains persans dédaignèrent, mais dont la popularité fut immense dès sa publication. Il est également l'auteur d'un poème romanesque inspiré d'un épisode biblique, *Yūsuf et Zulaykhā.*

FIRMAMENT n. m. (lat. *firmamentum*, soutien). *Litt.* Voûte céleste.

FIRMAN n. m. (persan *fermān*, ordre). Édit du souverain dans l'Empire ottoman et en Iran.

FIRME n. f. (mot angl.). Entreprise industrielle ou commerciale.

FIRMINY (42700), ch.-l. de cant. de la Loire, sur l'Ondaine, à 12 km au S.-O. de Saint-Étienne; 24 356 hab. Métallurgie. Édifices de Le Corbusier.

FIROZABAD, v. de l'Inde, dans l'ouest de l'Uttar Pradesh; 203 000 hab.

FIRTH (sir Raymond William), anthropologue britannique (Auckland 1901). Professeur d'anthropologie à Londres (1932-1968), il a contribué à l'étude de l'organisation sociale et a été l'un des premiers à s'intéresser à l'anthropologie économique. Ses principales recherches portent sur les Tikopias de Polynésie (*Social Change in Tikopia*, 1959; *Tikopia Ritual and Relief*, 1967).

FISC n. m. (lat. *fiscus*, panier). Administration chargée de calculer et de percevoir les impôts.

FINLANDAIS, E adj. et n. De la Finlande.

FINLANDE, en finnois **Suomi**, État de l'Europe du Nord; 338 000 km²; 4 900 000 hab. (*Finlandais* ou *Finnois*). Capit. *Helsinki.*

GÉOGRAPHIE. Le pays s'étend sur un bouclier précambrien arasé en un vaste plateau dont l'altitude dépasse rarement 300 m. Le modelé actuel résulte de l'action des glaciers quaternaires, qui ont abandonné les collines morainiques et creusé de multiples dépressions, aujourd'hui occupées par des lacs. Sous l'influence océanique, la Finlande subit un climat humide et froid dans le Nord (Laponie), couvert par la toundra, et plus doux dans le Sud, domaine de la taïga.

La population, peu dense, se concentre dans la moitié sud du pays, principalement sur la côte du golfe de Finlande. Le Nord n'est peuplé que de rares groupes de Lapons, qui vivent de l'élevage du renne. Le taux d'urbanisation a progressé rapidement, et, actuellement, plus de la moitié des habitants résident dans les villes, dont les principales sont Turku, Tampere et surtout Helsinki.

En raison des conditions naturelles, la forêt représente le secteur essentiel de l'économie. Les conifères et les bouleaux de la taïga sont exploités systématiquement et transportés par flottage jusqu'aux usines de transformation, qui fournissent du bois (scieries), mais surtout de la pâte et du papier journal. L'agriculture reste modeste. Concentrée sur la côte sud, elle produit du blé, des pommes de terre, des légumes, tandis que l'élevage est spécialisé dans la production laitière.

L'hydroélectricité constitue la principale source d'énergie locale de l'industrie, qui souffre du manque de matières premières (à l'exception des gisements de pyrites cuprifères d'Outokumpu). Une faible sidérurgie alimente des industries métallurgiques regroupées autour d'Helsinki. Le textile (Tampere) et la chimie (pétrochimie à Naantali, production d'engrais) sont les autres principales branches. La production industrielle demeurant insuffisante, le pays doit importer des biens d'équipement et exporte principalement de la pâte à papier. L'essentiel des échanges (déficitaires) a lieu avec les pays de l'Europe occidentale.

HISTOIRE. À partir du Iᵉʳ s. av. J.-C., les Finnois ont progressivement occupé le sol finlandais, repoussant les Lapons vers le nord. L'histoire traditionnelle de la Finlande commence en 1157 par la croisade menée par le roi de Suède Erik IX, dit le Saint, contre les Finnois, au cours de laquelle Åbo (auj. Turku) aurait été fondée. Au XIIᵉ et au XIIIᵉ s., le pays est l'enjeu de luttes entre Suédois, Danois et Russes de Novgorod. Birger Jarl († 1266) enracine la domination suédoise par un système de forteresses. Les raids des Caréliens, alliés aux Novgorodiens, se poursuivent jusqu'au traité de 1323, qui reconnaît la Finlande à la Suède. Au XIVᵉ s., la Finlande suédoise (devenue duché en 1353) reçoit son organisation politique et religieuse. À partir de 1362, les représentants de la Finlande comme

ceux des autres pays de Suède prennent part à l'élection du roi. Une partie de la paysannerie, qui pratique la culture sur brûlis, la pêche et la chasse aux animaux à fourrure, échappe à l'administration royale en colonisant le nord du pays. Au XVIᵉ s., la Finlande est gagnée par la réforme luthérienne. Mikael Agricola († 1557) traduit la Bible en finnois. Cependant, la Carélie* reste fidèle au rite byzantin. En 1550, Gustave Vasa fonde Helsinki et, en 1581, Jean III fait de la Finlande un grand-duché. Le problème agraire (paysans corvéables exploités par la noblesse) est à l'origine de nombreuses jacqueries à partir de la fin du XVIᵉ s., tandis que reprennent les guerres entre la Suède et la Russie. En 1595, la paix de Täyssinä fixe les frontières orientales de la Finlande. Au XVIIᵉ s., l'autonomie de la Finlande se réduit (grand-duché supprimé, 1599), mais le pays profite des progrès de la centralisation sous le gouvernement bénéfique de Per Brahe.

Le déclin commence au début du XVIIIᵉ s. : la Finlande est ravagée par les armées de Pierre le Grand de 1710 à 1721 et amputée de la Carélie et de l'Ingrie à la paix de Nystad*.

En 1809, la Suède perd la Finlande, qui devient un grand-duché de l'Empire russe, doté d'une certaine autonomie. La bourgeoisie et la noblesse veulent conserver la langue suédoise, alors que l'élite intellectuelle *fennomane* défend le finnois. Mais, sous le règne du tsar Alexandre III, la russification s'intensifie, tandis que se développe la résistance nationale. À la suite de la révolution russe de 1917, la Finlande proclame son indépendance. Mais le pays est déchiré en 1918 par la guerre civile qui oppose la « garde rouge », formée de partisans du régime soviétique, et la « garde civile » de Mannerheim*. Appuyé par un corps expéditionnaire allemand, Mannerheim l'emporte, et, en 1920, les Soviétiques reconnaissent la Finlande indépendante de Finlande.

Au début de la Seconde Guerre* mondiale, les Finlandais doivent accepter, après une lutte héroïque contre les Soviétiques (déc. 1939 - mars 1940), les conditions de Staline, qui annexe la Carélie. La Finlande s'engage ensuite contre l'U. R. S. S. aux côtés du Reich. Après la signature de l'armistice avec l'U. R. S. S. (1944) et de la paix avec les Alliés (1947), le pays, sous la présidence de J. K. Paasikivi (de 1946 à 1956), puis de U. K. Kekkonen*, poursuit une politique de coopération avec les pays nordiques et d'amitié avec l'U. R. S. S. (traité d'assistance mutuelle de 1948, reconduit en 1970, puis de nouveau prolongé pour vingt ans en 1983). En 1973 et en 1975 se tint à Helsinki la conférence sur la sécurité et la coopération en Europe. En 1982, Mauno Koivisto succède à Kekkonen. Il est réélu président de la République en 1988.

FINLANDE (golfe de), golfe formé par la Baltique, entre la Finlande et l'U. R. S. S.

FINLANDISATION n. f. Ensemble des limitations imposées par un puissant État à l'autonomie d'un voisin plus faible.

FINLAY (Carlos Juan), médecin cubain (Cama-

güey, Cuba, 1833 - Cuba 1915). Il découvrit le mode de transmission de la fièvre jaune (par un moustique) et établit la théorie des hôtes intermédiaires, vecteurs de maladies.

Finnegans Wake, roman de Joyce (1939). Comme *Ulysse* est le livre d'un jour, c'est le livre d'un rêve et d'une nuit : épopée de la conscience qui glisse peu à peu au néant et qui mêle les temps, les espaces, les mots et les langues (plus de 60 langues et dialectes), suivant un schéma structurel emprunté à la conception cyclique de l'histoire de Vico. Joyce a participé à une traduction française partielle de son œuvre sous le titre d'*Anna Livia Plurabelle* (1930). Une traduction intégrale est parue en 1983.

FINNMARK (le), région de la Norvège septentrionale.

FINNOIS, E adj. et n. Se dit d'un peuple qui habite la Finlande et les régions voisines.

FINNOIS n. m. Langue finno-ougrienne parlée en Finlande.

FINNO-OUGRIEN, ENNE adj. et n. m. Se dit d'une famille de langues rattachées à l'ensemble ouralo-altaïque et comprenant le finnois, le hongrois, l'estonien et diverses langues d'U. R. S. S.

FINSEN (Niels Ryberg), médecin danois (Thorshavn, îles Féroé, 1860 - Copenhague 1904), prix Nobel de médecine en 1903 pour ses études sur le traitement des maladies par la lumière (photothérapie ou finsenthérapie).

FIODOR → FÉDOR.

FIOLE n. f. (lat. *phiala*; mot gr.). Petit flacon de verre. ‖ *Pop.* Tête.

FISCAL, E, AUX adj. Qui concerne le fisc.

FISCALEMENT adv. Du point de vue fiscal.

FISCALISATION n. f. Action de fiscaliser.

FISCALISER v. t. Financer par l'impôt.

FISCALISTE n. Spécialiste des problèmes fiscaux.

FISCALITÉ n. f. Système de perception des impôts; ensemble des lois qui s'y rapportent.

FISCHART (Johann), érudit et polygraphe de langue allemande (Strasbourg 1546 - Forbach 1590), auteur de poèmes héroï-comiques et de pamphlets anticatholiques (*le Petit Chapeau des jésuites*, 1580).

FISCHER von **Erlach** (Johann Bernhard), architecte autrichien (Graz 1656 - Vienne 1723). Ayant séjourné à Rome, associant le baroque à une tendance classique majestueuse, il construit trois églises à Salzbourg, autour de 1700, divers palais à Prague (Clam-Gallas) et surtout à Vienne. Ses chefs-d'œuvre dans la capitale, comme architecte officiel, sont l'originale église Saint-Charles-Borromée (1716) et la Bibliothèque impériale (1723), à l'impressionnant espace intérieur, toutes deux terminées par son fils JOSEPH EMMANUEL (1693-1742). J. B. Fischer a publié un recueil, *Architecture historique* (1721), incluant des exemples égyptiens et chinois.

FISCHER (Johann Michael), architecte allemand (Burglengenfeld, Haut-Palatinat, 1692-Munich 1766), le plus prolifique du rococo sud-germanique. Parmi tant d'églises et de monastères, son chef-d'œuvre est sans doute

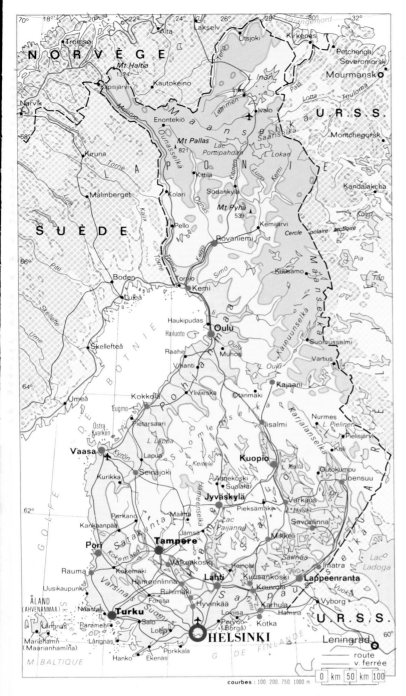

courbes : 100, 200, 750, 1000 m

0 km 50 km 100

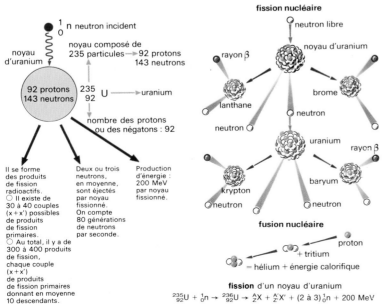

fission nucléaire

neutron incident $^{1}_{0}$ n

noyau d'uranium

noyau composé de 235 particules → 92 protons 143 neutrons

92 protons 143 neutrons

$^{235}_{92}$ U → uranium

nombre des protons ou des négatons : 92

Il se forme des produits de fission radioactifs.
○ Il existe de 30 à 40 couples (x + x') possibles de produits de fission primaires.
○ Au total, il y a de 300 à 400 produits de fission, chaque couple (x + x') de produits de fission primaires donnant en moyenne 10 descendants.

Deux ou trois neutrons, en moyenne, sont éjectés par noyau fissionné. On compte 80 générations de neutrons par seconde.

Production d'énergie : 200 MeV par noyau fissionné.

neutron libre

noyau d'uranium

rayon β

lanthane

neutron

uranium

neutron

krypton

neutron

brome

neutron

rayon β

baryum

neutron

fusion nucléaire

proton
+ tritium
= hélium + énergie calorifique

fission d'un noyau d'uranium

$^{235}_{92}U + ^{1}_{0}n \rightarrow ^{236}_{92}U \rightarrow ^{A}_{Z}X + ^{A'}_{Z'}X' + (2 \text{ à } 3)^{1}_{0}n + 200 \text{ MeV}$

Scott **Fitzgerald**

---

l'abbatiale bénédictine d'Ottobeuren, entreprise vers 1745.

FISCHER (Emil), chimiste allemand (Euskirchen 1852 - Berlin 1919). Il réalisa la synthèse de plusieurs sucres (1887) et élucida la constitution de nombreuses couleurs d'aniline. (Prix Nobel de chimie, 1902.)

FISCHER (Franz), chimiste allemand (Fribourg-en-Brisgau 1877 - Munich 1948). Il mit au point, avec Tropsch, un procédé d'obtention de carburant synthétique par hydrogénation catalytique de l'oxyde de carbone (1926).

FISCHER (Hans), biochimiste allemand (Höchst am Main 1881 - Munich 1945). Il obtint en 1929 la synthèse de l'hémoglobine et éclaircit en 1939 la constitution de la chlorophylle. (Prix Nobel de chimie, 1930.)

FISCHER (Ernst Otto), chimiste allemand (Munich 1918). Il a étudié les complexes organométalliques à structure dite « sandwich », notamment les carbènes. (Prix Nobel de chimie, 1973.)

FISCHER (Robert James FISCHER, dit **Bobby**), joueur d'échecs américain (Chicago 1943). Enfant prodige des échecs, il gagna à treize ans le championnat national junior, fut champion des États-Unis et conquit le titre mondial en 1972 en battant le Soviétique Boris Spasski.

FISCHER-DIESKAU (Dietrich), baryton allemand (Berlin 1925). Il a mené à partir de 1948 une carrière internationale dans les domaines du lied et de l'opéra.

FISHER (Irving), mathématicien et économiste américain (Saugerties, New York, 1867 - New York 1947). Spécialiste des questions monétaires, il a attaché son nom à une formule de la *théorie quantitative de la monnaie*

$$\left(\frac{MV + M'V'}{T} = P\right),$$ qui établit une relation entre

la quantité de monnaie* en circulation, la vitesse de sa circulation et le niveau des prix* (M étant la masse de monnaie métallique et fiduciaire, M' la masse de monnaie scripturale, V et V' les vitesses de circulation de M et de M', T le volume des transactions de la période et P le niveau des prix).

FISHER (sir Ronald Aylmer), biologiste et statisticien britannique (East Finchley 1890 - Adélaïde 1962). Professeur de génétique à l'université de Cambridge, il appliqua les méthodes modernes de la statistique mathématique à la recherche scientifique et en particulier à la biologie.

FISHER OF KILVERSTONE (John Arbuthnot FISHER, *baron*), amiral anglais (Ramboda, Ceylan, 1841 - Londres 1920). Créateur du dreadnought, il fut à la tête de la Royal Navy de 1903 à 1909, puis en 1914 et en 1915.

FISH-EYE [fiʃaj] n. m. (mot angl.) [pl. *fish-eyes*]. *Phot.* Objectif à très grand angle.

FISMES (51170), ch.-l. de cant. de la Marne, à 27 km à l'O. de Reims, sur la Vesle ; 4818 hab. Églises des XIIe-XVIe s.

FISSIBLE ou **FISSILE** adj. (lat. *fissilis*). Qui se divise facilement en feuillets ou en lames minces : *l'ardoise est fissile.* ‖ Susceptible de subir une fission nucléaire.

FISSION n. f. Éclatement d'un noyau d'atome lourd (uranium, plutonium, etc.) en deux ou plusieurs fragments, déterminé par un bombardement de neutrons, et libérant une énorme quantité d'énergie et plusieurs neutrons.

■ Lors de la fission, à l'aide d'un neutron, d'un noyau d'uranium 235 : $^{235}_{92}$U, existant dans la proportion de 0,7 p. 100 dans l'uranium métal et dont il y a de nombreux minerais dans la nature, on observe un triple phénomène. Tout d'abord, il apparaît une certaine énergie, évaluée à 200 MeV, qui, conformément à la relation d'Einstein, traduit la perte de masse observée, laquelle est de l'ordre du millième de la masse des constituants du départ. D'autre part, les produits de la fission, ou produits de fission (300 ou 400 au total), sont radioactifs ; leur présence explique les effets radioactifs d'une explosion d'une bombe nucléaire ; de plus, ils constituent les effluents et les déchets radioactifs dans les réacteurs nucléaires. Enfin, il y a, en moyenne, éjection de deux ou trois neutrons qui provoquent le phénomène de la réaction en chaîne et expliquent la notion de *masse critique ;* ils permettent également le contrôle des réacteurs. Le même phénomène de fission s'observe avec des noyaux de plutonium 239 (élément artificiel) et d'uranium 233 (uranium artificiel), que l'on fabrique à partir des minerais de thorium ; ces noyaux sont appelés *noyaux fissiles.*
Pour que le phénomène de fission se produise, il faut que le neutron incident remplisse certaines conditions. Pour agir sur l'uranium 235, le plutonium 239 et l'uranium 233, le neutron doit être un neutron dit *thermique,* dont l'énergie est de l'ordre de 1/40 eV, ce qui correspond à une vitesse de 2 km/s. L'uranium 238 (qui existe dans la proportion de 99,3 p. 100 dans l'uranium naturel) est également fissile, mais avec des neutrons dits *rapides,* dont l'énergie est de 1 MeV.

FISSURATION n. f. Production de fissure.

FISSURE n. f. Petite crevasse, fente légère. ‖ Point faible qui peut provoquer la rupture dans un raisonnement. ‖ *Pathol.* Lésion ulcéreuse d'une région plissée.

FISSURER v. t. Crevasser, fendre.

FISTON n. m. *Pop.* Fils.

FISTULAIRE adj. Qui dépend d'une fistule.

FISTULE n. f. (lat. *fistula*). *Méd.* Canal pathologique qui met en communication directe et anormale deux viscères ou un viscère avec la peau.

FISTULEUX, EUSE adj. De la nature de la fistule.

FISTULINE n. f. Champignon rouge sang, du groupe des polypores, vivant sur les troncs des chênes et des châtaigniers, et qui est comestible quand il est jeune. (Noms usuels : *langue-de-bœuf, foie-de-bœuf.*)

FITZGERALD (Francis Scott), écrivain américain (Saint Paul, Minnesota, 1896 - Hollywood 1940). Ses romans expriment le désenchantement de la « génération* perdue » qui traîne sa lassitude dans le jazz et le gin (*De ce côté du paradis*, 1920 ; *Contes de l'âge du jazz*, 1922), en Europe sur la Côte d'Azur (*Tendre est la nuit*, 1934) ou dans le décor fascinant des villes américaines (*Gatsby* le Magnifique*, 1925 ; le *Dernier Nabab*, 1941).

FITZGERALD (Ella), chanteuse de jazz noire américaine (Newport News, Virginie, 1918). Engagée dès 1934 dans l'orchestre de Chick Webb, elle s'imposa peu à peu comme la plus grande des chanteuses de jazz, aussi à l'aise dans les ballades et les romances que dans les pièces de swing et les dialogues en scat avec les meilleurs solistes instrumentaux ou vocaux. Parmi ses enregistrements citons *Dipsy Doodle* (avec Chick Webb, 1939), *Lady be Good* (1946), *Porgy and Bess* (avec Louis Armstrong, 1958), *Imagine my Frustration* (avec Duke Ellington, 1965).

FIUMALTO-D'AMPUGNANI, canton de la Haute-Corse, au S. de Bastia. Ch.-l. *La Porta.*

FIUME → RIJEKA.

FIUMICINO, écart de la commune de Rome, au S.-O. de la ville. Aéroport international.

FIXAGE n. m. Action de fixer. ‖ Opération par laquelle une image photographique est rendue inaltérable à la lumière.

FIXATEUR, TRICE adj. Qui a la propriété de fixer.

FIXATEUR n. m. Vaporisateur qui sert à fixer un dessin sur papier. ‖ Substance qui rend une image photographique inaltérable à la lumière. ‖ *Biol.* Liquide coagulant les protéines des cellules sans altérer leur structure.

FIXATIF n. m. Préparation pour fixer, stabiliser sur le papier les dessins au crayon, au fusain, au pastel.

FIXATION n. f. Action de fixer, d'établir, de déterminer : *la fixation de l'impôt.* ‖ Attache, dispositif servant à fixer : *fixations de skis.* ‖ *Biol.* Opération par laquelle un tissu vivant est tué par un fixateur avant son examen microscopique. ‖ *Psychanal.* Stade où se fixe la libido et qui est caractérisé par la persistance de modes de satisfaction liés à un objet disparu.

FIXE adj. (lat. *fixus*). Qui ne bouge pas : *point fixe.* ‖ Qui reste arrêté sur un point : *un regard fixe.* ‖ Qui ne change pas : *encre bleue fixe.* ‖ Qui est réglé, déterminé d'avance : *prix fixe.* ● *Droit fixe,* taxe fiscale dont le montant est invariable. ‖ *Idée fixe,* idée dont l'esprit est sans cesse occupé, obsédé. ‖ *Point fixe,* axe d'articulation d'un mécanisme solidaire du châssis. ‖ *Roue fixe,* roue solidaire de son axe (par oppos. à ROUE LIBRE). ‖ *Virgule fixe,* mode de représentation des nombres à l'aide d'une quantité donnée de chiffres, dans lequel la virgule séparant la partie entière de la partie décimale

J. Guillard-Scope

le **fjord** Hardanger *(Hardangerfjorden)*, sur la côte occidentale de la Norvège

occupe un emplacement fixe par rapport à l'une des extrémités de l'ensemble des positions de chiffres. ◆ interj. *Fixe!*, commandement militaire imposant l'immobilité.

FIXE n. m. Fraction invariable des appointements d'un employé. ‖ *Arg.* Injection intraveineuse d'une drogue. • *Sphère des fixes*, sphère céleste fictive participant au mouvement diurne des étoiles.

FIXEMENT adv. D'un regard fixe.

FIXER v. t. Établir à une place de manière stable; attacher : *fixer un tableau sur le mur.* ‖ Diriger d'une manière permanente : *fixer les yeux au ciel.* ‖ Regarder avec une grande attention : *fixer qqn.* ‖ Renseigner qqn de manière définitive. ‖ Déterminer, préciser : *fixer une heure.* ‖ Arrêter définitivement : *fixer son choix.* ‖ Établir d'une manière durable : *fixer sa résidence.* ‖ Empêcher de vivre sans attache, stabiliser : *le mariage le fixera.* ‖ *Phot.* Passer dans un bain de fixage. ‖ Pulvériser du fixatif sur un dessin. ◆ **se fixer** v. pr. S'établir d'une façon permanente : *il s'est fixé dans le Midi.* ‖ *Arg.* S'injecter une drogue par voie intraveineuse. ‖ Cesser de bouger. ‖ Choisir en définitive : *se fixer sur une cravate bleue.*

FIXING [fiksiŋ] n. m. (mot angl.). Cotation de la barre d'or sur le marché du métal.

FIXISME n. m. Théorie biologique selon laquelle les espèces vivantes ont toujours été les mêmes et n'ont subi aucune évolution depuis leur création. ‖ Théorie géologique selon laquelle bassins océaniques et boucliers continentaux auraient été permanents et fixes à travers l'histoire géologique.

FIXISTE adj. et n. Qui appartient au fixisme.

FIXITÉ n. f. Qualité, état de ce qui est fixe.

FIZEAU (Hippolyte), physicien français (Paris 1819 - près de La Ferté-sous-Jouarre 1896). Il étendit à l'optique le principe de Doppler* (1848) et effectua en 1849 la première mesure directe de la vitesse de la lumière. Il eut l'idée d'utiliser les longueurs d'onde lumineuse comme étalons de longueur.

FJELD [fjɛld] n. m. (mot norv.). *Géogr.* Plateau rocheux qui a été usé par un glacier continental.

FJORD [fjɔr] n. m. (mot norvég.). Ancienne auge glaciaire envahie par la mer.

FLA n. m. inv. (onomat.). Double coup de baguette frappé sur un tambour, d'abord légèrement de la main droite, puis fortement de la gauche.

FLACCIDITÉ [flaksidite] n. f. (lat. *flaccidus*, flasque). État de ce qui est flasque.

FLACHAT (Eugène), ingénieur français (Nîmes 1802 - Arcachon 1873). Avec son demi-frère Stéphane Mony et Émile Clapeyron*, il construisit le premier chemin de fer français organisé de façon moderne et entièrement à vapeur, reliant Paris à Saint-Germain-en-Laye (1835-1837).

FLACHE n. f. (lat. *flaccus*, mou). Endroit d'un tronc d'arbre où l'écorce est enlevée et le bois mis à nu; inégalité dans l'équarrissage d'une pièce de bois.

FLACHERIE n. f. Maladie mortelle des vers à soie.

FLACHEUX, EUSE adj. Qui a des flaches.

FLACON n. m. (bas lat. *flasco*; mot germ.). Sorte de bouteille de verre à bouchon de même matière ou de métal; son contenu.

FLACONNAGE n. m. Ensemble de flacons. ‖ Fabrication des flacons de verre. ‖ Opération de remplissage des flacons en cosmétologie.

FLA-FLA n. m. *Faire du fla-fla, des fla-flas* (Fam.), rechercher des effets.

FLAGADA adj. inv. *Pop.* Qui a perdu de sa vigueur, de sa force; fatigué.

FLAGELLAIRE adj. *Biol.* Relatif au flagelle.

FLAGELLANT n. m. Membre de sectes médiévales dont les membres se flagellaient en public.

FLAGELLATEUR, TRICE n. Celui, celle qui flagelle.

FLAGELLATION n. f. Action de flageller ou de se flageller. ‖ Représentation de la flagellation de Jésus-Christ.

FLAGELLE n. m. (lat. *flagellum*, fouet). *Biol.* Filament mobile servant d'organe locomoteur à certains protozoaires et aux spermatozoïdes.

FLAGELLÉ, E adj. Muni d'un flagelle.

FLAGELLÉ n. m. Protozoaire caractérisé par la présence de flagelles. (Les *flagellés* forment un embranchement.)

FLAGELLER v. t. (lat. *flagellare;* de *flagellum*, fouet). Battre de coups de fouet, de verges.

FLAGEOLANT, E adj. Qui flageole.

FLAGEOLER v. i. (anc. fr. *flageolet*, jambe grêle). Avoir les jambes tremblantes; chanceler d'émotion, de faiblesse.

FLAGEOLET n. m. (lat. pop. *flabeolum*). Petit instrument de musique à vent, de la famille des flûtes à bec.

FLAGEOLET n. m. et adj. (prov. *faioulet;* lat. *faba*, fève). Petit haricot d'un goût fin.

FLAGORNER v. t. Flatter bassement.

FLAGORNERIE n. f. Flatterie grossière.

FLAGORNEUR, EUSE n. Personne qui flagorne.

FLAGRANT, E adj. (lat. *flagrans*, brûlant). Évident, incontestable. • *Flagrant délit*, délit commis sous les yeux de ceux qui le constatent.

FLAGSTADT (Kirsten), cantatrice norvégienne (Hamar, près d'Oslo, 1895 - *id.* 1962), réputée dans le répertoire wagnérien.

FLAHERTY (Robert), cinéaste américain (Iron Mountain, Michigan, 1884 - Dummerston, Vermont, 1951), auteur de remarquables documentaires qui célèbrent avec une chaleur profondément humaniste l'alliance de l'homme et de la nature : *Nanouk l'Esquimau* (1922), *Moana* (1923-1926), *Tabou* (avec F. W. Murnau, 1931), *l'Homme d'Aran* (1934), *Louisiana Story* (1948).

FLAINE (74300 Cluses), station de sports d'hiver (alt. 1 620-2 700 m) de la Haute-Savoie, à 28 km au S.-E. de Cluses.

FLAIR n. m. Odorat du chien. ‖ Perspicacité, discernement.

FLAIRER v. t. (lat. *fragrare*, exhaler une odeur). Appliquer son odorat à, sentir discrètement : *flairer une rose.* ‖ Pressentir une chose nuisible ou secrète, prévoir : *flairer un danger.*

FLAMAN (Eugène), ingénieur français (Moulins-sur-Céphons 1842 - Rainfreville 1935). Il apporta de multiples perfectionnements au matériel ferroviaire, notamment une chaudière à deux corps et surtout un indicateur enregistreur de vitesse.

FLAMAND, E adj. et n. De la Flandre. • *École flamande*, ensemble des artistes et de la production artistique des pays de langue flamande avant la constitution de l'actuelle Belgique. (Les historiens d'art, au XIXe s. et au début du XXe, ont souvent étendu cette notion à la production des Pays-Bas du Sud en général, Wallonie comprise.) ‖ *Race flamande*, race bovine laitière à robe acajou foncé.

FLAMAND n. m. Ensemble des parlers néerlandais utilisés en Belgique et dans la région de Dunkerque.

FLAMANT n. m. (prov. *flamenc*). Oiseau de grande taille (haut. 1,50 m), au magnifique plumage rose, écarlate et noir, aux grandes pattes palmées, à long cou souple et à gros bec lamelleux. (Famille des phœnicoptéridés.)

FLAMANVILLE (50340 Les Pieux), comm. de la Manche, à 26 km au S.-O. de Cherbourg; 1 627 hab. Centrale nucléaire.

FLAMBAGE n. m. Action ou manière de flamber. ‖ Action de soumettre à l'action d'une flamme un tissu pour éliminer le duvet superficiel. ‖ *Mécan.* Déformation latérale d'une pièce longue verticale qui travaille à la compression sous l'action d'une charge placée en son sommet. (On dit aussi FLAMBEMENT.)

FLAMBANT, E adj. Qui flambe. • *Charbon flambant*, charbon à haute teneur en matières volatiles. ‖ *Flambant neuf* (Fam.), entièrement neuf.

FLAMBARD n. m. *Fam.* Fanfaron, orgueilleux.

FLAMBEAU n. m. Torche, chandelle de cire ou de suif : *retraite aux flambeaux.* ‖ Chandelier à douille. • *Se passer le flambeau* (Litt.), continuer la tradition.

FLAMBÉE n. f. Feu clair de menu bois. • *Flambée des prix*, rapide augmentation des prix de détail.

FLAMBEMENT n. m. *Mécan.* Syn. de FLAMBAGE.

FLAMBER v. t. (lat. *flammare*). Passer qqch par le feu : *flamber une volaille.* ‖ Arroser un aliment d'alcool que l'on fait brûler. • *Être flambé* (Fam.), être perdu, ruiné. ◆ v. i. Brûler en faisant une flamme claire. ‖ *Pop.* Dépenser beaucoup d'argent, gaspiller.

FLAMBERGE n. f. (n. de l'épée de Renaud de Montauban). Aux XVIIe et XVIIIe s., longue épée de duel très légère.

FLAMBEUR n. m. *Arg.* Celui qui joue gros jeu.

FLAMBOIEMENT n. m. Éclat de ce qui flamboie.

FLAMBOYANT, E adj. Qui flamboie : *feux flamboyants.* ‖ *Archit.* Se dit de la dernière période gothique (France et Europe centrale et du Nord, à partir de la fin du XIVe s.), qui affectionna les décors de courbes et contre-courbes articulées notamment en soufflets et mouchettes, formant comme des flammes dansantes (remplages, gâbles, etc.).

FLAMBOYANT n. m. *Bot.* Arbre des Antilles, à fleurs rouges.

FLAMBOYER v. i. (conj. **2**). Jeter une flamme brillante. ‖ *Litt.* Briller comme la flamme : *des yeux qui flamboient.*

FLAMENCO, CA [flamɛnko, -ka] adj. et n. m. (mot esp.). Se dit de la musique, de la danse et du chant populaires andalous.

FLAMINE n. m. (lat. *flamen, flaminis*). *Antiq. rom.* Prêtre attaché au culte d'un dieu particulier.

FLAMINGANT, E adj. et n. Se dit des dialectes flamands. ‖ Se dit des partisans de l'autonomie de la Flandre et de la limitation de la culture française en Flandre belge.

FLAMINGANTISME n. m. Doctrine du mouvement flamingant.

FLAMININUS → QUINCTIUS FLAMININUS.

FLAMINIUS NEPOS (Caius), général romain († Trasimène 217 av. J.-C.). Il a été considéré comme le vrai fondateur du parti populaire. Tribun en 232, il fait décider le lotissement et la distribution à la plèbe du pays sénon (au sud de Rimini); soucieux d'affaiblir la noblesse, il patronne le plébiscite claudien (v. 218), qui exclut les sénateurs du grand commerce. Consul en 223, il poursuit, malgré le sénat, une politique de conquête dans le nord de l'Italie. Censeur en 220, il crée la route qui va de Rome à Rimini *(via Flaminia)*. En 217, il est vaincu par Hannibal à Trasimène*, où il périt; ce désastre fit rappeler au pouvoir le conservateur Fabius* Maximus Verrucosus, dont les victoires rétabliront la prépondérance de la noblesse.

FLAMMARION (Camille), astronome français (Montigny-le-Roi, Haute-Marne, 1842 - Juvisy 1925). Célèbre vulgarisateur des connaissances astronomiques, il obtint le prix Montyon pour son *Astronomie populaire* (1880) et créa la *Société astronomique de France* en 1887.

flamant rose

J. Six

FLAMME n. f. (lat. *flamma*). Gaz incandescent produit par une substance en combustion. ‖ Ardeur, vivacité de sentiments : *discours plein de flamme.* ‖ Pavillon long et étroit, hissé au haut des mâts d'un navire de guerre. ‖ Marque postale apposée sur les lettres à côté du cachet d'oblitération. ‖ Banderole à deux pointes flottantes qui garnissait les lances de la cavalerie. • *Être tout feu tout flamme*, se donner à une entreprise avec ardeur. ◆ pl. *Litt.* Incendie, feu. • *Les flammes éternelles*, les peines de l'enfer.

FLAMMÉ, E adj. Se dit d'une pièce de céramique sur laquelle le feu a produit des colorations variées.

FLAMMÈCHE n. f. (mot francique). Parcelle de matière embrasée qui s'élève d'un foyer.

FLAMMEROLE n. f. Feu follet.

FLAMSTEED (John), astronome anglais (Denby 1646 - Greenwich 1719). Premier directeur de l'observatoire royal de Greenwich, fondé en 1675, il perfectionna les instruments et les méthodes de l'astronomie, dressa l'un des premiers catalogues de positions des étoiles (1712) et imagina un système de projection pour l'établissement des cartes géographiques.

FLAN n. m. (mot francique). Sorte de tarte à la crème ou, dans certaines régions, crème renversée. ‖ Disque de métal préparé pour recevoir une empreinte. ‖ *Arts graph.* Sorte de carton mou qu'on applique sur la forme d'impression typographique pour en prendre l'empreinte en vue du clichage. • *C'est du flan!* (Pop.), ce n'est pas vrai. ‖ *En être, en rester comme deux ronds de flan* (Pop.), être, rester ébahi, stupéfait.

FLANC n. m. (mot francique). Partie latérale de l'abdomen de l'homme, de l'animal, depuis les côtes jusqu'aux hanches. ‖ Côté du corps : *se coucher sur le flanc.* ‖ Partie latérale d'une chose : *les flancs d'un vaisseau, d'une montagne.* ‖ *Hérald.* Chacune des divisions qui touchent aux bords dextre et senestre de l'écu, quand celui-ci est tiercé en pal. ‖ *Mil.* Partie latérale d'une position ou d'une troupe échelonnée en profondeur. • *À flanc de*, sur la pente de. ‖ *Se battre les flancs* (Pop.), se donner du mal sans grand résultat. ‖ *Sur le flanc* (Fam.), alité; exténué. ‖ *Tirer au flanc* (Pop.), se soustraire à une obligation.

FLANC-GARDE n. f. (pl. *flancs-gardes*). Élément de sûreté fixe ou mobile qu'une troupe détache sur ses flancs pour se renseigner et se couvrir.

FLANCHER v. i. (mot francique). *Fam.* Cesser de fonctionner, céder, faiblir : *le cœur du malade a flanché.* ‖ *Fam.* Ne pas persister dans une résolution; mollir.

FLANCHET n. m. Morceau du bœuf ou du veau formé par la partie inférieure des parois abdominales.

FLANDRE n. f. *Min.* Rondin plaqué contre le toit, parallèle au front de taille.

FLANDRE (la) ou **FLANDRES** (les), région partagée entre la France et la Belgique (v. FLANDRE-OCCIDENTALE et FLANDRE-ORIENTALE), sur la mer du Nord, limitée par les collines de l'Artois au S. et par les bouches de l'Escaut au N.

GÉOGRAPHIE. En France, la Flandre correspond à la partie septentrionale du département du Pas-de-Calais et à toute la moitié occidentale du département du Nord. C'est une région basse, accidentée cependant de quelques hauteurs (*monts des Flandres*, n'atteignant toutefois jamais 200 m). On oppose parfois la *Flandre maritime*, à l'O., très plate et partiellement gagnée sur la mer par poldérisation, et la *Flandre intérieure*, à l'E., sableuse et partiellement boisée. L'amélioration (engrais) de sols souvent ingrats, lourds à travailler sous un climat humide, a permis le développement d'une vie agricole intensive, associant cultures céréalières, industrielles (betterave, chanvre, houblon), maraîchères (à proximité d'importants marchés de consommation) et fourragères (associées à l'élevage bovin). Toutefois, la quasi-totalité de la population vit de l'industrie (la métallurgie et la chimie ont partiellement relayé le textile) et des services implantés dans les nombreuses villes flamandes, dont Lille, capitale historique, demeure de loin la plus importante. Le littoral, bordé de dunes, est surtout actif autour des deux pôles de Calais et de Dunkerque.

HISTOIRE. La Flandre est habitée par les tribus celtes des Ménapiens et des Morins lorsque César s'en empare et l'englobe dans la province romaine de Belgique. Occupée au Ve s. par les Francs Saliens, qui la germanisent, elle est, sous les Mérovingiens, puis sous les Carolingiens, l'une des rares régions de Gaule à connaître un essor économique et commercial (industrie drapière). Attribuée à Charles le Chauve (843), qui la constitue en marche au profit de son gendre Baudouin Ier (de 862 à 879), elle est ravagée par les Scandinaves (879-892) et sombre dans l'anarchie. Baudouin II (de 879 à 918) impose son autorité et constitue le grand comté de Flandre en poussant jusqu'à l'Escaut et en prenant possession du Boulonnais, de l'Artois et du Ternois.

Au XIe s., ses successeurs dépassent les limites du royaume franc (acquisition de Walcheren et du pays d'Alost). À la même époque s'amorce un nouvel essor de l'industrie drapière, qui favorise le développement d'une grande bourgeoisie d'affaires. Dirigé par cette dernière, le mouvement communal apparaît dès la seconde moitié du XIe s., et les grandes cités (Bruges, Arras, Douai, etc.) obtiennent des chartes d'affranchissement (début du XIIe s.). Mais les difficultés successorales (à la mort de Charles le Bon en 1127, à celle de Baudouin IX en 1205) et les désordres sociaux provoquent l'ingérence française. Celle-ci aboutit à l'annexion de la Flandre par Philippe IV le Bel (1297), puis, après le soulèvement des villes flamandes (mai 1302), à près d'un siècle de chaos, qui ne se termine qu'en 1384, à la mort de Louis II de Mâle (comte de 1346 à 1384), lorsque le duc de Bourgogne, Philippe le Hardi, hérite du comté. Après l'effondrement de la maison de Bourgogne (1477), le pays devient un domaine des Habsbourg d'Autriche, puis d'Espagne, sous lesquels il traverse les guerres de Religion et subit, au XVIIe s., un morcellement au profit de la France (traité des Pyrénées, 1659; traités de Nimègue, 1678). Transférée à l'Autriche en 1713, l'ancienne Flandre espagnole est annexée et divisée en deux départements (1794) par la Révolution française; elle devient province du royaume des Pays-Bas (1815-1830), puis de celui de Belgique. Quant à la Flandre française, elle est intégrée au département du Nord en 1790.

FLANDRE-OCCIDENTALE, prov. de Belgique, sur la mer du Nord; 3 134 km²; 1 081 900 hab. Ch.-l. *Bruges.* Région plate, active au point de vue agricole et industriel, la province compte deux zones de concentration de la population : la vallée de la Lys au S. et surtout le triangle Ostende-Zeebrugge-Bruges (associant le tourisme balnéaire et culturel aux industries textiles et chimiques).

FLANDRE-ORIENTALE, prov. du nord-ouest de la Belgique; 2 982 km²; 1 332 500 hab. Ch.-l. *Gand.* La vallée de la Lys avec l'agglomération de Gand*, accessoirement celle de la Dendre (proche de Bruxelles, de Ninove à Alost) et aussi la région de Saint-Nicolas (au S.-O. d'Anvers) sont les parties vitales de la province, densément peuplée, très active économiquement (élevage et surtout industries métallurgiques, textiles et chimiques).

Flandres *(batailles des),* importantes opérations dont les Flandres furent le théâtre au cours des deux guerres mondiales. En 1914, pendant la phase finale de la « course à la mer », les Alliés, commandés par Foch, s'efforcèrent d'empêcher les Allemands de s'emparer des rivages du pas de Calais. Ce furent les combats de la « mêlée des Flandres » (oct.-nov.) à Ypres, sur l'Yser et à Dixmude, défendue du 27 octobre au 10 novembre par les fusiliers marins de l'amiral Pierre Ronarc'h (1865-1940). En 1917, pour soulager le front français, les Britanniques de Haig engagèrent plusieurs offensives dans les Flandres (juin-oct.) sur le saillant d'Ypres. En 1918, dans le cadre des offensives de Ludendorff, les Allemands attaquèrent sur le Kemmel, qu'ils prirent le 25 avril et qui fut reconquis par les Britanniques le 5 septembre. Enfin se déroula la bataille de la « crête des Flandres », conduite du 28 septembre au 10 octobre par le groupe d'armées (Belges, Anglais et Français) des Flandres aux ordres du roi des Belges, Albert Ier (v. GUERRE MONDIALE [*Première*]). En 1940, au cours de la campagne de France, les Flandres furent, du 25 mai au 4 juin, le théâtre de la bataille de Dunkerque.

FLANDRICISME n. m. Mot emprunté au flamand ou tour calqué sur la syntaxe flamande, employés dans le français régional du Nord ou de la Belgique.

FLANDRIN n. m. *Grand flandrin,* homme mince, élancé et d'une tournure gauche.

FLANDRIN (Hippolyte), peintre français (Lyon 1809 - Rome 1864). Élève d'Ingres, il exécuta grandes compositions murales dans un style savant, grave et assez froid (église Saint-Germain-des-Prés, Paris...) ainsi que des portraits. Ses frères AUGUSTE (1804-1842) et JEAN-PAUL (1811-1902) ainsi que son fils PAUL HIPPOLYTE (1856-1921) furent également peintres.

FLANELLE n. f. (angl. *flannel*). Tissu léger, en laine ou en coton, peigné ou cardé.

FLÂNER v. i. (anc. scandin. *flana*). Errer sans but, en s'arrêtant souvent pour regarder. ‖ Paresser.

FLÂNERIE n. f. Action de flâner.

FLÂNEUR, EUSE n. Personne qui flâne.

FLANQUEMENT n. m. *Fortif.* Action de flanquer. • *Tir de flanquement* (Mil.), tir dirigé parallèlement au front à défendre.

FLANQUER v. t. (de *flanc*). Être placé à côté de, être ajouté : *un garage flanquant la maison.* ‖ Accompagner : *flanqué de quelques complices.* ‖ *Fortif.* Défendre par des ouvrages établis sur les côtés. ‖ *Mil.* Appuyer ou défendre le flanc d'une unité ou d'une position par des troupes ou par des tirs.

FLANQUER v. t. *Fam.* Lancer, jeter, appliquer fortement : *flanquer une assiette par terre. Flanquer une gifle.* ‖ *Fam.* Donner : *ça m'a flanqué la migraine.* • *Flanquer qqn à la porte* (Fam.), le faire sortir avec brutalité; le congédier.

FLAPI, E adj. *Fam.* Abattu, épuisé.

FLAQUE n. f. (anc. fr. *flache,* mou). Petite mare.

FLASH [flaʃ] n. m. (mot anglo-amér.) [pl. *flashs* ou *flashes*]. Éclair pour prise de vue photographique. ‖ Au cinéma, plan très court. ‖ Information importante transmise en priorité. ‖ *Arg.* Sensation brutale et courte de jouissance après l'injection intraveineuse d'une drogue. • *Flash électronique* (Phot.), flash utilisant des décharges de condensateur dans un tube à gaz rare. ‖ *Vente flash,* promotion de certains articles dans les grands magasins pendant une courte durée de temps.

FLASH-BACK [flaʃbak] n. m. inv. Séquence cinématographique retraçant une action passée par rapport à l'événement représenté. (L'Administration préconise RETOUR EN ARRIÈRE.)

FLASQUE adj. (anc. fr. *flache,* mou). Mou, sans fermeté.

FLASQUE n. m. (néerl. *vlacke,* plat). Chacune des parties latérales de l'affût d'un canon. ‖ Plaque métallique bordant les côtés d'une pièce de machine. ‖ Garniture en métal de roues d'automobile.

FLASQUE n. f. (it. *fiasca*). Flacon plat.

FLAT [fla] adj. m. Se dit du ver à soie atteint de flacherie.

FLATTER v. t. (mot francique). Chercher à plaire à qqn par des louanges ou des attentions. ‖ Éveiller un sentiment : *flatter l'orgueil de qqn.* ‖ Charmer, procurer un contentement : *la musique flatte l'oreille.* ‖ Embellir, avantager : *ce portrait la flatte.* ‖ Caresser un animal avec le plat de la main. ◆ **se flatter** v. pr. [**de**]. Se vanter, prétendre : *se flatter d'être habile.*

FLATTERIE n. f. Louange intéressée.

FLATTERS (Paul), officier français (Paris 1832 - Bir el-Garama 1881). Il conduisit deux expéditions à partir du Sud algérien pour chercher le tracé d'un chemin de fer transsaharien, mais il fut massacré au cours de la seconde par les Touaregs.

FLATTEUR, EUSE adj. et n. Qui flatte; qui loue avec exagération. ◆ adj. Qui plaît à l'amour-propre : *éloge flatteur.* ‖ Qui tend à idéaliser : *portrait flatteur.*

FLATTEUSEMENT adv. De façon flatteuse.

FLATULENCE ou **FLATUOSITÉ** n. f. (lat. *flatus,* vent). *Méd.* Accumulation de gaz dans une cavité naturelle, particulièrement dans l'estomac ou l'intestin.

FLATULENT, E adj. *Méd.* Produit par la flatulence.

FLAUBERT (Gustave), écrivain français (Rouen 1821 - Croisset 1880). On le célèbre aujourd'hui pour avoir ouvert la sape qui mine la notion même de littérature. Et certes il l'affirmait, dès l'adolescence, que, s'il jouait un jour un rôle, ce serait « comme penseur et comme démoralisateur ». Mais, curieusement, les conséquences de cette fissure pratiquée dans l'édifice littéraire apparaissent bien différentes à ceux qui datent de *Madame Bovary* ou de *l'Éducation sentimentale* une nouvelle époque dans l'histoire de l'écriture. On a pu faire, en effet, de Flaubert à la fois le « patron » de l'école réaliste, l'initiateur de la « tranche de vie », et l'ancêtre du « livre sur rien », du texte automoteur et narcissique (« qui se tiendrait de lui-même par la force interne du style comme la Terre sans être soutenue se tient en l'air [...] »). *Salammbô* figure en bonne place dans la bibliothèque du héros d'*À* rebours,* tandis que Robbe-Grillet situe Flaubert à la source du nouveau réalisme, qu'il essaie de dégager dans son œuvre romanesque, et que Barthes (« l'Effet de réel », *Communications*), voulant donner un exemple d'« écriture représentative », cite un fragment de *Madame Bovary.* Ce caractère protéiforme de l'œuvre de Flaubert, mis en lumière par J.-P. Richard (à travers une dialectique du pâteux et du consistant) et Sartre (« L'Art doit être un prodige d'équilibre : la déréalisation, en effet, doit conserver au réel toute sa fraîcheur; mieux, elle doit en dévoiler des aspects inaperçus », *l'Idiot de la famille*), était d'ailleurs vécu intolérablement par son auteur, romantique par passion, réaliste par méthode, écrivain par désespoir. D'où le système d'oppositions et de symétries que compose l'œuvre, et, névrose et technique, le rôle qu'y joue la *reprise* (trois versions de *la Tentation de saint Antoine*, deux versions de *l'Éducation sentimentale*) jusqu'à la « copie » symbolique de *Bouvard* et Pécuchet.* Alors que Lautréamont liquide le romantisme en faisant des *Chants de Maldoror* un « collage » de tous ses lieux communs et de tous ses tics littéraires, en « bricolant » son écriture à partir de celle des autres, Flaubert se fabrique une écriture originale à l'aide de fragments de réel détournés de leur nécessité fonctionnelle au profit d'une existence purement esthétique : le rythme de la vie

Lauros-Giraudon

Gustave **Flaubert**, par Giraud.
(Château de Versailles.)

se fond dans le rythme martelé de la fameuse phrase éprouvée dans le « gueuloir » (« C'était à Mégara, faubourg de Carthage, dans les jardins d'Hamilcar »). Et Flaubert définit son « système » en des termes qui l'apparentent plus à Baudelaire qu'à Zola (« Faire vrai ne me paraît pas la première condition de l'art. C'est viser au beau [...] »). La réalité n'est donc qu'un « tremplin ». Le style-bistouri (« précis comme le langage des sciences, un style qui vous entrerait dans l'idée comme un coup de stylet ») n'est que le premier moment d'un style-cannibale, qui phagocyte et digère temps et objets dans l'espace figé de la page, dans un *tableau.* Ce n'est pas un hasard si l'un des thèmes obsessionnels majeurs (le saint Antoine) de la vie et de l'œuvre a sa source dans un tableau de Bruegel. Flaubert est un peintre (« Dans mon roman carthaginois, je veux faire quelque chose pourpre ») : c'est dire que son écriture aspire au silence et à triompher de l'usure des objets et des sentiments réels dans la stabilité d'un espace imaginaire (cohérence illusoire de l'art, symbolisée par le perroquet empaillé d'*Un cœur simple,* mais unique moyen d'échapper au mal de vivre). Mais, comme les peintres de son temps, Flaubert a besoin d'un sujet (trivialité d'un comice agricole ou splendeur exotique de Carthage) pour atteindre à une émotion plastique, où l'histoire — bruit, fureur et bêtise — est saisie du point de vue d'une « blague supérieure, c'est-à-dire comme le bon Dieu les voit ». Distance et délectation. Au niveau de la technique romanesque, Proust a bien vu que la découverte principale de Flaubert porte non pas sur le choix des événements, mais sur l'espace qui les sépare, les changements de vitesse et les « blancs » du texte. C'est surtout par là que Flaubert est moderne, et par sa « mauvaise foi » de classe (penser en demi-dieu, vivre en bourgeois et travailler comme un artisan), qui l'érige en figure mythique de l'écrivain et de l'intellectuel.

la vie	
1821	Naissance à Rouen, à l'hôtel-Dieu, dont son père est chirurgien-chef.
1836	Rencontre à Trouville Élisa Schlésinger.
1840	Voyage dans les Pyrénées et en Corse.
1841	Études de droit à Paris.
1844	Première attaque d'épilepsie. S'installe à Croisset.
1846	Mort de sa sœur Caroline; rencontre Louise Colet.
1847	Voyage en Bretagne avec Maxime Du Camp.
1849-1851	Voyage en Orient avec Du Camp.
1858	Voyage en Algérie et en Tunisie.
1880	Mort à Croisset.

l'œuvre	
1831	*Trois Pages d'un cahier d'écolier.*
1838	*Mémoires d'un fou.*
1839	*Smarh, vieux mystère.*
1842	*Novembre, fragments de style quelconque.*
1848	*Par les champs et par les grèves.*
1857	*Madame* Bovary.*
1862	*Salammbô*.*
1869	*L'Éducation* sentimentale.*
1874	*La Tentation* de saint Antoine.*
1877	*Trois* Contes.*
1881	*Bouvard* et Pécuchet.*

FLAVESCENT, E adj. (lat. *flavus,* jaune). *Litt.* Jaune doré.

FLAVIEN *(saint)* [v. 390 - Hypaypa, Lydie, v. 449], patriarche de Constantinople (446-449). Adversaire d'Eutychès*, dont il obtient la condamnation en 448, il est désavoué en 449 par une parodie de concile appelé le *brigandage d'Éphèse*; exilé, il meurt de mauvais traitements.

FLAVIENS, dynastie qui gouverna l'Empire romain de 69 à 96. À la mort de Néron (68), le dernier des Julio-Claudiens*, éclate une grave crise de succession; trois empereurs se succèdent (Galba*, Othon*, Vitellius*) et l'armée d'Orient impose son général, Vespasien*, qui inaugure en 69 une nouvelle dynastie, celle des Flaviens. « Le secret de l'Empire venait d'être révélé, écrit Tacite, un empereur pouvait se faire ailleurs qu'à Rome. » Avec Vespasien, issu d'une famille sabine, la bourgeoisie italienne accède au pouvoir; dès 71, l'empereur proclame l'hérédité du principat en faveur de ses fils Titus* (de 79 à 81) et Domitien* (de 81 à 96), qui lui succèdent. La période flavienne est marquée par le progrès de la centralisation, de l'étatisme et de la fiscalité; la puissance de l'empereur croît considérablement; le sénat est modifié dans sa composition, les bourgeois et les provinciaux y étant inscrits; sur le plan extérieur, avec l'annexion des champs Décumates* et la mise en place du premier *limes* rhéno-danubien, l'œuvre des Flaviens fut importante.

FLAVIGNY-SUR-OZERAIN (21150 Les Laumes), comm. de la Côte-d'Or, à 16,5 km à l'E. de Semur-en-Auxois; 438 hab. Fortifications. Vestiges d'une abbaye fondée au VIIIe s. Église du XIIIe s. (jubé du XVIe). Maisons médiévales.

FLAVINE n. f. (lat. *flavus,* jaune). *Biol.* Molécule organique appartenant à un groupe qui comprend la vitamine B2 (riboflavine), les pigments jaunes de nombreux animaux et des enzymes respiratoires.

FLAVIUS (Cneius), jurisconsulte du IVe s. av. J.-C. Scribe du censeur Appius Claudius, élevé à l'édilité en 304, il contribua à affaiblir les pouvoirs des pontifes et à ébranler la noblesse en publiant les formules de la procédure (premier livre de droit romain, *Ius Flavianum*) et le calendrier, c'est-à-dire l'alternance des jours fastes et des jours néfastes.

FLAVIUS JOSÈPHE, général et historien juif (Jérusalem v. 37 - Rome v. 100). Il participe à la révolte juive de 66, mais passe rapidement dans le camp romain et bénéficie de la faveur impériale. Ses deux œuvres essentielles sont *la Guerre des Juifs,* qui constitue un témoignage unique sur les événements de 66-70, et les *Antiquités judaïques,* précieuses pour l'histoire des derniers siècles précédant l'ère chrétienne.

FLAXMAN (John), sculpteur et dessinateur anglais (York 1755 - Londres 1826). Néoclassique, il fournit de nombreux modèles pour les céramiques de Wedgwood, puis exécute en Italie, vers 1790, ses célèbres illustrations gravées, linéaires, d'Homère, d'Eschyle, de Dante. De retour en Angleterre en 1795, il se consacre notamment à la sculpture funéraire (tombeaux à Saint Paul de Londres...).

Giraudon - Musée de l'Armée

fléau d'armes

FLÉAU n. m. (lat. *flagellum,* fouet). Outil utilisé pour battre les céréales. ‖ Tige horizontale d'une balance, aux extrémités de laquelle sont suspendus ou fixés les plateaux. ‖ Grande calamité publique. • *Fléau d'armes,* arme ancienne, formée d'une ou deux masses reliées à un manche par une chaîne (XIe-XVIe s.).

FLÉCHAGE n. m. Action de flécher un itinéraire.

FLÈCHE n. f. (mot francique). Trait formé d'une hampe en bois armée d'une pointe, et lancé par un arc ou une arbalète. ‖ Représentation schématique d'une flèche, et servant à indiquer un sens. ‖ Trait d'esprit, raillerie ou critique acerbe. ‖ *Aéron.* Angle que fait le bord d'attaque d'une aile d'avion avec la perpendiculaire à l'axe du fuselage. ‖ *Agric.* Timon mobile qui remplace les brancards lorsqu'on attelle deux chevaux; syn. de AGE. ‖ *Archit.* Couverture, surtout de clocher, conique, pyramidale, polygonale, très développée en hauteur; hauteur verticale de la clef d'une voûte. ‖ *Math.* Perpendiculaire abaissée du milieu d'un arc de cercle sur la corde qui sous-tend cet arc; maximum de la distance d'un point d'un arc de courbe à sa corde. ‖ *Mil.* Partie arrière de l'affût roulant d'un canon. ● *Avion à flèche variable,* avion dont les ailes peuvent changer de configuration en fonction de la vitesse de vol. ‖ *Chevaux attelés en flèche,* chevaux attelés l'un devant l'autre. ‖ *En flèche,* en ligne droite; très vite : *monter en flèche; à l'avant-garde.* ‖ *Faire flèche de tout bois,* employer toutes sortes de moyens pour arriver à ses fins. ‖ *Flèche d'eau* (Bot.), autre nom de la SAGITTAIRE. ‖ *Flèche littorale,* syn. de CORDON LITTORAL. ‖ *Flèche d'une trajectoire,* hauteur maximale atteinte par un projectile sur sa trajectoire. ‖ *La flèche du Parthe,* trait ironique que qqn lance à la fin d'une conversation.

FLÈCHE n. m. *Mar.* Voile établie au-dessus d'une grande voile à corne.

FLÈCHE (La) (72200), ch.-l. d'arr. de la Sarthe, sur le Loir, à 42 km au S.-O. du Mans; 16 421 hab. *(Fléchois).* Château reconstruit au XVᵉ s. (hôtel de ville). Église des XIIᵉ-XVᵉ s. Prytanée militaire, ancien collège des Jésuites fondé par Henri IV (importante chapelle de 1607-1622, en partie due au P. Martellange). Constructions mécaniques.

FLÉCHÉ, E adj. Orné de flèches.

FLÉCHER v. t. (conj. 5). Garnir un parcours de panneaux pour indiquer un itinéraire.

Flèches rouges *(ordre des),* appelé aussi *ordre impérial du Joug et des Flèches,* ordre espagnol créé en 1937 pour récompenser les services éminents. Ruban rouge rayé de noir.

FLÉCHETTE n. f. Petite flèche.

FLÉCHIER (Esprit), prélat français (Pernes 1632 - Montpellier 1710). Auteur des *Mémoires sur les Grands Jours d'Auvergne,* lecteur du dauphin (1671), il prononça plusieurs oraisons funèbres, dont celle de Turenne en 1676. Évêque de Lavaur (1685), puis de Nîmes (1687), il fut tolérant envers les protestants.

FLÉCHIR v. t. (lat. *flectere*). Faire plier, courber : *fléchir le genou.* ‖ Toucher de pitié, faire céder : *fléchir ses juges.* ◆ v. i. Plier sous la charge : *poutre qui fléchit.* ‖ Faiblir, lâcher prise : *l'ennemi commençait à fléchir.* ‖ Baisser : *les prix ont fléchi.*

FLÉCHISSEMENT n. m. Action de fléchir.

FLÉCHISSEUR adj. et n. m. *Anat.* Se dit de tout muscle destiné à faire fléchir certaine partie du corps. (Contr. EXTENSEUR.)

FLEGMATIQUE adj. et n. Qui contrôle ses émotions; impassible, imperturbable.

FLEGMATIQUEMENT adv. Avec flegme.

FLEGMATISANT n. m. Substance ajoutée à un explosif pour en diminuer la sensibilité aux chocs et aux frictions.

FLEGME n. m. (gr. *phlegma,* humeur). Caractère d'un homme calme, impassible. ‖ Alcool brut, obtenu par distillation des liquides alcoolisés.

FLEGMON n. m. → PHLEGMON.

FLEIN n. m. Petit panier d'osier pour emballer fruits et primeurs.

FLEISCHER (Max) [Vienne 1889 - Los Angeles 1972] et son frère **DAVE** (New York 1894 - Los Angeles 1979), caricaturistes, réalisateurs et producteurs de dessins animés américains. Ils inventèrent plusieurs personnages animés, comme Coco le clown (1920-1930), Betty Boop (1931-1936) et surtout Popeye (Mathurin) le matelot mangeur d'épinards (1932-1947). Ils concurrencèrent Walt Disney dans les années 30.

FLÉMALLE, comm. de Belgique, au S.-O. de Liège; 28 600 hab. Métallurgie.

FLÉMALLE *(Maître de)* → CAMPIN.

FLEMING *(sir* John Ambrose), électrotechnicien britannique (Lancaster 1849 - Sidmouth, Devon, 1945). On lui doit la valve à oscillations (1904) appelée *diode* ou encore *valve de Fleming,* qui, permettant une détection facile des ondes radioélectriques, fut à l'origine de toutes les lampes utilisées dans les radiocommunications. Fleming imagina aussi la règle «des trois doigts», qui donne le sens des forces électromagnétiques.

FLEMING *(sir* Alexander), médecin et bactériologiste britannique (Lochfield Farm, Darvel, Ayrshire, 1881 - Londres 1955). Il reçut en 1945 le prix Nobel de médecine, avec Chain et Florey, pour sa découverte de la pénicilline.

FLEMMARD, E adj. et n. (de *flemme*). *Fam.* Se dit d'une personne paresseuse, molle.

FLEMMARDER v. i. *Fam.* Paresser.

FLEMMARDISE n. f. *Fam.* Paresse.

FLEMME n. f. (de *flegme*). *Fam.* Grande paresse, inertie. ● *Tirer sa flemme,* ne rien faire.

FLENSBURG, port de l'Allemagne fédérale (Schleswig-Holstein), sur la Baltique; 95 000 hab. Construction navale.
■ La ville fut le siège du gouvernement présidé par Dönitz (mai 1945).

FLÉNU, E adj. Se dit d'un charbon flambant.

FLÉOLE ou **PHLÉOLE** n. f. (gr. *phleôs,* roseau). Graminacée fourragère vivace des prairies, préférant les sols secs et calcaires.

FLÉRON, comm. de Belgique (Liège), à l'E. de Liège; 15 800 hab.

FLERS (61100), ch.-l. de cant. de l'Orne; 19 405 hab. *(Flériens).* Château des XVIᵉ-XVIIIᵉ s. Industries mécaniques et électriques.

FLERS (Robert PELLEVÉ DE LA MOTTE-ANGO, *marquis* DE), auteur dramatique français (Pont-l'Évêque 1872 - Vittel 1927). Il composa toute une série de comédies légères et d'opéras bouffes avec G. A. de Caillavet *(le Roi,* 1908; *l'Habit vert,* 1912), puis avec F. de Croisset *(les Vignes du Seigneur,* 1923; *Ciboulette,* 1923).

FLERS-EN-ESCREBIEUX (59128), comm. du Nord, à 5 km au N. de Douai; 5 494 hab.

FLESSELLES (Jacques DE), administrateur français (Paris 1721- *id.* 1789). Prévôt des marchands de Paris (1789), il fut massacré par la foule le 14 juillet.

FLESSINGUE, en néerl. **Vlissingen,** port des Pays-Bas (Zélande); 43 000 hab. Aluminium.

FLET [flɛ] n. m. (anc. néerl. *vlete*). Poisson plat comestible, commun dans les mers et les estuaires. (Long. 50 cm; famille des pleuronectidés.)

FLÉTAN n. m. (mot néerl.). Poisson plat des mers froides, dont le foie est riche en vitamines A et D. (Long. : de 2 à 3 m; poids : 250 kg; famille des pleuronectidés.)

FLETCHER (John), auteur dramatique anglais (Rye, Sussex, 1579 - Southwark 1625). Avec Francis Beaumont, puis d'autres collaborateurs, comme Massinger, Ben Jonson, Tourneur, il donna des pièces à l'intrigue ingénieuse et à la verve réaliste, dont le succès balança longtemps celui du théâtre de Shakespeare *(le Chevalier du Pilon-Ardent,* 1611).

FLÉTRIR v. t. (lat. *flaccidus,* flasque). Faner, ôter l'éclat, la fraîcheur. ● *Visage flétri,* ridé. ◆ **se flétrir** v. pr. Perdre sa fraîcheur.

FLÉTRIR v. t. (mot francique). Autref., marquer un condamné au fer rouge, sur l'épaule droite. ‖ *Litt.* Blâmer, condamner pour ce qu'il y a de répréhensible : *flétrir l'injustice.*

FLÉTRISSURE n. f. Altération de la fraîcheur.

FLÉTRISSURE n. f. Autref., marque faite au fer rouge sur l'épaule d'un criminel. ‖ *Litt.* Grave atteinte à l'honneur, à la réputation.

FLEUR n. f. (lat. *flos, floris*). Organe reproducteur des végétaux à graines (spermaphytes). ‖ Plante à fleurs : *la culture des fleurs.* ‖ Partie la plus fine, la meilleure de quelques substances : *fleur de farine.* ‖ Produit pulvérulent obtenu par la sublimation ou la décomposition : *fleur de soufre.* ‖ Élite, choix : *la fleur de la jeunesse.* ‖ Côté d'une peau tannée qui porte les poils. ● *A la fleur de l'âge,* dans l'éclat de la jeunesse. ‖ *Comme une fleur* (Fam.), facilement ou avec innocence. ‖ *Être fleur bleue,* sentimental. ‖ *Faire une fleur à qqn* (Fam.), lui rendre un service inattendu. ‖ *Fine fleur,* farine de froment très fine; ceux qui, dans un groupe, sont les plus estimés. ‖ *Fleur artificielle,* imitation de la fleur naturelle, en papier, en tissu, en métal, etc. ‖ *La fleur des pois* (Litt.), un homme élégant, à la mode. ◆ pl. Sorte de moisissure qui se développe sur le vin, la bière, le cidre, au contact de l'air. ‖ *Litt.* Ornement poétique : *les fleurs de la rhétorique.* ‖ *Couvrir qqn de fleurs,* faire son éloge. ◆ **à fleur de** loc. prép. Presque au niveau de : *à fleur de terre; au ras de : à fleur de peau.*
■ L'organe reproducteur des plantes supérieures est la *fleur,* qui n'atteint toute sa perfection que chez les angiospermes. Une fleur «complète» de dicotylédone, par exemple, est le sommet d'un rameau particulier, le *pédoncule floral,* à l'aisselle duquel se développe une feuille réduite, la *bractée florale.* Ce sommet forme d'abord un *bouton* clos, qui ne laisse voir que les *sépales,* pièces vertes de l'enveloppe protectrice. Lors de l'éclosion (ou floraison), les sépales s'écartent et se disposent en *calice* pour soutenir une *corolle* parfumée et colorée, formée de *pétales* (au nombre de cinq le plus souvent). Au-dessus de cet ensemble stérile *(périanthe)* se dressent une ou deux couronnes d'*étamines* (organes mâles, producteurs de pollen), entourant la partie supérieure de l'organe femelle, ou *pistil.* Ce pistil est le plus souvent formé d'une colonne *(style)* surmontée d'un ou

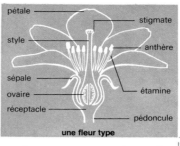

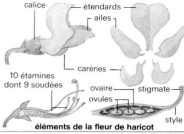
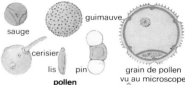
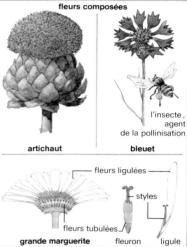
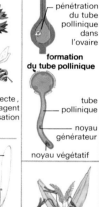

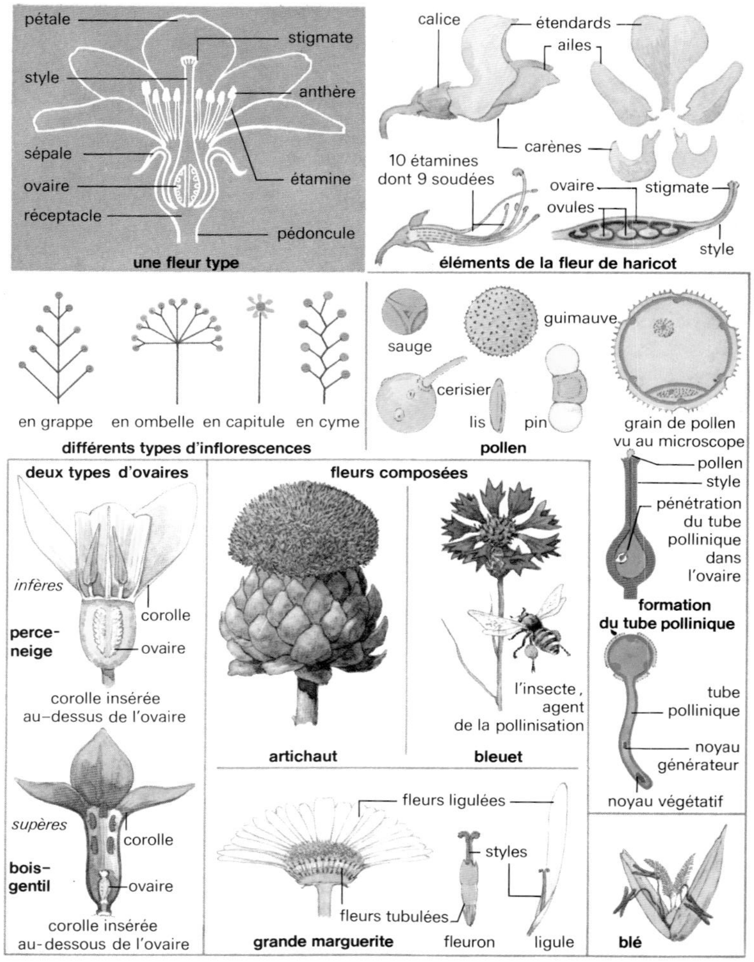

pétale
stigmate
style
anthère
sépale
étamine
ovaire
réceptacle
pédoncule
une fleur type

calice
étendards
ailes
carènes
10 étamines dont 9 soudées
ovaire
ovules
stigmate
style
éléments de la fleur de haricot

en grappe   en ombelle   en capitule   en cyme
différents types d'inflorescences

sauge
guimauve
cerisier
lis
pin
pollen
grain de pollen vu au microscope

pollen
style
pénétration du tube pollinique dans l'ovaire
formation du tube pollinique
tube pollinique
noyau générateur
noyau végétatif

deux types d'ovaires
infères
perce-neige
corolle
ovaire
corolle insérée au-dessus de l'ovaire
supères
bois-gentil
corolle
ovaire
corolle insérée au-dessous de l'ovaire

fleurs composées
l'insecte, agent de la pollinisation
artichaut   **bleuet**
fleurs ligulées
styles
fleurs tubulées
grande marguerite   **fleuron**   **ligule**   **blé**

FLEUR

(legende verticale) Sces britanniques d'information

sir Alexander **Fleming**

---

de plusieurs *stigmates* pour la réception du pollen (d'une autre fleur de la même espèce), et à la base de laquelle se trouve l'*ovaire,* ou futur fruit. L'ovaire, issu de la soudure plus ou moins complète de plusieurs *carpelles,* peut être, tout comme les autres pièces florales, implanté librement dans le *réceptacle* formé par le sommet élargi du pédoncule. Il est alors dit *libre* ou *supère.* Il est non moins fréquent que les pièces qui l'entourent se soudent à ses parois et ne se séparent au-dessus de lui. Il est alors *adhérent* ou *infère.*
La fleur est généralement régulière (symétrie axiale), mais elle peut acquérir une symétrie bilatérale surimposée (fleurs *zygomorphes* : papilionacées, labiacées, composées). Les fleurs des monocotylédones peuvent répondre à la description ci-dessus, un détail près : les sépales sont colorés et identiques aux pétales (tulipe, lis). Bien entendu, il existe, en particulier chez les arbres, de nombreuses espèces aux fleurs très peu visibles, au périanthe réduit ou inexistant et souvent unisexuées, la pollinisation étant surtout assurée par le vent. Ce sont, au contraire, les insectes qui transportent le pollen des fleurs colorées et parfumées, dont la sécrétion sucrée *(nectar)* les attire.
À la suite de la pollinisation, la fleur se fane, c'est-à-dire que tout se dessèche, sauf l'ovaire (et parfois le réceptacle), qui deviendra le fruit*.
La manière dont sont groupées les fleurs d'un même pied est l'*inflorescence*.

FLEURAGE n. m. Remoulage employé pour empêcher les pâtons de coller aux instruments du boulanger.

FLEURANCE (32500), ch.-l. de cant. du Gers, sur le Gers, à 24 km au N. d'Auch; 6 089 hab. Église fortifiée des XIVᵉ-XVᵉ s. (vitraux). Place à arcades avec halle. Électronique. Plantes médicinales et produits de beauté.

FLEURDELISÉ, E adj. Orné de fleurs de lis.

FLEURER v. t. et i. (lat. *flatare,* souffler). *Litt.* Répandre une odeur : *cela fleure bon.*

FLEURET n. m. Épée fine, très légère (moins de 500 g), sans tranchant, terminée par un bouton, et dont on se sert à l'escrime (au fleuret, la surface de touche est délimitée par une cuirasse métallique). ‖ Tige d'acier des perforatrices par percussion, ou marteaux pneumatiques.

FLEURETTE n. f. Petite fleur. ● *Conter fleurette,* tenir des propos galants à une femme.

FLEURETTISTE n. Escrimeur au fleuret.

FLEURI, E adj. Garni de fleurs : *jardin fleuri.* ● *Style fleuri,* style orné. ‖ *Teint fleuri,* qui a la fraîcheur, de l'éclat.

FLEURIE (69820), comm. du Rhône, dans le Beaujolais, à 21 km au S.-O. de Mâcon; 1 151 hab. Vins renommés.

FLEURIR v. i. (lat. *florere*) [conj. 7]. Produire des fleurs, s'en couvrir. ‖ Être prospère, se développer : *le commerce fleurit.* (En ce sens, l'imp. de l'ind. est *je florissais,* etc., et le part. prés. *florissant.)* ◆ v. t. Orner de fleurs : *fleurir sa chambre.*

FLEURISTE adj. et n. Qui cultive ou vend des fleurs. ‖ Qui fait des fleurs artificielles.

FLEURON n. m. Ornement en forme de fleur ou de bouquet de feuilles stylisés. ‖ *Bot.* Chacune des petites fleurs régulières dont la réunion forme tout ou partie du capitule, chez les composées. ● *Le plus beau fleuron* (Litt.), ce qu'il y a de plus remarquable.

FLEURONNÉ, E adj. Orné de fleurs, de fleurons.

Fleurs du mal *(les),* recueil de Baudelaire (1857). Les 136 poésies qui le composent sont groupées selon un plan fondé sur la constatation de la misère de l'homme et de ses efforts pour sortir de cet état. Ces poèmes, qui valurent un procès à leur auteur, créèrent, selon le mot de Hugo, un «frisson nouveau» et orientèrent la poésie dans la voie du symbolisme.

FLEURUS, comm. de Belgique (Hainaut), au N.-E. de Charleroi; 22 400 hab. Deux grandes batailles ont été livrées à Fleurus : le 1ᵉʳ juillet 1690, le maréchal de Luxembourg y triompha de l'armée austro-hollandaise du prince de Waldeck; le 26 juin 1794, Jourdan y battit les Anglo-Hollandais de Cobourg.

FLEURY (André Hercule DE), prélat et homme d'État français (Lodève 1653 - Paris 1743). Aumônier de la reine (1679), puis du roi (1683), évêque de Fréjus (1698), précepteur de Louis XV (1714), il fait partie, en 1723, du Conseil d'État et du Conseil de conscience. Ministre d'État et cardinal (1726), il fait participer la France à la guerre de la Succession* de Pologne et à celle de la Succession* d'Autriche. (V. ill. p. 559.)

FLEURY-LES-AUBRAIS (45400), ch.-l. de cant. du Loiret, dans la banlieue nord d'Orléans; 19 779 hab. Nœud ferroviaire.

FLEURY-MÉROGIS (91700 Ste Geneviève des Bois), comm. de l'Essonne, à 9 km à l'O.-N.-O. de Corbeil-Essonnes; 7 832 hab. Prison.

FLEURY-SUR-ANDELLE (27380), ch.-l. de cant. de l'Eure, à 24 km au S.-E. de Rouen; 2 039 hab. Textile. Constructions mécaniques.

FLEUVE n. m. (lat. *fluvius*). Cours d'eau qui aboutit à la mer. ‖ Ce qui a un cours continu, masse : *des fleuves de boue.*

■ Un fleuve et ses affluents, les rivières, sont organisés en un réseau hydrographique drainant une portion de continent appelée « bassin-versant ». Un fleuve est caractérisé par son débit* et son régime*.

Les fleuves et les rivières, écoulements concentrés, prennent en charge les matériaux issus des versants, à l'état dissous (carbonate de calcium par exemple) ou de débris solides, qui, en s'entre-choquant, acquièrent un émoussé caractéristique (sables, graviers et galets). La compétence d'un cours d'eau est la charge solide maximale que celui-ci est capable de transporter.

Armés de ces matériaux, les fleuves exercent une érosion linéaire, ou érosion fluviatile. Le profil transversal des vallées fluviales varie de l'amont à l'aval, passant de versants raides à des auges alluviales très évasées. En temps normal, le cours d'eau n'occupe qu'un étroit chenal, ou lit mineur, dans la vallée alluviale. Lors des crues, il peut déborder et occuper tout le fond de la vallée, ou lit majeur. Les cours d'eau ont également tendance à régulariser leur profil longitudinal. En érodant les seuils et en alluvionnant dans les mouilles, ils tendent à acquérir un profil concave, dont la pente diminue de la source au niveau de base, représenté par la mer pour les fleuves et le point de confluence pour les rivières. Le profil d'équilibre est atteint lorsque le fleuve n'exerce plus qu'un rôle de transport. À la suite d'une reprise d'érosion, le cours d'eau s'encaisse dans ses propres alluvions, déterminant des terrasses. Celles-ci peuvent être dues à des variations eustatiques*, qui modifient le niveau de base ou à des changements climatiques, qui influent sur la charge des cours d'eau.

Le tracé des fleuves est rarement adapté à la structure. L'inadaptation s'explique par les phénomènes d'antécédence* ou de surimposition*.

FLEVOLAND, prov. des Pays-Bas, créée en 1986 et regroupant plusieurs polders du Zuiderzee : le polder du Nord-Est, le Flevoland-Oriental et le Flevoland-Méridional. Ch.-l. *Lelystad.*

FLEXIBILITÉ n. f. (lat. *flexus*, courbé). Qualité de ce qui est flexible.

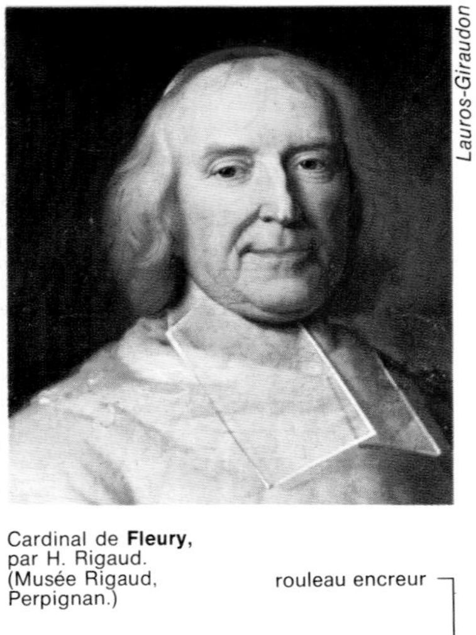

Lauros-Giraudon

Cardinal de **Fleury**, par H. Rigaud. (Musée Rigaud, Perpignan.)

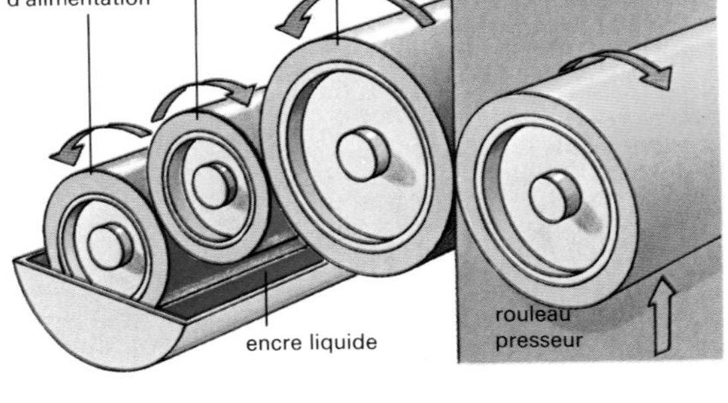
rouleau encreur
rouleau d'impression
support à imprimer
rouleau d'alimentation
encre liquide
rouleau presseur

schéma d'un élément d'impression par **flexographie**

FLEXIBLE adj. Qui plie aisément : *roseau flexible.* ‖ Susceptible de s'adapter aux circonstances, souple : *horaire flexible.* ● *Atelier flexible,* atelier de mécanique à gestion informatisée assurant, grâce à des machines-outils automatisées (souvent des centres d'usinages), la production de pièces ou d'ensembles divers. ‖ *Architecture flexible,* architecture d'un bâtiment dont les dispositions intérieures peuvent varier à volonté en fonction des besoins. ‖ *Caractère flexible,* celui qui cède facilement aux impressions, aux influences. ‖ *Changes flexibles* (Écon.), pratique consistant, pour un pays, à laisser sa devise fluctuer sur les marchés des changes.

FLEXIBLE n. m. Organe de transmission souple.

FLEXION n. f. Action de fléchir : *flexion du genou.* ‖ État de ce qui est fléchi : *flexion d'un ressort.* ‖ Déformation d'un solide soumis à des forces agissant dans son plan de symétrie ou disposées symétriquement deux à deux par rapport à ce plan. ‖ *Ling.* Ensemble des désinences d'un mot, caractéristiques de la catégorie grammaticale et de la fonction.

FLEXIONNEL, ELLE adj. *Ling.* Qui possède des flexions.

FLEXOGRAPHIE n. f. Procédé d'impression avec formes en relief, constituées de clichés souples en caoutchouc ou en plastique.

FLEXUEUX, EUSE adj. *Litt.* Courbé alternativement dans des sens différents.

FLEXUOSITÉ n. f. *Litt.* Ligne flexueuse.

FLEXURE n. f. *Géol.* Forme intermédiaire entre la faille et le pli, dans laquelle les couches sont étirées vers le compartiment affaissé. ● *Flexure continentale* ou *littorale*, plan de contact, incliné, entre la terre et la mer, susceptible de s'atténuer, de s'accentuer, de migrer.

FLIBUSTE n. f. Piraterie; ensemble des flibustiers.

FLIBUSTIER n. m. (altér. du néerl. *vrijbuiter*, pirate). Pirate de la mer des Antilles, aux XVIIe et XVIIIe s. ‖ Filou.

FLIC n. m. *Pop.* Agent de police.

FLIESS (Wilhelm), médecin allemand (Arnswalde 1858 - Berlin 1928). Lié à S. Freud, avec lequel il échange une correspondance passionnée, il est à l'origine du développement de la notion de bisexualité dans la théorie freudienne.

FLIMS, en romanche **Flem,** comm. de Suisse (Grisons), au pied du *Flimserstein;* 2 136 hab. Station d'été et de sports d'hiver (alt. 1 100-2 800 m).

FLINES-LEZ-RACHES (59148), comm. du Nord, à 11,5 km au N.-E. de Douai; 5 098 hab. Industrie textile.

FLIN FLON, v. du Canada, aux confins du Manitoba et de la Saskatchewan; 9 800 hab. Métallurgie (cuivre).

FLINGOT n. m. *Pop.* et *vx.* Fusil de guerre.

FLINGUE n. m. *Arg.* Arme à feu individuelle.

FLINGUER v. t. *Arg.* Tirer sur qqn avec une arme à feu.

FLINS-SUR-SEINE (78410 Aubergenville), comm. des Yvelines, à 6 km au S. de Meulan; 1 776 hab. Construction automobile.

FLINT [flint] n. m. (mot angl., *silex*). Verre d'optique à base de plomb, dispersif et réfringent.

FLINT, v. des États-Unis (Michigan), au N.-O. de Detroit; 159 600 hab. Industrie automobile.

FLIPOT n. m. Petite pièce de bois rapportée pour dissimuler une fente dans un ouvrage en bois.

FLIPPER [flipœr] n. m. (mot angl.; de *to flip*, donner une chiquenaude). Petit levier d'un billard électrique, qui renvoie la bille vers le haut; le billard lui-même.

FLIPPER [flipe] v. i. (angl. *to flip,* secouer). *Arg.* Ressentir la dépression lorsque la drogue a fini d'agir. ‖ *Fam.* Être déprimé.

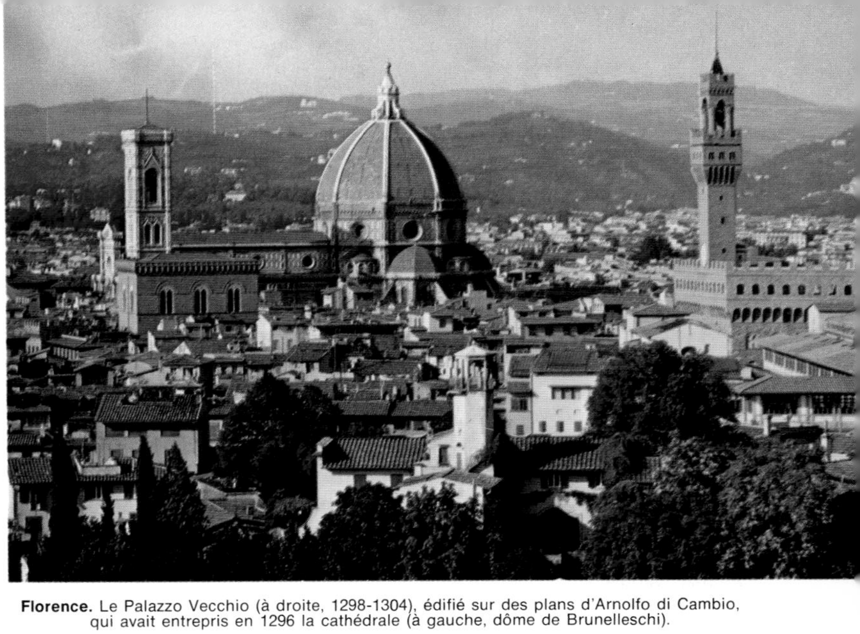

J. Bottin

Florence. Le Palazzo Vecchio (à droite, 1298-1304), édifié sur des plans d'Arnolfo di Cambio, qui avait entrepris en 1296 la cathédrale (à gauche, dôme de Brunelleschi).

FLIRT [flœrt] n. m. (mot angl.). Action de flirter. ‖ Personne avec qui l'on flirte.

FLIRTER v. i. Entretenir des relations sentimentales souvent superficielles.

FLIRTEUR, EUSE adj. et n. Qui flirte.

FLIXECOURT (80420), comm. de la Somme, à 23 km au N.-O. d'Amiens; 3 368 hab. Industrie textile.

FLIZE (08160), ch.-l. de cant. des Ardennes, à 9 km au S. de Charleville-Mézières, sur la Meuse; 1 015 hab. Métallurgie.

F. L. N., sigle de FRONT* DE LIBÉRATION NATIONALE.

FLOCAGE n. m. Application de fibres textiles sur un support adhésif.

FLOCHE adj. (anc. fr. *floche,* flocon de laine). Se dit d'une étoffe dont les fils présentent, par endroits, des grosseurs. ● *Soie floche,* soie qui n'est pas torse.

FLOCK-BOOK [flɔkbuk] n. m. (mot angl.) [pl. *flock-books*]. Livre généalogique des moutons de race.

FLOCON n. m. (lat. *floccus*). Amas léger de laine, de neige, etc. ‖ Grains de céréales, légumes réduits en lamelles. ‖ Défaut en forme de cavité allongée, apparaissant dans la masse de pièces en acier laminé ou forgé.

FLOCONNER v. i. Former des flocons.

FLOCONNEUX, EUSE adj. Qui ressemble à des flocons.

FLOCULATION n. f. Transformation réversible d'un système colloïdal sous l'action d'un facteur extérieur donnant des sortes de flocons. ● *Réactions de floculation,* réactions bio-chimiques pour diagnostiquer certaines maladies, dont la syphilis.

FLOCULER v. i. Précipiter sous forme de flocons, en parlant de systèmes colloïdaux.

FLODOARD, chroniqueur et hagiographe (Épernay 894 - Reims 966). Ce chanoine de la cathédrale de Reims écrivit une *Histoire de l'Église de Reims* (952) et des *Annales,* qui sont de remarquables sources de renseignements sur la vie politique sous les derniers Carolingiens.

FLOGNY-LA-CHAPELLE (89360), ch.-l. de cant. de l'Yonne, sur l'Armançon, à 15 km au N.-O. de Tonnerre; 1 082 hab.

FLOIRAC (33270), ch.-l. de c. de la Gironde, dans la banlieue est de Bordeaux, sur la rive droite de la Garonne; 14 477 hab. Vignobles.

FLONFLON n. m. (onomat.). *Fam.* Refrain de chanson populaire et musique qui s'y rapporte.

FLOOD [flud] adj. inv. (mot angl.). *Lampe flood,* ampoule survoltée, de durée limitée, à température de couleur très élevée, utilisée en photographie d'intérieur.

FLOPÉE n. f. *Fam.* Grande quantité.

FLOQUER v. t. Déposer des fibres sur une surface par flocage.

FLORAC (48400), ch.-l. d'arr. de la Lozère, à 40 km au S. de Mende; 2 104 hab.

FLORAISON n. f. Épanouissement de la fleur; temps de cet épanouissement. ‖ Épanouissement de qqch.

FLORAL, E, AUX adj. (lat. *flos, floris,* fleur). Relatif à la fleur, aux fleurs.

FLORALIES n. f. pl. Exposition horticole.

FLORANGE (57190), ch.-l. de cant. de la Moselle, à 5 km au S. de Thionville; 11 766 hab. *(Florangeois).* Sidérurgie.

FLORE n. f. (lat. *Flora,* déesse des Fleurs). Ensemble des espèces de plantes qui croissent dans une région. ‖ Livre qui décrit les plantes et permet la détermination des espèces. ● *Flore microbienne* ou *bactérienne* (Méd.), ensemble des bactéries, champignons microscopiques, protozoaires qui se trouvent dans une cavité de l'organisme communiquant avec l'extérieur. (Il existe une flore microbienne normale dans l'intestin, le vagin, la bouche, qui peut devenir anormale par l'introduction de souches microbiennes pathogènes.)

■ La flore d'un lieu est la liste des espèces végétales que l'on y rencontre à l'état sauvage de façon durable, indépendamment de leur abondance. Les herbes issues de graines échappées de jardins ou transportées par les trains ou les navires y sont incluses lorsqu'on les retrouve bien des années après, s'étant fait une place dans la couverture végétale. On les dit *subspontanées.* On n'y inclut pas les *adventices,* qui disparaissent au bout d'un an ou deux, et moins encore les plantes cultivées, inadaptées à la vie sauvage. La flore, ainsi définie, dépend du climat, de la nature du sol, de la concurrence entre espèces pour l'occupation du terrain (concurrence aisée à observer lorsqu'un terrassement, par exemple, crée une *place vide* et que celle-ci est ensuite abandonnée). Elle tend à évoluer vers une formation végétale « climax », c'est-à-dire portant la masse vivante maximale par unité de surface, grâce à un étagement en *strates :* grands arbres, arbustes et buissons, herbes, mousses, champignons et bactéries du sol.

Comme pour les animaux (v. FAUNE), il arrive qu'une espèce végétale soit absente d'un lieu qui lui conviendrait parfaitement, mais qu'elle n'a jamais pu atteindre (d'où l'*endémisme* de la flore des îles). Le phénomène est pourtant plus rare que pour les animaux à cause des énormes facultés de transport et de conservation des graines et des spores. Bien entendu, les milieux les plus défavorisés (toundras, déserts chauds, hautes montagnes, tourbières, murs et monuments, etc.) n'ont qu'une flore très pauvre et très spéciale, tandis que les milieux aquatiques ont leur propre flore, elle aussi pourvue d'adaptations très particulières.

FLORE, déesse italique de la Floraison et des Fleurs; on célébrait en son honneur les *Floralies.*

FLORÉAL n. m. Huitième mois du calendrier républicain, commençant le 20 ou le 21 avril.

FLORENCE n. f. (de *Florence,* ville d'Italie). *Crin de Florence,* ou *florence,* crin très résistant pour la pêche à la ligne.

FLORENCE, en it. **Firenze,** v. d'Italie, capit. de la Toscane, sur l'Arno; 465 000 hab. Grand centre touristique. Travail du cuir.

HISTOIRE. Ancien village étrusque devenu cité romaine, Florence prend son véritable essor à partir du XIIe s., époque où ses habitants, rejetant la tutelle impériale (1115), se constituent en commune libre, détruisent l'antique *Faesulae* (Fiesole) et conquièrent les bourgades du voisinage. Son alliance temporaire avec Pise lui permet de prospérer dans le commerce de la draperie et de devenir l'une des premières places bancaires de Toscane. D'abord dominée par un gouvernement aristocratique et déchirée par les luttes entre guelfes et gibelins (début du XIIe s.), Florence se dote d'une nouvelle constitution (1250), qui donne la réalité du pouvoir aux représentants de la classe moyenne. Au XVIe s., elle éclipse Pise, tombée aux mains de Gênes, ainsi que ses autres rivales (Lucques et Sienne) et affirme son dynamisme non seulement dans le grand commerce international, l'industrie du tissage et les activités bancaires, que se partagent les grandes compagnies à succursales (Alberti, Bardi, Buonaccorsi, Peruzzi, Médicis...), mais aussi dans une intense recherche artistique, qui fait d'elle l'un des grands foyers de l'humanisme et de la Renaissance italienne. Devenue puissance maritime par la conquête de Pise (1406), elle n'en reste pas moins agitée par les querelles opposant les trois classes commerçantes (arts majeurs, arts moyens et arts mineurs). Au XVᵉ s., cette instabilité profite aux Médicis* qui, sous couvert de rétablir les institutions républicaines, instaurent un véritable royaume monarchique (1434). Un instant ébranlée par les guerres d'Italie et la prédication de Savonarole, l'autorité des Médicis se trouve confirmée en 1532, lorsque Charles Quint fait d'Alexandre de Médicis un duc héréditaire de Florence. Mais, dès la seconde moitié du XVIᵉ s., malgré l'annexion de Sienne (1555) et l'érection de Florence en capitale du grand-duché de Toscane (1569), la ville décline et ne retrouve son second souffle qu'avec la formation du royaume d'Italie, dont elle sera la capitale de 1865 à 1870.

BEAUX-ARTS. La montée de la bourgeoisie, l'autonomie conquise dès le XIIᵉ s., la supériorité acquise sur Pise et Sienne assurent à Florence une prospérité qui favorise les arts. Cette vitalité, attestée au XIIIᵉ s. par des édifices gothiques originaux (Santa Maria Novella, Santa Croce, Santa Maria del Fiore [commencée en 1296], Palazzo della Signoria [ces deux derniers sur des plans d'Arnolfo* di Cambio], Bargello*) et par le renouveau pictural de Cimabue* et surtout de Giotto* (fresques de Santa Croce), atteint son plein épanouissement avec la Renaissance et le règne des Médicis. L'idéal humaniste s'affranchit du Moyen Âge en puisant dans l'Antiquité ses exigences de rigueur et d'harmonie, ainsi que ses modèles; à côté des palais des grandes familles (palais Médicis de Michelozzo*), le quattrocento renouvelle les problèmes d'espace, de lumière et de perspective avec Brunelleschi* (dôme de Santa Maria del Fiore) et L. B. Alberti* (théoricien, mais aussi architecte du palais Rucellai). Tandis que la tradition gothique reste sensible chez Ghiberti* (portes nord et est, en bronze, du Baptistère), la sculpture affirme un réalisme puissant avec Donatello* (statues d'Orsammichele et du campanile de la cathédrale), pour se teinter de suavité avec L. Della Robbia* ou les Rossellino* et de lyrisme avec Verrochio* (David, 1476). La représentation de l'espace, répondant à une volonté à la fois rationnelle et poétique, est au centre des préoccupations de Masaccio* (fresques de Santa Maria del Carmine), d'Uccello*, d'Andrea* del Castagno, de Filippo Lippi* et, en partie, de Fra Angelico* (fresques du couvent de San Marco). Bientôt, dans la seconde moitié du XVᵉ s., à côté de narrateurs pittoresques, comme Gozzoli* (Cortège des Rois mages, palais Médicis) ou Ghirlandaio*, se manifeste un humanisme profane avec Botticelli* (le Printemps*).

À la fin du quattrocento, dans un climat de difficultés politiques et économiques, Florence perd peu à peu de sa prépondérance. Les grands créateurs de la seconde Renaissance, Léonard* de Vinci et Michel-Ange* (qui sculpte son David*, travaille aux fortifications, à la nouvelle sacristie de San Lorenzo et aux tombeaux des Médicis), sont attirés vers d'autres centres. Restent Fra Bartolomeo*, à l'art sévère, Andrea* del Sarto, au classicisme raffiné et précieux. Le maniérisme s'illustre avec le Pontormo* et le Bronzino*, avec les sculpteurs Benvenuto Cellini* (Persée, loggia dei Lanzi) et Giambologna*, qui décore de nombreuses statues les jardins Boboli, aménagés par Bartolomeo Ammannati, tandis que Vasari* (historien de l'école florentine en même temps que peintre et architecte) commence la construction des Offices*. Ceux-ci, devenus un prestigieux musée de peinture, témoignent, comme le Bargello (pour la sculpture), la galerie de l'Académie, la galerie du palais Pitti* — outre le Musée archéologique —, de l'immense apport de Florence à l'art occidental, apport qui s'amenuise à partir de l'époque baroque.

Florence (concile de) → BÂLE (concile de).

Florence (école de), humanistes florentins de la fin du XVᵉ s. et du début du XVIᵉ. Les troubles sociopolitiques, la renaissance prodigieuse des arts et la pensée de Nicolas* de Cusa sont à l'origine de l'humanisme florentin, qui s'affirme dans la seconde moitié du XVᵉ s. Malgré leurs divergences, Marsile Ficin*, Nicolas Machiavel*, Pic* de La Mirandole et Léonard* de Vinci partagent une inquiétude qui les conduit à s'interroger sur la place que peut occuper l'homme dans un monde conçu comme univers infini et non plus comme espace clos. Les trois aspects principaux de cet humanisme sont le culte de la beauté, l'affirmation de l'universalité du christianisme platonisant (v. PLATONISME) et le souci de la prééminence de l'homme.

FLORENNES, comm. de Belgique (Namur), au N. de Philippeville; 10 400 hab.

FLORENSAC (34510), ch.-l. de cant. de l'Hérault, près de l'Hérault, à 13,5 km au S. de Pézenas; 3 152 hab. Vins blancs.

FLORENTIN, E adj. et n. De Florence.

FLORÈS (FAIRE) [flɛrflɔrɛs] loc. verbale. Litt. Briller dans le monde; être à la mode.

FLORES, île des Açores.

FLORES, île de l'Indonésie, séparée de Célèbes par la *mer de Flores.*

FLOREY (sir Howard Walter), médecin britannique (Adélaïde, Australie, 1898 - Oxford 1968), prix Nobel de médecine et de physiologie en 1945, avec Fleming et Chain, pour ses travaux sur la pénicilline.

FLORIAN (Jean-Pierre CLARIS DE), écrivain français (château de Florian, Sauve, Languedoc, 1755 - Sceaux 1794). Petit-neveu de Voltaire, il s'inspira de Cervantès dans ses pastorales (*Galatée*, 1783; *Estelle et Némorin*, 1788) et fit d'Arlequin, dans ses comédies pour le Théâtre-Italien, un héros édifiant et sentimental (*les Jumeaux de Bergame*, 1782). Il est également l'auteur de *Fables* (1792), qui révèlent l'influence moraliste de Rousseau.

FLORIANOPOLIS, v. du sud du Brésil, capit. de l'État de Santa Catarina, sur l'Atlantique; 196 000 hab.

FLORICOLE adj. Qui vit sur les fleurs.

FLORICULTURE n. f. Branche de l'horticulture qui s'occupe spécialement des fleurs.

FLORIDABLANCA (José MOÑINO, *comte* DE), homme d'État espagnol (Murcie 1728 - Séville 1808). Procureur général au conseil de Castille, il fut à l'origine de l'expulsion des Jésuites. Devenu Premier ministre de Charles III (1777), il se montra partisan du despotisme éclairé.

FLORIDE, en angl. **Florida,** État du sud-est des États-Unis; 151 670 km²; 9 740 000 hab. Capit. *Tallahassee.*

GÉOGRAPHIE. L'État est formé essentiellement d'une péninsule basse, entre l'Atlantique et le golfe du Mexique, développée à des latitudes subtropicales. Le climat est alors doux en hiver (la température ne descend qu'exceptionnellement au-dessous de 10 °C), avec des chaleurs relativement modérées en été (moyennes de juillet inférieures à 30 °C), tempérées par la proximité de la mer, qui contribue à expliquer l'importance des précipitations (supérieures à 1 m). Le climat a permis d'abord le développement des cultures subtropicales, notamment des agrumes (plus de la moitié de la production américaine), et aussi l'essor du tourisme (surtout sur le littoral atlantique et dans les zones marécageuses de la péninsule [région des Everglades], arrière-pays de Miami, de loin la ville la plus importante), les deux principales ressources de la Floride. Le sous-sol ne recèle guère que des phosphates, et l'industrie est surtout liée à la valorisation de la production agricole.

HISTOIRE. Découverte et explorée par Juan Ponce de León (1513), la Floride fut espagnole jusqu'en 1819, date à laquelle les États-Unis l'achetèrent à l'Espagne. Elle est État de l'Union depuis 1845.

FLORIDÉE n. f. Bot. Syn. de RHODOPHYCÉE.

FLORIFÈRE adj. Qui porte des fleurs.

FLORILÈGE n. m. (lat. *flos, floris,* fleur, et *legere,* choisir). Recueil de poésies. || Sélection de choses remarquables.

FLORIN n. m. (it. *florino*). Unité monétaire principale des Pays-Bas.

FLORIS DE VRIENDT, artistes flamands. CORNELIS, architecte et sculpteur (Anvers 1514-id. 1575), séjourna en Italie, publia des recueils de grotesques et autres ornements, et associa la fantaisie nordique aux formes de la Renaissance dans son hôtel de ville d'Anvers (1560) ou dans son jubé de la cathédrale de Tournai (1571). — Son frère FRANS, peintre (Anvers v. 1516-1521-id. 1570), subit à Rome l'ascendant de Michel-Ange et des maniéristes, avant de devenir le chef de file, «romaniste», de la peinture anversoise de son temps (grandes compositions emphatiques, excellents portraits).

FLORISSANT, E adj. Qui est en pleine prospérité : *pays florissant.* || Qui indique un parfait état de santé : *mine florissante.*

FLORUS (Lucius Annaeus ou Julius), historien latin d'origine africaine (Iᵉʳ-IIᵉ s. apr. J.-C.). Plus styliste qu'historien, il résuma Tite-Live dans son *Abrégé de l'histoire romaine,* qui est un panégyrique de la gloire de Rome.

FLOT n. m. (mot francique). Eau agitée; vague. || Marée montante. || Multitude, grande quantité : *flot d'auditeurs; flot de sang.* ● *À flots,* abondamment : *l'argent coule à flots.* || *Être à flot,* flotter; cesser d'être submergé par les soucis d'argent, de travail, etc. || *Remettre à flot,* renflouer. ◆ pl. *Les flots* (litt.), la mer.

FLOTE ou **FLOTTE** (Pierre), légiste français (apr. 1250 - Courtrai 1302). Chancelier de Philippe IV le Bel (1300), Pierre Flote fut le champion de la politique d'indépendance du roi à l'égard du pape et de l'empereur, et l'un des premiers à avoir mis l'arme du droit public romain au service des prétentions royales.

FLOTTABILITÉ n. f. Force due à la poussée de l'eau sur le volume immergé d'un corps, opposée au poids total de ce corps. ● *Réserve de flottabilité,* supplément de flottabilité correspondant à la partie de la coque d'un navire qui n'est pas immergée.

FLOTTABLE adj. Qui peut flotter : *bois flottable.* || Qui permet le flottage de trains de bois ou de radeaux : *rivière flottable.*

FLOTTAGE n. m. Transport de bois, débités en grumes, que l'on fait flotter, liés ensemble et qui descendent un cours d'eau.

FLOTTAISON n. f. Écon. État d'une monnaie flottante. (Syn. FLOTTEMENT.) || Mar. Plan correspondant à la surface d'une eau calme à l'extérieur d'un navire et délimitant les parties immergée et émergée. ● *Ligne de flottaison,* intersection de la surface de l'eau avec la coque d'un navire.

FLOTTANT, E adj. Qui flotte sur un liquide. || Ample, qui ne serre pas : *robe flottante.* || Qui n'est pas nettement fixé, irrésolu, instable : *esprit flottant.* ● *Dette flottante,* portion de la dette publique non consolidée, susceptible d'augmentation ou de diminution journalière. || *Monnaie flottante,* monnaie dont la parité vis-à-vis des autres monnaies n'est pas déterminée par un taux de change fixe. || *Moteur flottant,* moteur d'automobile fixé sur le châssis par des attaches souples. || *Virgule flottante,* mode de représentation d'un nombre dans lequel la position de la virgule n'est pas fixée par rapport à l'une des extrémités du nombre; méthode permettant d'effectuer des opérations arithmétiques sur ce format.

FLOTTARD n. m. Arg. scol. Élève préparant le concours de l'École navale.

FLOTTATION n. f. (angl. *flotation*). Procédé de triage d'un mélange de corps finement broyés, utilisant la différence de tension superficielle d'un corps à l'autre, lorsqu'ils sont dans l'eau.

FLOTTE n. f. (anc. scandin. *flotti*). Ensemble de navires dont les activités sont coordonnées par une même autorité ou opérant dans une zone déterminée. || Ensemble des forces navales d'un pays ou d'une compagnie maritime. || Importante formation d'aviation militaire. || Pop. Eau, pluie.

FLOTTE n. f. Morceau de liège maintenant une ligne ou un filet à fleur d'eau.

FLOTTEMENT n. m. État d'un objet qui flotte. || Mouvement désordonné dans une troupe en marche. || En parlant des roues directrices d'un véhicule, mouvement incontrôlé, répété successivement d'un côté et de l'autre. || Hésitation, incertitude dans les idées, dans les actions de qqn. || Écon. Syn. de FLOTTAISON.

FLOTTER v. i. (de *flot*). Rester en équilibre à la surface d'un liquide. || Avoir de l'ampleur : *son manteau flotte autour de lui.* || Avoir un vêtement trop grand : *il flotte dans son costume.* || Être indécis, irrésolu : *flotter entre l'espérance et la crainte.* || En parlant d'une monnaie, avoir une valeur variable par rapport à l'or ou à une autre monnaie. ◆ v. t. *Flotter du bois,* l'acheminer par flottage. ◆ v. impers. Pop. Pleuvoir.

FLOTTEUR n. m. Professionnel procédant au transport du bois par flottage. || Corps léger flottant sur un liquide : *le flotteur d'une ligne de pêche.* || Organe qui permet à un hydravion de se poser sur l'eau. ● *Flotteur d'alarme,* boule creuse flottant sur l'eau d'une chaudière et actionnant un sifflet quand le niveau baisse.

FLOTTILLE n. f. (esp. *flotilla*). Ensemble de bâtiments ou d'aéronefs ayant une même mission ou un même type d'activité. || Réunion de petits bateaux : *une flottille de pêche.*

FLOU, E adj. (lat. *flavus,* jaune, fané). Fondu, vaporeux, dans la langue artistique : *un dessin flou; des tons flous.* || Qui manque de netteté : *photographie floue, idée floue.* || Cout. Vague, non ajusté : *robe floue.*

FLOU n. m. Cin. et Phot. Diminution de la netteté des images par changement dans la mise au point. || Cout. Spécialité qui a trait à la réalisation de vêtements souples, par oppos. à la technique du tailleur.

FLOUER v. t. Fam. Voler qqn, duper.

FLOURENS (Pierre), physiologiste français (Maureilhan 1794 - Montgeron 1867), auteur de travaux sur le système nerveux et les os.

FLOURENS (Gustave), révolutionnaire français (Paris 1838 - Chatou 1871), fils du précédent. Membre de la Commune de Paris en 1871, il fut tué par les Versaillais.

FLOUVE n. f. Herbe fourragère odorante des bois et des prés. (Famille des graminacées.)

FLUAGE n. m. Déformation lente que subit un matériau soumis à une contrainte permanente.

FLUATATION n. f. Procédé d'imperméabilisation et de durcissement superficiel des bétons.

FLUCTUANT, E adj. Variable.

FLUCTUATION n. f. (lat. *fluctuare,* flotter). Déplacement alternatif dans la masse d'un liquide. || Variation d'une grandeur physique de part et d'autre d'une valeur moyenne. || Variation continuelle, transformation alternative : *fluctuation des prix.*

FLUCTUER v. i. Être fluctuant, changer.

FLUENT, E adj. (lat. *fluere,* couler). Méd. Se dit de lésions ou d'organes qui suintent ou qui coulent. || Qui change sans cesse; mouvant.

FLUET, ETTE adj. (de *flou*). Mince et délicat : *taille fluette.* ● *Voix fluette,* qui manque de force.

FLUIDE adj. (lat. *fluidus*). Se dit des corps (gaz et liquides) qui, n'ayant pas de forme propre, sont déformables sans effort. || Qui coule, s'écoule aisément : *huile très fluide.* || Difficile à fixer, à apprécier : *situation fluide.* || *Circulation fluide,* circulation routière qui se fait sans à-coups, régulièrement.

FLUIDE n. m. Corps fluide. || Énergie mystérieuse que posséderaient certains individus. ● *Mécanique des fluides,* partie de la mécanique qui étudie les fluides considérés comme des milieux continus déformables.

FLUIDIFIANT, E adj. et n. m. Se dit de médicaments qui rendent plus fluides les sécrétions bronchiques.

FLUIDIFIÉ, E adj. Se dit d'un bitume dont on a diminué la consistance par incorporation de produits pétroliers.

FLUIDIFIER v. t. Faire passer à l'état fluide.

FLUIDIQUE adj. Relatif au fluide occulte.

FLUIDIQUE n. f. Technologie utilisant un fluide ainsi que des composants sans pièces mobiles pour réaliser des opérations d'amplification, de commutation, de logique ou de mémoire.

FLUIDITÉ n. f. Caractère de ce qui est fluide. || Écon. Condition d'une concurrence parfaite.

FLUMET (73590), comm. de la Savoie, à 10 km au S.-O. de Megève; 727 hab. Station de sports d'hiver, Flumet-Val d'Arly (alt. 1 000-1 800 m).

FLUOGRAPHIE n. f. Procédé photographique consistant à imprégner le sujet de produits fluorescents qui se fixent dans les creux et qui font ressortir tous les détails de ces derniers.

FLUOR n. m. (mot lat., *écoulement*). Chim. Corps simple gazeux (F), jaune-vert, n° 9, de masse atomique 18,99. (Le plus électronégatif de tous les éléments, il fournit des réactions énergiques.) ● *Spath fluor,* syn. de FLUORINE.

FLUORÉ, E adj. Qui contient du fluor.

FLUORESCÉINE n. f. Matière colorante jaune, à fluorescence verte, tirée de la résine.

FLUORESCENCE n. f. Propriété de certains corps d'émettre de la lumière lorsqu'ils reçoivent un rayonnement, qui peut être invisible (rayons ultraviolets, rayons X, rayons cathodiques).

FLUORESCENT, E adj. Doué de fluorescence. || Produit par la fluorescence.

FLUORHYDRIQUE adj. m. Se dit d'un acide (HF) formé par le fluor et l'hydrogène, employé dans la gravure sur verre.

FLUORINE n. f. Chim. Fluorure naturel de calcium CaF₂, dont les cristaux, jaunes, verts ou violets, se rencontrent associés au quartz ou à la calcite dans la gangue des gîtes minéraux.

FLUORURE n. m. Composé du fluor. || Sel de l'acide fluorhydrique.

FLUOTOURNAGE n. m. Procédé d'usinage par déformation, permettant d'obtenir des pièces creuses de révolution.

FLUSH [flœʃ ou flɔʃ] n. m. (mot angl.) [pl. *flushes*]. Au poker, réunion de cinq cartes, toutes de la même couleur.

FLUTA n. m. Poisson pulmoné d'Asie.

FLÛTE n. f. Instrument de musique à vent et à embouchure, formé d'un tube creux et percé de trous. (On distingue : la *flûte à bec,* tenue droite, de perce conique, en bois, avec une embouchure en forme de bec;

flûte à bec